KB086681

7·9급 공무원 시험대비 **개정판**

박문각
공무원

기 본 서

# 행정학
## 고득점을 위한 필독서

**완벽한 '이해'와 전략적 '정리'**

**빠짐없는 '내용 구성'과 '심화학습'**

**최신 출제경향 완벽 대비**

이명훈 편저

행영상 강의 www.pmg.co.kr

# 이명훈
# 하이패스 행정학 #1

박문각

# 이 책의 **머리말**

2025년 대비 「이명훈 하이패스 행정학」은

첫째, 공공가치론에 해당하는 무어(Moore)의 공공가치창출론 및 공공가치회계와 보즈만(Bozeman)의 공공가치실패론, 최근에 주목받고 있는 리더십이론인 켈리(Kelley)의 팔로워십과 리더 -구성원 교환이론, 웜슬리(Wamsley), 굿셀(Goodsell) 등이 공동선언한 블랙스버그 선언(Blacksburg Manifesto), 테일러(Thaler)의 넛지방식의 정책설계, 호프스테드(Hofstede)의 문화유형론, 피터슨(Peterson)의 도시한계론 등 최근 중시되고 있는 이론들을 이해하기 쉽게 정리하여 소개하거나 기존에 소개된 이론의 부족한 내용을 보완했습니다.

둘째, 신뢰의 유형, 블록체인, 공공기관의 지배구조(주주 자본주의 모델과 이해관계자 자본주의 모델), 다양성 관리, 액션러닝(action learning), 적극행정징계면제제도, 재정준칙, 통합재정, 의무지출과 재량지출 등 최근 강조되고 있는 제도 장치들의 내용을 보완하고 윤석열 정부의 정부조직 개편의 내용을 반영하였습니다.

셋째, 최근 제·개정된 「전자정부법」과 「지능정보화 기본법」, 「공직자윤리법」과 「공직자의 이해충돌 방지법」, 「정부조직법」, 「국가공무원법」 및 「지방공무원법」, 「공무원의 노동조합 설립 및 운영 등에 관한 법률」 및 「공무원직장협의회의 설립·운영에 관한 법률」, 「국가재정법」 및 「지방재정법」, 「지방자치법」과 「지방자치분권 및 지역균형발전에 관한 특별법」, 「비영리민간단체 지원법」 등의 법령들을 자세히 분석하고 정리하였습니다.

넷째, 2024년 7월 이전에 치러진 공무원 행정학 문제까지 교재에 반영하였으며, 최근 출간되거나 개정된 전문서적과 최근 발표된 행정학 논문들을 참조하여 출제가능성 높은 행정학의 핵심주제들을 이해하기 쉽게 정리하였습니다.

## 「이명훈 하이패스 행정학」을 출간하며

공무원 시험과목 개편으로 9급 공무원 시험에서 행정학이 필수과목으로 전환되었고, 7급 공무원 시험에서는 행정학이 합격의 당락(當落)을 가르는 핵심과목이 되었습니다.

공무원 시험과목 개편 이후 행정학은 과거보다 난도(難度) 높은 심화된 내용이 보다 많이 출제되고 있습니다. 이제는 과거처럼 '기출지문의 단순 암기식 학습'으로는 경쟁력을 갖추기 어렵고, 합격을 보장할 수 없습니다. '이해 중심의 심도 있는 학습'만이 합격을 보장해 줄 수 있을 것입니다.

「이명훈 하이패스 행정학」은 이 책을 보는 수험생들의 노력이 합격으로 귀결될 수 있도록 학습효과를 극대화하기 위해 '이해'와 '정리'에 초점을 두고 단편적인 암기가 아닌 '이해 중심의 행정학'을, 얄팍한 지식이 아닌 '깊이 있는 행정학'을, 산만한 지식이 아닌 '전략적 정리가 이루어지는 행정학'을 지향하며 개정 작업을 수행하였습니다.

**이를 위해 「이명훈 하이패스 행정학」은 날개 부분을 다음 세 가지 내용으로 구성하였습니다.**

첫째, 낯설고 어려운 용어를 자세히 설명하여 학습에 도움이 되도록 하였습니다. 날개에 달린 용어 설명을 활용하여 교재를 학습할 경우 이해하기 쉽고 재미있는 행정학이 될 것입니다.

둘째, 본문 내용에 추가하여 심화학습 내용을 정리하였습니다. 날개에 달린 심화학습 내용은 보다 난도 높은 시험을 준비하는 7급 수험생들과 보다 자세한 학습을 원하는 9급 수험생들을 위한 것입니다. 학습의 양을 줄이고 싶은 수험생들의 입장에서는 날개에 있는 심화학습 내용을 제외하고 본문의 내용만 제대로 학습하면 충분히 고득점이 가능할 것입니다.

셋째, 중요한 기출지문을 O, X문제화하여 본문 내용을 학습함과 동시에 관련 문제를 풀어볼 수 있도록 하였습니다. 수록된 기출지문은 자신이 학습한 내용 중 중요한 부분이 무엇인지, 학습한 내용을 제대로 이해했는지를 알 수 있도록 해주는 한편, 객관식 문제 풀이에 적응력을 높여 이 책을 보는 수험생들을 고득점으로 인도할 것입니다. 객관식 행정학은 내용을 이해하는 것뿐만 아니라 문제에 대한 적응력이 너무나 중요하기 때문입니다.

# 이 책의 **머리말**

이 책은 심도 있는 연구 끝에 만들어진 연구서가 아니라 행정학의 여러 이론들과 연구 성과들을 수험에 맞게 정리한 수험서입니다. 이로 인해 많은 연구자들의 논의를 차용했음을 밝히며 감사의 말씀을 전합니다.

또한 저자의 능력 부족으로 계속 늦어지는 교재 작업에도 많은 관심과 지지를 보여 주신 박문각 출판의 김현실 이사님 이하 박문각 출판의 가족들과 교재작업 중 성심성의껏 교정 및 제작 작업을 도와주신 이수연 주임님께 감사를 전합니다. 이 분들의 사랑과 애정으로 이 책은 탄생하였습니다.

무엇보다도 책과 씨름하면서 함께 해주지 못한 나에게 기다림의 미덕뿐만 아니라 오히려 늘 사랑으로 용기를 북돋아 주었던 아내와 나의 삶의 원천인 승아와 유승에게 진심 어린 미안함과 함께 깊은 감사를 전합니다.

마지막으로 이 책을 보는 모든 이들에게 학업적 성취와 합격의 영광이 있기를 기원합니다.

2024년 7월

이명훈

# 이 책의 **특징**

## 1. 논리적 체계를 갖춘 교재

행정학은 그 역사가 짧긴 하지만 논리적 체계를 갖춘 학문입니다. 이러한 체계를 무시하고 각각의 내용을 무조건 암기하려고 하면 그 내용의 방대함으로 인하여 질리고 짜증나는 과목으로 전락할 수밖에 없을 뿐만 아니라, 시험에서 좋은 성적을 얻기도 어렵습니다. 따라서 행정학은 우선 전체를 보고 전체적인 체계하에서 특정 주제(하위체제)의 위치를 파악한 다음 그 주제의 주요 내용을 정리하는 학습이 필요합니다. 이 책은 행정학의 전체적인 체계를 설정하고 큰 체제 하에서 각각의 세부적인 주제들을 세밀히 정리하여 학습효과의 극대화를 추구했습니다.

## 2. 이해 중심의 교재

행정학은 사회과학의 성격을 띠고 있어 동일한 내용을 다른 단어와 문장으로 얼마든지 표현이 가능합니다. 따라서 단순히 특정 주제의 내용을 암기하고 있다고 해서 좋은 점수를 획득하기는 어렵기 때문에 각각의 특정 주제에 대한 명확한 이해가 선행되어야 합니다. 이 책은 행정학의 각종 논의를 수험생들의 이해에 초점을 맞춰 정리했습니다.

## 3. 최신 이론이 명확히 정리된 교재

행정학은 관료를 육성하기 위한 학문입니다. 특히 관료에게 필요한 지식은 지금 현재 행정 현실에서 직면하고 있는 문제가 무엇인지, 그리고 이를 해결하기 위한 방안은 무엇인지를 찾아내는 문제해결능력입니다. 따라서 기출문제를 분석해 보면 많은 문제들이 과거의 행정학적 논의보다는 현대의 행정학적 논의(신공공관리론, 뉴거버넌스론, 신제도주의적 접근, 전자정부론, 성과관리론, 사회적 자본론 등)에 집중되어 있습니다. 이 책은 최근 행정학의 중심적 논의들을 심도 있고 이해하기 쉽게 명확히 정리했습니다.

## 4. 중요 기출문제가 수록된 교재

행정학은 각 주제에 대하여 강약 있는 학습이 필요합니다. 여타 과목처럼 행정학도 각 주제를 평면적으로 동일한 비중을 두어 학습하는 것은 결코 바람직하지 않습니다. 이 책은 어디에 강약을 두어 학습해야 할지를 알려주는 내비게이션 (navigation)으로 중요 기출지문을 ○, × 문제화하여 수록하였습니다.

# 공무원 행정학 **단번에 정복하기**

## 이해가 되어야 암기도 된다!

### 1. 체계적 학습: 숲을 보고 나무를 보자!

행정학은 그 역사가 짧은 학문이지만 논리적인 체계를 지닌 학문입니다. 이러한 체계를 무시하고 각각의 주제의 내용을 무조건 암기하려고 하면 그 내용의 방대함으로 인하여 질리고 짜증나는 과목으로 전락할 수밖에 없습니다. 우선 전체를 보고 전체적인 체계하에서 특정 주제의 위치를 파악한 다음 그 주제의 주요 내용을 정리하는 학습이 필요합니다. 이를 위해서는 한 권의 책을 심혈을 기울여 빠르게 여러 번 반복하여 학습하는 것이 좋습니다.

### 2. 이해 중심 학습: 이해가 중요하다!

행정학은 사회과학의 성격을 띠고 있어 동일한 내용을 다른 단어나 문장으로 얼마든지 표현이 가능합니다. 따라서 단순히 특정 주제의 내용을 암기하고 있다고 해서 좋은 점수를 획득하기 어려우며, 특정 주제에 대한 명확한 이해가 선행되어야 합니다. 그리고 이해가 되어야 암기도 됩니다. 이해가 되지 않았는데도 무조건 암기하려 한다면 시험에서 결코 좋은 점수를 얻기 힘듭니다.

### 3. 비교 중심 학습: 비교 개념을 파악하라!

행정학은 특정 주제를 학습할 때 이와 관련된 비교 개념을 함께 학습하는 것이 무엇보다도 중요합니다. 대부분의 기출문제가 비교를 통해 출제되기 때문입니다. 예컨대 정치행정이원론은 정치행정일원론과 비교하여 출제되고, 신공공관료제는 관료제나 거버넌스론과 비교되어 출제됩니다. 따라서 비교 중심으로 학습하는 것이 필요하며, 이렇게 학습할 때 학습의 내용도 명확해지고 고득점도 가능해집니다.

## 4. 살아 있는 학습: 행정학의 구체적인 내용과 관련 사회문제를 접목시키면서 학습하라!

행정학의 주요 연구 초점은 정부 입장에서 특정 사회문제를 어떻게 해결할 것인가에 대한 진지한 고민입니다. 따라서 모든 행정학 이론은 대부분 그 이론이 전개된 사회의 시대적 상황과 직접적으로 관련이 있습니다. 즉, 시대마다 사회문제는 변화하고 행정학은 변화된 사회문제에 대응하여 정부의 대응방안 및 해결책을 제시합니다. 공무원 또는 공무원 준비생들에게 행정학이 중요한 이유가 바로 여기에 있습니다. 이와 관련하여 행정학을 효율적으로 공부하는 방법은 특정 행정이론과 시대적 상황을 연계한 학습 및 현실 사회문제와 최근 중시되는 행정학의 주요 이슈를 연계시켜 보는 것입니다. 이러한 학습방법이 행정학을 보다 잘 이해하게 함으로써 고득점으로 연결시켜 줍니다.

## 5. 문제 중심 학습: 문제풀이, 특히 기출문제 풀이는 반드시 거쳐야 할 과정이다!

객관식 시험을 준비하는 데 있어 가장 중요한 것은 반드시 스스로 객관식 문제를 풀어봐야 한다는 점입니다. 특정 교재의 내용을 학습하는 데 지나친 시간을 할애하는 것보다는 자신의 공부 시간 중 60%는 내용의 학습에, 40%는 문제풀이에 투자해야 합니다. 이렇게 학습해야 하는 이유는 방대한 행정학의 내용 중 어느 부분을 중점적으로 학습해야 하는지 알 수 있을 뿐더러 시험장에서의 실수를 최소한으로 막아줄 수 있기 때문입니다. 특히 기출문제는 실제 시험이 어떻게 출제되는가를 알려주는 매우 중요한 정보이므로, 반드시 스스로 풀어보고 어떤 부분이 부족한지를 살펴 그 부분에 집중 투자하는 학습전략이 필요합니다.

# CONTENTS

## 이 책의 **차례**

**1권**

# CONTENTS

이 책의 **차례**

# 이명훈 하이패스 행정학

# 행정학총론

**CHAPTER**

# 01 행정학의 기초

## 제 1 절 행정의 개념

### 01 행정개념의 일반적 고찰

#### 1. 행정개념의 다양성

행정은 그 성격의 불분명성과 그 범위의 다차원성으로 인하여 단일의 행정개념을 도출하기 곤란하다. 그럼에도 행정개념은 적용범위와 관련하여 '광의의 행정개념'과 '협의의 행정개념'으로 구분할 수 있으며, 최근에는 '거버넌스 관점에서의 행정개념'이 중시되고 있다.

#### 2. 광의의 행정개념과 협의의 행정개념

##### (1) 광의의 행정개념(넓은 의미의 행정개념)

조직 관리에 초점을 둔 행정개념으로 행정을 "고도의 합리성✛을 수반한 협동적 인간 노력의 한 형태"로 정의한다. 이 행정개념은 합리적인 조직 관리와 인간 협동의 측면에 초점이 있다는 점에서 정부뿐만 아니라 공공단체, 기업체, 민간단체 등을 포함한 모든 조직 활동에 보편적으로 적용할 수 있다. 따라서 공적 목적을 추구하는 공(公)행정과 사적 목적을 추구하는 사(私)행정 모두를 포함한다.

##### (2) 협의의 행정개념(좁은 의미의 행정개념)

정부 관료제의 활동에 초점을 둔 행정개념으로 행정을 "공익목적 달성을 위한 정부관료제의 활동"으로 정의한다. 이 행정개념은 목적은 '공익'에, 주체와 활동은 '정부관료제(행정부의 조직과 공무원)의 활동'에 초점이 있다는 점에서 공적 목적을 추구하는 공(公)행정만을 의미한다.

#### 3. 현대적 의미의 행정개념(거버넌스로서의 행정개념)

##### (1) 의 의
① 현대적 의미의 행정은 공공문제의 해결과 공공서비스 생산·분배에 있어서 다양한 공·사조직들의 연결 네트워크✛를 강조하는데 이를 '거버넌스로서의 행정'이라고 한다.
② 거버넌스로서의 행정은 "공익 목적 달성을 위한 공공문제의 해결 및 공공서비스의 생산·분배와 관련된 정부의 제반 활동 및 상호작용(국가·시장·시민사회의 연결 네트워크를 통한 협력)"으로 정의된다.

---

✛ 합리성
목표달성을 위하여 바람직한 수단을 선택하는 것과 관련된 개념

**O·X 문제**

1. 넓은 의미의 행정은 협동적 인간 노력의 형태로서 정부조직을 포함하는 대규모 조직에서 보편적으로 나타난다. ( )

2. 좁은 의미의 행정은 행정부 조직이 행하는 공공목적의 달성을 위한 제반 노력을 의미한다. ( )

3. 행정은 최협의적으로는 행정부의 조직과 공무원의 활동에 대한 것이다. ( )

✛ 네트워크와 정책네트워크

| 네트워크 | 행위자들로 이루어진 집합체 |
|---|---|
| 정책 네트워크 | 특정 정책에 참여하는 행위자들의 집합체 |

O·X 정답 1. ○ 2. ○ 3. ○

## (2) 특 징

① **공공문제 해결을 통한 공익 지향**: 행정은 국방, 치안, 교육 등 공공문제에 대한 공공욕구를 충족시켜 국민의 삶의 질(공익)을 증대시키는 역할을 한다.

② **공공서비스의 생산·분배**: 행정은 정책의 형성 및 집행, 행정기관의 내부관리, 네트워크 구축 및 관리 등을 통해 공공서비스를 생산·분배하는 활동을 한다.

③ **상호작용**: 행정은 공공서비스의 생산·분배나 공공문제 해결을 정부가 독점하지 않고 공공기관 또는 민간부문(기업 및 NGO)과의 협력적 관계를 통해 행한다.

④ **정치과정과 연계**: 행정은 국민의 의견을 존중하고 국민에 대해 책임을 진다는 점에서 민주적인 정치과정과 연계되어 있다.

## 02 행정개념의 학문적 고찰

### 1. 행정개념의 학문적 흐름

행정개념은 두 가지의 다른 연원과 지적 전통을 배경으로 형성·발전하였다. 하나는 유럽에서 발달한 '행정법학적 행정개념'이다. 이 개념은 근대입법국가와 함께 등장하였으며, 권력분립과 법치주의를 이론적 배경으로 입법·사법과 대립되는 관점에서 성립·발전하였다. 또 다른 하나는 미국에서 발달한 '행정학적 행정개념'이다. 이 개념은 행정국가의 대두와 함께 1887년 발간된 윌슨(W. Wilson)의 「행정의 연구」에서부터 시작되었으며, 정치·경영과의 관계에서 행정이 수행하는 활동을 중심으로 성립·발전하였다.

### 2. 행정법학적 행정개념

#### (1) 의 의

행정법학적 행정개념은 '실질적 의미의 행정개념'과 '형식적 의미의 행정개념'으로 구분된다. '실질적 의미의 행정개념'은 입법·사법·행정의 성질을 기준으로 행정개념을 파악하는데, 행정의 성질이 입법·사법의 성질과 구별 가능하다고 보는지 여부에 따라 '구별긍정설'과 '구별부정설'로 구분된다. 반면, '형식적 의미의 행정개념'은 행정부의 제도상(법제상) 권한을 기준으로 행정개념을 파악하는데, 이 개념에 의하면 행정은 실정법상 행정부에게 부여된 모든 권한과 작용을 의미한다.

#### (2) 평가 – 현대 행정국가의 행정현상과 부적합

행정법학적 행정개념은 견제와 균형에 입각한 엄격한 권력분립을 전제로 행정을 단순한 법령 구체화 수단 또는 관리 및 집행 작용으로만 인식하고 있다. 따라서 고도의 정책결정 기능을 수행하는 오늘날 현대 행정국가의 행정현상과 부합하지 못한다.

---

**O·X 문제**

1. 행정은 정치과정과는 분리된 정부의 활동으로 공공서비스의 생산 및 공급, 분배에 관련된 모든 활동을 의미한다. ( )

2. 21세기 거버넌스 시대로 오면서 중요하게 부각된 행정의 특징은 상호 연계성이다. ( )

3. 행정의 활동은 정치권력을 배경으로 공공서비스의 생산 및 공급을 정부가 독점한다. ( )

**심화학습**

행정법학적 행정개념 중 '실질적 의미의 행정개념'

| | | | |
|---|---|---|---|
| 구별긍정설 | 소극설 | 공제설 | 행정이란 입법과 사법을 제외한 일체의 국가작용(Jellinek) |
| | 적극설 | 국가목적실현설 | 행정이란 법질서 하에서 국가목적을 달성하기 위한 작용(Mayer) |
| | | 양태설 | 행정이란 법의 규제를 받으면서 국가목적의 적극적 실현을 위해 행해지는 전체로서 통일성을 지니는 계속적·형성적 활동(Fleiner) |
| 구별부정설 | 법함수설 | 법단계설 | 입법·사법·행정은 모두 헌법의 집행기능이라는 점에서 차이가 없으며, 입법은 헌법의 직접적 집행을, 행정과 사법은 헌법의 간접적 집행을 수행한다(Kelsen). |
| | | 기관양태설 | 입법·사법·행정은 성질상 차이가 없으며, 담당조직의 형태에만 차이가 있다(입법–합의체, 사법–독립체, 행정–계층제)(Merkl). |

O·X 정답 1. ✕ 2. ○ 3. ✕

**+ 엽관주의와 실적주의**

| 엽관<br>주의 | 정당에의 충성도에 따른 관직<br>임용 |
|---|---|
| 실적<br>주의 | 공개경쟁채용시험 등을 통해<br>파악된 개인의 실적이나 능력<br>에 따른 관직임용 |

**+ 과학적 관리론**
조직의 능률성을 제고하기 위해 시간
연구와 동작연구를 통해 조직의 분업
화·표준화를 추구했던 사기업체의
관리기법

**O·X 문제**

1. 윌슨(Wilson)은 「행정의 연구」에서
정치와 행정의 유사성에 초점을 두
고 정부가 수행하는 업무들을 과학
적으로 연구해야 한다고 주장하였다.
( )

2. 굿노우(Goodnow)는 「정치와 행정」
에서 국가의 의지를 표명하고 정책
을 구현하는 것이 정치이며, 이를
실행하는 것이 행정이라고 규정하
였다. ( )

**심화학습**

**화이트와 귤릭의 행정관**

| 화이트<br>(White) | 「행정학 입문」(1926)에서<br>정치행정이원론을 주장<br>하였으나, 1940년대 후반<br>정치행정일원론으로 입<br>장 변경 |
|---|---|
| 귤릭<br>(Gulick) | • 다수 견해 : 행정관리<br>설론자로 정행이원론<br>자라는 시각<br>• 일부 견해 : '정치를 정<br>부의 정책결정으로 본<br>다면 정치를 행정에서<br>배제할 수 없고, 행정을<br>정치에서 배제할 수도<br>없다.'고 주장했다는 점<br>에서 정행일원론자라<br>는 시각 |

**+ 경제대공황(1929)**

| 발생 | 제1차 세계대전(1914~18) 이<br>후 1920년대 미국은 전쟁특수<br>로 초호황기를 맞았으나 주식<br>시장의 비정상적 과열로 인한<br>주식폭락으로 대량실업과 장<br>기불황이 야기되었고, 그 여파<br>가 전 세계적 불황을 가져왔으<br>며 제2차 세계대전(1939~45)<br>발발 전까지 지속되었다. |
|---|---|
| 결과 | 대공황은 자유방임형 시장경<br>제의 위험성을 지각시킨 중대<br>한 사건이었으며, 이후 세계<br>각국은 케인즈 경제학에 의한<br>정부의 시장 개입 정책을 중시<br>하게 되었다(수정자본주의). |

**O·X 정답** 1. × 2. ○

## 3. 행정학적 행정개념

(1) 행정관리설(기술적 행정학, 1880년대)

① **성립 배경 – 엽관주의 폐해 극복 및 실적주의 확립** : 행정학 성립 이전 미국의 인사제도인
엽관주의⁺가 행정의 부패·부조리 및 비전문성으로 비능률을 야기함에 따라 이를 극
복하기 위한 실적주의⁺ 인사제도 확립과정에서 등장하였다.

② **정치와 행정 – 정치행정이원론** : 정당(당파)정치에 입각한 엽관주의의 폐단을 극복하기
위해 정치로부터 행정을 분리하고 정치는 정책결정을, 행정은 정책집행을 담당한다고
보았다는 점에서 정치행정이원론이다.

③ **행정과 경영 – 공사행정일원론** : 행정을 조직내부관리로 한정하고, 그때 당시 사기업체에
서 발달한 능률적인 조직내부관리기법인 과학적 관리론⁺을 도입하고자 하였다는 점에
서 공사행정일원론이다.

④ **행정의 개념** : 행정이란 "이미 형성된 정책(법)을 능률적으로 집행하기 위한 인적·물
적 자원의 관리기술체계"라고 정의하였다. 이 이론은 행정의 '관리기술적 성격'을 강조
한다는 점에서 '기술적 행정학' 또는 '관리과학으로서 행정학'이라고 불린다.

⑤ **대표학자**

㉠ **윌슨(W. Wilson)** : 「행정의 연구」(1887)라는 논문을 통해 정치학에 포함된 분과학문
에 불과하였던 행정학을 최초로 독자적인 하나의 학문체계로 성립시켰다. 이 논문
에 의하면 "행정이란 사무의 분야이며, 정치분야에서 형성된 법과 정책을 구체적인
상황에 적용하고 관리하는 과정"이다.

㉡ **굿노우(F. Goodnow)** : 「정치와 행정」(1900)에서 "정치는 국가 의지를 표명하고 정
책을 구현하는 것이고, 행정은 이를 실천하는 것"이라고 주장하면서 정치와 행정의
구분을 체계화하였다.

㉢ **화이트(L. D. White)** : 최초의 행정학 교과서인 「행정학 입문」(1926)을 저술하였으며,
"행정을 국가목적 달성을 위하여 사람과 물자를 관리하는 작용"으로 인식하였다.

㉣ **윌러비(W. F. Willouhby)** : 「행정의 원리」(1927)에서 "행정은 정치와는 다른 순수한
기술적 과정이며, 공사행정은 본질적 차이가 없다."고 주장하였다.

㉤ **귤릭(Gulick) & 어윅(Urwick)** : 행정관리론(원리주의적 접근)의 대표적인 학자들로 "행
정의 제1의 공리는 능률"이라고 주장하고, 최고관리자의 기능으로 POSDCoRB를 제
시하였다.

(2) 통치기능설(기능적 행정학, 1930년대)

① **성립 배경 – 경제대공황과 세계대전 등** : 1930년대 경제대공황⁺ 및 제1·2차 세계대전
등의 사회문제를 해결하기 위한 행정의 역할이 중시되는 과정에서 등장하였다.

② **정치와 행정 – 정치행정일원론** : 원래 정치가 담당하였던 정책형성을 행정도 담당한다고
보아 정치와 행정의 상호보완 및 연계를 강조했다는 점에서 정치행정일원론이다.

③ **행정과 경영 – 공사행정이원론** : 행정의 정책형성기능을 강조한 반면, 집행과 관련된 조직
내부의 관리기술성을 경시했다는 점에서 공사행정이원론이다.

④ **행정의 개념** : 행정이 정책집행뿐만 아니라 정책형성도 수행하는 것으로 보면서 행정이
란 "정책형성"이라고 정의하였다. 이 이론은 행정의 주요 역할을 정책형성 '기능'으로
보았다는 점에서 '기능적 행정학'이라고도 불린다.

⑤ 대표학자

　㉠ 애플비(Appleby) : 「정책과 행정」, 「거대한 민주주의」에서 "행정은 정책형성"이라고 하면서 정치와 행정의 정합·연속·순환적 결합관계를 강조하였다.

　㉡ 디목(Dimock) : 「현대정치와 행정」에서 "통치는 정치(정책형성)와 행정(정책집행)으로 구성되며, 양자는 상호협조의 과정"이라고 주장하였다. 특히, 디목은 기계적 능률을 강조하는 행정관리설에 반발하여 사회적 능률의 개념을 제시하였다.

📁 기술적 행정학과 기능적 행정학의 비교

| 구 분 | 기술적 행정학 | 기능적 행정학 |
|---|---|---|
| 관련 이론 | 행정관리설 | 통치기능설 |
| 입 장 | 정치행정이원론, 공사행정일원론 | 정치행정일원론, 공사행정이원론 |
| 행정개념 | 능률적 집행 | 정책형성 |
| 능 률 | 기계적 능률✛ | 사회적(규범적) 능률✛ |
| 내 용 | 행정의 관리기술성 중시 | 행정의 정치적 성격 중시 |
| 학 자 | Wilson, Goodnow, Gulick & Urwick 등 | Appleby, Dimock 등 |

(3) 행정행태설(1940년대)

① 성립 배경 – 행정학 연구와 과학화 : 행정관리설에서 주장하는 조직의 원리가 엄밀한 과학적 검증을 거치지 못한 격언에 불과하다고 비판하고 행정학 연구의 과학화✛를 주창하면서 등장하였다.

② 정치와 행정 – 정치행정새이원론 : 행정현상을 가치와 사실✛로 구분하고 과학적 검증이 불가능한 가치판단(목표설정)은 정치영역으로, 과학적 검증이 가능한 사실판단(수단선택)은 행정영역으로 구분했다는 점에서 정치행정새이원론이다.

③ 행정과 경영 – 공사행정새일원론 : 공사행정 모두에 적용 가능한 일반법칙적 연구를 지향했다는 점에서 공사행정새일원론이다.

④ 행정의 개념 : 행정이란 "가치가 배제된 사실 중심의 집단적·협동적 의사결정과정"이라고 정의하였다.

⑤ 대표학자 : 버나드(Barnard), 사이먼(Simon) 등이 있다. 특히, 사이먼이 행정행태설을 체계화하였다.

📝 **핵심정리 | 정치행정이원론과 정치행정새이원론의 비교**

1. **행정관리설**(정치행정이원론) : 정치와 행정을 구분하고 정치는 정책결정을, 행정은 정책집행을 담당한다고 보아 행정의 정책결정기능을 부인하였다.

2. **행정행태설**(정치행정새이원론) : 행정을 '집단적 의사(정책)결정과정'으로 인식함으로써 행정의 정책결정기능(정치적 성격)을 인정하였다. 다만, 행정연구의 과학화를 위해 가치(목표)와 사실(수단)을 구분하고 검증 가능한 사실에 대한 의사결정(수단선택)만을 행정의 연구대상으로 삼았다(가치사실구분론).

---

**(4) 발전기능설(1950년대 후반)**

① **성립 배경 – 저개발국가의 발전**: 저개발국가의 국가발전을 위한 행정의 능동적이고 적극적인 역할이 강조되는 과정에서 등장하였다.

② **정치와 행정 – 정치행정새일원론**: 저개발국가의 발전을 위하여 행정의 적극적인 정책형성기능을 강조했다는 점에서 정치행정새일원론이다.

③ **행정과 경영 – 공사행정새이원론**: 국가발전을 위한 행정의 정책형성기능을 강조한 반면, 집행과 관련된 조직 내부의 관리기술성을 경시했다는 점에서 공사행정새이원론이다.

④ **행정의 개념**: 행정이란 "국가발전을 위한 정책형성(목표설정과 수단선택) 및 집행과정"이라고 정의하였다.

⑤ **대표학자**: 에스먼(Esman), 와이드너(Weidner) 등이 있다.

📋 **핵심정리 | 통치기능설과 발전기능설의 비교**

1. **공통점**: 행정의 정책형성기능을 강조한다는 점에서 두 이론 모두 기본적 입장을 같이한다(정행일원론적 입장).
2. **차이점**: 통치기능설은 전통적인 민주주의 이론에 입각하여 정치와 행정의 협력적 관계를 중시(정치우위적 정행일원론)하였다면, 발전기능설은 정치를 배제하고 행정에 의한 정치의 지배하에 행정이 정책형성을 주도(행정우위적 정행일원론)하였다.

**(5) 정책화기능설(1960년대 후반)**

① **성립 배경 – 사회문제 해결**: 월남전 패망, 워터게이트(Watergate) 사건, 신구갈등, 흑인폭동 등 격동기 미국의 급박한 사회문제를 해결하기 위한 행정의 능동적이고 적극적인 역할이 강조되는 과정에서 등장하였다.

② **정치와 행정 – 정치행정새일원론**: 행정을 정책형성을 담당하는 정치과정의 일부로 인식한다는 점에서 정치행정새일원론이다.

③ **행정과 경영 – 공사행정새이원론**: 행정의 정책형성기능을 강조한 반면, 집행과 관련된 조직 내부의 관리기술성을 경시했다는 점에서 공사행정새이원론이다.

④ **행정의 개념**: 행정이란 "사회문제 해결을 위한 공공정책의 형성 및 집행과정"이라고 정의하고 행정의 정책지향성 및 가치지향성을 강조하였다.

⑤ **대표학자**: 이스턴(Easton) 등의 후기행태론자들과 왈도(Waldo) 등의 신행정론자들이 이에 속한다.

**(6) 신공공관리론(1980년대)**

① **성립 배경 – 정부실패**: 1970년대 말 제1·2차 오일쇼크 등으로 인하여 팽창일로의 행정국가는 정부실패를 경험하게 되었는데, 이를 극복하기 위한 행정개혁운동의 일환으로 등장하였다.

② **정치와 행정 – 정치행정이원론적 시각**: 정책결정과 집행을 구분하고, 집행부문에 대하여 중앙의 정치적 개입을 줄이고 민간으로의 권한이전 및 효율적인 경영관리기법의 도입을 강조한다는 점에서 정치행정이원론적 시각이다.

③ **행정과 경영 – 공사행정일원론적 시각**: 정부기능의 일부를 시장으로 이전하려 할 뿐만 아니라 정부조직 내부에 민간(시장)의 경영관리기법 도입을 강조한다는 점에서 공사행정일원론적 시각이다.

④ 행정의 개념: 행정이란 "신관리주의(정부조직 내부에 경영관리기법의 도입을 강조하는 주장)와 시장주의(정부보다는 시장이 사회문제해결에 보다 효율적이라는 주장)에 입각한 새로운 공공관리"라고 정의하였다.

⑤ 대표학자: 「정부재창조론」에서 기업가적 정부를 주창했던 오스본과 게블러(Osborne & Gaebler)가 대표적인 학자이다.

(7) 뉴거버넌스론(1990년대)

① 성립 배경 – 정부실패와 시장실패: 신공공관리론이 정부실패의 문제를 시장실패의 위험성이 있는 신관리주의와 시장주의에 의해 해결하려 한다는 점을 비판하고 등장하였다.

② 정치와 행정 – 정치행정일원론적 시각: 정책결정과 집행을 구분하지 않고, 국가·시장·시민사회의 협력을 통한 정책결정 및 집행을 강조한다는 점에서 정치행정일원론적 시각이다.

③ 행정과 경영 – 공사행정일원론적 시각: 행정에 기업의 참여 및 경영관리기법의 도입을 인정한다는 점에서 공사행정일원론적 시각이다.

④ 행정의 개념: 행정이란 "국가·시장·시민사회의 협력(상호작용)을 통한 공공문제의 해결 및 공공서비스의 생산·분배와 관련된 제반활동"이라고 정의하였다.

⑤ 대표학자: 피터스(Peters), 로즈(Rhodes) 등이 있다.

📁 행정학적 행정개념의 정리

| 구 분 | 행정관리설<br>(기술적 행정학) | 통치기능설<br>(기능적 행정학) | 행정행태설 |
|---|---|---|---|
| 시 대 | 1880년대 | 1930년대 | 1940년대 |
| 성립 배경 | 엽관주의의 폐해 극복 | 대공황, 세계대전의 극복 | 행정학의 과학화 추구 |
| 정치·행정 | 정치행정이원론 | 정치행정일원론 | 정치행정새이원론 |
| 행정·경영 | 공사행정일원론 | 공사행정이원론 | 공사행정새일원론 |
| 학 자 | Wilson, Gulick & Urwick 등 | Appleby, Dimock 등 | Barnard, Simon 등 |
| 행정의 개념 | 형성된 정책을 능률적으로 집행하기 위한 인적·물적 자원의 관리기술체계 | 사회문제를 해결하기 위한 정책형성 | 가치가 배제된 사실 중심의 집단적·협동적 의사결정과정 |

| 구 분 | 발전기능설<br>(발전행정론) | 정책화기능설<br>(신행정론) | 신공공관리설<br>(NPM) | 신국정관리설<br>(뉴거버넌스론) |
|---|---|---|---|---|
| 시 대 | 1950년대 | 1960년대 | 1980년대 | 1990년대 |
| 성립 배경 | 개발도상국의 압축 성장 | 선진국의 급박한 사회문제 해결 | 정부실패 | 정부실패와 시장실패의 우려 |
| 정치·행정 | 정치행정새일원론 | 정치행정새일원론 | 이원론적 시각 | 일원론적 시각 |
| 행정·경영 | 공사행정새이원론 | 공사행정새이원론 | 일원론적 시각 | 일원론적 시각 |
| 학 자 | Esman, Weidner 등 | Easton, Waldo 등 | Osborne & Gaebler 등 | Peters, Rhodes 등 |
| 행정의 개념 | 국가발전을 위한 공공정책의 형성 및 집행과정 | 급박한 사회문제 해결을 위한 공공정책의 형성 및 집행과정 | 신관리주의와 시장주의에 입각한 공공관리 | 국가·시장·시민사회의 협력 및 상호작용을 통한 공공관리 |

## 제 2 절 │ 정치와 행정, 행정과 경영, 법과 행정

### 01 정치와 행정

#### 1. 의 의

행정의 관점에서 볼 때 정치는 행정에 강력한 영향을 주는 핵심적이고 중요한 환경요소이다. 행정학 성립 이후 정치와 행정의 관계는 행정학의 가장 중요하고 본질적인 문제였으며, 정치와 행정의 관계를 어떻게 설정하느냐에 따라 행정의 실체와 역할이 달라져 왔다.

#### 2. 정치와 행정의 개념

(1) 정치행정이원론에서의 정치와 행정(전통적 시각)

정치와 행정을 구분하는 전통적 시각에 의할 때 정치는 입법부를 중심으로 국민의 의사를 수렴하여 민주적으로 국가의 목표를 설정하거나, 법률의 형식을 통해 정책을 결정하는 '가치개입적 행위'이다. 반면, 행정은 행정부를 중심으로 전문지식에 입각하여 효율적인 수단을 모색하거나, 결정된 정책을 효율적으로 집행에 옮기는 '가치중립적 행위'이다.

(2) 정치행정일원론에서의 정치와 행정(현대적 시각)

정치와 행정의 불가분적 관계를 인정하는 정치행정일원론에서는 행정 역시 정치적 기능을 수행한다고 본다. 따라서 정치와 행정은 근본적 차이가 없다. 여기에서 행정의 정치적 기능이란 행정의 정책형성기능(목표설정, 정책결정, 가치판단 등)을 의미한다.

#### 3. 이론적 측면에서 정치와 행정의 관계 변천

(1) 행정학의 성립과 정치행정이원론

① 의의: 정치는 입법부의 영역으로 법률의 형식을 통해 정책을 결정하는 과정으로, 행정은 행정부의 영역으로 결정된 정책을 단순히 집행하는 과정으로 인식하였다. 즉, 행정의 정치적 기능을 부인하고(행정의 탈정치화), '결정된 정책을 능률적으로 집행하기 위한 순수한 관리·기술적 현상'으로 보았다.

② 성립 배경

㉠ 엽관주의의 폐해 극복 및 실적주의의 확립: 정당에의 충성도에 따라 공무원을 임용했던 엽관제의 폐해(부패, 비능률)를 극복하기 위해 공무원 제도 개혁을 통한 실적주의가 확립되면서 정치로부터 행정이 분리되었다.

㉡ 행정국가화 현상✛: 산업혁명을 계기로 야기된 다양한 사회문제로 인해 행정이 전문화·복잡화됨에 따라 정당원이 아닌 전문행정가에 의한 행정이 요구되면서 정치행정이원론이 대두되었다.

㉢ 유럽 학문의 영향: 정치학으로부터 행정학을 분리하여 독자적인 학문으로 구축하고자 했던 윌슨(W. Wilson)은 영국의 대의제와 독일의 관료제 등 선진 유럽의 정치행정 체제를 연구하여 「행정의 연구」(1887)라는 논문을 저술하였고 이에 영향을 받았다.

② 과학적 관리론의 영향: 사기업에서 큰 성과를 거둔 테일러(F. Taylor)의 과학적 관리론의 영향으로 행정을 정치로부터 분리된 비정치적·관리적 현상으로 이해하게 되었다.

⑰ 진보주의 개혁 운동의 영향: 엽관주의에 의한 부패로 인해 정치·경제·사회적 불평등이 심화됨에 따라 사회적 형평을 추구하는 진보주의 운동[+]이 전개되었으며 이에 영향을 받았다.

ⓑ 시정개혁운동 및 절약과 능률에 관한 대통령위원회(Taft위원회)의 영향: 1870년대부터 시작된 시정개혁운동과 태프트(Taft)위원회 및 전국공무원제도개혁 연맹의 노력이 행정학의 탄생과 성장을 촉진하는 데 기여하였다. 특히, 태프트위원회는 테일러의 과학적 관리론을 정부에 적용하여 과학적 연구를 통한 능률과 절약의 실천방안을 제시하였다.

③ 특징
  ㉠ 기술적 행정학: 행정을 능률적인 집행을 위한 사람과 물자의 관리기술로 인식하였다는 점에서 기술적 행정학이라 불린다.
  ㉡ 기계적 능률성 중시: 부패와 비능률을 극복하기 위해 능률을 제1의 공리로 삼았다.
  ㉢ 원리접근법 중시: 행정의 능률성 제고를 위해 공식적 구조와 조직의 원리를 중시하였다.
  ㉣ 규범적·처방적 이론: 정당(당파)정치로부터 벗어나 중립적이고 능률적인 행정을 구축하기 위한 방안을 제시하고 있다는 점에서 규범적·처방적 이론이다.

④ 공헌과 한계

| 공 헌 | 한 계 |
| --- | --- |
| • 행정학의 독자성 확보에 기여<br>• 실적주의 확립의 이론적 기초 제공<br>• 행정의 능률성 확보에 기여 | • 행정의 정책형성기능이 강조되는 행정국가화 현상과 불일치<br>• 환경을 고려하지 않는 폐쇄체제 |

⑤ 관련 이론: 행정관리설[과학적 관리론, 관료제론, 행정관리론(원리주의)] 등이 있다.

(2) 행정기능의 확장과 정치행정일원론
  ① 의의: 정치와 행정의 불가분성·연속성을 강조하면서 행정을 '사회문제를 해결하기 위해 정치적 기능(정책형성기능)을 수행하는 활동'으로 보았다.
  ② 성립 배경 – 행정국가화 현상의 심화
    ㉠ 경제대공황 등 시장실패 극복: 대공황, 빈부격차 심화 등 시장실패로 인해 행정의 적극적인 정책형성기능이 강조되었다(뉴딜정책, 위대한 사회건설 정책 등).
    ㉡ 행정국가화 현상과 위임입법의 증가: 행정의 전문성·복잡성 증가로 세부적이고 구체적인 정책결정을 행정부에 맡기는 위임입법이 증가하였다.
  ③ 특징
    ㉠ 기능적 행정학: 사회문제 해결을 위한 행정의 정책형성 '기능'을 중시하였다는 점에서 기능적 행정학이라 불린다.

**＋ 진보주의 운동**

| 배경 | 1880년대 미국은 자유방임주의 국가로 자본과 노동 간에 빈부격차가 심화되었고 엽관제에 의한 부패가 극심하였다. |
| --- | --- |
| 방안 | 당시 윌슨 등 진보주의 운동가들은 인사제도의 개혁(실적주의 확립)과 정치행정이원론(정치와 행정을 분리하여 정치는 시민참여를 보장하고, 행정은 능률성 위주의 업무전문화를 추구)을 통해 문제를 해결하고자 하였다. |

**O·X 문제**

1. 정치행정이원론은 과학적 관리론의 영향을 받아 행정을 비정치적 관리현상으로 이해한다.　(　)
2. 19세기 이후 엽관제의 비효율 극복을 위해 제퍼슨 – 잭슨 철학에 입각한 진보주의 운동과 행정의 탈정치화를 강조한 정치행정이원론이 전개되었다.　(　)
3. 과학적 관리론과 행정개혁운동은 정치행정이원론의 한계를 지적하였다.　(　)

**O·X 문제**

4. 정치행정일원론은 행정국가의 등장과 연관성이 깊다.　(　)
5. 1930년대 뉴딜정책은 정치행정이원론이 등장하게 된 중요 배경이다.　(　)
6. 정치행정일원론은 대공황 이후 각종 사회문제를 해결하기 위해서 행정의 정책결정·형성 및 준입법적 기능수행을 정당화하였다.　(　)
7. 정치행정일원론에 의하면 공공조직의 관리자들은 정책을 구체화하면서 정책결정 기능을 수행한다.　(　)

O·X 정답 ) 1. ○　2. ×　3. ×　4. ○
　　　　　5. ×　6. ○　7. ○

　　　㉡ **사회적 능률성 중시**: 조직 내적 측면에서 강조되었던 기계적 능률성이 노동자의 비인간화를 초래하여 노동조합의 강력한 저항에 부딪치게 되자 민주성이 고려된 사회적 능률성을 중시하였다.

　　　㉢ **규범적·처방적 이론**: 사회문제 해결을 위한 방안을 제시하고 있다는 점에서 규범적·처방적 이론이다.

　④ **공헌과 한계**

| 공 헌 | 한 계 |
|---|---|
| • 행정의 사회문제 해결능력 중시<br>• 민주행정 구현에 기여<br>• 행정의 영향력 범위 증대 | • 정치와 행정의 구분 모호성으로 인한 행정의 정체성 위기 초래<br>• 행정의 관리기술적 성격 경시 |

　⑤ **관련 이론**: 통치기능설

(3) **행정학 연구의 과학화와 정치행정새이원론**

　① **의의**: 행정학 연구의 과학화를 위해 가치와 사실을 구분하고 정치는 과학적 검증이 불가능한 가치(목표설정)의 영역으로, 행정은 과학적 검증이 가능한 사실(수단선택)의 영역으로 인식하였다. 즉, 행정을 '가치가 배제된 사실 중심의 집단적 의사결정과정'으로 보았다.

　② **성립 배경 – 행정학 연구의 과학화**: 행정학 연구의 과학화를 위해 행정의 연구영역을 검증이 가능한 사실에 국한하고, 사실에 대한 경험적 검증을 통해 인과적 이론을 구축하기 위해 대두되었다.

　③ **특 징**

　　　㉠ **행정의 정책결정기능 인정**: 행정의 사실판단(수단선택)에 대한 정책결정기능을 강조하였다.

　　　㉡ **실증적·경험적 이론**: 사실에 대한 과학적 검증을 중시하는 실증적·경험적 이론이다.

　④ **관련 이론**: 행정행태설

(4) **발전행정론·신행정론과 정치행정새일원론**

　① **발전행정론**: 1950년대 대두된 발전행정론은 저개발 국가의 국가발전을 위해 행정이 적극적으로 정책을 형성해야 한다고 보았다는 점에서 정치행정일원론에 해당한다.

　② **신행정론**: 1960년대 대두된 신행정론은 서구 선진국의 당면한 사회문제를 해결하기 위해 행정이 적극적으로 정책을 형성해야 한다고 보았다는 점에서 정치행정일원론에 해당한다.

(5) **신공공관리론과 (뉴)거버넌스론**

　① **신공공관리론**: 정책과 집행을 구분하고, 집행부문에 대하여 중앙의 정치적 개입을 줄이고 민간으로의 권한이전 및 효율적인 경영관리기법의 도입을 강조한다는 점에서 정치행정이원론에 해당한다.

　② **(뉴)거버넌스론**: 정책과 집행을 구분하지 않고, 국가·시장·시민사회의 협력 및 상호작용을 통한 정책결정과 집행을 강조한다는 점에서 정치행정일원론에 해당한다.

## 4. 현실적 측면에서 정치와 행정의 관계

### (1) 보편성 측면에서 정치와 행정

현대 사회에서 정치와 행정은 정책형성과정에서 긴밀하게 협동하고 상호 침투하는 혼합형의 관계를 형성하고 있다(정치행정일원론). 그러나 현대에도 정치와 행정의 구분 필요성이 있다면 정치(의회)가 대리인인 행정(공무원)의 기회주의적 행동을 통제하여 행정책임을 확보하기 위한 것이다.

### (2) 우리나라에서 정치와 행정

우리나라는 과거 발전행정론에 근거하여 행정부가 의회의 적절한 통제를 받지 않고 고도의 정치적 기능을 수행해 왔다는 점에서 행정우위적 정치행정일원론을 형성하고 있었다. 그러나 최근에는 행정의 정치화와 정치의 행정화가 적정한 범위 내에서 한정적으로 이루어지도록 하기 위한 노력이 꾸준히 진행되고 있다.

## 02 행정과 경영

### 1. 의 의

조직 관리에 초점을 둔 '광의의 행정개념'에 의하면 "행정은 고도의 합리성을 수반한 인간의 협력적 활동"으로 경영을 포함한다. 반면 정부관료제의 기능에 초점을 둔 '협의의 행정개념'에 의하면 "행정은 공익목적 달성을 위한 정부관료제의 활동"으로 경영과 구별된다. 이와 같이 행정은 '조직 관리'에 초점을 둘 경우 경영과 유사성이 강조되고, '정부의 기능'에 초점을 둘 경우 경영과 차이점이 강조된다.

### 2. 이론적 측면에서 행정과 경영의 관계 변천

### (1) 의 의

행정학의 발달과정에서 '행정과 경영'의 관계는 '정치와 행정'의 관계와 밀접한 관계가 있다. 즉, 정치행정이원론은 행정과 경영의 유사점을 강조(공사행정일원론)하며 행정을 기술적 과정으로 인식한 반면, 정치행정일원론은 행정과 경영의 차이점을 강조(공사행정이원론)하며 행정의 정치적 성격을 중시하였다.

### (2) 관계 변천의 과정

| 행정과 경영 | 정치와 행정 | 관련 이론 |
|---|---|---|
| 공사행정일원론 | 정치행정이원론 | 행정관리설(기술적 행정학) |
| 공사행정이원론 | 정치행정일원론 | 통치기능설(기능적 행정학) |
| 공사행정새일원론 | 정치행정새이원론 | 행정행태설 |
| 공사행정이원론 | 정치행정새일원론 | 발전기능설, 정책화기능설(신행정학) |

**심화학습**

정치가와 공무원의 역할분담관계의 유형(Aberbach)

| 정책 – 집행모형 | 정치가는 정책을 결정하고 공무원은 이를 집행한다. |
|---|---|
| 이익표출 – 지식제공 모형 | 정책형성과정에 정치가와 공무원이 모두 관여하지만 정치가는 이익표출 역할을, 공무원은 지식제공 역할을 수행한다. |
| 변혁의지 – 균형유지 모형 | 정책형성과정에 정치가와 공무원이 모두 관여하지만 정치가는 변혁을 추구하는 역할을, 공무원은 안정과 균형을 유지하는 역할을 수행한다. |
| 융합모형 | 관료제의 정치화와 정치의 관료제화에 의해 정치가와 공무원의 역할이 상호 접근하여 수렴된다 (현재의 통설). |

**심화학습**

우리나라의 정치와 행정
① 한국과 같은 중앙집권적 권력체계와 행정제도의 역사를 가진 국가를 정치행정이원론으로 설명하려는 시각도 있다.
② 이러한 시각에서는 정치인 대통령에 의해 정책이 권위적으로 결정되며, 행정은 국가 의사를 전문적 능력과 법령에 따라 단순히 집행하는 일선행정으로 본다.

**O·X 문제**

1. 행정학이 태동하던 시기에는 행정과 경영의 차별성을 강조하는 공사행정이원론의 입장이었다. (  )

2. 정치행정일원론에 의하면 행정은 경영과 비슷해야 하며, 행정이 지향하는 가치로 절약과 능률을 강조하였다. (  )

O·X 정답 1. × 2. ×

**(3) 현대의 행정이론과 행정 · 경영의 관계**

최근의 행정이론인 신공공관리론과 뉴거버넌스론은 경영관리기법의 행정에의 도입을 강조할 뿐만 아니라, 과거 행정이 담당했던 기능을 시장이나 시민사회로 이전하고자 한다는 점에서 공사행정일원론의 시각을 지닌다. 즉, 현대의 행정이론은 행정과 경영의 차이를 절대적 · 본질적 차이(공사행정이원론)로 인식하지 않고 상대적 · 정도상의 차이(공사행정일원론)로 인식한다.

> **핵심정리 | 공사행정일원론과 공사행정이원론에서 행정과 경영**
>
> **1. 공사행정일원론**
>
> 행정과 경영을 완벽하게 동일한 것으로 인식하는 것이 아니라 유사점과 차이점을 모두 인정하면서도 유사점을 강조한다. 또한 행정과 경영의 차이점에 대해서도 절대적 · 본질적인 차이가 아닌 상대적 · 정도상의 차이로 인식한다.
>
> **2. 공사행정이원론**
>
> 행정과 경영을 완벽하게 다른 것으로 인식하는 것이 아니라 유사점과 차이점을 모두 인정하면서도 차이점을 강조한다. 이와 관련하여 공사행정이원론을 대변하는 '세이어(Sayre)의 법칙'은 "행정은 모든 중요하지 않은 부분에서만(in all unimportant respects) 경영과 유사하다."고 주장하였다. 또한 행정과 경영의 차이점에 대해서도 상대적 · 정도상의 차이가 아닌 절대적 · 본질적인 차이로 인식한다.

**(4) 과거의 경영화와 현대의 경영화**

① 의의 : 행정학 태동기부터 행정은 경영과 밀접한 관련성을 맺고 있었다. 행정학 태동기에 행정이 정치와 분리되면서 행정의 가치로 능률성(efficiency)이 중시됨에 따라 능률성 중심의 경영관리기법 도입이 강조되었기 때문이다(행정관리설). 한편, 최근 진행되고 있는 신자유주의 행정개혁 역시 행정의 비효율성을 극복하기 위해 행정의 경영화가 추구되고 있다(신공공관리론).

② 과거의 경영화와 현대의 경영화

| 구 분 | 과거의 행정 경영화 | 현대의 행정 경영화 |
|---|---|---|
| 이론적 배경 | 행정관리설(관리주의) | 신공공관리론(신관리주의) |
| 현실적 배경 | 행정의 정치적 운영(엽관주의)에 대한 반작용 | 비대해진 관료제(정부실패)에 대한 반작용 |
| 목 적 | 절약성, 능률성 | 효율성, 고객지향성, 성과지향성 |
| 초 점 | 관리기술과 기법의 도입에 초점 | 기업가 정신의 배양과 내부경쟁에 초점 |
| 영 역 | 조직관리 · 인력관리에 한정 | 행정 전반에 걸친 변화 추구 |
|  | • 조직 : 시간연구 · 동작연구를 통한 분업화와 표준화<br>• 인사 : 실적주의의 확립 | • 조직 : 성과 중심 조직체<br>• 인사 : 성과지향적 인사관리<br>• 재정 : 성과관리 예산 등 |

## 3. 현실적 측면에서 행정과 경영의 비교

### (1) 유사점

① **관리기술성**: 행정과 경영은 모두 능률주의를 지향하며, 인적·물적 자원의 동원, 기획, 조직화, 통제방법, 관리기법, 사무자동화 등 제반 관리기술에서 유사하다.

② **관료제적 성격**: 행정과 경영은 모두 관료제적 성격+을 지닌 대규모 조직이라는 점에서 유사하다. 또한 최근 지식정보화 사회의 도래와 함께 관료제의 역기능이 강조되면서 행정과 경영 모두 탈관료제화를 지향한다는 점도 유사하다.

③ **협동행위**: 행정과 경영은 모두 고도의 합리성을 수반한 인간의 협동적 노력이라는 점에서 유사하다.

④ **목표달성수단**: 행정과 경영은 목표는 다르지만 이를 달성하기 위한 수단이라는 점에서 유사하다.

⑤ **합리적 의사결정**: 행정과 경영은 모두 가능한 한 많은 대안 중에서 최적의 대안을 선택·결정하려는 합리적 의사결정과정이라는 점에서 유사하다.

⑥ **고객에 대한 봉사성**: 경영이 고객에게 봉사를 강조하는 것처럼 행정도 공공서비스의 고객인 국민에게 봉사를 강조한다는 점에서 유사하다.

### (2) 차이점 – 상대적·정도상의 차이

① **목적**: 행정은 공익목적 달성을, 경영은 사익극대화를 목적으로 한다.

② **주체**: 행정의 주체는 정부이며, 경영의 주체는 기업이다. 이로 인해 행정과 경영은 권력성, 강제성, 독점성, 규모 등에서 차이를 지닌다.

③ **자원관리활동에서의 경직성**: 자원의 동원 및 관리활동은 행정과 경영의 가장 유사한 측면이다. 다만, 이 경우에도 행정은 국회의 통제를 받고 법적 근거를 가져야 한다는 점에서 경영보다 상대적으로 강한 경직성을 띤다.

④ **재화 및 서비스 제공과 비용 부담**: 행정은 주로 공공재를 생산하는 반면 경영은 주로 사적재를 생산한다. 또한 비용부담 측면에서 행정은 조세부담 원칙(응능주의)이 적용되지만, 경영은 수익자부담 원칙(응익주의)이 적용된다.

⑤ **법에 의한 통제와 환경의 영향**: 행정은 경영에 비해 법과 정치적 환경에 의한 영향을 상대적으로 많이 받는다. 이로 인해 행정은 급격한 환경변화에 대한 적응력이 경영에 비해 떨어지며 정책결정 속도 역시 상대적으로 느리다.

⑥ **정치권력적 성격**: 행정은 본질적으로 정치적 성격을 지니며 공권력을 배경으로 기능을 수행한다. 반면에 경영은 특별한 경우를 제외하고 정치로부터 분리되며, 정부가 가지는 강제력과 권력수단을 소유하지 못한다.

⑦ **평등성**: 행정은 모든 국민에 대해 법 앞에 평등이라는 규범이 강하게 적용되지만, 경영은 기업의 이윤추구과정에서 고객 간의 차별대우가 용인된다.

⑧ **독점성**: 행정은 독점성을 지니며, 경영은 경쟁성을 지닌다.

⑨ **관할 및 영향의 범위**: 행정은 모든 국민을 대상으로 영향을 미치지만, 경영은 고객관계가 형성되어 있는 특정 범위에만 영향을 미친다.

**+ 관료제적 성격**

| 관료제 | 단일의 의사결정체제를 갖춘 대규모의 계층제적 조직 |
|---|---|
| 관료제적 성격 | 복잡성(분화의 정도), 공식성(표준화의 정도), 집권성(의사결정권한의 집중 정도)의 정도가 높은 조직의 특성 |

**심화학습**

행정과 경영의 상대화 현상

| 목적 측면 | 최근에는 행정이 재원마련을 위해 수익성(사익)을 추구하기도 하며, 경영이 사회적 책임에 의한 공익을 지향하기도 함에 따라 목적이 상대화되고 있다. |
|---|---|
| 주체 측면 | 최근에는 행정의 주체가 정부에서 시민사회나 시장으로 확대되고 있으며, 경영의 주체 역시 점차 노동조합, 시민사회, 정부, 소비자 등으로 확대되고 있어 주체가 상대화되고 있다. |

**O·X 문제**

1. 행정과 경영은 모두 인적·물적 자원을 동원하며 기획, 조직화, 통제방법, 관리기법, 사무자동화 등 제반 관리기술을 활용한다. ( )

2. 행정과 경영은 모두 관료제의 순기능적 측면과 역기능적 측면을 내포하고 있다. ( )

3. 행정과 경영은 능률의 척도가 다르다. ( )

4. 행정과 경영은 목표는 다르지만 목표달성을 위한 수단으로 작동한다. ( )

5. 행정과 경영은 모두 엄격한 법적 규제를 받으므로 환경변화에 따른 조직의 대응능력이나 인력의 충원과정에서 탄력성이 떨어진다. ( )

**O·X 정답** 1. ○ 2. ○ 3. ○ 4. ○ 5. ×

📁 행정과 경영의 차이점과 유사점

| 구 분 | | 차이점 | | 유사점 |
|---|---|---|---|---|
| | | 행 정 | 경 영 | |
| 성 립 | | 공적 신탁 | 주주의 출자 | |
| 목 적 | | 공익(무형적, 추상적) | 사익(유형적, 구체적) | |
| 주 체 | | 국가 | 기업 | |
| 권력수단 | | 강제적 | 공리적 | |
| 서비스 생산 | 재화의 성격 | 공공재 | 사적재 | |
| | 비용부담 | 조세 부담(응능주의) | 수익자 부담(응익주의) | |
| | 독점성 | 있음. | 없음(경쟁적). | |
| | 서비스의 질 | 낮음. | 높음. | |
| 환경과의 관계 | 법적 규제 | 강함. | 약함. | • 관리기술적 측면<br>• 관료제적 성격과 탈관료제화<br>• 목표달성을 위한 수단<br>• 합리적 의사결정 과정<br>• 협동행위<br>• 고객에 대한 봉사성 |
| | 환경의 영향 | 강함. | 약함. | |
| | 평등성 | 적용 | 배제(차별성) | |
| | 영향 범위 | 광범위<br>(모든 국민이 대상) | 한정적<br>(고객범위 내로 한정) | |
| | 공개 여부 | 공개 | 미공개 | |
| | 고객의 요구 | 타율성✢ | 자율성✢ | |
| 성 격 | 경직성 | 강함. | 약함. | |
| | 윤리성 | 강함. | 약함. | |
| | 정치권력성 | 강함. | 약함. | |
| | 공공성 | 높음. | 낮음. | |
| | 책임성 | 높음. | 낮음. | |
| 내부관리 | 성과측정 | 곤란 | 용이 | |
| | 능률의 척도 | 사회적 능률 | 기계적 능률 | |
| | 시간제약 | 약함. | 강함. | |
| | 기술변화 | 둔감 | 민감 | |
| | 신분보장 | 강함. | 약함. | |
| | 결정속도 | 늦음. | 빠름. | |

심화학습

행정과 경영의 상대화를 강조하는 이론 – 보즈만(Bozeman)의 「공공성의 차원」

| 의의 | 보즈만은 과거의 이분법적인 공사비교론을 배척하고 공공성의 문제를 상대적인 것으로 인식하여 모든 조직이 공공성을 지닌 것으로 본다. |
|---|---|
| 논의의 전개 | 모든 조직은 공극점과 사극점 사이의 중간의 어디쯤에 위치하고 있다. 다만, 공조직이 공극점에 보다 가까이 위치하고, 사조직이 사극점에 보다 가까이 위치하고 있을 뿐이다. 따라서 사조직 역시 어느 정도 공공성을 지니고 있다. |

## 4. 공행정(행정)과 사행정(경영)의 상호접근경향 – 행정과 경영의 상대화

### (1) 의 의

행정과 경영의 관계는 이론적 측면에서 일원론·이원론 등으로 시대와 상황에 따라 상이하게 전개되어 왔으나 현대 행정에 있어서는 양자의 상대화(공사행정일원론적 시각)가 강조되고 있다. 특히, 미국과 영국은 유럽에 비해 상대적으로 양자 간의 유사성을 더 강조하는 모습을 보이고 있다.

(2) 상호접근의 이유

① **기업의 거대화 및 정치적 영향력 증대**: 다국적 기업 등 대규모 기업체가 형성되고 이들이 정치권력을 추구함에 따라 기업의 정치적 영향력이 증대되고 있기 때문이다.

② **기업의 사회적 책임 강조**: 이윤추구를 목적으로 하는 기업 역시 사회의 구성원으로서 사회적 책임과 윤리성을 지녀야 한다는 점에서 기업의 공공성이 강조되고 있기 때문이다.

③ **공공서비스 공급주체의 다양화**: 공공서비스 공급주체의 다양화 현상으로 공공기관, 민영화, 민간위탁, 제3섹터 등 민간의 신분으로 공익목적을 수행하는 공사혼합영역이 증대되고 있기 때문이다(Etzioni).

④ **신공공관리론적 행정개혁**: 최근 행정개혁의 중심이 되고 있는 신공공관리론은 전통적인 정부기능의 시장으로의 이전 및 경영관리기법의 정부에의 도입을 추진하고 있다. 이로 인해 정부와 시장의 기능이 모호해지고 있을 뿐만 아니라 정부와 기업의 관리방식이 유사해지고 있기 때문이다.

## 03 법과 행정

### 1. 행정의 헌법적 기초 − 입헌주의

(1) 입헌주의의 의의

입헌주의란 행정을 포함한 모든 국가작용은 국가의 최상위법인 헌법에 의해 정당화되며, 헌법의 테두리 안에서 행해져야 함을 의미한다. 입헌주의는 기본권 보장, 권력분립, 법치주의를 핵심적 요소로 한다.

(2) 입헌주의의 핵심원리

① **기본권 보장**: 소극적으로는 행정이 국민에게 부여된 자유와 평등의 기본권을 침해해서는 아니 되며, 적극적으로는 행정이 국민에 대해 인간으로서의 존엄과 가치를 존중하고 인간다운 삶을 보장해야 함을 의미한다.

② **권력분립**: 국가권력을 입법·행정·사법으로 분립시켜 이들 권력 상호 간의 견제와 균형을 통해 국가권력의 남용을 방지하고자 하는 국가 통치구조의 조직원리이다.

③ **법치주의**: 국민의 대표기관인 의회에서 제정한 법률에 의한 통치를 의미하며, 법률우위·법률유보·법률의 법규창조력을 구성요소로 한다.

### 2. 행정과 법의 관계

(1) 법의 행정에 대한 작용

① 법의 행정에 대한 권한 부여

㉠ **행정에 합법적 권위 부여**: 각종 법규는 행정에 합법적 권위를 부여한다. 특히, 베버(Weber)의 관료제는 이러한 합법적 권위에 근거한 조직이다.

㉡ **행정의 존립근거와 수권의 기초 제공**: 행정조직과 행정작용에 관한 법 규정은 행정의 존립근거이자 권한부여의 기초이다.

㉢ **행정활동의 정당화 근거**: 법은 행정활동을 정당화시키는 기능을 수행한다.

㉣ **정책 및 행정관리를 위한 도구**: 법은 정부의 정책형성 및 집행을 위한 수단인 동시에 법 그 자체가 정책형성의 산물이다.

**O·X 문제**

1. 행정과 경영은 정도상의 차이뿐만 아니라 본질적인 차이가 있다. (  )

2. 오늘날 전 세계적인 정부개혁으로 행정과 경영과의 차이점이 더욱 뚜렷해지고 있다. (  )

**심화학습**

**법치주의의 원리**

| | |
|---|---|
| 법률우위 | 행정은 법규에 위반되어서는 안 된다는 원리(소극적 의미의 합법성) |
| 법률유보 | 국민의 권리를 침해하는 행정행위는 반드시 법률에 따라 행해져야 한다는 원리(적극적 의미의 합법성) |
| 법률의 법규창조력 | 국민의 권리와 의무를 규율하고 구속하는 법규범은 국민의 대표기관인 의회에서만 제정이 가능하다는 원리 |

**O·X 정답** 1. × 2. ×

② 법의 행정에 대한 제약

    ㉠ 행정의 근거와 한계 설정 : 법은 행정작용의 근거이자 동시에 한계를 제공하며 이를 통해 행정활동을 통제한다.

    ㉡ 자의적인 행정으로부터 국민의 권리보호 : 법은 사전적으로 행정활동의 기준을 제공함으로써 예상되는 자의적인 행정을 통제하고, 사후적으로 행정행위에 대한 사법적 심사를 통해 국민의 권리를 보호한다.

    ㉢ 행정의 책임성 확보 수단 : 법은 행정과정과 절차에 대한 통제 및 사법심사를 통해 행정의 책임성 확보를 위한 장치로 기능한다.

(2) 행정의 법에 대한 작용

  ① 법 집행기능 : 전통적인 행정의 기능으로 행정은 법률의 충실한 집행역할을 수행한다.

  ② 법 형성기능 : 최근 강조되는 행정의 기능으로 행정은 위임입법을 통해 법 형성기능을 수행한다.

  ③ 준사법적 기능 : 행정은 행정심판 및 소청심사 등을 통해 준(準)사법적 심판 기능을 수행하기도 한다. 그러나 어디까지나 국민의 권리구제를 위한 사법적 판단은 사법부의 역할이다.

(3) 행정부와 사법부와의 관계

  ① 일반적 관계 – 상호 견제와 균형 : 권력분립에 의해 행정부와 사법부는 원칙적으로 상호 독립되어 있다. 그러나 사법부는 행정처분에 대한 행정재판권과 명령·규칙에 대한 위헌명령심사권 등을 통해, 행정부는 사법부에 대한 예산편성권과 사면권 등을 통해 상호 견제와 균형을 유지하고 있다.

  ② 사법부의 행정에 대한 역할

    ㉠ 행정통제 및 국민의 권리구제 역할 : 사법부는 사법심사(행정소송, 명령·규칙 등에 대한 위헌·위법심사 등)를 통해 행정기관의 위법한 행정작용이나 지체에 대해 통제하고 국민의 권리를 구제한다.

    ㉡ 정책결정자 및 정책집행자로서 역할 : 사법부는 입법이나 행정이 처음부터 아무런 정책결정을 내리지 않거나 결정된 정책내용이 명확하지 않은 경우 최종 판결을 통해 정책결정자의 역할을 수행한다. 또한 정책집행 과정에서 법적 분쟁이 발생할 경우 재판 과정을 통해 정책집행자로 참여한다.

(4) 행정부와 헌법재판소와의 관계

사법적 헌법보장기관인 헌법재판소는 위헌법률심판, 탄핵심판, 권한쟁의심판, 헌법소원심판, 정당해산심판 등의 심판활동을 통해 행정통제 및 국민의 권리구제 역할과 정책결정자 및 정책집행자로서의 역할을 수행한다. 뿐만 아니라 권한쟁의심판을 통해 행정기관 상호 간 권한 배분과 권한행사를 둘러싼 갈등을 조정하기도 한다.

---

**O·X 문제**

1. 정부가 행정을 수행하는 과정에서 국민의 권리구제를 위한 사법적 결정을 하는 경우도 있다. ( )

2. 행정기관은 법률 제정과 사법적 판단을 통하여 정책집행과정에서 실질적인 영향력을 행사한다. ( )

**O·X 문제**

3. 사법부의 판결은 기존의 제도나 정책에 대한 사후적 판단의 성격을 띠고 있으나, 그 자체가 정책결정을 의미하는 것은 아니다. ( )

O·X 정답 1. × 2. × 3. ×

## 제 3 절 | 행정의 성격, 기능, 변수

### 01 행정의 특성(성격)

#### 1. 의 의

행정은 정치와의 관계 속에서 사회적 가치(자유와 기회, 권력과 부, 명예 등)를 권위적으로 배분하는 공공적·권력적 성격을, 경영과의 관계 속에서 내부관리의 합리성을 증진하는 관리적·기술적 성격을 지닌다. 이를 중심으로 행정의 구체적 성격을 살펴보면 다음과 같다.

#### 2. 행정의 구체적 특성

##### (1) 행정의 공공적 성격

행정(public administration)은 사(private)와 구별되는 공공(public)이라는 특징을 통하여 경영과 구분된다. 공공(public)의 의미는 모호하지만 거버넌스적 관점에서 행정의 공공적 성격을 정의한다면 시민에 대한 정보 제공, 시민에 의한 행정 통제, 시민의 정책과정에의 참여, 사회적 약자에 대한 보호 등 시민의 관점에서 이루어지는 행정을 의미한다.

##### (2) 행정의 공익적 성격

민주주의 국가에서 공익은 모든 행정활동의 정당성의 근거이자 평가기준이다. 따라서 모든 행정활동은 공익 추구를 목적으로 하는데 이를 행정의 공익적 성격이라 한다.

##### (3) 행정의 정치적 성격

행정국가화 현상이 진행되면서 행정의 복잡화·전문화로 인하여 행정이 정책형성과정을 지배하게 되었는데 이를 행정의 정치적 성격이라 한다. 행정의 정치적 성격은 정치행정일원론에서 강조된다.

##### (4) 행정의 관리적 성격

행정은 조직 내부의 인적·물적 자원을 능률적으로 관리하는 기술로서의 의미를 지니고 있는데 이를 행정의 관리적 성격이라 한다. 행정의 관리적 성격은 공사행정일원론에서 강조된다.

##### (5) 행정의 체제적 성격

행정은 환경에 영향을 주기도 하고 받기도 하는데 이를 행정의 체제적 성격이라 한다.

##### (6) 행정의 권력적 성격

행정은 국민과의 관계에서 헌법이나 법률에 근거한 공권력을 배경으로 국민의 권리를 제한하거나 의무를 부과할 수 있는 우월적 지위가 인정되는데 이를 행정의 권력적 성격이라 한다.

---

**심화학습**

**공공성에 대한 다양한 관점 (Frederickson)**

| 공공의 의미 | 관점 | 내용 |
|---|---|---|
| 대표자로서의 공공 | 입법적 관점 | 국민의 대표기관인 국회의 의사에 따라 업무를 수행하는 것이 공공이라는 견해 |
| 이익집단으로서의 공공 | 다원주의적 관점 | 다양한 이익집단들의 상호작용의 결과에 따라 행정을 수행하는 것이 공공이라는 견해 |
| 합리적 선택으로서의 공공 | 개인주의적 관점 | 각 개인의 이익을 극대화해 주는 것이 공공이라는 견해 |
| 고객으로서의 공공 | 서비스 제공적 관점 | 일선관료가 개인이나 집단을 고객으로 인식하고 봉사하는 것이 공공이라는 견해 |
| 시민으로서의 공공 | 시민 사회적 관점 | 시민들이 정책과정에 참여하여 공공서비스의 질과 양을 직접 결정하는 것이 공공이라고 보는 견해(프리드릭슨이 강조한 공공개념, 뉴거버넌스에서의 공공개념) |

**+ 행정수요**

행정에 의하여 해결되기를 바라는 국민의 여망과 기대

## 02 행정의 기능

### 1. 의 의

행정의 기능이란 정부가 제도상 또는 사실상 담당하는 행정활동, 즉 정부가 하는 일을 의미한다. 정부는 일반적으로 행정수요+를 충족시켜주는 활동을 수행한다. 그러나 모든 행정수요가 행정기능이 되는 것은 아니다.

### 2. 행정기능의 분류

(1) 소극적 기능과 적극적 기능

① 소극적 기능(사회안정기능): 19세기 근대입법국가시대에 강조된 국방·치안 등 질서유지기능으로 피고스(Pigors)나 제퍼슨(Jefferson)이 강조하였다.

② 적극적 기능(사회변동기능): 20세기 행정국가시대에 중시된 사회변동기능으로 애덤스(Adams)가 강조하였다.

③ 국가관과 행정의 기능

| 구 분 | 입법국가(19세기) | 행정국가(20세기) |
|---|---|---|
| 정 부 | 작은 정부(Small Government) | 큰 정부(Big Government) |
| 경 제 | 스미스(A. Smith)의 보이지 않는 손에 대한 믿음 | 케인즈(Keynes)의 거시경제 안정화 국가 |
| 행정기능 | 소극적 기능(P. Pigors) | 적극적 기능(B. Adams) |
| 정치와 행정 | 정치행정이원론 | 정치행정일원론 |

(2) 행정기능의 분류

| 주체별 분류 | 국가기능 | 중앙정부가 수행하는 기능 |
|---|---|---|
| | 지방기능 | 지방정부가 수행하는 기능 |
| 과정별 분류 | 기획기능(Plan) | 정책을 입안하거나 결정하는 기능 |
| | 집행기능(Do) | 정책을 집행하거나 구체화하는 기능 |
| | 평가기능(See) | 정책을 평가하고 환류하는 기능 |
| 영역별 분류 | 법·질서유지기능 | 법령 등에 의해 민주국가의 기본적 질서를 유지하는 기능(국가의 1차적 기능, 국가의 주권적 기능) |
| | 국방 및 외교기능 | 국민의 생명과 재산을 외적으로부터 보호하고 외국과의 관계를 유지해 나가는 기능(국가의 주권적 기능) |
| | 경제적 기능 | 기업 및 소비자의 경제 활동을 보장하여 보다 나은 경제적 삶을 영위하도록 경제에 관여하는 기능 |
| | 사회적 기능 | 각종 사회보장제도를 통해 사회적 약자를 보호하고 국민의 삶의 질을 제고하여 국민의 사회적 욕구를 충족시켜 주는 기능 |
| | 교육·문화적 기능 | 국민들의 교육·체육·예술·문화 활동을 보장해 주는 기능 |
| 성질별 분류 | 규제기능 | 법령에 기초해서 국민들의 생활을 제한하고 통제하는 기능 |
| | 지원 및 조장기능 | 특정 분야의 사업을 정부가 직접 사업의 주체가 되어 적극적·직접적으로 지원하고 조장하는 기능 |
| | 중재 및 조정기능 | 이해관계자 간의 분쟁이 발생할 때 정부가 조정하고 합의를 이끌어 내는 기능 |

**O·X 문제**

1. 국민의 삶의 질을 높여 주는 정책은 사회적 기능과 관련된다. ( )

2. 규제적 기능, 사회적 기능, 조장적 기능은 영역에 따른 기능 구분이다. ( )

3. 조장 및 지원기능은 정부가 직접 사업의 주체가 되지 않고 간접적으로 지원하는 기능이다. ( )

**심화학습**

**기타 행정의 기능**

| 관점에 따른 기능 | 거시적 기능 | 환경과의 관계에서의 기능(경제적 기능, 사회적 기능 등) |
|---|---|---|
| | 미시적 기능 | 조직 내부 관리상의 기능(인사기능, 예산기능 등) |
| 시대별로 중시된 기능 (Dimock) | 보안 기능 | 국방, 외교 등 (19C) |
| | 규제 기능 | 경쟁적 지장 형성 (19C 후반) |
| | 원호 기능 | 사회적 약자 보호 (20C) |
| | 직접 봉사 기능 | 사회간접자본건설 등(20C 중반 이후) |
| 국가발전단계에 따른 기능의 순서 (Caiden) | 전통적 기능 | 법과 질서 유지 및 국방 등 |
| | 국민 형성 기능 | 국가적 통일감과 국민적 일체감 형성 등 |
| | 경제 관리 기능 | 국가경제의 기획과 관리 등 |
| | 사회 복지 기능 | 후생, 복지 등 |
| | 환경 통제 기능 | 자연자원의 보존·유지 등 |

**O·X 정답** 1. ○ 2. × 3. ×

(3) 우리나라의 행정기능

① 우리나라는 기획기능보다는 집행기능, 지방기능보다는 국가기능, 사회복지기능보다는 국방 및 외교기능과 경제적기능, 지원 및 조장기능보다는 규제기능의 비중이 높다.

② 우리나라는 정부기능 분류와 관련하여 2007년부터 정부기능연계모델(BRM : Business Reference Model)이 가동되고 있다. 정부기능연계모델은 정부가 수행하고 있는 모든 기능들을 개별 부처 관점이 아닌 동일한 목적 달성을 위한 기능의 관점에서 체계적으로 정리한 모형으로 16분야 75부문으로 분류된다.

## 03 행정의 변수

### 1. 의 의

행정의 변수란 행정활동을 구성하는 요소나 변인 또는 행정활동에 영향을 주는 대내외적 요인을 의미한다.

### 2. 행정변수의 구성요소

행정의 3대 변수는 행정구조, 행정인, 행정환경이다. 행정의 4대 변수는 여기에 행정기능이 추가되며, 행정의 5대 변수는 이념이 추가된다. 여기에서는 행정의 3대 변수를 중심으로 살펴본다.

(1) 행정구조

행정구조란 행정업무를 처리하기 위한 유형화된 상호작용의 틀을 의미하며, 정부형태, 법령체계, 공식적 목표, 권한과 책임, 역할, 절차와 과정, 공식적인 의사전달, 분업체제 등을 내포한다.

(2) 행정인

행정인이란 구성원의 가치관, 태도, 능력, 지식, 행태, 의사결정유형 등을 의미한다.

(3) 행정환경

행정환경이란 정치, 경제, 사회, 문화 등 행정을 둘러싸고 행정에 영향을 미치는 일체의 외부적 요소를 의미한다.

### 3. 행정이론과 중시하는 행정변수

| 시 대 | 이 론 | 중시하는 변수 |
| --- | --- | --- |
| 1880~1930년대 | 과학적 관리론, 행정관리론, 관료제론 | 구조 |
| 1930~1940년대 | 인간관계론, 행정행태론 | 인간 |
| 1950년대 | 생태론, 비교행정론, 체제론 | 환경 |
| 1960~1970년대 | 발전행정론, 신행정론 | 인간(가치관, 태도) |

O·X 문제

1. 행정의 3대 변수는 인, 구조, 기능이다. (  )

심화학습

행정의 과정

| 전통적 행정 과정 | 정치 행정 이원론 시각 | ① 계획<br>② 조직화(조직의 구조화 및 자원의 동원과 배분)<br>③ 실시<br>④ 통제 |
| --- | --- | --- |
| 현대적 행정 과정 | 정치 행정 일원론 시각 | ① 목표설정<br>② 정책결정<br>③ 기획<br>④ 조직화<br>⑤ 동작화(구성원들의 동기부여)<br>⑥ 평가<br>⑦ 시정조치(환류) |
| 함의 | | 현대적 행정과정은 전통적 행정과정과 달리 행정의 목표설정, 정책결정, 동작화, 시정조치 및 환류 기능을 중시한다. |

O·X 정답 1. ✕

# CHAPTER 02 행정환경의 변화

## 제1절 국가의 변천과 행정의 기능

### 01 국가의 변천과정

**1. 의 의**

행정의 역할은 시대적 상황에 따른 국가체제의 변화에 따라 그 기능과 성격을 달리해왔다. 왕권신수설에 근거한 절대주의 국가에서는 지시·명령·통제 중심의 행정이 이루어진 반면, 이에 대한 반작용으로 출현한 근대입법국가에서는 소극적인 행정기능을 수행하였다. 한편 근대입법국가가 야기한 시장실패의 치유과정에서 출현한 행정국가에서는 시장의 안정과 복지를 위해 적극적인 행정기능을 수행한 반면, 행정국가가 야기한 정부실패의 치유과정에서 출현한 신행정국가는 행정기능의 축소를 지향하고 있다.

**2. 국가체제의 시대적 변천**

| 국가체제 | 관련 용어 | 이론적 근거 | 정부의 역할 |
|---|---|---|---|
| 절대주의국가✛ (18세기) | 경찰국가, 군주국가, 관헌주의국가✛ | • 왕권신수설 • 중상주의✛ | 수탈과 압제 등 지시·명령·통제 중심의 정부 |
| 근대입법국가 (19세기) | 자유방임국가, 야경국가, 소극국가, 최소국가, 입헌국가 | • 자유방임주의 • 스미스의 국부론 | 작고 값싼 정부 (Small & Cheap Gov.) |
| 행정국가 (20세기) | 복지국가, 직능국가✛, 급부국가✛, 적극국가 | • 사회민주주의 • 케인즈의 유효수요이론 | 크고 강한 정부 (Big & Strong Gov.) |
| 신행정국가 (20세기 후반) | 계약국가, 규제국가, 대리정부, 제3자정부 | • 신공공관리론 • 뉴거버넌스론 | 작지만 강한 정부 (Small but Strong Gov.) |

### 02 근대입법국가(19세기)

**1. 의 의**

절대군주에 대한 시민사회의 승리로 이루어진 근대입법국가는 절대군주를 타파하고 시민의 대표로 의회를 구성하였으며, 의회에서 제정한 법률에 의한 지배만을 허용하였다는 점에서 입법부가 강화된 국가체제이다.

**2. 구체적 내용**

**(1) 사상 – 국가로부터의 자유(자유주의, 무국가주의 사상)**

근대국가의 출범과 함께 신흥세력으로 등장한 시민(교양과 재산을 갖춘 부르주아 계급)은 개인의 자유가 보장되지 않았던 절대국가에 대한 반감으로 어떠한 형태의 국가권력의 간섭도 원하지 않았으며 '국가로부터의 자유'를 추구하였다.

**✛ 절대주의국가**
'왕권신수설'에 근거하여 국왕에게 모든 권력이 집중된 국가체제(법이 아닌 절대군주에 의한 인신적 지배가 이루어지는 국가체제)

**✛ 관헌주의국가**
절대군주가 임명한 관료들에 의해 지배되는 절대주의 국가체제

**✛ 중상주의**
부국강병을 위해 상업을 중시하고 보호무역주의에 입각하여 수출산업을 육성하며, 상품판매지 개척 목적으로 해외 식민지 건설을 추구했던 국가체제

**✛ 직능국가 · 급부국가**
공공복리를 증진하기 위해 행정의 국민에 대한 적극적 봉사를 강조했던 국가체제

**(2) 정치·행정적 측면 – 대의민주주의(의회만능주의, 정치행정이원론)**

근대입법국가는 자유주의에 근거한 정부관인 대의민주주의에 입각해 있었다. 대의민주주의는 국민이 선출한 대표로 의회를 구성하고, 의회에서 정한 법률에 의한 지배만을 허용하는 정치체제이다. 따라서 대의민주주의 체제에서 행정은 정치에 종속되고 법에 의한 집행만 허용될 뿐 자율적 재량은 최소화되었다.

**(3) 경제적 측면 – 시장만능주의(자본주의) 및 스미스(Smith)의 국부론✛**

근대입법국가는 '스미스의 국부론'에 입각하여 완전경쟁시장을 전제로 가격에 의한 조정이 가장 효율적인 자원배분을 가져온다고 보았다. 따라서 시장에 대한 국가의 개입을 반대하고 교양과 재산을 갖춘 시민들의 자유로운 경제활동을 보장하는 자본주의 체제를 강조하였다.

**(4) 사회적 측면 – 국가와 사회의 이원화**

자유를 중시하는 부르주아 세력에 의해 형성된 근대입법국가에서 국가는 시민사회 영역에 개입할 수 없게 되어 국가와 시민사회가 명확히 구별되고 단절(이원화)되었다.

**(5) 정부관 – 작고 값싼 정부(Small & Cheap Gov.)**

근대입법국가는 정부를 필요악으로 인식하고 정부의 역할을 밖으로는 외적의 침입을 막고 안으로는 개인의 재산과 자유를 보장하는 정도로 최소화하는 야경국가관에 근거하여 국가를 작고 값싼 정부로 인식하였다. "최소의 행정이 최선의 행정"이라는 '제퍼슨 – 잭슨(Jefferson-Jackson) 철학'이 바로 이러한 정부관을 대변한다.

## 03 행정국가(20세기)

### 1. 의의

행정국가란 19세기 의회 우위 시대의 근대입법국가에 대응하여 20세기 행정부의 기능과 권한이 크게 확대·강화된 행정부 우위의 국가체제를 말한다. 즉, 행정국가란 행정기능의 확대·강화에 따라 본래 정책집행기능만을 수행하였던 행정이 정책결정기능까지 담당하게 된 국가체제이다.

### 2. 구체적 내용

**(1) 사상 – 국가에 의한 자유**

근대입법국가는 산업사회의 발전과 함께 빈부격차가 심화되어 노사 간의 첨예한 대립을 야기함으로써 국가 전복 위기에 놓이게 되었다. 이를 극복하기 위해 행정국가는 공공복지 증진을 통하여 실질적인 자유와 평등을 보장하는 '국가에 의한 자유'를 추구하였다.

**(2) 정치·행정적 측면 – 행정부로의 정책결정권한 이전(정치행정일원론)**

행정국가에서는 대중민주주의✛의 출현으로 각종 사회문제에 기인한 행정수요가 고도로 전문화·복잡화되었다. 이에 전문성이 부족한 의회가 이를 일일이 법제화할 수 없게 됨에 따라 행정부에 정책결정권이 대폭적으로 위임되었으며, 이로 인해 입법·사법·행정 간에 엄격한 권력분립이 수정되고 행정부가 국가운영의 주도권을 장악하게 되었다.

---

✛ **스미스(Smith)의 국부론(예정조화설)**
개인의 합리적(이기적) 선택이 가격이라는 보이지 않는 손에 의한 조정으로 집단의 합리적 선택(조화)을 보장하기 때문에 시장에 대한 정부의 개입이 불필요하다는 주장

**O·X 문제**

1. 19세기 근대 자유주의 국가는 '야경국가'를 지향하였다. ( )

**O·X 문제**

2. 행정국가는 삼권분립을 전제로 하지 않은 국가구성의 원리이다. ( )

3. 행정국가는 정치와 행정의 분리 및 행정우위성을 특징으로 한다. ( )

4. 행정권 우월화를 인정하는 정치행정일원론은 작은 정부를 적극적으로 옹호한다. ( )

✛ **대중민주주의(20세기)**

| | |
|---|---|
| 성립 | 서구에서 20세기에 보통·평등선거권의 확립으로 부르주아 민주주의(성인 남성 중 일정한 세금을 납부하는 자에게만 선거권 부여)가 극복되고 대중 기반의 민주주의가 확립되었다. |
| 의미 | 참정권의 확대와 더불어 매스미디어 등이 발달하여 대중의 의식과 생활방식이 획일화·표준화되고 대중이 무력화되었는데, 이러한 상태를 비판적으로 표현할 때 대중민주주의라 한다. |

O·X 정답 1. ○ 2. × 3. × 4. ×

+ 케인즈(Keynes)의 유효수요이론
(수요 중심 경제학)

| 유효<br>수요 | 구매력 있는 수요를 의미하며, 사고자 하는 욕망은 있으나 살 수 있는 능력(구매력)이 없는 수요인 잠재적 수요에 대비되는 개념 |
|---|---|
| 유효<br>수요<br>이론 | 경기불황으로 국민의 유효수요가 작아질 때 국가가 대대적인 국공채 발행을 통해 재원을 확보하고 이를 대규모 공사 등을 통한 공공지출에 활용함으로써 유효수요를 진작시켜 경기를 회복하고자 하는 이론 |

**O·X 문제**

1. 1930년대 대공황을 겪으면서 최소의 정부가 최선의 정부라는 신념이 중요시되었다. ( )

2. 큰 정부를 지지하는 케인즈 경제학은 공급 중시 거시경제정책을 강조한다. ( )

3. 대공황 이후 케인즈주의, 루스벨트 대통령의 뉴딜정책은 큰 정부관을 강조하였다. ( )

+ 루즈벨트의 뉴딜정책(1933)
대공황 극복을 위해 국가의 개입을 통하여 경제의 안정화를 추구했던 수정자본주의 정책(실업자의 일자리 보장, 경제활성화를 위한 테네시강 개발 공사, 후버댐 건설, 금문교 건설 등)

+ 존슨의 위대한 사회 건설 정책(1965)
교육지원(직업교육 및 재교육), 빈곤퇴치, 메디케어(노령층 및 빈민층 의료복지 지원), 인종차별 방지, 낙후 지역 개발, 범죄 및 비행 예방 등 광범위한 복지정책

**심화학습**

행정국가의 양적 특징과 질적 특징

| 양적·<br>구조적<br>특징 | ① 행정기구의 확대<br>② 국공영기업 및 준정부부문의 증가<br>③ 공무원 수의 증가<br>④ 재정규모의 팽창<br>⑤ 행정기능의 확대·강화<br>⑥ 참모기능의 확대<br>⑦ 행정 업무량의 증가 |
|---|---|
| 질적·<br>기능적<br>특징 | ① 행정조직의 동태화<br>② 적극적 인사행정<br>③ 합리적 예산 추구<br>④ 정책결정·기획 중시<br>⑤ 행정의 전문화·복잡화<br>⑥ 행정조사 및 분석 중시<br>⑦ 행정의 책임·통제 중시<br>⑧ 신중앙집권화 경향<br>⑨ 행정의 광역화 현상 |

O·X 정답 1. × 2. × 3. ○

(3) 경제적 측면 – 케인즈(Keynes)의 유효수요이론(수정자본주의)+

근대입법국가의 시장주의가 빈부격차의 심화와 이로 인한 노사 간 대립, 독점 자본의 형성 등으로 시장실패를 야기함에 따라 행정국가에서는 이를 치유하기 위한 정부의 역할이 강조될 수밖에 없었다. 특히, 대공황(1929)을 극복하기 위한 '케인즈의 유효수요이론'은 시장실패에 대한 정부개입의 이론적 토대를 제공하였다.

(4) 사회적 측면 – 국가와 사회의 동질화(복지국가관)

행정국가에서는 시장실패로 인한 빈부격차의 심화를 극복하기 위해 오히려 국가가 사회에 개입하여 사회적 약자를 보호해야 한다는 복지국가관이 확산되었다. 이로 인해 국가의 사회에 대한 적극적 개입을 강조함으로써 국가와 사회의 단절이 극복되고 동질화가 촉진되었다.

(5) 정부관 – 크고 강한 정부(Big & Strong Gov.)

행정국가에서는 정치·경제·사회 등 모든 부분에서 행정부의 기능과 역할이 강조되었고, "최대의 봉사가 최선의 정부"라는 신조하에 크고 강한 정부가 형성되었다.

> **핵심정리 | 개발도상국에서의 행정국가**(발전국가, 개발국가)
>
> 선진국은 근대입법국가의 실패를 배경으로 형평을 추구하기 위해 복지국가론에 입각한 행정국가화 현상이 발생하였다. 그러나 개발도상국은 근대입법국가에서 행정국가로의 전환과정이 없었으며, 국가발전을 추구하기 위해 발전국가론(개발국가론)에 입각한 행정국가화 현상이 추진되었다.

## 3. 행정국가의 특징과 한계

(1) 역사적 사건

행정국가화 현상은 루즈벨트(Roosevelt)의 뉴딜(New Deal) 정책(1933)+에서부터 비롯되었고, 존슨(A. Johnson)의 위대한 사회 건설(Great Society) 정책(1965)+에서 절정을 이루었다.

(2) 일반적 특징

① 국가중심주의: 국가를 명백한 권력의 원천으로 보고, 국가개입을 통한 산업구조의 개편이나 부의 이전을 당연한 것으로 인식하였다.

② 제도적 고립: 정부기관들은 자신들이 설정한 목표를 달성하기 위해 다른 사회적 행위자들과 협력하기보다는 독자적으로 업무를 수행하였다.

③ 행정의 팽창: 행정이 일단 확장된 이후에는 정책이 정책을 낳고 규제가 규제를 낳는 관성으로 행정은 지속적인 팽창을 겪게 되었다.

④ 신중앙집권화와 광역행정의 발달: 교통·통신의 발달 및 복지국가의 등장 등 변화된 행정환경에 대응할 목적으로 신중앙집권화 현상 및 광역행정이 중시되었다.

(3) 한계

① 민간부문의 위축: 지나친 정부개입으로 인해 국민들의 정부에 대한 의존도가 심화되어 국민들의 피동화 현상이 야기되었다.

② 행정의 과부하: 지나친 정부팽창 및 행정의 과부하로 인해 업무수행의 질 저하 및 업무처리 지연 등의 폐단을 초래하였다.

③ 행정비용의 과다팽창: 과다한 정부사업 확대로 행정비용이 증대하여 국민 부담이 가중되었다.

④ **권력남용가능성 증대** : 행정이 통제 불가능할 정도로 비대화되어 행정책임이 저하되고 무책임한 행정, 행정의 독주, 권력남용 등의 문제를 야기하였다.

⑤ **조직운영의 경직성 초래** : 지시·명령·통제 중심의 관료제적 조직운영으로 무사안일주의, 형식주의 등 조직운영상의 경직성을 야기하였다.

⑥ **지방자치의 위기 초래** : 신중앙집권화 현상 및 광역행정의 중시로 지방자치의 위기를 초래하였다.

📁 근대입법국가와 행정국가의 비교

| 구 분 | 근대입법국가(19세기) | 행정국가(20세기) |
|---|---|---|
| 대두배경 | 부르주아 혁명(시민혁명) | 대공황 및 1, 2차 세계대전 |
| 사 상 | 자유방임주의, 시장주의 | 사회민주주의✛, 수정자본주의 |
| 정 치 | 의회주의 | 대중민주주의, 행정권의 강화 |
| 행 정 | 정·행이원론 | 정·행일원론 |
| 경 제 | • Smith의 국부론(예정조화설)<br>• 공급이 수요를 창출(Say의 법칙✛) | • Keynes의 유효수요이론<br>• 수요가 공급을 창출 |
| 사 회 | 국가와 사회의 이원화 | 국가와 사회의 동질화 |
| 정부관 | • 작고 값싼 정부(Small & Cheap Gov.)<br>• Jefferson – Jackson 패러다임(최소한의 행정이 최선의 행정) | • 크고 강한 정부(Big & Strong Gov.)<br>• Roosevelt의 New Deal 정책<br>• Johnson의 Great Society 정책 |
| 문제점 | 시장실패 | 정부실패 |

✛ **사회민주주의**

사회의 정의와 경제적 평등을 위해 시장에 대한 국가의 개입을 정당화하는 이념

✛ **세이(Say)의 법칙**

총공급이 총수요를 창출하므로 총공급과 총수요가 일치하여 항상 완전고용상태가 달성된다고 보는 법칙

## 04 신행정국가

### 1. 의 의

행정국가가 정부실패를 야기함에 따라 대두된 신행정국가는 작은 정부로의 행정개혁과 강력한 행정적 리더십을 중시하면서도 네트워크와 시민참여를 강조하는 거버넌스 관점의 국가체제이다.

### 2. 특 성

(1) 국가의 역할과 권한 – 적극국가에서 규제국가·계약국가로

① **계약국가** : 직접 정책과 집행을 모두 담당하는 행정국가와 달리 신행정국가는 정부가 정책만을 담당하고 집행은 준정부부문이나 민간부문과 계약을 통해 공급하되 그 성과를 감독하고 책임을 강제하는 계약국가의 모습을 지닌다.

② **규제국가** : 정부의 적극적인 시장 개입을 추구했던 행정국가와 달리 신행정국가는 정부가 시장실패를 치유하기 위해 규칙을 제정하고 이를 위반하는 자들을 처벌하는 소극적인 규제국가의 모습을 지닌다. 이는 국가관이 과거 복지혜택 제공자에서 시장형성자로 변화되었음을 의미한다.

③ **국가규모의 감축과 국가권위의 지속(Small but Strong Gov.)** : 신행정국가는 국가의 규모를 감축하면서도(계약국가), 국가의 권위는 지속시킨다(규제국가). 이때 국가의 권위는 시장의 규칙을 제정하고 이를 지켜내며 위반자에게 제재를 가하는 권위를 의미한다.

(2) 국가운영방식의 변화 – 의회정체(대의민주주의)에서 분화정체(거버넌스)로

① 시장이 아닌 정책네트워크와 정부 간 관계 중시(제도적 분화): 신행정국가는 공공서비스의 공급체계를 단순히 정부에서 시장으로 대체하기보다는 공공부문·시장부문·자발적 부문으로부터 유도된 자원의존적 조직들의 연결망인 정책네트워크와 국제기구(세계정부)·중앙정부·지방정부 간 느슨하고 다중심적이며 중심이 없는 정부 간 관계로 대체하고자 한다.

② 공동화(空洞化)국가: 신행정국가는 과거 정부의 영역과 권한을 정책네트워크와 정부 간 관계로 이양함으로써 점차 정부 없는 거버넌스의 모습을 지니게 된다.

③ 핵심행정부+ 중시: 신행정국가는 정책과 집행을 구분하고 집행 기능을 정부 밖으로 이양하지만, 정부가 방향잡기와 같은 정책 조정 및 결정 기능을 수행해야 한다고 보고 이를 담당하는 핵심행정부를 중시한다.

④ 신국정관리(New Governance): 신행정국가에서 국정운영은 국가·시장·시민사회의 네트워크(연결망)에 의해 이루어진다. 이때 국가는 네트워크상의 특권적 위치를 점하지는 못하지만, 불완전하게나마 네트워크를 조정하는 역할을 수행한다.

+ 핵심행정부
중앙정부의 정점에서 정책결정을 관장하는 제도·망·행위자(행정수반, 내각, 위원회, 부처 등)

(3) 행정국가와 신행정국가의 비교

| 구 분 | 행정국가(적극국가) | 신행정국가(규제국가) |
|---|---|---|
| 주요 기능 | 재분배, 거시경제 안정화 | 시장실패의 시정 |
| 정치적 책임성 | 직접적 책임 | 간접적 책임 |
| 도구 및 갈등영역 | 예산분배(세입 및 세출) | 규칙 제정 |
| 정책유형 | 재량적 | 규칙기속적, 법률적 |
| 행정기능 | 적극국가 | 계약국가, 규제국가 |
| 복지정책 | 복지혜택 제공자 | 복지정책 폐지 |
| 직업관료제 | 옹호 | 비판 |
| 중앙과 지방 관계 | 신중앙집권 | 신지방분권 |
| 공기업 | 증가 | 축소(민영화) |
| 정 체 | 의회정체모형 | 분화정체모형 |
| 국가관 | 크고 강한 정부(Big & Strong Gov.) | 작지만 강한 정부(Small but Strong Gov.) |

심화학습
의회정체모형과 분화정체모형

| 의회 정체 모형 | • 단방제 국가
• 내각정부
• 의회주권
• 장관책임과 중립적 관료제 |
|---|---|
| 분화 정체 모형 | • 정책 연결망과 정부 간 관계
• 공동화국가
• 핵심행정부
• 신국정관리 |

3. 전 개

신행정국가는 신자유주의에 근거를 두고 '최소한의 정부가 최선의 정부'임을 강조한 하이에크(Hayek)의 사상에 기반하고 있으며, 미국의 레이거노믹스와 영국의 대처리즘에서 시작되어 현재 공동체주의에 기반한 뉴거버넌스로 발전하고 있다.

## 제 2 절 | 시장실패와 정부실패

### 01 시장주의

#### 1. 의 의

(1) 시장이란 개별 경제주체들이 수요와 공급의 법칙에 따라 가격을 매개로 자발적 교환이 이루어지는 영역을 의미한다.

(2) 시장주의란 완전경쟁시장을 전제로 사회문제의 해결을 시장에 맡기고자 하는 이념이다.

#### 2. 근거 – 스미스(A. Smith)의 국부론(예정조화설, 고전파 경제학)

스미스(A. Smith)는 합리적 경제인으로서 인간, 완전한 정보, 상품의 동질성, 거래비용과 외부효과가 없다는 전제하에 다수의 소비자와 다수의 공급자가 존재하는 완전경쟁시장이 형성되면, 개별 경제주체들이 오로지 자신의 이익을 추구하는 사익극대화 과정에서 가격이라는 보이지 않는 손(invisible hand)에 의한 조정으로 가장 효율적인 자원배분이 이루어진다고 주장하였다.

#### 3. 한계 – 시장실패

완전경쟁시장은 그 전제조건의 비현실성과 불완전성으로 인해 효율적인 자원배분에 실패할 수 있다. 또한 전제조건이 충족된다 하더라도 형평성 있는 자원배분이나 경제의 거시적 안정을 가져오기 곤란하다.

### 02 시장실패

#### 1. 의 의

시장실패란 사회문제 해결기제로서 '시장'이 효율성 측면, 형평성 측면, 경제안정 측면에서 실패하는 현상을 말한다.

#### 2. 대두배경

(1) 역사적 대두배경 – 대공황과 빈부격차 심화

(2) 이론적 대두배경 – 하딘(Hardin)의 공유지(목초지)의 비극

① 가정 : 어떤 마을에 누구나 양(羊)을 방목할 수 있도록 개방되어 있지만, 제한된 수의 양만을 기를 수 있는 한정된 공유지가 있다. 그리고 여기에서 양을 기르는 양치기들은 합리적인 존재로서 자신의 이익을 극대화하고자 한다.

② 결과 : 이 경우 공유지를 이용하는 각각의 양치기들은 개인의 이익을 위해 양을 더 추가하여 기르려고 한다. 양을 추가하여 기르게 되면 편익은 자신에게 집중(+1)되고, 비용은 다른 양치기들에게 분산(1/n)되어 개인의 이익이 증가하기 때문이다. 결국 모든 양치기들이 각각 합리적 선택에 의해 이러한 이기적 행동을 보일 경우 공유지는 과다 사용으로 황폐화되어 결국 모든 양치기가 공멸하게 된다(시장실패).

**심화학습**

죄수의 딜레마

| 상황 | 공범 두 사람이 서로 의사소통이 불가능한 독방에서 취조를 받는 과정에서 두 혐의자 모두 범행을 부인하면 끝까지 버티면 모두 무죄로 방면되며, 둘 중에 한 명만 자백하면 자백한 자는 풀려나고 자백하지 않은 범인은 최고형을 받고, 두 사람 모두 자백하면 모두 중형을 받는 상황에 처해 있다. |
|---|---|
| 결과 | 이 경우 두 사람 모두 상대방을 신뢰하지 못하고 합리적 선택을 할 경우 두 사람 모두 자백하여 둘 다 중형을 받는 최악의 선택이 이루어진다. 이는 각각의 개인이 자기 혼자 죄를 뒤집어쓰는 상황을 회피하고자 하는 개인의 합리적 선택이 작용하였기 때문이다. |

③ 원 인
  ㉠ **공유재의 성격**: 공유재는 비배제성(대가를 지불하지 않아도 사용할 수 있는 성질)과 경합성(특정인의 소비가 다른 특정인의 소비를 방해하는 성질)을 지녀 합리적 개인들의 비용회피 및 과잉소비를 야기하기 때문에 발생한다(직접적 원인).
  ㉡ **개인의 합리적 선택**: 기르는 양(羊)을 늘릴 경우 개인적 비용보다 개인적 편익이 크다는 구성원들의 합리적 인식 때문에 발생한다.
  ㉢ **집단행동의 딜레마(무임승차)**: 편익은 자신에게 집중시키고 비용은 다수에게 분산하려는 집단행동의 딜레마(무임승차) 현상에 의해 발생한다.
  ㉣ **부정적 외부효과**: 개인들의 합리적 선택행위로 인한 비용회피와 과잉소비가 공동체 구성원들에게 부정적 외부효과를 야기하기 때문에 발생한다.
④ **시사점**: 개인의 합리적 선택이 집단 및 사회의 합리적 선택을 보장하지 못하고 오히려 사회 전체적으로 비효율성을 초래할 수 있다는 점을 설명하는 이론이다. 이 이론은 시장실패 및 정부개입의 이론적 근거가 된다.
⑤ 유사이론
  ㉠ **죄수의 딜레마(Rappaport)**: 범죄를 저지르고 체포된 공범 두 사람이 서로 의사소통이 불가능한 상태에서 취조를 받는 경우, 각 개인들이 상대방을 믿지 못하고 합리적 선택을 하게 되면 두 사람 모두 중형에 처해지는 최악의 선택(집단적 비합리성)이 이루어질 수 있음을 설명하는 이론이다.
  ㉡ **구명보트의 윤리배반모형(Hardin)**: 지구호가 환경위기로 침몰하는 상황에서 정원이 제한된 구명보트가 있는 경우, 모든 사람들이 생존을 위해 각각 구명보트에 타기 위한 합리적 선택을 한다면 구명보트마저 정원초과로 가라앉게 되어 인류의 종말(집단적 비합리성)이 야기될 수 있음을 설명하는 이론이다.
⑥ 극복방안
  ㉠ **국가주의적 시각**
    ⓐ **홉스(Hobbes)적 접근**: 강력한 법치와 관료주의에 의한 강압적인 규제를 통해 문제를 극복하고자 하는 방식이다.
    ⓑ **피구(Piguo)적 접근**: 특정 개인의 합리적 선택으로 야기되는 부정적 외부효과의 크기를 측정하여 그만큼을 과세하도록 하는 방식이다(외부효과의 내부화 – 교정과세). 이 방식은 행위자들이 자신의 선택행위로 초래되는 부정적 외부효과를 의사결정과정에서 고려하도록 한다는 장점이 있다.
  ㉡ **시장주의적 시각 – 코우즈(Coase) 정리**: 거래비용이 작다는 전제하에 소유권을 어느 경제주체에게 귀속시키든 명확한 소유권만 설정된다면, 경제주체들 간의 자발적 교환에 의해 문제가 해결될 수 있다고 본다(공유재의 사유화).
  ㉢ **시민사회주의적 시각 – 오스트롬(E. Ostrom)**: 시장논리에 의한 사유화나 정부의 개입에 의한 직접관리를 모두 비판하고 자율적인 지역공동체 구성원들의 신뢰를 바탕으로 형성된 자체적인 제도(약속 또는 규칙)를 통해 문제를 해결할 수 있다고 본다(자율관리).

㉣ 하딘(Hardin) : 공유지의 비극을 극복하기 위한 대안으로 첫째, 소유권을 명확히 하는 방안(코우즈 정리), 둘째, 정부가 규제하는 방안, 셋째, 구성원들 각자 스스로의 양심으로 공유지를 최적으로 활용하는 방안을 제시하였다. 이중 세 번째 방법에 대해서는 회의적이었으며, 소유권을 명확히 하여 공유상태를 해소하는 것이 가장 이상적이고, 이것이 불가능할 경우 정부규제가 방안이 될 수 있다고 주장하였다.

## 3. 원인

### (1) 공공재의 존재

공공재란 비배제성과 비경합성을 지닌 재화나 서비스를 말한다. 이기적인 소비자들은 공공재의 비배제성과 비경합성으로 인해 시장에서 공공재에 대한 선호를 드러내지 않는 무임승차자(free rider)로 행동한다. 이에 공공재는 시장에서 생산의 유인이 없어 사회에서 필요한 적정량보다 과소생산되고 시장실패를 초래한다.

### (2) 정보의 비대칭성(정보의 편재, 정보의 불균형)

정보의 비대칭성이란 시장에서 거래 주체 간 보유하고 있는 정보의 불균형상태를 말한다. 시장에서는 소비자가 공급자보다 재화 및 서비스에 대하여 적은 정보를 지니고 있다. 이에 소비자가 바람직하지 않은 재화나 서비스를 선택하는 역선택(adverse selection)과 공급자의 기회주의적 행태(정보의 불균형을 악용한 이기적 행태)로 인한 도덕적 해이(moral hazard)가 야기되어 시장실패를 초래한다.

### (3) 외부효과(외부성)

외부효과란 가격기구를 통하지 않고 발생하는 재화 또는 서비스 제공의 부수효과를 말한다. 외부효과는 특정인의 경제활동으로 인해 의도하지 않게 대가나 비용의 교환 없이 다른 주체에게 이익을 주는 긍정적 외부효과(正의 외부효과, 외부경제효과, 외부편익효과)와 불이익을 주는 부정적 외부효과(負의 외부효과, 외부불경제효과, 외부비용효과)로 구분된다. 시장에서의 행위자들은 자기이익 추구적이므로 정(正)의 외부효과를 발생하는 재화나 서비스는 사회의 최적생산보다 과소생산을, 부(負)의 외부효과를 발생하는 재화나 서비스는 사회의 최적생산보다 과다생산을 함으로써 시장실패를 초래한다.

### (4) 자연독점의 발생(규모의 경제 산업, 비용체감산업, 수익체증산업)

자연독점이란 정부의 제도적 조작이 없음에도 시장가격기구에 의해 독점이 형성되는 것을 말한다. 자연독점은 생산량이 증가함에 따라 평균비용이 계속 하락하는 규모의 경제산업(비용체감산업, 수익체증산업)이 시장에 존재할 경우, 비용조건의 차이로 인해 신규기업의 시장진입이 곤란하기 때문에 발생한다. 자연독점산업은 과소생산을 통한 초과이윤을 추구함으로써 시장실패를 초래한다.

### (5) 불완전 경쟁(독과점의 형성)

완전경쟁시장을 전제로 하는 스미스(A. Smith)의 논의와 달리 현실에서는 자연독점 외에도 기술적 우위에 있는 조직들이 경쟁의 결과로 독과점을 형성하게 된다. 독과점 기업들은 과소생산을 통한 초과이윤을 추구함으로써 시장실패를 초래한다.

### (6) 분배의 불공평성

시장은 경쟁에서 탈락한 자에 대해서 윤리적 고려를 하지 못하는 속성으로 인해 빈익빈·부익부의 문제를 야기하여 시장실패를 초래한다.

---

**O·X 문제**

1. 공공재 성격을 가진 재화의 서비스는 시장에 맡겼을 때 바람직한 수준 이하로 공급될 가능성이 높다. (    )
2. 내부효과와 외부효과는 시장실패의 원인이다. (    )
3. 이로운 외부효과(외부경제)가 존재하는 경우 완전경쟁시장의 자원배분은 비효율적으로 이루어지며, 생산과 소비가 효율적인 양보다 지나치게 많이 이루어진다. (    )
4. 외부불경제의 경우 사회적으로 바람직한 수준 이상으로 과다하게 생산하는 문제를 야기한다. (    )
5. 전력, 상하수도 등 고정비용이 변동비용에 비해 매우 높은 자연독점 상태의 서비스 제공은 시장실패를 야기할 수 있다. (    )
6. 시장실패를 초래하는 요인은 공공재의 존재, 외부효과의 발생, 불완전한 경쟁, 정보의 비대칭성 등이다. (    )
7. 외부경제성, 분배적 불형평성, 시장의 독점상태는 시장실패의 요인에 해당한다. (    )

**심화학습**

규모의 경제

| 의의 | 생산규모를 늘릴수록 평균비용은 줄고 평균수익은 증가하는 현상이다. |
|---|---|
| 특징 | 평균비용이 한계비용보다 높은 상태에서만 발생하는 현상으로 무한하게 발생하는 현상은 아니다. |

**O·X 정답** 1. ○ 2. × 3. × 4. ○ 5. ○ 6. ○ 7. ○

### (7) 경기변동(경기 불안정)

거시적 관점에서 시장은 반복적인 인플레이션과 디플레이션으로 인해 물가불안, 고용불안, 무역적자 등의 문제를 야기하여 시장실패를 초래한다.

> **핵심정리 | 가치재(권장재)와 비가치재(비권장재)의 이해**
>
> **1. 의의**
> (1) **가치재**(merit goods) : 민간부문에서 소비를 하는 것이 바람직한 재화지만 시장에 맡겨 둘 경우 재화의 생산량이 최적수준에 미치지 못해 정부가 공급에 개입하고 소비를 권장하는 재화를 말한다(웹 농·어촌지역의 교육, 의료, 주택공급, 문화행사 등).
> (2) **비가치재** : 민간부문에서 소비하지 않는 것이 바람직한 재화지만 시장에 맡겨 둘 경우 재화의 생산량이 최적수준을 초과하여 정부가 생산이나 소비를 규제하는 재화를 말한다(웹 술, 담배, 마약 등).
>
> **2. 특징**
> (1) 가치재는 배제와 경합이 가능하고 무임승차가 발생하지 않기 때문에 공공재가 아니다.
> (2) 가치재와 비가치재는 때로는 소비자의 선호가 비합리적이라는 전제하에 온정적 간섭주의⁺에 입각한 정부의 개입이 이루어진다.
> (3) 가치재와 비가치재에 대한 정부의 개입은 시장에서 개인의 자유로운 선택을 제한한다는 점에서 소비자 주권과 충돌한다.

## 4. 대응방안

시장실패에 대한 정부의 대응방안으로는 공적 공급(정부가 행정조직을 통해 직접 공급), 공적 유도(정부가 보조금 등 경제적 유인을 통해 시장에 개입), 정부규제(정부가 법적 권위나 규제를 통해 시장에 개입)가 있다.

📂 시장실패의 원인별 대응방안

| 구 분 | | 공적 공급(조직) | 공적 유도(보조금) | 정부규제(권위) |
|---|---|---|---|---|
| 공공재의 존재 | | ○ | | |
| 외부효과 | 긍정적 외부효과 | | ○ | |
| | 부정적 외부효과 | | | ○ |
| 자연독점 | | ○ | | ○ |
| 불완전 경쟁 | | | | ○ |
| 정보의 비대칭성 | | | ○ | ○ |

## 03 정부실패(비시장실패 : Non-Market Failure)

## 1. 의의

(1) 정부실패란 시장실패에 대응하는 개념으로, 사회문제해결기제로서 '정부'가 효율성 측면, 형평성 측면, 경기변동 측면에서 바람직하지 못한 현상을 말한다.

(2) 정부실패는 미국의 경제학자인 울프(C. Wolf)에 의해 체계화되었으며, 관료나 정치인들의 개인적 요인이 아니라 정부관료제에 내재하는 구조적 요인 때문에 발생하는 현상이다.

---

## 2. 대두배경

### (1) 이론적 배경 – 공공선택론

### (2) 현실적 배경

제1 · 2차 오일쇼크+에 의한 공공재정의 구조적 위기, 정부불신에 기인한 미국 캘리포니아 주의 조세저항운동(주민발안13)+, 영국의 대처 · 미국의 레이건 등 신보수주의 정권의 등장은 정부실패의 현실적 단면이다.

## 3. **정부실패의 원인 – 울프**(C. Wolf. Jr.)

### (1) 수요 측면의 특성 – 과다수요 및 왜곡된 수요의 발생

① **과다수요의 발생**: 시민들의 시장실패에 대한 인식 제고, 민권의 신장, 비용은 부담하지 않으면서 편익만을 누리고자 하는 잠재적 수혜집단의 정치적 조직화(이익집단화)와 로비활동 등이 정부개입에 대한 과다수요를 발생시켰다.

② **정치적 보상구조의 왜곡**: 정치인이나 고위관료들이 정치적 보상을 얻기 위해 집행에 대해 책임을 지지 않으면서 문제해결의 당위성만을 주장하고 무책임한 선심성 공약을 남발함으로써 지나치게 정부활동을 확대시켰다.

③ **정치인의 높은 시간할인율(정치인의 단견)**: 선거를 의식한 정치인의 시간할인율+은 사회의 시간할인율에 비해 높기 때문에 장기적 편익과 비용의 현재가치는 낮게 평가하고, 단기적 편익과 비용의 현재가치는 높게 평가함으로써 근시안적 정책을 양산하여 정부실패를 초래하였다.

### (2) 공급 측면의 특성 – 비효율적인 생산체제

① **정부산출물의 무형성**: 정부산출물은 무형성을 지니므로 성과측정이 곤란할 뿐만 아니라 명확한 생산함수가 존재하지 않는다. 이로 인해 비효율적인 생산이 이루어져 정부실패를 초래하였다.

② **단일 원천에 의한 생산(독점성)**: 정부산출물은 독점공급이 이루어지므로 경쟁의 부재로 인한 X-비효율성을 야기하여 정부실패를 초래하였다.

③ **최저선 또는 종결 메커니즘의 결여**: 정부는 경쟁의 부재로 정부활동이 비효율적인 경우에도 종결 메커니즘이 없어 비효율적인 생산이 지속되며, 이로 인해 정부실패를 초래하였다.

### (3) 정부실패의 유형

① **내부성(사적 목표의 설정)**

  ㉠ **개념**: 관료들이 공식적 목표인 공익보다는 비공식적 목표인 개인적 이익이나 소속 기관의 이익을 우선적으로 고려함으로써 공식적 목표와 비공식적 목표가 괴리를 빚는 현상 또는 비공식적 목표가 공식적 목표를 대체하는 현상을 말한다.

  ㉡ **원인**: 민간기업과 달리 정부조직은 명확한 성과평가기준이 없기 때문에 행정 활동의 행동기준으로 조직 내부의 비공식적 목표를 중시하게 된다.

  ㉢ **구체적인 행태**: ⓐ 던리비(Dunleavy)의 관청형성모형(조직), ⓑ 파킨슨(Parkinson)의 법칙(인사), ⓒ 니스카넨(Niskanen)의 예산극대화 모형(예산), ⓓ 정보와 지식의 독점, ⓔ 비용을 고려하지 않는 최신기술에 집착, ⓕ 법규와 절차 등의 수단에 대한 집착, ⓖ 지대추구행위로 인한 규제기관과 피규제산업 간의 유착 등이 있다.

---

**O · X 문제**

1. 정부실패와 가장 관련이 깊은 정책 모형은 공공선택론이다. ( )

2. 정부실패는 정부산출물 측정의 곤란성, 독점적 생산 등 정부 서비스의 공급적 차원의 문제로 인해 발생하는 것이지 정부가 공급하는 재화나 서비스에 대한 수요 측면과는 무관하다. ( )

3. 선거를 의식한 정치인의 시간할인율(time discount rate)은 사회의 시간할인율에 비해 낮게 나타나는 경향이 있기 때문에 단기적 이익과 손해의 현재가치를 낮게 평가한다. ( )

4. 관료의 외부성은 관료가 부서의 확장에만 집착하는 것을 의미한다. ( )

**O · X 정답** 1. ○ 2. × 3. × 4. ×

**핵심정리 | 파킨슨(Parkinson)의 법칙**

1. **의의 – 상승하는 피라미드 법칙, 관료제국주의 현상**
   공무원의 수는 본질적인 업무량의 증가와 관계없이 증가한다는 법칙으로, 파킨슨은 사회심리학적 측면에서 공무원 수의 증가현상을 실증적으로 분석하였다. 그의 측정에 따르면 공무원의 수는 업무량과 상관없이 매년 평균 5.75%의 비율로 증가하였다.

2. **내용**
   (1) **제1공리(부하배증의 법칙)** : A라는 공무원이 과중한 업무에 허덕일 때 A는 동료 B를 보충받아 그 업무를 반분하기를 원치 않고 그를 보조해줄 부하 C를 보충받기를 원한다.
   (2) **제2공리(업무배증의 법칙)** : 부하가 배증되면 A는 새로운 부하 C에 대한 지시·보고·승인·감독 등의 파생적 업무가 창조되어 본질적 업무의 증가 없이 업무량의 배증현상이 일어난다.
   (3) **제1공리와 제2공리의 상호작용** : 제2공리에 의하여 배증된 업무량 때문에 다시 제1공리인 부하배증현상이 나타나고, 이는 다시 업무배증현상을 야기하는 순환과정을 거침으로써 본질적인 업무량과는 관계없이 정부규모가 커져 간다.

3. **한계**
   파킨슨의 법칙은 위기상황 시 공무원 증가현상(실제 업무량의 증가로 인한 공무원의 수 증가)이나 감축관리로 인한 공무원 수 축소 현상 등을 설명하지 못한다.

② 비용과 수익의 절연
   ㉠ 개념 : 정부서비스는 시장의 '수익자부담주의'와 달리 편익 집단과 비용 집단이 서로 단절되어 있다. 이로 인해 공급자인 정부는 원가개념 없이 과잉생산하고 소비자인 국민은 비용에 대한 인식 없이 과잉소비하게 된다.
   ㉡ 유형 – 미시적 절연과 거시적 절연

| 구 분 | 미시적 절연 | 거시적 절연 |
|---|---|---|
| 개 념 | 잘 조직화된 소수가 관료포획 등을 통해 다수를 이용하는 것 | 국민다수가 투표권을 통해 다수를 위한 정책을 형성하고 소수에게 비용을 부담케 하는 것 |
| 편익과 비용 | 편익은 소수에게 집중되고, 비용은 다수가 부담 | 편익은 다수에게 분산되고, 비용은 소수가 부담 |
| J. Q. Wilson | 고객정치 상황 | 운동가(기업가)정치 상황 |
| 연관정책 | 규제정책 | 재분배정책 |
| 수 단 | 포획 | 투표나 선거 |
| 이 유 | 경제적 | 정치적·경제적 |
| 결 과 | 비효율적이거나 불공평한 정부사업 수행 또는 특수이익 추구를 위한 규제 발생 | 소수 기업인들에게 과다한 부담을 주어 적절한 기술개발과 투자를 통한 경제성장 곤란 |

③ 파생적 외부효과(비의도적 효과의 확산)
   ㉠ 개념 : 시장실패를 극복하기 위한 정부의 개입이 초래하는 의도하지 않은 부작용을 말한다. 주택가격안정화를 위한 정부의 개입이 오히려 주택가격 상승을 가져왔다면 이는 파생적 외부효과의 예라 할 수 있다.
   ㉡ 원인 : 정책결정자의 조급성, 담당공무원의 졸속 입안, 인간의 제한된 합리성으로 인한 정보의 부족과 미래예측의 곤란성 등이 원인이다. 특히 정치인들의 높은 시간할인율로 인한 단견(myopia)이 가장 중요한 원인이 된다.

④ 권력의 편재로 인한 분배의 불공평(권력과 특혜의 남용) : 정부 역시 시장과 마찬가지로 분배적 불공평을 야기할 수 있다. 다만, 시장에서의 분배의 불공평은 경쟁의 결과에 기인한 것이지만, 정부에서의 분배적 불공평은 규제권한 등을 지닌 정부권력에 의한 특혜의 남용에 기인한 것이다.

⑤ X-비효율성(공급비용 체증, 관리적·기술적·행태적 비효율성)

　　㉠ 개념 : 독점으로 인해 경쟁메커니즘이 존재하지 않아 관료들의 잘못된 의식구조나 행태를 야기함으로써 발생하는 관리적·기술적·행태적 비효율성을 말한다.

　　㉡ 특징 : 관료가 최선을 다해 일하지 않거나 기술에의 부적응 또는 관리상의 문제(무사안일, 복지부동, 도덕적 해이, 소극적인 업무행태 등)로 비용극소화 또는 산출극대화에 실패할 때 발생한다.

⑥ 기타 : 정부 개입에 의해 발생하는 인위적 지대(특혜나 특권)를 획득하기 위해 자원을 낭비하는 활동인 지대추구행위, 문제의 인지·정책의 결정·효과의 발생에 있어서 시차의 존재 등으로 실패할 수 있다.

## 4. 대응방안

정부실패는 관료나 정치인들의 개인적 요인이 아니라 정부관료제에 내재하는 구조적 요인 때문에 발생한다. 따라서 관료의 공직윤리와 교육훈련 강화로 대응하기보다는 민영화(감축관리), 정부보조 삭감, 규제완화 등 정부관료제의 구조나 기능 개편으로 대응해야 한다.

📂 정부실패의 원인별 대응방안

| 구 분 | 민영화 | 정부보조 삭감 | 규제완화 |
|---|---|---|---|
| 사적 목표의 설정(내부성) | ○ | | |
| X-비효율성과 비용체증 | ○ | ○ | ○ |
| 파생적 외부효과 | | ○ | ○ |
| 권력의 편재 | ○ | | ○ |

## 04 시장실패와 정부실패의 비교

### 1. 시장실패와 정부실패의 과정

| 근대입법국가(작은 정부) | | 행정국가(큰 정부) | | 신행정국가(작은 정부) |
|---|---|---|---|---|
| 시장 만능주의 | 시장실패 | 정부 만능주의 | 정부실패 | 거버넌스(정부·시장·시민사회의 협력) |
| 시장에 의한 사회문제 해결지향 | 공공재의 존재 ⇨ | 공적공급 | X-비효율성 ⇨ | 민영화, 정부보조 삭감, 규제완화 |
| | 자연독점산업 ⇨ | 공적공급 정부규제 | 내부성 ⇨ | 민영화 |
| | 정보의 비대칭 ⇨ | 공적유도 정부규제 | 파생적 외부효과 ⇨ | 정부보조 삭감, 규제완화 |
| | 외부효과 ⇨ | 공적유도 정부규제 | 권력의 편재 ⇨ | 민영화, 규제완화 |
| | 불완전경쟁 ⇨ | 정부규제 | 비용과 수익의 절연 ⇨ | 없음 |

심화학습

**배분적 비효율성**

| | |
|---|---|
| 의의 | 비용편익분석 등 합리적인 분석의 결여로 사업 간에 효율적인 자원배분(인원배치, 예산 할당, 시간 및 물자 할당 등)이 이루어지지 않은 현상 |
| 특징 | • 수요와 공급의 불균형으로 나타나는 비효율성<br>• 주로 지대추구나 포획현상에 기인하여 발생<br>• 경제학자들의 주요관심 대상 |
| X-비효율성과의 관계 | **독자적 관계** : X-비효율성이 발생하지 않는다 하더라도 배분적 비효율성은 발생할 수 있으며, X-효율성이 나타난다 하더라도 배분적 비효율성이 야기될 수 있다. |

**O·X 문제**

1. 정부실패는 관료나 정치인들의 개인적 요인 때문에 발생하며, 정부라는 공공조직에 내재하는 구조적 요인 때문에 발생하는 것은 아니다. ( )

2. 정부실패가 발생할 경우 이를 교정하기 위한 정부의 대응방식은 공적 공급, 보조금 등 금전적 수단을 통해 유인구조를 바꾸는 공적 유도, 그리고 법적 권위에 기초한 정부규제 등이 있다. ( )

3. 권력의 편재에 대한 대응방안으로는 정부보조 삭감, 규제완화 등이 있다. ( )

4. 파생적 외부효과로 인한 정부실패는 정부보조 삭감 또는 규제완화의 방식으로 해결하는 것이 적합하다. ( )

**O·X 문제**

5. X-비효율성, 외부효과는 작은 정부의 이론적 배경이 된다. ( )

6. 최근 시장실패와 정부실패를 함께 교정할 수 있는 제도로서 네트워크 거버넌스가 제시되고 있다. ( )

O·X 정답 1. × 2. × 3. × 4. ○ 5. × 6. ○

## 2. 시장실패와 정부실패의 비교

| 구 분 | 시장실패 | 정부실패 |
|---|---|---|
| 원 인 | • 외부효과(외부성)<br>• 자연독점의 존재<br>• 불완전 경쟁<br>• 공공재의 존재<br>• 정보의 편재(비대칭성)<br>• 분배의 불형평<br>• 경기변동 | • 내부성<br>• 파생적 외부효과<br>• 비용과 수익의 절연<br>• X-비효율성(독점성)<br>• 권력의 편재로 인한 분배의 불형평<br>• 정보의 부족, 시차의 문제, 지대추구행위 |

☑ 공공서비스도 외부성이 발생하며, 공공서비스의 외부성은 정부실패의 원인이 될 수도 있다.
☑ 정보의 불완전성(정보의 편재)은 시장실패의 원인이지만, 정부실패의 원인이 될 수도 있다.
☑ X-비효율성은 정부실패의 원인이지만, 시장에서의 독점기업에서도 발생한다.
☑ 공공서비스의 무임승차는 시장실패의 원인이자 정부실패의 원인이 된다(시장실패 – 공공재의 존재, 정부실패 – 비용과 수익의 절연).

# 제 3 절 정부와 행정

## 01 정부의 의의 및 정부관

### 1. 정부의 의의

정부란 광의로는 국가통치기구로서 입법부·사법부·행정부를 포함하는 총체적인 정부기관을, 협의(일반적 의미)로는 입법부·사법부와 대비된 행정부의 조직 및 작용의 형태를 의미한다.

### 2. 이념에 따른 정부관

(1) 의 의

이념에 따라 정부관을 구분하면 자유시장경제질서를 신뢰하고 정부의 시장개입을 원하지 않는 보수주의 정부관과 자유시장경제질서의 한계를 인식하고 정부의 적극적 역할을 강조하는 진보주의 정부관으로 구분할 수 있다.

(2) 보수주의 정부관(작은 정부론)과 진보주의 정부관(큰 정부론)의 비교

| 구 분 | 보수주의(작은 정부론) | 진보주의(큰 정부론) |
|---|---|---|
| 추구하는 가치 | • 자유(국가로부터의 자유) 강조<br>• 자유와 평등은 상충된다고 보고, 기회의 평등과 경제적 자유 강조<br>• 교환적 정의✚ 중시 | • 자유(국가에 의한 자유) 옹호<br>• 자유와 평등은 양립가능하다고 보고, 실질적 평등(결과의 평등) 강조<br>• 배분적 정의✚ 중시 |
| 인간관 | 합리적이고 이기적인 경제인 | 욕구·협동·오류가능성 있는 인간<br>(행복의 극대화, 공동선, 시민의 미덕 강조) |
| 시장관 | • 자유시장에 대한 강한 신념<br>• 스미스(Smith)의 보이지 않는 손에 대한 믿음<br>• 하이에크(Hayek)의 신자유주의 | • 효율과 공정, 번영과 진보에 대한 시장의 잠재력을 인정하되 시장의 결함과 윤리적 결여 인지<br>• 케인즈(Keynes)의 총수요관리정책 |
| 정부관 | 최소한의 정부 – 정부불신 | 적극적인 정부 – 정부개입 중시 |

| | | |
|---|---|---|
| 경제정책 | 규제완화, 조세감면, 사회복지정책 폐지, 시장지향 정책 등 | 소득재분배정책, 사회보장정책, 정부규제 옹호 |
| 비 고 | 자유방임적 자본주의, 신자유주의 | 사회민주주의, 수정(혼합)자본주의, 규제된 자본주의, 개혁주의, 복지국가 |

## 02 신보수주의와 제3의 길(The Third Way)

### 1. 신보수주의(1970~80년대)

제1·2차 오일쇼크 및 과다한 복지지출로 인한 만성적인 재정적자(정부실패)를 극복하기 위해 공기업 민영화, 규제완화, 복지지출 축소를 지향했던 정치적 사조로 미국의 레이거노믹스와 영국의 대처리즘으로 대표된다. 신보수주의는 하이에크(Hayek) 등이 주창한 신자유주의에 근거를 두고 '최소의 정부가 최선의 정부'임을 강조한다.

### 2. 제3의 길(1990년대) - 기든스(A. Giddens)

(1) 의 의

기든스(A. Giddens)에 의해 주창된 '제3의 길'은 사회주의 복지국가와 신자유주의 시장경제의 단점을 배제하고 장점만을 융화시킨 새로운 개념의 국가운영전략이다. 기든스는 복지국가를 지향하는 사회민주주의를 제1의 길로, 시장경제를 지향하는 신자유주의를 제2의 길로 규정하고, 이에 대한 절충적 대안으로 신자유주의(보수주의)와 사회민주주의(진보주의)가 결합한 '제3의 길'을 제시하였다.

(2) 대두배경

'제3의 길'은 영국 수상이었던 블레어(T. Blair)가 정치노선으로 채택함으로써 세계적으로 널리 알려지게 되었으며, 1990년대 집권한 중도좌파정권(미국의 클린턴, 독일의 슈뢰더, 프랑스의 조스팽 등)들이 이를 받아들였다.

(3) 특 징

'제3의 길'은 최근 신자유주의가 제기한 세계화, 지식경제의 등장, 신개인주의와 탈물질주의의 부상, 복지국가의 역기능 확산, 생태계 문제의 악화 등 새로운 환경변화를 좌파적 사회민주주의가 어떻게 수용해야 하는지에 대한 고민이며, 기본적 사상은 주민참여에 의한 공동체정신에 근거하고 있다.

## 03 정부의 형태 – 정부의 역할에 따른 구분

| | |
|---|---|
| 자유방임형 | • 의의 : 정부의 규제와 지원이 거의 없는 정부형태<br>• 정부의 역할 : 규칙제정자로서의 역할 |
| 중상주의형 | • 의의 : 정부의 규제는 거의 없으나 정부의 강력한 지원이 있는 정부형태<br>• 정부의 역할 : 지원자로서의 역할 |
| 입법주의형 | • 의의 : 정부의 지원은 약한 대신 강력한 정부 규제가 있는 정부형태<br>• 정부의 역할 : 규제자로서의 역할 |
| 가부장주의형 | • 의의 : 정부의 규제와 지원이 모두 강력한 정부형태<br>• 정부의 역할 : 지원자와 규제자로서의 역할 |

심화학습

제3의 길의 정책 방향 – 시장의 효율성과 사회적 형평성 동시 추구
① 정부·시장·시민사회의 동반자적 관계를 통한 효율적이고 대응성 있는 정부 구축
② 자율적·진보적 시민주도 사회의 발전 촉진
③ 효율적인 위험관리, 사회보장, 환경개선, 지속가능한 발전 등을 통한 신혼합경제의 발전
④ 교육기회 확대, 고용증대 등을 통한 소외계층 보호 및 사회정의 구현
⑤ 소외계층을 위한 생산적·능동적·적극적 복지(일을 통한 복지)체제의 구축
⑥ 관료적 비능률 제거
⑦ 정부의 국제적 활동을 강화함으로써 세계화의 도전에 대응
⑧ 정부의 지속적 개혁을 위한 미래지향적이고 창의적인 방안 마련

## 제 4 절 │ 시민사회와 NGO

### 01 시민사회

#### 1. 의의

행정의 중요한 환경요소인 시민사회는 "국가와 시장으로부터 상대적인 독자성을 지니면서 공익을 위해 집단행동을 하는 자발적 행위자들의 집합체"를 의미한다.

#### 2. 시민사회의 변천

**(1) 시민사회의 등장 – 근대입법국가**

국가라는 공적인 권위에 대항하는 순수한 자율성의 영역인 시민사회는 근대입법국가 시기에 유럽에서 출발하였다. 즉, 정치적으로는 절대주의 국가가 위기에 직면하게 되었고, 경제적으로는 산업자본주의가 점차 확산됨에 따라 부르주아 세력이 부상하면서 국가와 시민사회가 분리되는 사회의 분화 현상이 나타나게 되었는데 이러한 과정에서 시민사회가 등장하였다.

**(2) 시민사회의 퇴조 – 현대복지국가**

20세기에 접어들면서 시민사회는 행정국가화 현상에 기인하여 다시 강화된 정부의 역할로 인해 행정과의 상호작용의 한 주체로서 역할을 상실하게 되었다. 이는 근대국가 당시 교양과 재산을 갖춘 이성적이고 자율적인 부르주아에 의해 형성된 시민사회가 행정국가 당시 대중매체의 발달로 생활양식이나 사고방식이 평준화되고 주체적 사고와 판단능력을 상실한 대중이 중심이 된 대중사회로 변질되었기 때문이다.

**(3) 시민사회의 부활 – 신행정국가**

① 현대적 의미의 시민사회는 전 세계적인 민주화의 흐름과 정부실패(비효율적인 정부)에 대처하기 위한 대안으로 부활하였다. 즉, 1980년대부터 한국을 비롯한 제3세계 국가와 동구 사회주의 국가에서 일기 시작한 민주화의 물결과 서구 국가들에서 정부실패로 야기된 복지국가의 퇴조현상이 시민사회의 부활을 가져온 것이다.

② 현대적 의미의 시민사회는 현재 공공서비스의 생산, 민주주의적 가치의 재생산, 인간소외 극복 등 각종 사회문제에 대한 해결 대안을 제시하는 데 없어서는 안 될 중요한 구성요소로 자리잡고 있다.

### 02 NGO(비정부기구 : Non Governmental Organization)

#### 1. 의의

**(1) 개념**

시민사회의 구성요소인 NGO는 공공목적 실현을 위해 시민들의 자발적 · 능동적 참여로 운영되는 공식적 조직을 의미한다.

---

**심화학습**

**시민사회의 특성**
① **사회적 집단의 집합체** : 시민사회는 시민운동단체, 비영리조직 등의 사회적 집단의 집합체이다.
② **전제로서 자유주의 국가** : 시민사회의 구성과 활동은 언론 · 결사의 자유가 보장된 자유국가에서만 가능하다.
③ **자발적 구성** : 시민사회의 구성은 구성집단들의 자발적인 참여를 통해서 이루어진다.
④ **느슨한 연계** : 시민사회 구성집단들은 계층제적 관계가 아닌 느슨한 연계를 이루고 있다.
⑤ **매개적 집단** : 시민사회는 국가와 시민 간의 교호작용을 매개한다.

**O·X 문제**

1. 현대적 의미에서 시민사회는 민주화와 시장실패에 대처하려는 노력을 통하여 부활하였다. ( )

**심화학습**

**NGO 관련 용어**
비영리기구(NPO : Non Profit Organization), 자발적 기관(VO : Voluntary Organization), 시민사회단체(CSO : Civil Society Organization), 대중적(풀뿌리) 조직, 지역공동체기구, 민중적 기관, 자조적 기관, 제3섹터적 연합조직(Salamon) 등

**O·X 정답** 1. ×

---

## (2) 개념적 특징

① 비정부성(민간조직) : 정부조직이 아닌 순수한 민간조직이다.

② 비영리성(이익무분배) : 영리가 아닌 공공선을 실현하기 위한 조직이다.

③ 공익성(공공성) : 공익을 실현하기 위해 형성된 조직이다.

④ 자발성 : 시민들의 자발적 참여로 형성된 결사체이다.

⑤ 자율성(자치성) : 외부의 영향력이 아닌 자율적으로 활동하는 조직이다.

⑥ 지속성과 공식성 : 지속성 있는 공식적 조직이다. 따라서 임시적이고 비공식적인 모임은 NGO로 간주되지 않는다.

⑦ 연대성 : 시민들 간의 연대를 통해 영향력을 행사하는 조직이다.

⑧ 비당파성(비정치성·비종교성) : 특정 정치집단이나 종교집단을 위해 활동하는 것이 아니라 정치적·종교적으로 중립적인 조직이다.

⑨ 수평 조직 : 계층제적 지시·명령·통제가 아닌 구성원 간의 자율적인 대화와 토론을 통해 운영되는 수평적 조직이다.

⑩ 제3섹터(제3영역) : 공공부문(제1섹터) 및 민간영리부문(제2섹터)과 대비되는 비공공·비영리부문으로 제3섹터라 불린다(미국).

## (3) 유 형

| NGO(창도형)✛ – 사회운동조직 | NPO(서비스형)✛ – 비영리조직 |
|---|---|
| •공공이익 수호 역할 : 정치·행정 권력에 대한 감시·통제 및 정책과정에 참여하여 정책대안을 제시하는 역할<br>•비정부성 강조 | •공공서비스 제공 역할 : 복지, 교육, 생활 서비스의 제공을 통해 정부의 역할을 대신하거나 보완하는 역할<br>•비영리성 강조 |

## 2. NGO의 성장 및 촉진배경

### (1) 현실적 측면

① 시장실패와 정부실패 : NGO는 개별 경제주체의 지나친 이윤추구 속성으로 인한 시장실패와 정부의 비효율성으로 인한 정부실패의 문제점을 모두 극복할 수 있는 새로운 대안으로 인식되어 현대 사회에서 각광받고 있다.

② 세계화·지방화·민주화·지식정보화 등 범세계적 행정환경 : 민주화는 민권의 신장을, 지방화는 주민참여를, 세계화는 글로벌 네트워크를, 지식정보화는 IT 기술을 통한 시·공간의 장벽 타파를 촉진하여 시민들의 자발적 결사체인 NGO가 활성화되었다.

③ 복지국가 및 개발국가의 위기 : 서구 선진국에서는 정부실패로 인한 복지국가의 위기 극복을 위해, 저개발국가에서는 권위주의 정치체제의 억압적 권력구조에 저항하기 위해 NGO가 활성화되었다.

④ 영역별 확장 요인

ㄱ 정치·행정적 측면 – 대의민주주의의 한계 : 국민의 대표기관인 국회가 국민의 의사를 제대로 대변하지 못함에 따라 시민들의 직접적인 참여를 위한 통로로 NGO가 활성화되었다.

ㄴ 경제적 측면 – 소비자보호운동 : 기업의 횡포로부터 소비자를 보호할 목적으로 소비자들의 자발적 결사체(NGO)의 활동이 활발하게 전개되었다.

ⓒ 사회적 측면 – 다양한 선호에의 대응 : 시민들의 다양한 선호에 대응할 목적으로 정부보다 유연하고 작은 규모로 운영되어 다양한 공공서비스를 제공할 수 있는 NGO의 역할이 확대되었다.

**(2) 이론적 측면**

① **정부실패·시장실패이론** : 공공서비스 공급에 대한 정부와 시장의 한계를 보완할 목적으로 NGO가 등장했다고 보는 이론이다.

② **공공재이론(정부실패이론)** : 정부의 공공서비스 공급체계에서 충족되지 못한 시민들의 수요를 만족시키기 위해 NGO가 등장했다고 보는 이론이다(ⓔ 경제개발주의로 소외된 환경·노동문제를 대처하기 위한 환경단체·노동단체).

③ **계약실패이론(시장실패이론, 신뢰이론)** : 소비자들이 정보비대칭성으로 영리기업에서 생산하는 서비스를 정확하게 평가하기 곤란하기 때문에 이를 보완할 목적으로 영리기업보다 신뢰도가 높은 NGO의 영향력이 확대되었다고 보는 이론이다(ⓔ 소비자보호단체).

④ **자원부문실패이론** : 정부뿐만 아니라 NGO도 실패요소를 지니고 있기 때문에 정부와 NGO 간의 협력관계(자원 제공자로서 정부, 서비스 전달자로서 NGO)가 형성되며, 이 과정에서 NGO가 성장되었다고 보는 이론이다. 이때 NGO가 서비스 전달자로서 역할을 수행하는 이유는 정부보다 거래비용이 적게 드는 상대적 우월성을 지니고 있기 때문이라고 본다(Salamon).

⑤ **기업가이론** : 정부와 NGO가 경쟁과 갈등관계에 있다고 보고 정부의 공공서비스 흠결영역을 대신할 목적으로 NGO가 발전되었다고 보는 이론이다.

⑥ **다원화이론** : 공공서비스 생산에서 NGO가 정부보다 다양성을 반영하기 용이하기 때문에 NGO의 영향력이 확대되어왔다고 보는 이론이다.

## 3. 정부와 NGO의 관계

**(1) 기능에 따른 분류**

① **대체적 관계** : 정부실패 이후 정부에 의해 폐지된 공공재(사회복지프로그램)에 대한 수요를 NGO가 대신 충족시켜주는 관계를 말한다. 대체적 관계에서는 공공재 공급에 대한 정부의 역할이 증가하면 NGO의 역할은 줄어들고, 정부의 역할이 감소하면 NGO의 역할은 증가한다.

② **보완적(동반자적) 관계** : 정부와 NGO를 동반자적인 관계로 간주하여 재원은 정부가 지원(자원 제공자로서 정부)하고, NGO가 서비스를 공급(서비스 전달자로서 NGO)하는 이원화된 협조체제가 구축되어 있는 관계를 말한다.

③ **대립적 관계** : NGO는 정부의 정책과정에 참여하여 정책의 변화를 유도하거나 정부의 책임성을 높이기 위한 감독자의 역할을 수행하는 반면, 정부는 NGO 내부의 지배구조나 상업적 활동을 감독하거나 또는 정부사업 대행에 따른 성과평가 등을 통해 감독하는 관계를 말한다(정부와 NGO 간에 긴장관계).

④ **의존적 관계** : 사회가 다원화되지 못한 개발도상국에서 정부가 NGO의 성장을 육성하고 유도하는 한편 정부정책의 홍보수단이나 집행수단으로 활용하는 관계를 말한다. 이때의 NGO는 국가로부터의 자율성이 없기 때문에 진정한 의미의 NGO라 할 수 없다.

## (2) 코스턴(Coston)의 분류

코스턴(Coston)은 정부의 제도적 다원주의 수용과 거부, 관계의 공식화 정도, 양자 간의 권한관계의 대칭성과 비대칭성에 따라 정부와 NGO 관계를 설정한다. 이 분류는 제3세계 국가의 NGO에 대한 설명이 용이하다.

| 다원주의 수용 여부 | 권한관계의 대칭성 | 관계의 공식화 정도 | 모 형 | 특 징 |
|---|---|---|---|---|
| 제도적 다원주의 거부형 | 권한관계 비대칭 | 공식적 또는 비공식적 관계 | 억압형 | 정부가 NGO를 불법화하고 불인정하는 관계 |
| | | | 대항형 | 정부가 NGO의 활동을 제약하나, 억압하지는 않는 관계 |
| | | 비공식적 관계 | 경쟁형 | NGO가 정치적으로는 정부를 비판하면서, 경제적으로는 정부와 경쟁하는 관계 |
| 제도적 다원주의 수용형 | 권한관계 비대칭 | 공식적 관계 | 용역형 | NGO가 정부서비스를 위탁받아 제공하는 관계 |
| | | | 제3자 정부형 | 비교우위에 따른 양자 간 분업관계(Gidron의 협동형과 유사) |
| | 권한관계 대칭 | 비공식적 관계 | 협력형 | 정보공유를 통한 상호협력관계 |
| | | | 보충형 | 지리적·기술적·재정적 보충관계 |
| | | 공식적 관계 | 공조형 | 상호협력적 관계로 가장 대칭적이며, 공식적인 관계(현재 가장 일반적인 모형) |

## (3) 기드런(Gidron)의 분류

기드런(Gidron)은 기능(재원조달과 서비스공급)과 주체 측면에서 정부와 NGO의 관계를 구분한다.

| 구 분 | 정부주도형 | NGO 주도형 | 이중형 | 협동(공조)형 |
|---|---|---|---|---|
| 재정부담 | 정부 | NGO | 정부, NGO | 정부 |
| 서비스 공급 | 정부 | NGO | 정부, NGO | NGO |

## 4. NGO의 기능

| 민주성 측면 | 효율성 측면 |
|---|---|
| • 시민참여 활성화 및 시민의사 대변을 통해 대의민주주의 한계 극복<br>• 정부에 대한 감시·통제<br>• 개별생활에서 시민의 권리와 자유 보호<br>• 공론장 형성을 통한 공동체 형성 및 시민의사의 합의 도출<br>• 민주적 시민 육성 및 교육 | • 시민에 대한 정보제공을 통해 행정의 대응성 향상<br>• 새로운 아이디어 생산을 통한 정책 제언<br>• 사회서비스의 생산을 통한 정부역할의 보좌 및 대행<br>• 사회적 갈등에 대한 자율적 조정<br>• 사회적 자본 형성 기제 |

## 5. NGO의 한계

### (1) NGO실패이론(자원부문실패이론, Salamon)

① 의의 : 샐러먼(Salamon)은 정부뿐만 아니라 NGO도 사회문제 해결기제로서 한계를 지닌다고 보고 NGO실패이론을 제시하였다. 이 이론은 많은 사회문제가 정부나 NGO 각자의 힘만으로는 해결되기 곤란하기 때문에 정부와 NGO 간의 동반자적 협력관계를 유지하는 것이 바람직하다고 보았다.

② NGO실패의 유형

㉠ 박애적 불충분성 – 인적·물적 자원의 부족 : NGO는 정부와 달리 조직의 내·외부에 대하여 강제성이 없기 때문에 자원봉사나 기부금 납부 등을 강제할 수 없어 인적·물적 자원을 안정적으로 획득하기 곤란하다.

㉡ 박애적 배타주의 – 대상집단의 제한성 : NGO는 특정한 견해를 공유하는 자들로 구성되므로 NGO의 활동대상은 일반 대중이기보다는 특정 집단이나 계층 혹은 이슈(종교, 인종, 이념 등)에 한정되는 배타성을 지닌다.

㉢ 박애적 온정주의 – 후원자의 영향력 : NGO는 구성원의 선호를 반영하여 활동하기보다는 부족한 자원을 지원받기 위해 가장 많은 자원을 지원한 몇몇 후원자의 의지를 반영하여 활동하게 된다.

㉣ 박애적 아마추어리즘 – 전문성 부족 : 사회문제의 해결이나 서비스의 제공은 도덕적·종교적 신념에 바탕을 둔 일반적 도움이 아니라 전문적 지식을 필요로 하는 경우가 많음에도 NGO는 문제해결에 필요한 전문적 인력확보에 한계가 있다.

### (2) 우리나라에서의 한계

① 정체성의 혼란 – 정책담합 가능성 : NGO가 윤리성을 상실하고 정부와 부정적인 야합관계를 형성하는 경우가 많아 정체성이 불분명하다.

② 대표성의 문제 : NGO는 의회와 달리 선거를 통해 공식적으로 시민들에게 권한을 위임받은 것이 아니기 때문에 NGO의 의사가 시민의 의사를 대표한다고 보기 곤란하다.

③ 책임성의 문제 : NGO가 행하는 정부나 기업에 대한 비판활동이나 정책대안의 제시는 그 성과를 평가하기 어려우며, 평가하더라도 책임확보기제가 없다.

④ 전문성의 문제 : NGO는 비전문성으로 인해 정부정책에 대한 비판만 있을 뿐 적극적인 정책대안을 제시하지 못한다.

⑤ 특정성의 문제 : NGO는 대상집단의 제한성으로 인해 사회의 공동이익보다는 특정 지역이나 특정 집단의 이익을 추구하는 경향이 강하다.

⑥ 내부운영의 관료화 : NGO 내의 의사결정이나 운영이 몇몇 소수 간부의 의사에 좌우되어 다수 구성원의 의사가 소외되고 있다(Michels의 과두제의 철칙✝).

⑦ 기타 : 우리나라의 NGO는 그밖에도 인적·물적 자원의 심각한 부족 현상, 자원공급자에 대한 의존성, 명망가 중심의 시민운동, 시민참여의 저조 현상(시민 없는 시민단체) 등의 문제를 지니고 있다.

## 03 시민참여

## 1. 의 의

### (I) 개 념

① **전통적 의미** : 사회의 구성원인 시민이 정책결정과정에 참여하여 정책에 영향을 미치고 자 하는 행동을 말한다. 전통적 의미의 시민참여는 시민권의 강화와 민주주의의 실현 에 초점이 있다.

② **현대적 의미** : 정책결정과정에 시민의 참여를 통한 시민권의 강화와 민주주의의 실현뿐 만 아니라 정책집행과정에서 정부와 시민 간의 파트너십(협력적 분업관계)을 형성하여 효율적인 국정운영을 지향해 나가는 것을 말한다(거버넌스 관점).

### (2) 기능과 한계

| 시민참여의 기능 | | 시민참여의 한계 |
|---|---|---|
| 정치적 기능 | 행정적 기능 | |
| • 대의민주주의 한계 극복 및 절차적 민주주의 확립<br>• 지방자치의 활성화 및 풀뿌리 민주주의 실현<br>• 시민통제를 통한 행정의 독선화 방지 및 책임성 증진<br>• 행정 내부의 저항 극복을 통한 행정개혁 추진 용이<br>• 시민의 권리와 책임의식 고양<br>• 사회적 소외계층 보호 | • 시민의 지식과 정보를 활용한 정책결정의 합리성 제고<br>• 시민 요구에 적합한 서비스 제공(대응성 증진)<br>• 행정에 대한 이해와 협력<br>• 주민 상호 간의 이해 증진을 통한 분쟁 해결<br>• 순응확보를 통한 정책집행의 효율성 제고 | • 전문성 부족(아마추어리즘)<br>• 행정의 책임성 저하(행정의 책임떠넘기기 현상)<br>• 시민 간의 분열과 대립 격화<br>• 참여하는 시민의 대표성 결여(특정 집단 이익의 과다반영과 침묵하는 다수의견의 묵살)<br>• 행정지체와 비능률성 야기(시간소모적 정책결정으로 결정비용 과다 발생) |

## 2. 현대적 의미의 시민참여(거버넌스 관점의 시민참여) − 시민공동생산

### (I) 의 의

과거 공공서비스의 소비자였던 시민이 생산과정에 참여하여 공공부문(정부)과 민간부문 (시민) 간 협력적 분업관계를 형성하고 함께 공공서비스를 생산하는 것을 말한다. 따라서 시민공동생산에서 시민은 공공서비스의 단순한 소비자가 아닌 생산자이면서 소비자이다 [Producer＋Consumer＝프로슈머(Prosumer)].

### (2) 전통적 시민참여와의 비교

| 구 분 | 전통적 시민참여 | 현대적 시민참여(공동생산) |
|---|---|---|
| 등장배경 | 행정통제(외부통제) | 재정절감 |
| 시 민 | 소비자 | 프로슈머(Prosumer) |
| 공무원과의 관계 | 갈등관계 | 상호협력관계 |
| 시민의 역할 | 자문자, 비판자 | 생산자, 실행자, 집행자 |
| 강조점 | 권력의 재분배 | 서비스의 양과 질 개선 |
| 정책과정 | 정책결정과 관련된 활동 | 정책집행과 관련된 활동 |

### (3) 장 · 단점

| 장 점 | 단 점 |
|---|---|
| • 민간의 인력과 재원을 활용함으로써 정부의 재정 팽창 억제<br>• 민간의 전문성과 다양한 생산기법의 활용으로 양질의 서비스 제공<br>• 시민의사 반영으로 행정의 대응성 증진 | • 비정치적 분야 · 집행분야 등 한정된 영역에만 적용 가능<br>• 책임소재 불분명으로 책임전가현상 야기<br>• 무임승차 현상으로 참여유도를 위한 홍보비용 등 새로운 비용 발생 |

## 제 5 절 | 최근의 행정환경 - 범세계적 행정환경

### 01 세계화(moving up)

**1. 의 의**

세계화란 정치, 경제, 사회, 문화 등의 활동 범위가 지구라는 넓은 범위로 확대되어 국가 간 인위적 장벽이 제거되고 세계가 일종의 단일체제로 통합되어 나가는 추세를 말한다. 따라서 세계화는 국가의 영토적 경계의 중요성이 감소되는 과정이다.

**2. 세계화의 양상 - 전 세계적 개방과 경쟁**

(1) 양 상

세계화는 '새 시장(글로벌 시장)', '새 도구(인터넷, IT 기술)', '새 규율(국제기구의 초국적 규범)', '새 주역(초국적 NGO와 국제기구)'을 국내·외 무대에 등장시킨다.

(2) 세계화의 핵심영역 - 경제의 세계화

① 자본(생산체제)의 자유로운 이동 : 국가 간 자본의 자유로운 이동이 가능해짐에 따라 세계 각 정부는 보다 많은 자본을 자국에 유치하기 위해 기업하기 좋은 환경(규제완화 등)을 완비하고자 경쟁하게 된다.

② 생산물의 자유로운 이동 : 관세 등 무역장벽이 없어지고 생산물의 자유로운 이동이 가능해짐에 따라 어떤 제품이든 세계적 품질을 가져야만 살아남을 수 있어 초경쟁사회가 도래한다.

**3. 세계화의 행정에 대한 영향**

(1) 긍정적 영향

① 전·세계적 개방과 경쟁은 소비자의 선택권을 확대하여 사회후생을 증진하며, ② 전 세계적 협력을 통해 초국적 사회문제(환경, 인권 등)에 대한 해결능력을 개선해 나간다.

(2) 부정적 영향

시장 측면에서 ① 초경쟁사회 및 '20 대 80⁺'의 양극화된 이중사회를 초래할 위험성이 있다. 또한 국가 측면에서 ② 강대국의 이익과 논리를 국제규범화하여 개별 국가의 자율적인 정책능력을 제약할 뿐만 아니라, ③ 각 국가들이 자본을 자국 내에 유치하기 위해 노동에는 불리하고 자본에 유리한 노동조건을 제시하는 등 '바닥을 향한 경주⁺'가 나타날 위험성이 있다.

### 02 지방화(moving down)

**1. 의의 - 신지방분권화**

지방화란 중앙집권적인 사회체제가 지방분권적인 사회체제로 변화됨을 의미한다. 현재의 지방화(신지방분권화)는 중앙집권적 성향이 강했던 대륙계 국가뿐만 아니라 신중앙집권화 경향을 지닌 영·미 국가에서도 진행되고 있는 전 세계적 현상이다.

**+ 20 : 80의 사회**
지구촌 전체에서 오로지 약 20% 사람들만이 좋은 일자리를 가지고 안정된 생활 속에서 자아실현을 할 수 있으며, 나머지 80%는 실업자 상태 또는 불안정한 일자리와 상업적 대중문화 속에서 그럭저럭 살아나가야 하는 사회

**+ 바닥을 향한 경주**
역설적으로 각 국가들이 빈부격차가 보다 심화된 질적으로 나쁜 사회를 만들기 위해 경쟁적으로 노력하는 현상

## 2. 지방화의 행정에 대한 영향

### (1) 긍정적 영향

대의민주주의의 한계를 극복하고 풀뿌리민주주의를 실현케 하여 행정의 민주성을 증진할 뿐만 아니라, 중앙과 지방 간 기능분업화와 자치단체 간 경쟁(티부가설) 등을 통해 행정의 효율성을 증진해 나간다.

### (2) 부정적 영향

지나친 지역이기주의를 야기하여 국가정책의 통합성 및 일관성을 저해할 수 있다.

## 03 민주화(moving out)

### 1. 의의 – 헌팅턴(Huntington)의 제3의 민주화 물결

1980년대 이후 한국을 필두로 제3세계 국가들의 권위주의체제가 시민사회의 노력으로 붕괴되었을 뿐만 아니라, 권위주의체제에 바탕을 둔 동유럽의 사회주의 국가체제가 붕괴됨으로써 전 세계적인 민주화 물결이 형성되고 있는데, 이를 헌팅턴(Huntington)은 '제3의 민주화 물결'이라 하였다.

### 2. 민주화의 행정에 대한 영향

### (1) 긍정적 영향

민주화는 지배·복종적 행정관을 극복하고 시민의 의사에 입각한 민본주의적 행정을 촉진한다. 이러한 민본주의적 행정은 행정의 투명성 및 합리성을 제고하며, 보다 질 높은 행정서비스를 확보하는 데 기여할 수 있다.

### (2) 부정적 영향

제도화되지 않은 민주화(참여욕구 폭발로 인한 참여과잉 및 특정 이익집단의 과도한 이익표출)는 집단이기주의의 발현으로 사회집단 간에 끊임없는 갈등을 야기하고, 공권력에 대한 도전을 일상화함으로써 행정권의 행사에 큰 장애를 초래할 수 있다.

## 04 지식정보화

### 1. 의의 – 토플러(A. Toffler)의 권력이동(power shift)

지식정보화란 정보와 지식 및 고도로 발달된 IT 기술에 의해 물질에서 지식과 정보로 삶의 중심축이 변화되는 '권력이동현상'을 말한다.

### 2. 정보화의 행정에 대한 영향

### (1) 긍정적 영향

지식정보기술의 발전은 전자민주주의의 실현을 통해 이상적 민주주의에 접근할 수 있고, 행정정보화를 통해 행정서비스의 질적 향상을 가져올 수 있다.

### (2) 부정적 영향

지식정보화는 정보 불평등(digital divide)을 통한 새로운 계급을 형성할 수 있으며, 정보화 기기의 부정적 활용으로 전자감시의 시대를 야기할 수 있다.

**심화학습**

세방화(글로컬라이제이션: glocalization) 세계화와 지방화는 서로 상반되는 현상이 아니라 정보화를 기반으로 동시에 진행되는 현상이다. 큰 일을 하기엔 너무 작고 작은 일을 하기엔 너무 큰 중앙정부로 인해 거시적 문제는 세계기구가, 미시적 문제는 지방정부가 해결함으로써 세계적으로 생각하고 지방적으로 행동하는 세방화가 진행된다.

# CHAPTER 03 행정학의 특징과 행정이론

---

## 제1절 행정학의 학문적 성격과 접근방법

### 01 행정학의 학문적 성격

#### 1. 행정학의 성격

##### (1) 사회과학

사회과학이란 사회현상을 과학적인 연구방법을 동원하여 연구하는 학문을 말한다. 행정학은 사회현상 중에서도 행정현상을 연구대상으로 하는 사회과학의 한 분과학문이다.

##### (2) 응용과학

행정학은 기초적인 분과학문에서 이룩해 놓은 이론과 지식을 응용하여 행정현상을 연구하고 사회문제를 해결하는 응용과학적 성격을 지닌다.

##### (3) 종합학문

행정학은 여타 인접학문으로부터 많은 이론과 지식을 받아들여 행정현상을 연구한다는 점에서 종합(연합)학문적 성격을 지닌다.

##### (4) 전문직업성

행정학은 전문적인 행정가를 양성하는 것을 주요한 목표로 삼고 있다는 점에서 전문직업성을 지닌다. 행정학의 전문직업성은 행정환경의 복잡화로 현대 행정에서 더욱 강조되고 있다.

#### 2. 가치(values)와 사실(facts)

가치와 사실은 서로 결부되고 중첩적으로 존재하지만 가치의 세계와 사실의 세계는 관념적으로 구별된다.

##### (1) 가치(values)

① 개념: 바람직한 것에 관한 주관적인 사람의 관념, 즉 '해야 하는 것과 해서는 안 되는 것', '있어야 하는 것과 있어서는 안 되는 것', '좋은 것과 나쁜 것', '옳은 것과 그른 것'에 대한 관념으로 사람들의 행동을 유발하고 그 양태와 방향을 결정하는 힘을 의미한다.

② 특징

ㄱ. 가치는 주관적으로 형성되는 것이다. 즉, 어떤 사물이 가치 있다고 생각하는 것은 그것이 가치 있기 때문이 아니라 우리가 그것에 가치를 부여했기 때문이다.

ㄴ. 가치는 사람들의 마음속에 주관적으로 존재하기 때문에 사람마다 다른 가치를 지니게 됨으로써 갈등을 야기할 수 있다.

ㄷ. 가치가 말로 표현되거나 관찰대상이 되면 사실적인 것이 된다.

ㄹ. 가치는 사회과학의 기초이며, 규범적 연구에서 중시된다.

③ 이론: 통치기능설, 발전행정론, 신행정론 등의 정치행정일원론에서 중시된다.

(2) 사실(facts)

① 개념: 주어진 것(given) 또는 존재하는 것 그 자체로 지각의 대상이며 '이다(is)와 아니다(is not)' 또는 '맞다(true)와 틀리다(false)'의 문제이다. 따라서 사실은 검증적·논리실증적·경험적·유형적 측면과 관련된다.

② 특 징

　㉠ 사실은 의사결정의 지식적 기초가 되는 생자료(raw data)이다.

　㉡ 무엇이 사실이며, 사실이 어떻게 활용될 수 있는가에 대한 논란이 있을 수 있지만 사실이 사실로서 인정된 뒤에는 그에 대한 갈등은 없다.

　㉢ 사실은 자연과학의 기초이며, 경험적 연구에서 중시된다.

③ 이론: 행정행태론, 비교행정론 등의 정치행정이원론에서 중시된다.

## 3. 행정학의 과학성과 기술성

(1) 과학성(science : 경험적 접근)

① 개념: 과학성은 어떤 현상도 우연히 일어나는 것은 없고 반드시 선행원인이 있다는 결정론에 기초를 두고 사회현상이나 자연현상의 인과적 설명에 초점을 두는 연구를 말한다. 즉, 왜(Why)를 중심으로 설명성·인과성·유형성(pattern)·기술성(description)·객관성을 내포하는 개념이다.

② 방법: 과학성을 중시하는 이론은 이론이나 모형을 구성할 때 논리적 치밀성, 개념의 조작적 정의, 가설의 경험적 검증, 자료의 수량적 처리 등을 강조한다.

③ 활용: 인과적 지식을 구축하고자 하는 과학적 연구는 바람직한 결과를 초래하는 조건과 상황을 규명해주고, 어떤 조건이나 상황이 초래할 미래의 상태를 예측할 수 있게 해준다.

④ 이론 및 학자: 행정행태설, 비교행정론에서 강조되었으며(정치행정이원론적 시각), 대표학자로는 사이먼(Simon) 등이 있다.

(2) 기술성(art, professional : 규범적 접근)

① 개념: 기술성은 사회문제의 해결을 위한 처방에 초점을 두는 연구를 말한다. 즉, 어떻게(How)를 중심으로 실용성·실천성·처방성·명령성·규범성을 내포하는 개념이다.

② 방법: 기술성을 중시하는 연구는 무엇이 합리적이고 정당하며 선에 입각한 행정인지를 따져보는 규범성 지향의 연구로 목적 – 수단의 관계에서 볼 때 주로 목적에 대해 관심을 두고 있으며 가치판단의 문제가 연구의 주류를 이룬다.

③ 활용: 기술성을 중시하는 학문적 경향은 행정학이 과학성을 지나치게 강조하면 현실성과 실천적 타당성을 잃게 된다고 보고 행정학에서 가치문제, 문제해결지향성, 처방성, 실천성을 강조하면서 정책학의 발전에 기여하였다.

④ 이론 및 학자: 초기의 행정학인 행정관리설(기술적 행정학)과 통치기능설(기능적 행정학), 발전행정론, 신행정론 등의 정치행정일원론적 시각에서 강조되었으며, 기술성을 강조하는 대표학자로는 애플비(Appleby), 에스만(Esman), 와이드너(Weidner), 왈도(Waldo) 등이 있다.

---

**심화학습**

과학적 지식의 구축

| 재생가능성 | 동일한 방법과 절차를 반복할 때 동일한 결론에 도달해야 과학적 지식이 구축된다. |
|---|---|
| 객관성 | 객관적 증거와 사실에 입각해야 과학적 지식이 구축된다. |
| 경험성 | 현실의 경험에 입각해야 과학적 지식이 구축된다. |

**심화학습**

행정학의 기술성(art)

행정학의 기술성은 초기의 행정학인 기술적 행정학(행정을 인적·물적 자원의 관리기술로 보는 이론)과 다른 의미이며, 정치행정이원론에서 강조하는 기술성(description : 사회현상의 단순한 묘사·서술)과도 의미하는 바가 다르다.

**심화학습**

행정관리설과 '기술성(art)'

행정관리설(과학적 관리론, 원리주의)은 '과학적'이라는 용어를 쓰고 있지만, 과학적 연구방법에 기반을 두지 않고 있다는 점에서 '과학성' 중심의 연구가 아니다. 오히려 행정관리설은 행정의 능률성 증진을 위한 관리기법이나 원리를 찾는 데 연구의 초점을 두고 있다는 점에서 '기술성' 중심의 연구이다.

**심화학습**

헨리(N. Henry)의 행정학 패러다임의 변화

| 패러다임 1 | 정행이원론 (1900~26) | 관료제 내부의 소재(locus) 중심 연구 |
|---|---|---|
| 패러다임 2 | 원리주의와 원리주의에 대한 비판 (1927~50) | 원리주의는 원리를 제시하는 초점(focus) 중심 연구, 이를 비판한 행태주의는 관료제 내부의 소재(locus) 중심 연구 |
| 패러다임 3 | 정치학으로서의 행정학 (1950~70) | 행정학을 정치학으로 인식함에 따라 행정학의 소재(locus)에 대한 논의 촉발 및 행정학의 정체성 위기 문제 대두 |
| 패러다임 4 | 관리과학으로서의 행정학 (1956~70) | 공·사 행정을 구별 않고 보편적인 행정과학의 정립을 강조한 초점(focus) 중심 연구 |
| 패러다임 5 | 행정학으로서의 행정학 (신행정학, 1970년 이후) | 연구의 초점(focus)과 소재(locus)를 모두 중시하여 행정학의 정체성을 확립하고자 하는 연구 |

(3) 행정학의 종합적 성격

사회과학 연구(행정학)에서 과학적 연구만을 고집하거나, 동시에 과학적 지식에 전혀 기반을 두지 않고 기술성만을 강조하는 연구는 존재하지 않는다. 사회과학 연구는 과학성·기술성의 양면을 지니고 있으며, 양자는 상호보완적 관계에 있다. 이에 행정학에서 기술성을 강조했던 왈도(Waldo)도 과학성을 부인하지 않았으며, 과학성을 강조했던 사이먼(Simon)도 행정학의 기술성을 인정하였다.

## 4. 행정학의 패러다임과 정체성

(1) 행정학의 패러다임

① 의의 : 토마스 쿤(T. Kuhn)은 「과학혁명의 구조」에서 과학적 지식은 진화적 변화를 거치는 것이 아니라 혁명적 변화가 이루어진다고 인식하고 이를 패러다임의 변화로 묘사하였다. 이때 패러다임이란 특정 시기에 학자들이 공통적으로 가지고 있는 지배적인 신념체계를 의미한다.

② 패러다임의 구성요소

　㉠ 소재(locus) : '어디에서'와 관련된 개념으로 연구의 장소, 영역 등

　㉡ 초점(focus) : '무엇을'과 관련된 개념으로 연구의 주제, 내용, 원리 등

(2) 행정학의 정체성(identity)

① 개념 : 정체성이란 학문이 독자적인 연구의 소재(locus)와 초점(focus)을 지닌 완전한 패러다임을 가지는 것을 의미한다.

② 행정학의 정체성의 위기

　㉠ 의의 : 행정학이 연구영역, 여타 학문과의 경계, 연구목적과 방법 등이 분명하지 않아서 타 학문과 구별되는 독자적인 연구소재(locus)와 초점(focus)을 모두 가지지 못하는 현상을 말한다. 정체성 위기에 대한 논의는 1960년대 왈도(Waldo)의 논문에서 제기되었으며, 신행정학에서 본격화되었다.

　㉡ 행정학이론과 소재(locus)·초점(focus)

　　ⓐ 정치행정이원론 : 연구의 장소는 '정부관료제'로 독자적이나, 연구의 주제는 경영학과 구분이 곤란하여 소재(locus) 중심의 연구이다(행정관리설, 행정행태설).

　　ⓑ 정치행정일원론 : 연구의 주제는 '정부의 역할과 기능'으로 독자적이나, 연구의 장소는 경영학(시장)·사회학(시민사회)과 구분이 곤란하여 초점(focus) 중심의 연구이다(통치기능설, 발전기능설, 신행정론 등).

　　ⓒ 최근의 행정이론 : 신공공관리론은 연구의 장소가 '정부관료제'로 독자적이므로 소재(locus) 중심 연구라면, 거버넌스론은 연구의 주제가 '정부가 포함된 네트워크'로 독자적이므로 초점(focus) 중심의 연구이다.

　㉢ 정체성 위기의 원인 : 왈도(Waldo)는 정체성의 위기를 분과학문의 한계로 인식하고 고유한 연구주제, 연구영역, 연구방법 등의 결여를 비판하였고, 오스트럼(Ostrom)과 헨리(Henry)는 패러다임의 결여로 인식하였다.

　㉣ 극복방안 : 왈도(Waldo)는 전문직업주의의 확립(locus로 정부관료제, focus로 행정윤리 등)을 통해, 오스트럼(Ostrom)은 민주행정패러다임의 확립을 통해 정체성의 위기를 극복하고자 하였다.

## 5. 기 타

### (1) 행정학의 보편성과 특수성

① **보편성**: 모든 상황에서도 다 맞는 일반법칙을 의미한다. 일반법칙이 어느 정도 보편적인가의 문제는 이론의 적용범위와 관련된다.

② **특수성**: 역사적 상황이나 사회문화적 상황에 따라 행정현상이 상이하게 나타나는 것을 의미한다.

③ **종합적 인식**: 행정이론의 보편성과 특수성의 문제는 외국 이론의 수용 또는 벤치마킹(benchmarking)과 관련하여 논의된다. 문제해결을 위해 성공적인 외국 제도를 도입(벤치마킹)할 수 있다는 것은 제도의 보편성 때문이며, 동시에 국가 상황의 유사성을 확인해야 한다는 것은 제도의 특수성 때문이다.

### (2) 행정학의 가치판단과 가치중립성

행정학을 가치중립적으로 연구하는 이론적 정향도 있으나 행정학은 현실의 사회문제를 해결하려는 실천적 성격을 띠고 있을 뿐만 아니라, 행정학 연구는 올바른 가치판단에 기초를 두어야 하므로 행정학 연구에 있어서 가치판단(가치평가)의 개입은 불가피하다.

📂 **행정학이론과 학문적 성격 정리**

| 정치·행정이원론 | 과학성 | 보편성 | 가치중립성 | 사실 중심 연구 | locus 중심 |
| --- | --- | --- | --- | --- | --- |
| 정치·행정일원론 | 기술성 | 특수성 | 가치지향성 | 가치 중심 연구 | focus 중심 |

✎ 여기에서 정치·행정이원론은 행정관리설을 제외한 행정행태설, 비교행정론을 의미한다. 행정관리설은 정치·행정이원론이면서도 기술성 중심의 이론으로 평가되기 때문이다.

## 02 행정학의 접근방법

## 1. 의 의

행정학의 접근방법이란 행정학 연구에 있어서 무엇을, 어떻게 연구할 것인가와 관련된 다양한 견해나 관점들을 의미한다. 즉, 행정학의 연구활동을 안내해 주는 일반적인 전략이나 지향이 행정학의 접근방법이다.

## 2. 방법론적 개체주의와 방법론적 전체주의

### (1) 방법론적 개체주의(환원주의적 시각)

전체는 개체의 합이라는 입장에서 개체에 대한 연구를 통해 사회 전체를 설명하려는 접근방법이다. 이 접근방법은 개인만이 책임 있는 유일한 행위자로 보고 모든 사회현상은 개인의 속성에 의하여 정의될 수 있다고 본다.

### (2) 방법론적 전체주의(우주론·신비론적 시각)

집단은 개인의 속성으로는 설명할 수 없는 그 자체의 독특한 속성이 있다고 보고, 집단을 연구대상으로 삼아 이를 통해 개체를 이해하려는 접근방법이다.

**결정론적 접근과 임의론적 접근**

| 구분 | 결정론 | 임의론 |
|---|---|---|
| 개념 | 개인이나 집단의 행동은 반드시 선행원인 또는 환경의 구조적 제약에 의해 결정된다고 보는 접근방법 | 개인이나 집단의 행동은 선행원인이나 환경적 제약이 없어도 자율적으로 발생할 수 있다고 보는 접근방법 |
| 관련 이론 | 행태론, 비교행정론 등 | 현상학적 접근 등 |

**로젠블룸(Rosenbloom)의 접근방법**

| 구분 | 법적 접근 | 정치적 접근 | 관리적 접근 |
|---|---|---|---|
| 의의 | 법률의 구체적 적용을 중시하는 접근방법 | 공공성과 정치성을 강조하는 접근방법 | 행정과 경영의 유사성을 강조하는 접근방법 |
| 가치 | • 합법성 • 공평성 | • 책임성 • 대응성 | 능률성 |
| 개인의 인식 | 구체적 사례 | 집단의 일원 | 일반화된 사례 |
| 인식 체계 | 재결(裁決) 선호 | • 여론 • 이익집단 | 과학적 방법 |
| 제도 | • 「행정절차법」 • 권리 기초 예산 | • 대표관료제 • 점증주의 예산 | • 과학적 관리 • 실적주의 • 합리주의 예산 |
| 학자 | Goodnow | • Sayre • Appleby | • Wilson • White • Taylor |

**연구목적에 따른 분류(S. Bailey)**

| 기술적 (記述的) 접근 | 행정 현상을 사실대로 기술하고 그 원인을 설명하는 접근 |
|---|---|
| 규범적 (規範的) 접근 | 행정이 궁극적으로 추구해야 할 것이 무엇인지를 파악하는 접근 |
| 처방적 (處方的) 접근 | 사회문제의 해결 방안을 찾고자 하는 실천적인 접근 |
| 도구적 (道具的) 접근 | 목표를 능률적으로 달성할 수 있는 관리기술 및 도구를 찾는 접근 |
| 가정적 (假定的) 접근 | 어떤 현상의 전제조건을 검토하고 그 발생가능성을 탐구하는 접근 |

## (3) 비 교

| 구 분 | 방법론적 개체주의 (환원주의, 사회명목론) | 방법론적 전체주의 (신비주의, 우주론, 사회실재론, 유기체론) |
|---|---|---|
| 시 각 | 부분(개체)이 전체를 결정 | 전체를 통한 부분(개체)의 이해 |
| 주요 이론 | 행태주의, 현상학, 공공선택론 등 | 생태론, 행정체제론 등 |
| 오 류 | 합성(구성·환원)의 오류 : 개체수준의 연구결과를 집단수준의 연구결과로 환원할 때 발생하는 오류 | 분할(생태학적)의 오류 : 특정 집단의 연구결과를 개체에 적용할 때 발생하는 오류 |
| 오류의 예 | 공무원 개인의 가치와 태도를 토대로 공직사회 전체의 부패 정도를 파악하는 경우 | 기독교 국가와 불교 국가의 자살률을 토대로 기독교 신자와 불교 신자의 자살률을 파악하는 경우 |

## 3. 미시적 접근과 거시적 접근

### (1) 미시적 접근

방법론적 개체주의와 관련된 접근으로 개체(개별 행위자)를 중심으로 연구하는 접근방법이다(예 행태론, 현상학, 공공선택론 등).

### (2) 거시적 접근

방법론적 전체주의와 관련된 접근으로 거시적인 사회적 구조나 기능을 중심으로 연구하는 접근방법이다(예 생태론, 체제론 등).

### (3) 미시와 거시의 연계

① **중범위이론** : 연구대상 측면에서 중범위이론은 미시와 거시의 중간규모인 개별조직이나 소집단을 연구하는 접근방법을 말한다. 한편, 적용범위 측면에서 중범위이론은 보편적인 일반이론과 개별적인 사례분석의 중간단계 수준의 적용범위를 지닌 접근방법을 말한다(예 비교행정론, 신제도론, 상황적응론 등).

② **신제도론** : 거시수준의 구조와 미시수준의 행위를 제도를 통해 연계하는 접근방법이다. 즉, 행위자(미시)는 제도(거시)를 형성하고, 형성된 제도(거시)는 행위자(미시)를 제약한다고 보아 이들의 상호작용을 중시하는 접근방법이다.

## 4. 기 타

### (1) 연역적 접근과 귀납적 접근

① **연역적 접근(합리주의적 접근)** : 일반적인 원리나 이론을 전제로 논리적 추론의 과정을 통해 구체적인 사실을 이끌어 내는 접근방법이다(예 공공선택론 등).

② **귀납적 접근(경험주의적 접근)** : 개별 사실에 대한 규칙성을 탐색함으로써 일반이론을 구축하는 접근방법이다(예 역사적 접근, 사례연구 등).

### (2) 경험적 접근과 규범적 접근

① **경험적 접근** : 있는 사실 그대로의 현상을 규명하는 데 초점을 두는 접근방법이다(예 행태주의 등).

② **규범적 접근** : 바람직한 사회상태를 달성하기 위한 방법에 초점을 두는 접근방법이다(예 후기행태주의 등).

## 제 2 절 | 행정이론의 개관

### 01 행정학의 지적 전통

현대 행정학은 두 가지의 다른 연원과 지적 전통을 배경으로 형성·발전하였다. 그중 하나는 독일 행정학이며 또 다른 하나는 미국 행정학이다. 그런데 독일 행정학은 19세기 후반 행정법학에 그 패권을 넘기고 쇠퇴하게 됨에 따라 미국 행정학이 사실상 현대 행정학의 본류를 형성하게 되었다.

### 02 유럽 행정학의 개관

#### 1. 독일 행정학 – 관방학

**(1) 의 의**

유럽 행정학의 기원이 된 관방학은 국가경영에 대한 학문으로 관방관리들에게 국가통치에 필요한 행정기술과 지식을 제공하기 위한 목적에서 형성된 학문체계이다.

**(2) 배 경**

① 시대적 배경: 16~18세기 독일과 오스트리아를 중심으로 발달하였다(영국의 중상주의, 프랑스의 중농주의 시대와 일치).

② 사회적 배경: 식민지 획득과 해외무역 등에서 영국과 프랑스에 뒤진 프러시아에서 자국의 경제·사회적 부흥과 군주정치 강화를 위한 통치술로 개발되었다.

③ 사상적 기초 – 행복촉진주의적 복지국가관: 관방학에서의 절대군주의 통치이념은 공공복지에 있었으며, 이를 위해 국가는 부국강병을 추구하였다(우리나라의 실학과 유사).

**(3) 관방학의 발전 – 전기 관방학과 후기 관방학**

① 전기 관방학: 절대군주제를 유지하는 데 필요한 정치·경제·사회적 활동에 관한 모든 문제를 다루었으며, 특히 재정학적 성격이 강하였다.

② 후기 관방학 – 유스티의 「경찰학의 원리」: 관방학의 아버지로 불리는 후기 관방학자 유스티(Justi)는 「경찰학의 원리」에서 국가재산의 유효한 사용을 다루는 관방학으로부터 국가재산의 증대와 유지·관리를 다루는 경찰학을 분리하였다. 경찰학은 지금의 행정학의 일종이며, 경찰개념은 지금의 행정개념과 유사하다.

③ 전기 관방학과 후기 관방학의 비교

| 구 분 | 전기 관방학 | 후기 관방학 |
|---|---|---|
| 시 대 | 17세기(1727년 이전) | 1727년 이후(18~19세기 초) |
| 사상적 기초 | 신학(왕권신수설) | 계몽전제주의✛(자연법사상) |
| 성 격 | 재정학적 성격(국가재산의 유효한 사용) | 재정학으로부터 경찰학(국가재산의 증대 및 유지·관리) 분리 |
| 재 정 | 왕실재정과 국가재정 미분리 | 왕실재정과 국가재정 분리 |
| 학 자 | 오세(Osse), 젝켄도르프(Seckendorf) 등 | 유스티(Justi), 존넨펠스(Sonnenfels) 등 |

**심화학습**

**전·후기 관방학의 구분**
1727년 할레 대학과 프랑크푸르트 대학에 관료 양성을 목적으로 관방학 강좌를 개설한 것을 기준으로, 전기 관방학과 후기 관방학이 구분된다.

**✛ 계몽전제주의**
18세기 프랑스의 계몽주의 사상을 전제군주가 실제 정치에 적용하려 했던 정치형태

### (4) 평 가

민족적 통일국가 수립 및 경제적 발전에 공헌했으나, 국민의 복지를 증진한다는 명분 아래 절대왕권을 강화하는 정치적 시녀 역할을 수행했다는 비판을 받는다.

### (5) 발 전

프랑스 혁명 이후 절대군주제가 쇠퇴하고, 민주주의 사상이 중시되면서 경찰학은 몰(Mohl)을 중심으로 하는 행정법학으로 대체되었다.

## 2. 프랑스 행정학

프랑스는 18C 이래 경찰학에 토대를 두고 법학적 접근을 중심으로 행정학이 발달하였다. 프랑스 행정학은 법학적 행정연구가 주류를 이루면서도 이에 그치지 않고 페이욜(Fayol)로 대표되는 경영학적 행정연구(조직의 원리 제시), 크로지어(Crozier)로 대표되는 사회학적 행정연구(관료제의 병리 지적)도 등장·발전하였다.

## 3. 영국의 행정학

(1) 정실주의적 인사행정이 성행했던 영국은 19C 후반에 와서야 관료제도가 개혁되었다.

(2) 영국은 독일·프랑스와 달리 미국 행정학의 영향을 많이 받았으며, 행정학 형성 당시부터 지방자치에 관심이 높아 정부 간 관계를 중심으로 행정에 대한 연구가 심층적으로 전개되었다[로즈(Rhodes)의 권력의존모형, 던리비(Dunleavy)의 중앙 – 지방관계론 등].

(3) 영국은 최근 신보수주의 이념에 따라 시장원리를 활용한 정부개혁 및 공기업 민영화에서 세계를 선도하면서 신공공관리론, 거버넌스 등에 대한 연구가 활발히 전개되고 있다.

## 03 미국 행정학의 개관

## 1. 행정학 성립 이전의 사상적 기초

### (1) 해밀턴주의(Hamiltonianism : 연방주의, 중앙집권)

미국 초대 재무장관이며 최초의 체계적 행정사상가인 해밀턴은 「연방주의자」라는 저서에서 국가체제의 확립 및 국가 이익의 증진을 위해 강력하고 행동지향적인 정부를 통한 능률적 행정을 강조하였다(중앙집권에 의한 능률적 행정 강조).

### (2) 제퍼슨주의(Jeffersonianism : 지방주의, 자유주의)

제3대 대통령 제퍼슨은 미국독립선언의 천부인권사상과 국민주권설의 강력한 주창자로 연방주의에 반대하여 정부 활동에 대한 제한, 개인의 자유와 권리의 극대화, 행복추구권 강조, 지방분권화를 통한 민주주의 실현, 소박하고 단순한 정부를 강조하였다.

### (3) 메디슨주의(Madisonianism : 다원주의)

제4대 대통령 메디슨은 보다 집권적 체제인 연방제로 통치의 권역을 넓혀 지방자치로 발생한 다수의 전제를 막고자 하였다. 즉, 통치의 권역이 넓어질수록 어느 특정집단이 다수를 형성하기가 힘들어질 뿐만 아니라 여러 다른 집단이 출현하여 상호견제를 행함으로써 특정집단이 과도한 힘을 행사하는 것을 막을 수 있다고 보고 다양한 이익집단들 간의 견제와 균형을 위해 중앙집권을 강조하였다.

### (4) 잭슨주의(Jacksonianism : 엽관주의, 민주주의)

제7대 대통령 잭슨은 현실주의적 정치가로 모든 관직의 정치적 임명과 공직경질제(엽관주의)에 의한 철저한 민주주의 이념을 추구하였다.

## 2. 건국 초기

미국은 유럽 국가와 달리 이미 민주주의를 경험한 사람들에 의해 형성되었기 때문에 절대군주국가의 형성이 아닌 자유주의와 민주주의 이념에 입각한 무(無)국가성을 지향하였다. 즉, 건국 초기 미국의 정치체제는 '최소의 행정이 최선의 정부'라는 제퍼슨 - 잭슨(Jefferson-Jackson)철학이 지배하였다.

## 3. 행정학의 성립 - 엽관주의의 한계와 행정학의 태동

### (1) 행정학 성립 이전의 미국사회

건국 초기 미국은 작은 정부(제퍼슨 - 잭슨) 철학에 입각한 아마추어리즘과 공직순환이 행정을 지배하였다. 특히, 1829년에 집권한 잭슨(Jackson) 대통령은 선거에서 승리한 정당이 관직을 독점하는 엽관주의 인사체제를 도입하였다.

### (2) 엽관주의의 병폐와 행정학의 성립

① 엽관주의의 병폐와 진보주의 운동 : 19C 이후 산업화가 급속히 진전되면서 정부의 역할이 확대·강화되고 정부업무가 복잡화됨에 따라 엽관주의는 행정의 부패와 비능률을 야기하는 주요 원천이 되었고 이를 혁신하기 위한 진보주의 운동이 나타났다.

② 행정학의 성립 : 진보주의 운동가들은 정치와 행정을 분리해 정치는 시민 참여 기회를 더 많이 보장하도록 개혁하고, 행정은 능률성 위주의 업무전문화 방향으로 개혁해야 한다고 주장하였다. 이에 따라 행정의 정치적 중립과 실적주의 인사제도가 도입되면서 행정학이 성립하였다. 특히, 윌슨(Wilson)은 「행정의 연구」라는 논문을 통해 진보주의 운동의 이론적 토대와 해법을 제시하였다.

## 4. 전통 행정학 성립·발전기의 행정이론

### (1) 의 의

엽관주의의 폐해를 극복하고 효율적인 행정을 구축하기 위한 정치개혁에서 출발한 전통 행정학은 좋은 정부의 조건으로 절약과 능률의 가치를 지향하고, 정치행정이원론의 관점에서 행정을 관리기술의 문제로 파악하였다(관리과학으로서 행정학).

### (2) 주요 이론

① 과학적 관리론 : 테일러는 관리활동도 생산활동처럼 객관적으로 표준화하고 과학화해야 한다고 주장하고 시간연구와 동작연구를 통해 유일무이한 최선의 업무방법을 찾아내고자 하였다. 초기의 행정학자들은 이러한 과학적 관리론을 행정에 도입하는 데 초점을 두었다.

② 관료제론 : 베버에 의하면 관료제란 "계층구조(hierarchy)를 띠면서 합법적 지배가 영위되고 고도의 안정성과 대규모성을 갖는 조직형태"이다. 초기의 행정학자들은 이러한 관료제의 원리를 행정에 도입하는 데 초점을 두었다.

---

PART · 01

**O·X 문제**

1. 제퍼슨주의는 개인의 자유를 극대화하기 위한 행정책임을 강조하고 소박하고 단순한 정부와 분권적 참여과정을 중시한다. ( )

2. 미국의 규범적 관료제 모형 가운데 이익집단의 요구에 대한 조정을 위해 견제와 균형을 중시하는 모형은 메디슨주의이다. ( )

3. 해밀턴은 분권주의를 강조하며 대중에 뿌리를 둔 풀뿌리민주주의를 강조하였다. ( )

4. 잭슨주의는 행정의 탈정치화를 통해 정당정치의 개입으로부터 자유로운 행정을 강조한다. ( )

5. 건국 직후 미국 정치체제는 행정의 효율성을 지향하는 해밀턴주의가 지배했다. ( )

**심화학습**

**윌슨(Wilson)의 「행정의 연구」**

① 윌슨은 정당정치의 개입으로부터 자유로운 행정영역의 확립을 이론적으로 뒷받침하기 위해 행정의 탈정치화 및 정치행정이원론을 주장하였다.

② 윌슨은 행정을 전문적·기술적 영역(관리와 경영의 영역)으로 보고 행정학 연구의 목적은 정부가 무엇을 성공적으로 할 수 있으며, 그 일을 어떻게 최소의 비용으로 가장 효율적으로 할 수 있는가를 탐색하는 것으로 규정하였다.

**O·X 문제**

6. 윌슨은 행정의 본질을 의사결정과 이에 따른 집행의 효과성을 높이는 것으로 파악하고 있으며, 근본적으로 효율적인 정부가 되어 돈과 비용을 덜 들여야 한다고 주장하고 있다. ( )

7. 윌슨(Wilson)에 따르면 행정은 국가의 의지를 결정하는 것을 중심 기능으로 하며, 따라서 행정가는 대표성보다는 전문성을 갖추는 것이 중요하다. ( )

8. 윌슨(Wilson)의 주장에 따르면 정당정치의 개입은 행정을 전문화하는 데 긍정적인 영향을 미친다. ( )

O·X 정답 1. ○ 2. ○ 3. × 4. ×
5. × 6. × 7. × 8. ×

③ **원리접근법** : 행정학 연구의 또 다른 계보인 원리접근법은 공·사조직 모두에 적용될 수 있는 보편적이고 능률적인 조직의 원리를 찾고자 하였다. 원리주의자들은 이러한 조직의 원리를 행정에 도입하는 데 초점을 두었다.

## 5. 전통 행정학에 대한 반발기의 행정이론

### (1) 의 의

전통 행정학에 대한 반발적 기류는 1930년대 경제대공황에 대처하는 과정에서 정부의 적극적인 역할이 강조되면서 형성되기 시작하였다. 반발기 행정이론의 초점은 정치와 행정은 분리될 수 없다는 점과 행정원리의 비과학성에 집중되었다.

### (2) 주요 이론

① **인간관계론** : 메이요는 호손 실험을 통해 생산성을 향상시키는 것은 과학적 관리론이 강조하는 준기계화된 관리방식이 아니라 민주적인 조직관리에 의해 형성된 집단규범임을 밝혀내고 과학적 관리론을 비판하였다.

② **통치기능론** : 경제대공황을 극복하기 위한 뉴딜정책, 제2차 세계대전 등으로 인해 행정부의 적극적 역할이 강조되면서 행정의 정책형성기능을 중시하는 통치기능설(정치행정일원론)이 등장하였다.

③ **행정행태론** : 행정학 연구의 과학화를 위해 가치와 사실을 분리하여 사실 중심의 경험적 연구를 행하는 행정행태론이 등장하였다. 행정행태론은 전통적 행정학인 원리접근법을 비판하고 등장하였으며, 후기행태주의가 주창되기까지 미국 행정학의 주류를 형성하였다.

## 6. 행정학의 분화 및 다원화기

### (1) 행정체제론

행정체제론은 행정(조직)을 하나의 살아있는 유기체로 보아 행정을 둘러싸고 있는 환경적 제 요소와의 관련 속에서 행정현상을 연구하여 행정학의 과학화에 기여하였다.

### (2) 비교행정론

비교행정론은 개발도상국가의 행정에 대한 기술 원조가 전개되는 과정에서 미국 행정학의 문화기속적 속성으로 인해 보편타당성에 한계가 드러나면서 보편타당한 일반이론을 구축하기 위해 등장하였다.

### (3) 발전행정론

발전행정론은 주로 개발도상국가의 발전과 관련해 행정의 역할문제를 다루었다. 즉, 국가발전을 촉진하는 수단으로서 행정의 역할에 초점을 두고 어떻게 발전 사업을 선정·관리할 것인가에 관한 전략과 처방을 제시하고자 하였다.

### (4) 신행정론(후기행태주의)

1960년대 미국의 급박한 사회문제를 극복하기 위해 등장한 신행정론(후기행태주의)은 행태주의적 연구방법이 사회문제 해결능력이 없음을 비판하고 행정학의 실천적 성격과 적실성의 신조를 강조하였다.

## 7. 최근의 행정학이론

### (1) 신공공관리 패러다임

신공공관리 패러다임이란 행정의 효율성 증진을 위하여 시장주의와 신관리주의를 이론적 기반으로 작은 정부 구축과 성과체제 구축을 강조하는 국정운영방식을 의미한다.

### (2) 뉴거버넌스 패러다임

뉴거버넌스 패러다임이란 국가·시장·시민사회 간의 협력적 네트워크를 통한 국정운영 방식을 의미한다. 뉴거버넌스 패러다임은 사회적 자본으로서 신뢰, 물리적 자본으로서 정보통신기술에 기반을 두고 있다.

---

## 제 3 절 | 행정학의 주요 이론과 접근방법

### 01 행정학의 초기 접근방법

#### 1. 역사적 접근방법

역사적 접근이란 과거와 현재의 사건들이 연결되어 있다는 전제하에 과거를 이해하게 되면 현재의 문제를 효과적으로 해결할 수 있다고 보고 정치·행정적 사건들을 시간순에 따라 자세하게 묘사하는 일종의 사례연구 형식을 의미한다. 이 접근방법은 어떤 사건·기관·제도·정책 등의 기원과 발전 과정을 파악하고 설명하는 데 많이 사용되며, 발생론적 설명 방식이 주로 활용된다.

#### 2. 법률·제도적 접근방법[(구)제도론적 접근]

법률·제도적 접근이란 '공식적인 제도가 행태를 결정한다.'고 보고 행정과정의 합법성과 법률에 기반을 둔 '제도'를 중심으로 연구하는 접근방법이다. 이 접근방법은 헌법·법령 등에 기반을 두고 있는 각종 공식적인 제도(기관이나 직제)들에 대한 자세한 기술(記述)에 초점을 두고 있다.

### 02 과학적 관리론

#### 1. 의 의

##### (1) 개 념

① 조직의 능률성을 제고하기 위하여 시간연구·동작연구 등에 의해 유일최선의 업무방법(one best way)을 찾아내고 이를 통해 조직을 분업화·표준화하고자 하는 관리이론이다.

② 사기업체에서 발달한 과학적 관리론은 정치와 행정을 구별하고 행정을 전적으로 능률지향의 관리기술로 파악한 정치행정이원론(기술적 행정학)의 발달에 크게 기여하였다.

(2) 성립 배경

19세기 말~20세기 초 산업기술의 발달과 대기업의 출현에 기인한 경쟁격화로 인하여 기업도산, 공장폐쇄 등이 발생하는 상황에서 새로운 경영합리화가 요청됨에 따라 대두되었다. 특히, 테일러(Taylor)는 「과학적 관리의 제 원리(The Principles of Scientific Management)」를 발간하여 과학적 관리론을 확립하였다.

## 2. 전 개

(1) 테일러 시스템(Taylor System) – 과업관리의 원리

① **요소별 시간연구와 동작연구** : 업무과정을 단계별로 나누고 각 단계별 시간을 계산하여야 한다.

② **업무표준화** : 불필요한 행동을 모두 제거하고 시간과 동작을 일정하게 표준화하여 같은 시간 · 같은 동작으로 일을 하도록 한다.

③ **표준화에 의한 노동자의 교육** : 교육을 통해 표준화된 업무방식으로 한 가지 일만을 잘하는 단일 기능의 노동자를 양성한다.

④ **일일(一日)과업량 부과** : 일류노동자(전체의 노동자 중 상위 10% 이내)만이 수행할 수 있는 일일과업량을 설정한다.

⑤ **차별적 성과급제** : 과업을 초과달성하는 경우는 보너스를, 그와 반대인 경우에는 경제적 불이익을 감수토록 하는 차별적 성과급제를 확립한다.

(2) 포드 시스템(Ford System : 동시관리)

① **의의** : 테일러 시스템이 인간의 육체적 · 정신적 능력의 한계를 야기했다고 보고, 작업과정을 분업화 · 표준화하고 이를 인간이 아닌 기계로 대체하는 유동조립법(conveyor system)을 고안하여 기계화 · 자동화함으로써 대량생산과 이를 통한 원가절감을 이루어내었다.

② **경영의 원리** : ㉠ 생산의 표준화, ㉡ 부품의 규격화, ㉢ 공장의 전문화, ㉣ 유동조립법에 의한 작업의 기계화와 자동화

③ **평가** : 경영을 이윤추구의 수단보다는 사회에 대한 봉사라고 인식하여 '저가격 고임금'의 원칙을 추구하였으나, 인간관계론자들에 의해 '백색 사회주의✛'라는 비판을 받았다.

## 3. 특징 및 한계

(1) 특 징

① **추구하는 가치 – 기계적 능률성** : 분업화 · 표준화를 통한 절약과 능률을 추구하였다.

② **중시하는 변수 – 공식적 구조** : 시간연구 · 동작연구에 의한 공식적인 조직구조의 분업화 · 표준화를 추구하였다.

③ **인간관 – 합리적 경제인** : 인간을 경제적 보상에 따라 움직이는 합리적 존재로 보고 차별적 성과급제를 통하여 관리 · 통제하였다.

④ **관리관 – X이론적 관리✛** : 지시 · 명령 · 통제 중심의 관리를 지향하였다.

⑤ **환경관 – 폐쇄체제** : 외부환경을 고려하지 않는 폐쇄체제에 입각해 있었다.

⑥ **접근방법 – 미시적 · 귀납적 · 상향적 접근** : 실제 작업현장에서 일하는 작업계층에 초점을 맞춰 생산방법의 합리화를 추구하였다는 점에서 미시적 · 귀납적 · 상향적 접근을 추구하였다.

---

### 심화학습

**테일러의 기업관리 4대원칙**
① 작업과정 중 진정한 작업과학 및 관리원칙의 발견을 위한 노력이 이루어져야 한다.
② 노동자의 과학적인 선발과 교육이 있어야 한다.
③ 노동자의 과학적 관리가 있어야 한다.
④ 관리자와 노동자의 계속적이고 밀접한 협력을 통한 기업관리가 이루어져야 한다.

### O·X 문제

1. 테일러(Taylor)의 과학적 관리론은 업무수행에 관한 유일최선의 방법을 찾기 위해 동작연구와 시간연구를 사용한다.                    (      )

2. 과학적 관리론은 최고관리자의 운영원리로 POSDCoRB를 제시하였다.                    (      )

3. 과학적 관리론은 과학적 분석을 통해 다양한 사람들이 각자의 특성에 꼭 맞는 자신만의 최선의 방식을 발견하도록 돕는다.                    (      )

✛ **백색 사회주의**
포드 시스템은 '고임금 저가격' 정책을 통해 노동자와 소비자의 이익을 추구하였지만, 인간관계론자들에 의해 명분만 좋은 노동력 착취를 위한 전략(백색 사회주의)에 불과하다는 비판을 받았다.

✛ **X이론적 관리와 Y이론적 관리**

| | |
|---|---|
| X 이론적 관리 | 인간을 피동적 존재로 보고 강압적인 통제와 경제적인 보상을 통한 관리를 중시하는 입장 |
| Y 이론적 관리 | 인간을 자율적 · 능동적 존재로 보고 자아실현적 직무개선, 분권화와 권한위임 등 민주적 관리를 중시하는 입장 |

O·X 정답 1. ○ 2. × 3. ×

## (2) 한 계

① **능률지상주의**: 능률을 위해 인간을 기계부품으로 취급함으로써 인간적 가치를 경시했다는 비판을 받는다(인간의 준기계화로 인한 인간소외현상 야기). 또한 지나친 분업화로 오히려 조정 및 통제비용을 증대시켰다는 비판도 받는다.

② **구조지상주의**: 공식적 구조만을 중시함으로써 비공식적 집단, 사기, 갈등 등의 연구에 소홀하였다.

③ **편향된 인간관**: 인간을 합리적 경제인으로 파악함으로써 인간의 내면적·심리적·사회적 요인을 경시하였고, 경제적 보상과 같은 동기부여의 외재적 요인만을 중시하였다.

④ **하향적·단선적 관리**: 지시·명령·통제 중심의 하향적·단선적 관리로 인간적 발전을 저해하였다.

⑤ **폐쇄적 환경관**: 조직이 처한 상황적 요건을 고려하지 못하였다.

⑥ **관리자를 위한 인간조정술**: 노동자에 대한 연구만 있고 관리자에 대한 연구는 없으며, 노동력 착취를 위한 관리자의 인간조정술에 불과하다는 비판을 받았다.

## 4. 과학적 관리론이 행정학에 미친 영향

### (1) 행정에의 도입

과학적 관리론은 행정학 성립 초기 엽관주의 폐해를 극복하기 위하여 정치와 행정을 분리하고, 행정의 능률성을 지향했던 진보주의 운동의 일환으로 행정에 도입되었다.

### (2) 영 향

① **행정학 성립에 기여**: 행정을 권력현상이 아닌 관리현상으로 파악함으로써 정치로부터 행정을 분리하여 행정학 성립에 기여하였다.

② **행정개혁운동(능률촉진운동)의 원동력**: 「뉴욕시정연구회(1906)」, 「능률과 절약을 위한 위원회(태프트위원회: 1910)」, 「행정관리에 관한 대통령 위원회(Brownrow위원회: 1936)」 등이 제시한 행정개혁운동의 원동력 역할을 수행함으로써 엽관주의 폐단 극복에 기여하였다.

> **핵심정리 | 행정관리학파**(행정관리론, 원리주의)
>
> 1. **의의**: 능률성을 향상하기 위해 공·사 행정 모두에 적용 가능한 행정(관리)의 보편적 원리를 찾고자 했던 접근방법이다.
> 2. **특징**: 조직관리의 핵심적 원리로 분화(분업)의 원리와 통합(조정)의 원리를 제시하였고 이에 근거하여 조직을 일종의 기계장치처럼 설계하려 하였다.
> 3. **연구방법 – 연역적·거시적·하향적 접근**: 논리적 추론을 통해 조직수준에서 최고관리자가 조직구성원을 통합해 생산성을 극대화하는 방안을 규명하고자 했다는 점에서 연역적·거시적·하향적 접근방법이다. 따라서 이 이론은 작업현장의 근로자의 작업방식에 초점을 둔 귀납적·미시적·상향적 접근인 과학적 관리론과 차이가 있다.
> 4. **행정관리학파의 주요 내용**
>     (1) **페이욜 시스템**(Fayol System) – 「일반 및 기업 관리」
>         ① 페이욜은 기업이 수행하는 활동을 기술활동, 영업활동, 재무활동, 보안활동, 회계활동, 관리활동으로 파악하고 이중 다른 활동들을 계획하고 조직화하여 조정과 통제를 하는 관리활동을 가장 중시하였다.
>         ② 페이욜은 생산공정에 대한 기계적 관리뿐만 아니라 기술, 경영, 재무 등 조직의 전체적 관리가 중요하다고 보고 14대 관리원칙을 제시하였다.

**O·X 문제**

1. 과학적 관리론은 직무를 분석하여 각 직무마다 표준화된 작업 방법을 개발하고, 노동자의 생산량을 기준으로 임금을 지불하는 새로운 보수체계를 도입했다. ( )

2. 테일러의 최대관심사는 능률과 이윤이었고 이를 위하여 훈련과 작업분석을 강조하였다. ( )

3. 과학적 관리론에 의하면 인간은 내재적 보상에 의해 동기가 유발된다. ( )

4. 테일러의 과학적 관리론은 동기부여의 가정과 방법 면에서 현재의 성과관리제도에 이론적 기반을 제공한다. ( )

**O·X 문제**

5. 과학적 관리론은 정치와 행정의 연계성을 중요시하는 데 기여했다. ( )

6. 1906년에 설립된 뉴욕시정조사연구소는 좋은 정부를 구현하기 위한 능률과 절약의 실천방안을 제시하고 시정에 대한 과학적 연구를 수행했다. ( )

**O·X 문제**

7. 행정관리론은 과학적 관리론, 고전적 관료제론 등과 함께 행정학의 출범 초기에 학문적 기초를 쌓는 데 크게 기여했다. ( )

8. 행정관리학파는 공장노동자들의 직무분석을 토대로 이론을 구축하였다. ( )

**심화학습**

페이욜(Fayol)의 14대 관리원칙
① 분업의 원리, ② 권한과 책임의 원리, ③ 규율의 원리, ④ 명령통일의 원리, ⑤ 지휘통일의 원리, ⑥ 전체이익 우선의 원리, ⑦ 보수의 원리, ⑧ 집중화의 원리, ⑨ 계층제에 입각한 서열의 원리, ⑩ 질서의 원리, ⑪ 평등의 원리, ⑫ 신분보장의 원리, ⑬ 자발성의 원리, ⑭ 단결의 원리

**O·X 정답** 1. ○ 2. ○ 3. × 4. ○
5. × 6. ○ 7. ○ 8. ×

(2) **귤릭(L. Gulick)과 어웍(L. Urwick)의 POSDCoRB - 「행정과학에 관한 연구」**
   ① **조직의 원리 제시**: 부처편성(부성화)의 원리, 명령통일의 원리, 분업의 원리, 계층제의 원리, 통솔범위의 원리, 조정의 원리 등을 제시하였다.
   ② **최고관리자의 기능 제시**: 귤릭은 최고관리자의 기능으로 POSDCoRB를 제시하였다. POSDCoRB는 기획(Planning), 조직(Organizing), 인사(Staffing), 지휘(Directing), 조정(Coordinating), 보고(Reporting), 예산(Budgeting)을 의미한다.
(3) **무니(J. D. Mooney)와 라일리(A. D. Reiley)의 원리 - 「미래의 기업」**
   관리라는 개념 속에 포함된 원리로 조정의 원리(조직에서 가장 중요한 제1의 원리로 인식), 계층제의 원리, 기능의 원리, 막료의 원리 등을 제시하였다.

## 03 인간관계론

### 1. 의 의

(1) 개 념
① 조직의 능률성 제고를 위해서는 인간의 정서와 감정적·심리적 요인을 고려한 민주적·인간적 조직관리를 해야 한다고 보는 관리이론이다.
② 인간관계론은 구조 중심의 연구에 치우쳤던 고전적 조직이론(과학적 관리론, 관료제론, 원리주의)을 비판하고 그동안 소외되었던 조직 내의 인간에 초점을 맞춘 이론이라는 점에서 신고전적 조직이론으로 불린다.

(2) 성립 배경
① **이론적 배경 - 과학적 관리론의 한계**: 과학적 관리론이 인간을 준기계화하여 인간소외현상을 야기했음을 비판하고 민주적·인간적 조직관리를 주창하였다.
② **현실적 배경 - 대공황**: 대공황으로 인한 노·사 대립 구조 국면을 극복하기 위해 조직 내의 인간성 회복, 인간관의 변화, 진정한 능률의 추구 등을 목표로 하는 새로운 관리기법이 요청되었다.

### 2. 전 개

(1) 호손(Hawthorne) 실험
① 1924년부터 1932년까지 4차에 걸쳐 실시된 뢰스리스버거(Roethlisberger), 메이요(Mayo) 중심의 호손 실험을 계기로 인간관계론이 활발하게 전개되었다.
② 호손 실험은 고전적 조직론(과학적 관리론)을 입증하기 위해 실시된 실험이었으나 결국 인간관계가 더 중요하다는 실험결과를 얻었다.

(2) 호손(Hawthorne) 실험의 과정
① **제1차 조명실험**: 물리적 요인과 작업능률은 직접적인 관련이 없다.
② **제2차 계전기조립실험**: 휴식시간 등과 작업능률은 직접적인 관련이 없다.
③ **제3차 면접실험**: 작업장의 사회적 조건이 작업능률에 영향을 미친다.
④ **제4차 뱅크선 작업실험**: 서로 잘 모르는 남자 직공들에게 작업을 시키고 관찰해본 결과 비공식적 조직+이 자생적으로 형성되며, 그 조직 내에서 합의된 사회적 규범(집단규범)에 의해 작업능률이 좌우됨을 발견하였다.

## 3. 특징 및 평가

### (1) 특 징

① **추구하는 가치 – 사회적 능률성** : 민주적 관리에 의한 능률을 추구하였다.

② **중시하는 변수 – 인간** : 조직 내의 인간과 인간관계에 연구의 초점이 있었다.

③ **인간관 – 사회인** : 구성원을 개체가 아닌 사회심리적 욕구를 지닌 집단의 일원(사회인)으로 인식하였다.

④ **관리관 – Y이론적 관리** : 비공식적 조직, 경쟁보다는 협력에 의한 생산활동(하의상달·참여), 사회적 기술을 지닌 중간관리자(민주적 리더십), 비경제적 보상과 제재 등 민주적 관리를 중시하였다.

⑤ **환경관 – 폐쇄체제** : 외부환경을 고려하지 않는 폐쇄체제에 입각해 있었다.

⑥ **접근방법 – 미시적·귀납적·상향적 접근** : 실제 작업현장에서 일하는 작업계층에 초점을 맞춰 생산방법의 합리화를 추구하였다는 점에서 미시적·귀납적·상향적 접근을 추구하였다.

### (2) 한 계

① **사회적 능률개념의 모호성** : 사회적 능률은 능률 본질의 개념을 모호하게 하여 비능률성에 대한 변명의 구실을 제공하는 결과를 초래하였다.

② **이원론적 인식** : 인간을 합리적 측면과 비합리적 측면으로, 조직을 공식적 조직과 비공식적 조직으로 대립적·이원론적으로 파악하고, 인간의 비합리적 측면과 비공식적 조직만을 지나치게 강조하였다.

③ **편향된 인간관** : 인간의 비합리성, 비경제성, 심리적·감정적 측면만을 지나치게 중시한 나머지 경제적 동기와 자아실현적 동기를 경시하였다.

④ **폐쇄적 환경관** : 조직이 처한 상황적 요건을 고려하지 못하였다.

⑤ **보수성** : 현실적인 인간관계 유지만을 지향함으로써 갈등의 순기능을 인식하지 못하고, 보수주의에 빠질 위험성이 존재한다.

⑥ **관리자를 위한 인간조정술** : 노동자에 대한 연구만 있고 관리자에 대한 연구는 없으며, 노동력 착취를 위한 관리자의 인간조정술에 불과하다는 비판을 받는다.

⑦ **젖소 사회학** : 만족한 젖소가 더 많은 우유를 생산해 내듯 만족한 근로자들이 더 많은 생산을 한다는 식의 논리(젖소 사회학)로 생산성 향상을 유도하려는 이론에 불과하다.

⑧ **노조운동의 중요성 간과** : 조직원의 작업태도와 능률에 영향을 미치는 노조운동의 중요성을 인식하지 못하였다.

## 4. 인간관계론이 행정학에 미친 영향

(1) 행정관리의 민주화·인간화에 기여

통제 중심의 과학적 관리를 지양하고 고충처리, 상담제도, 제안제도, 소집단의 형성, 민주적 리더십, 의사전달의 활성화 등 민주적인 행정관리에 기여하였다.

(2) 행정행태론 성립에 기여

인간에 대한 관심이 부각되어 인간 행태에 연구의 초점이 있는 행태과학 발전에 기여하였다.

## 5. 과학적 관리론과 인간관계론의 비교

(1) 비 교

**O·X 문제**

1. 인간관계론은 인간에 대한 관심을 불러 일으켰고 행태과학 연구를 촉발하였다. ( )

**O·X 문제**

2. 과학적 관리론과 인간관계론은 모두 관리계층 중심의 연구이다. ( )

3. 과학적 관리론과 인간관계론은 모두 동기부여의 내재성과 인간의 피동성을 전제로 한다. ( )

| 차이점 | | 공통점 |
|---|---|---|
| 과학적 관리론 | 인간관계론 | |
| 공식적 구조 중시 | 비공식적 구조 중시 | • 행정의 궁극적 목적으로 능률성(성과) 추구<br>• 조직목표와 개인목표의 양립성 인정<br>• **동기부여의 외재성**: 인간행동의 피동성<br>• 폐쇄적 환경관<br>• **관리층을 위한 연구**: 작업계층을 대상으로 한 연구<br>• 정치행정이원론<br>• 관리기술적 접근 |
| 합리적 경제인관 | 사회인관 | |
| X이론적 관리 | Y이론적 관리 | |
| 직무 중심 | 인간 중심 | |
| 기계적 능률 | 사회적 능률 | |
| 민주성과 능률성의 대립 | 민주성과 능률성의 조화 | |
| 능률적 향상에 기여 | (대내적) 민주성에 기여 | |
| 테일러시스템, 포드시스템 | 호손 실험 | |
| 행정관리론에 영향 | 행정행태론에 영향 | |

(2) 통합적 관리

두 이론은 각각 조직의 한쪽 측면만을 부각시키고 있으나 조직은 민주성과 능률성을 모두 중시해야 하며, 인간의 행동유인 역시 경제적인 요인과 사회심리적인 요인 모두 고려해야 한다는 점에서 두 이론은 이론적 측면이나 구체적인 실무 측면에서 상호보완적으로 적용되어야 한다. 에치오니(Etzioni)의 구조론적 접근법이 이러한 입장에 있다.

**심화학습**

에치오니(Etzioni)의 구조론적 접근
합리성·공식성에 중점을 두는 전통적 조직이론과, 비합리성·비공식성에 중점을 두는 인간관계론적 조직이론을 통합·절충하려는 현대적 조직이론의 접근방법

## 04 행태론적 접근방법과 행정행태론

### 1. 의 의

(1) 행태론적 접근이란 조직 내부의 인간 행태를 경험적·실증적·과학적으로 연구하고자 하는 접근방법이다. 이 접근방법은 개인의 성격, 태도, 학습과정, 직무만족, 동기부여, 의사전달, 리더십 등에 나타난 행태를 주된 연구대상으로 삼아 인간행태에 대한 올바른 이해를 통해 관리의 유용한 지식을 얻는 데 목적을 두고 있다.

(2) 행태론적 접근은 비엔나학파에서 시도한 사회현상의 과학적 방법론 적용에 그 뿌리를 두고 있으며, 버나드(Barnard)의 영향을 받은 사이먼(Simon)에 의해 체계화되었다.

**O·X 정답** 1. ○ 2. × 3. ×

## 2. 내용

### (1) 기존의 접근방법에 대한 비판

① 원리접근법에 대한 비판 : 행태론자인 사이먼(Simon)은 행정관리론(원리주의)에서 개발된 원리들의 상호모순성을 지적하면서, 이러한 원리들은 한 번도 과학적 검증을 거치지 않은 격언에 불과하다고 비판하였다.

② 구제도론적 접근방법에 대한 비판 : 행태론은 미국의 전통적 정치학에서 시도되었던 법률·제도적 접근이 공식적인 제도만을 중심으로 연구하면서 제도 내의 인간의 행태에 대한 연구를 등한시했다는 점을 비판하고 연구의 초점을 조직내부의 인간행태에 두었다.

### (2) 구체적인 특징

① 행정에 대한 인식 : 행정을 사실에 관한 집단적(협동적) 의사결정과정으로 인식하였다.

② 연구의 범위 – 사실 중심 연구 : 가치와 사실을 구분하고 과학적 검증이 가능한 사실만을 연구한다는 점에서 가치중립적(가치절연적, 몰가치적) 연구를 지향한다. 주의할 점은 행태론은 행정현상 중 가치판단적인 요소의 존재를 인정하면서도 과학적 연구를 위해 연구대상에서 가치를 배제했다는 점이다.

③ 연구의 대상

　㉠ 외면화·표면화된 행태 : 사회현상을 관찰 가능한 객관적 대상으로 보며, 인간의 주관이나 의식을 배제한 행태(behavior)를 연구의 대상으로 삼는다. 여기서 행태(behavior)란 개인·집단·조직의 가치관·사고·태도 등을 총칭하는 개념으로 관찰·면접·질문 등을 통해 파악 가능한 외면화되고 표면화된 요소를 말한다.

　㉡ 집단규범 및 행정문화 중시 : 관료들의 의식구조·행동양식·사고방식·가치관·선호 등에 연구의 초점을 두고, 이들의 형성에 영향을 미치는 집단규범인 행정문화를 중시한다.

④ 연구방법

　㉠ 순수(자연)과학적 연구방법(논리실증주의) : 사회현상도 자연과학과 마찬가지로 엄밀한 과학적 연구가 가능하다고 보고 자연과학적 연구방법(논리실증주의 – 가설의 설정 ⇨ 경험적 검증 ⇨ 이론의 정립)을 통해 인간행태의 규칙성과 상관성·인과성을 경험적으로 입증하고자 하였다.

　㉡ 조작적 정의를 통한 계량적 분석 및 확률적 설명 : 가설의 검증을 위해 조작적 정의(추상적인 변수를 측정 가능한 대체 개념 또는 지수로 전환하는 것)를 활용하며, 계량적 분석과 확률적 설명을 통해 이론을 정립하고자 하였다.

⑤ 접근방법

　㉠ 미시적 접근 : 인간의 개별적 행태에 대한 연구에 치중하는 미시적 접근방법(방법론적 개체주의, 환원주의적 시각)을 활용한다. 따라서 행태주의에서 행정문화는 개인행태의 단순한 합에 불과하며, 집단의 고유한 특성을 인정하는 신비주의·전체주의적 시각을 배격한다.

심화학습

**사이먼의 「행정행태론」의 주요 내용**
① 행정현상의 연구에서 보다 엄정한 과학적 방법을 사용할 것
② 이론이나 법칙정립은 논리실증주의에 입각할 것
③ 의사결정을 행정연구의 핵심으로 삼을 것

O·X 문제

1. 행태주의는 의사결정의 측면을 중시한다. (　)

2. 행정행태론은 가치와 사실을 구분하고 가치에 기반한 행정의 과학화를 시도하였다. (　)

3. 행태주의는 특정 질문에 따른 반응을 통해 파악해 볼 수 있는 태도, 의견, 개성 등도 행태에 포함시키고 있다. (　)

4. 행태주의에서는 사회현상도 자연과학과 마찬가지로 엄밀한 과학적 연구가 가능하다고 본다. (　)

5. 행태주의는 사회현상을 관찰 가능한 객관적 대상으로 보며, 인간의 주관이나 의식을 배제하고 행태의 규칙성, 상관성 및 인과성을 경험적으로 입증하고 설명하려 한다. (　)

심화학습

**순수과학적 연구방법(논리실증주의)**

| | |
|---|---|
| 의의 | 가치와 형이상학을 배제하고 실증(검증) 가능한 경험적 사실만을 연구대상으로 하는 경험주의적 연구경향 |
| 연구방법의 절차 | ① 가설의 설정<br>② 경험적 검증을 통한 규칙성·인과성 발견<br>③ 이론(법칙)의 정립 |

O·X 문제

6. 행태주의는 인간행태를 종합적이고 거시적으로 분석하려는 것이다. (　)

7. 행태주의는 집단의 고유한 특성을 인정하지 않는 방법론적 개체주의의 입장을 취한다. (　)

O·X 정답 1. ○ 2. × 3. ○ 4. ○ 5. ○ 6. × 7. ○

ⓛ **사회심리학적 접근**: 행동주의 심리학(심리학적 행동주의)과 달리 인간을 사회심리적이고 감정적인 존재로 인식하고, 인간의 심리적 욕구를 충족시키는 데 최대한 관심을 갖는다.

ⓒ **귀납적 접근과 연역적 접근의 통합**: 연역적으로 도출된 가설을 귀납적으로 검증하여 이론화하는 연구방법을 취한다.

ⓔ **연합(종합)학문적 성격**: 행태론은 사회과학이 행태에 공통된 관심을 갖고 있기 때문에 통합된다고 보고, 자료의 수집이나 입증에 있어서 사회학·심리학·문화인류학 등 다양한 사회과학적 지식을 활용한다.

⑥ 행정관점 - 종합적 행정관점(과학적 관리론과 인간관계론의 절충)

ⓐ **인간관**: 합리적 경제인과 사회인을 통합한 행정인

ⓑ **능률관**: 기계적 능률과 사회적 능률을 통합한 종합적 능률

ⓒ **조직관**: 공식적 조직과 비공식적 조직을 통합한 구조적 접근(Etzioni)

ⓓ **합리성**: 합리성과 비합리성을 통합한 제한된 합리성

## 3. 공헌과 한계

(1) 공 헌

① **행정연구의 과학화**: 순수과학적 연구방법에 입각하여 인간행태를 연구함으로써 행정의 과학화에 기여하였다.

② **보편적 이론 구축**: 공·사조직 어디에서나 검증 가능한 인간행태의 규칙성을 파악함으로써 보편적이고 일반법칙적인 이론 구축에 기여하였다(공사행정새일원론).

(2) 한 계

① 연구대상(행태 중심의 연구)에 대한 비판

ⓐ **행태 이면의 의식과 동기 파악 곤란**: 행태론은 인간의 외면적·객관적 행태만을 연구대상으로 삼기 때문에 행태 이면의 진정한 동기·의식 등을 파악하지 못한다. 이에 현상학적 접근에 입각한 '하몬(Harmon)의 행위이론'은 이를 비판하고 행태 이면에 숨겨진 동기나 의식을 파악하고자 하였다.

ⓑ **개발도상국에 적용상 한계**: 행태론은 인간의 외면적·객관적 행태만으로 사회현상을 분석하므로 외면화된 행태와 내재된 동기 간에 괴리가 발생하는 이중구조적·폐쇄적 성격을 지닌 개발도상국에는 적용상의 한계가 있다.

② 연구범위(사실 중심의 연구)에 대한 비판

ⓐ **가치판단 배제의 비현실성**: 가치와 사실은 논리적으로 구분될 수 있으나, 현실적으로는 구분하기 곤란하다. 또한 행정국가화 이후 행정인의 정책결정권(가치판단)이 강화되고 있는 행정현실에서 가치를 연구대상에서 배제한 행태론은 행정현상을 설명하는 데 근본적인 한계를 지닌다.

ⓑ **경험적 보수주의**: 행태론은 행정현상에서 왜(why)의 문제만 다루며 무엇을 해야 한다는 가치적·윤리적·규범적인 문제는 다루지 않아 사회문제에 대한 해결책을 제시하지 못한다. 따라서 실천과학이 아닌 관조과학으로 보수성을 띠는 어용학설＋이라는 비판을 받는다(과학성 중시, 기술성 경시).

③ 연구방법(순수과학적 연구방법)에 대한 비판

⟶ 연구대상 및 범위의 협소성 : 행태론은 조작적 정의를 통하여 계량화가 가능한 사실이나 행태만 연구하므로 연구대상과 범위가 협소하다.

⟶ 자연과학적 연구방법의 한계 : 사회과학의 연구대상인 인간의 행동은 정신적 구성물이므로 객관적 사실을 연구하는 자연과학적 연구방법을 통해 사회현상을 파악하는 데에는 한계가 있다.

④ 기 타

⟶ 인간관 – 수동적 인간관 : 자유의지를 지닌 자율적 인간이 아니라 자극에 영향을 받는 수동적 인간을 가정하고 있다.

⟶ 환경관 – 폐쇄주의 : 환경적 요인들을 고려하지 못하는 폐쇄적 환경관에 입각해 있다.

⟶ 행정관 – 행정의 특수성 간과 : 공·사조직 모두에 적용 가능한 보편적 원리를 찾고자 하는 공사행정일원론적 시각으로 행정의 공공성·공익성 등의 특수성을 고려하지 못한다.

⟶ 연구관 – 개별국가의 특수성 간과 : 모든 국가에 적용 가능한 보편적 원리(일반법칙)만을 강조하므로 개별국가의 특수성을 간과하고 있다는 비판을 받는다.

## 05 체제론적 접근방법과 행정체제론

### 1. 의 의

(I) 개 념

① 행정(조직)을 하나의 살아있는 유기체로 보아 행정을 둘러싸고 있는 환경적 제 요소와의 관련 속에서 행정현상을 연구하는 접근방법이다.

② 체제론적 접근은 행정을 환경과 상호작용하는 개방체제의 관점에서 파악한다는 점에 의의가 있다.

(2) 배경 – 구조기능주의

파슨스(T. Parsons)에 의해 집대성된 구조기능주의는 생물의 해부학적 구조와 생리적 기능을 연구하는 방법을 사회현상 분석에 적용한 접근방법이다. 즉, 사회를 생물학적 유기체에 비유하여 상호의존적인 여러 기관이나 부분(구조)이 사회 전체의 생존이나 존립에 공헌하는 역할(기능)을 수행하는 것으로 인식한다.

### 2. 체제의 의의

(I) 개 념

체제란 상호관련성 있는 복수의 구성요소가 일정한 목표와 경계를 가지고 일정한 기간에 걸쳐서 서로 다른 부분 및 환경과 끊임없이 영향을 주고받으며 전체성을 유지해 나가는 하나의 실체이다. 따라서 체제는 구성요소의 유기적 결합체이며, 이때 구성요소는 전체체제의 하위체제가 된다.

(2) 특 징

① 분화와 통합 : 하나의 체제는 위로는 전체체제 속의 하위체계로 타 하위체제와 상호의존관계를 유지하며, 아래로는 여러 하위체제로 분화된다. 따라서 하나의 체제는 하위체제들 간의 유기적인 상호의존관계 속에서 형성된다.

---

**O·X 문제**

1. 행태론적 접근방법은 현장에서 가치문제가 많이 개입되어 있을수록 이론의 적합성이 떨어지기 때문에 의도적으로 이러한 문제를 연구대상이나 범위에서 제외시킬 수 있다. (  )

2. 행정행태론은 행정현상을 자연적, 사회적 환경과 관련시켜 이해하려고 한다. (  )

3. 행태론적 접근은 정치와 행정현상에서 개별국가의 특수성을 중시하였다. (  )

**심화학습**

체제의 유형

| 폐쇄체제와 개방체제 | 폐쇄체제 | 환경과의 상호작용이 없는 자급자족적 체제(과학적 관리론, 인간관계론, 행태론) |
|---|---|---|
| | 개방체제 | 환경과 상호작용을 하는 체제(체제론, 생태론) |
| 합리체제와 자연체제 | 합리체제 | 조직을 목표달성을 위한 계획적·공식적 구조로 보는 시각(과학적 관리론, 관료제론, 체제론) |
| | 자연체제 | 조직을 비계획적·비공식적·자연발생적 과정의 산물로 보는 시각(인간관계론, 행태론, 혼돈이론) |

O·X 정답 **1. ○ 2. × 3. ×**

② **경계 및 환경과 상호작용**: 경계는 한 체제를 다른 체제와 분리시켜 주는 영역이다. 체제는 경계를 지니며 경계를 넘어 환경(다른 체제)과 상호작용하는 개방체제의 성격을 지닌다.

③ **전체성의 시각**: 전체성의 시각이란 전체는 부분 하나 하나가 개별적으로 모인 것이 아니라 그들 간의 관계에 의하여 구성된 것이므로 각각의 부분이 가지고 있는 속성으로 환원하여 설명할 수 없다는 것을 의미한다. 전체성의 시각에 의할 때 체제(전체)는 부분의 총합 이상이며, 집단 고유의 특성을 지닌 신비주의적 속성을 지닌다.

(3) **기능 – 파슨스(T. Parsons)의 AGIL**

체제의 본질적 속성은 생존에 있다. 이에 파슨스는 체제가 생존하기 위하여 필수적으로 필요한 네 가지 기능을 제시하였다.

① **적응(Adaptation) 기능**: 외부로부터 자원(인적·물적 자원, 정보, 자료 등)을 동원하여 환경의 변화에 적응해 나가는 기능

② **목표달성(Goal attainment) 기능**: 환경으로부터 조달된 자원을 체계화하여 조직의 목표를 실현해 나가는 기능

③ **통합(Integration) 기능**: 체제의 구성요소들 간 갈등을 해결하고 상호조정을 해나가는 기능

④ **체제(형상)유지(Latent pattern maintenance) 기능**: 체제에 정당성을 부여하는 가치, 신념, 규범 등의 문화양식을 만들어내고 보존하며 전수해 나가는 기능

## 3. 행정체제와 개방체제의 특성

(1) **행정체제**

① **의의**: 체제론을 행정학에 도입시킨 샤칸스키(Sharkansky)에 의하면 행정체제는 환경·투입·전환·산출·환류 등이 상호작용을 반복하는 개방체제의 속성을 지닌다.

② **행정체제의 구성요소**

㉠ **환경**: 행정체제에 대하여 요구나 지지를 발생시키고 행정체제로부터 산출을 받아들이는 행정체제 밖의 모든 영역(행정체제를 둘러싸고 있는 정치체제·경제체제·사회체제 등)

㉡ **투입**: 환경으로부터 체제의 전환과정으로 전달되는 것(정책에 대한 요구와 인적·물적 자원의 지지)

㉢ **전환**: 투입을 산출로 전환시키는 체제 내 업무처리과정(행정기관의 공식구조, 의사결정절차, 통제절차, 행정인의 경험·성향·가치관 등)

㉣ **산출**: 행정체제의 전환과정을 통해 환경에 내보내지는 것(정책·법령·재화·서비스 등)

㉤ **환류**: 투입에 대한 산출의 결과가 다음 단계의 투입에 연결되어 보다 나은 체제의 흐름을 형성하는 평가 및 시정조치

---

**심화학습**

행정체제의 구성요소 중 전환과 환류의 이해

| 전환 | 체제론은 전체성을 강조하고 전환과정을 Black Box(베일로 가려진 연구의 사각지대)로 인식하여 전환과정에 대한 설명이 미흡하다. |
|---|---|
| 환류 | 환류에는 부정적 환류(안정과 균형, 질서유지를 추구하는 환류)와 긍정적 환류(변화와 발전을 추구하는 환류)가 있는데 체제론은 항상성을 위한 부정적 환류를 중시한다. |

**O·X 문제**

1. 환류는 사멸을 방지하기 위해 외부 에너지를 지속적으로 충원하는 과정이다. (　　)

2. 환류는 산출에 대한 평가로서 잘된 것은 반영하고 잘못된 것은 시정·보완책을 강구하여 다음의 행정관리과정에서 실수를 극소화하는 것을 의미한다. (　　)

O·X 정답 1. × 2. ○

(2) 개방체제의 특성

① **항상성**: 개방체제는 환경이 기존의 질서나 균형을 깨려는 방향으로 작용할 때 자기 내부의 기능을 통제하여 본래의 규칙성을 유지하는 방향으로 작용하는 항상성을 지닌다 (부정적 환류).

② **부(負)의 엔트로피(entropy)✛**: 개방체제는 외부로부터 에너지나 기타 자원을 받아들여 엔트로피를 낮추려는 부의 엔트로피 성향을 지니고 있다.

③ **등종국성(동일종국성)**: 개방체제는 특정 목표를 달성하기 위하여 내부구조가 고정되어 있는 폐쇄체제와 달리 신축적인 전환과정을 가지고 있기 때문에 투입과 전환을 달리하여 동일목표를 달성하는 것이 가능하다.

④ **구조·기능의 다양성**: 개방체제는 다양한 환경에 적응할 수 있도록 내부 구조나 기능이 다양하다.

⑤ **체제의 진화**: 개방체제는 환경으로부터의 도전에 대응하고 기회를 활용할 수 있도록 구조와 기능이 더욱 다양화되고 분화되어 가며, 분화된 부분들을 전체로서 통합할 수 있는 능력이 증진됨에 따라 끊임없이 진화한다.

⑥ **동태적 균형**: 개방체제는 환경·투입·전환·산출·환류 등이 상호작용을 반복하면서 균형을 이루는 동태적 균형을 특징으로 한다.

📂 **폐쇄체제와 개방체제의 비교**

| 폐쇄체제 | 개방체제 |
|---|---|
| 환경 불고려 | 환경 고려 |
| 체제 내부에 관심 | 체제 외부에 관심 |
| 집행의 능률에 관심 | 환경에 적응하여 생존하는 데 관심 |
| 내부구조 고정 | 등종국성(신축적인 전환과정) |
| 엔트로피 증가 | 부정적 엔트로피 증가 |
| 정태적 균형론 | 동태적 균형론 |

## 4. 체제론적 접근의 평가

(1) 추구하는 관점

① **추상적·관념적 관점**: 연구대상을 상징으로 취급한다는 점에서 경험적이기보다는 추상적·관념적이다.

② **총체적·거시적 관점**: 연구대상인 체제는 하위체제의 유기적 결합이라는 점에서 거시적이고 총체적인 분석(방법론적 전체주의)이다.

③ **계서적 관점**: 하나의 체제는 여러 하위체제로 분화되고, 동시에 상위체제로 통합되므로 체제나 현상 간에 관계의 배열이 계층적이다.

④ **목적론적 관점**: 모든 체제는 목적을 가진다는 유목적적 관점을 지닌다.

⑤ **시간적 관점**: 체제는 시간선상에서 동태적이고 순환론적인 현상을 보인다.

⑥ **연합학문적 관점**: 체제론은 정치학, 사회학, 행정학 등의 다양한 학문이 연계되는 학제적 성격을 지닌다.

✛ 엔트로피(열역학 제2법칙)
유기체의 해체, 소멸, 무질서, 노쇠현상

**O·X 문제**

1. 체제론적 접근방법은 환경으로부터의 요구(demand)와 지지(support)를 받아 산출로 전환하고, 환경으로 내보내진 환류를 통해 체제로 다시 환류되는 계속적인 순환과정을 행정현상에 적용한 것이다. ( )

2. 개방체제는 유일최선책(one best way)을 강조하는 과학적 관리와는 달리 체제의 목표를 여러 방식으로 달성할 수 있다고 본다. ( )

3. 개방체제는 외부로부터 에너지를 받아들여 엔트로피를 높이려는 것이다. ( )

4. 개방체제는 정(+)의 엔트로피, 외부 환경과의 상호작용, 항상성, 등종국성 등을 특징으로 한다. ( )

**O·X 문제**

5. 체제론은 행정현상을 분석하기 위해 다양한 관련 변수 중에서 환경을 포함해 거시적으로 접근한다. ( )

6. 체제론은 비계서적 관점을 중시한다. ( )

7. 체제론적 접근방법은 행정현상을 포괄적인 전체를 구성하는 부분이라고 파악하여 통합적인 분석을 시도한다. ( )

**O·X 정답** 1. ○ 2. ○ 3. × 4. ×
5. ○ 6. × 7. ○

(2) 공 헌

① **거시적 안목 제공**: 지엽적인 부분보다는 거시적으로 전체를 보도록 하여 통합적 연구를 촉진하는 거시적 안목을 제공한다.

② **과학적 분석기법 발달에 기여**: 개방체제의 특징인 '등종국성'에 의하면 체제는 신축적인 전환과정을 지닌다. 체제론의 '등종국성' 개념은 다양한 전환과정 중에서 보다 합리적인 전환과정을 찾기 위한 과학적 분석기법(체제분석기법)의 발달에 기여하였다.

③ **비교행정론의 발달에 기여**: 체제의 기능은 어느 국가체제에서나 보편적으로 존재하기 때문에 체제론은 국가 간 비교연구의 일반적 기준을 제시함으로써 비교행정론의 발달에 기여하였다.

④ **행정학 연구의 과학화에 기여**: 행정과 환경과의 상호작용을 통해 안정적인 서구 선진국의 행정현상을 설명함으로써 행정학 연구의 과학화에 기여하였다.

(3) 한 계

① **전환과정 설명 미흡**: 체제론은 체제와 환경과의 상호작용을 중시할 뿐 체제 내부의 조직구조·정책결정 등 구체적인 운영 측면(전환과정)을 고려하지 못한다.

② **미시적 현상 경시**: 조직차원의 거시적 관점을 중시하는 체제론은 특수한 인물의 성격·개성·리더십이나 체제 내부의 권력·의사전달 등 개인 차원의 미시적 현상을 경시한다.

③ **행정의 가치문제 불고려**: 체제론은 조직이나 사회를 바라보는 시각을 제시할 뿐 행정이 지향해야 할 목적이나 가치를 제시해 주지 못한다(기술성 미흡).

④ **정태적 연구**: 체제론은 환경과의 관계에서 체제의 균형과 안정을 중시하므로 현상의 정태적인 측면을 분석하기 용이하지만, 현상이 복잡하고 불확실하게 변화하는 경우를 설명하기는 곤란하다(현상유지적·보수적 편견).

⑤ **개발도상국의 발전 설명 미흡**: 체제론은 현상유지적 성격으로 인해 안정적인 서구 선진국의 행정현상을 설명하기 적합하지만, 행정에 의해 변화와 발전이 빠르게 나타나고 있는 개발도상국에 대한 설명이 미흡하다(행정의 독립변수성 설명 곤란).

⑥ **경계의 모호성**: 체제론에서 체제는 어디까지가 안이고 밖인지 경계가 모호하다. 따라서 체제를 구성하는 개인의 주관적 시각에 따라 다양하게 체제의 경계가 설정될 수밖에 없어 객관적이지 못하다는 비판을 받는다.

## 06 생태론적 접근방법과 비교행정론

## 1. 의 의

(1) 개 념

① 행정(조직)을 하나의 살아있는 유기체로 파악하여 행정체제와 이를 둘러싸고 있는 환경적 세력들 간의 상호작용관계에 연구의 초점을 두는 접근방법이다.

② 생태론적 접근방법은 환경에 대한 행정의 종속변수적 성격을 강조하는 생태론적 결정론(환경결정론)에 입각해 있다.

(2) 특 징

① **개방체제적 관점**: 행정과 환경의 상호작용관계의 분석에 초점이 있다.

② **종속변수로서 행정**: 환경이 행정에 영향을 주는 측면을 중심으로 연구한다.

---

**O·X 문제**

1. 체제적 접근방법은 행정현상에서 중요한 권력, 의사전달, 정책결정 등의 문제나 혹은 행정의 가치문제를 중요한 변수로 고려하였다. (  )

2. 행정체제론은 환경과 체제 간의 관계를 중시하였으나 환경에 대한 체제의 피동적 대응을 중시한다. (  )

3. 체제론적 접근방법은 자율적으로 목표를 설정하고 그 방향으로 체제를 적극적으로 변화시켜 나가려는 측면보다 환경 변화에 잘 적응하려는 측면을 강조한다. (  )

4. 체제론은 정태적·보수적 이론으로 개방체제는 정태적 균형을 중시한다. (  )

③ 거시적 분석 : 체제 내의 행위자보다는 체제 자체를 연구대상으로 삼는다.

④ 구조기능주의 : 체제를 생물학적 유기체에 비유하는 구조기능주의 시각에 입각해 있다.

⑤ 신생국 행정연구 : 비교행정연구에 이론적 기초를 제공하여 신생국 행정연구에 도움을 준다.

(3) 체제론적 접근과 생태론적 접근의 비교

| 구 분 | 차이점 | | 공통점 |
|---|---|---|---|
| | 체제론적 접근 | 생태론적 접근 | |
| 연구대상 | 안정적인 서구 선진국의 행정현상 설명 | 저개발국가의 행정현상 설명 | • 구조기능주의 시각(거시적 분석)<br>• 개방체제적 관점<br>• 과학성 중시, 기술성 경시<br>• 행정의 적극적 역할 간과<br>• 변화와 발전 설명 미흡 |
| 접근방법 | 일반이론 구축 | 중범위이론 구축 | |

## 2. 비교행정론

(1) 의 의

① 개 념

㉠ 각국 행정의 특수성을 형성시키는 역사적·정치적·사회적 조건(행정에 영향을 미치는 환경)을 규명하고 비교하여, 각국에 공통적으로 적용되는 과학적이고 일반법칙적인 행정이론을 정립하고자 하는 과학적 접근방법이다.

㉡ 비교행정론은 각국의 행정현상을 체계적으로 비교하여 연구하므로 행정연구의 국제주의 또는 행정에 대한 문화횡단적 연구(cross-cultural study)라 불린다.

② 발달요인

㉠ 미국의 후진국 원조계획(마샬플랜) : 미국은 제2차 세계대전 후 소련과의 체제경쟁과정에서 신생국 원조계획을 실시하였는데, 이 과정에서 많은 학자들이 동원되어 외국행정을 경험하게 된 사실이 비교행정연구를 촉진하였다.

㉡ 미국 행정학의 적용범위상의 한계 : 신생국 원조계획과정에서 미국 행정학을 개도국에 적용하였으나 제대로 작동하지 않게 되자, 미국 행정학의 보편성과 과학성에 의문을 품고 보편적이고 과학적인 이론 구축을 위해 개도국의 문화적·사회적 환경의 차이를 연구하게 되었다.

㉢ 비교정치학의 영향 : 정치학계에서 개도국 정치에 관한 연구가 활발하게 진행되었으며 이에 영향을 받았다.

㉣ 비교행정연구회의 활동 : 미국 행정학회 내에 비교행정연구회(CAG)가 구성되면서 포드재단의 지원 아래 리그스(Riggs)의 주도로 활발한 연구가 진행되었다.

㉤ 유럽 학자들의 영향 : 행정법 및 사회과학분야에 있어 베버 등의 유럽 학자들의 관심과 교류의 증진이 비교행정 발전에 기여했다.

(2) 가우스(Gaus)의 생태론(1947)

가우스는 "행정이론은 정치이론을 의미한다."고 주장하면서 정치학에서 발달한 생태론적 접근을 행정학에 도입하였다. 가우스는 행정에 영향을 미치는 7가지의 환경적 요인(주민, 장소, 물리적 기술, 사회적 기술, 욕구와 이념, 재난, 인격)을 제시하고, 환경과의 유기적 상호관계를 고려하면서 정부기능을 분석하고자 하였다.

**심화학습**

**가우스(Gaus)의 환경적 요인**

| 주민 | 행정의 대상이 되는 주민의 연령, 계층, 지역적 분포 등 |
|---|---|
| 장소 | 물적·인적 자원의 지역적 변동, 행정이 처한 장소의 위치 등 |
| 물리적 기술 | 장비, 통신, 교통, 도로건설 등 물리적 기술의 변화 |
| 사회적 기술 | 사회제도, 풍속, 사회적 장치의 변화와 계속적인 영향 |
| 욕구와 이념 | 국민의 욕구, 사회적 가치관, 규범 등 |
| 재난 | 전쟁, 홍수, 지진 등의 재난과 긴급사태 |
| 인격 | 특정인의 인격, 가치관, 경험, 태도 등 |

**1.** 비교행정 연구모형을 제시한 리그스(Riggs)의 연구는 행정현상을 자연, 사회, 문화적 환경과 관련지어 이해하는 생태론적 접근으로 볼 수 있다. ( )

**2.** 비교행정론의 대표적 학자 리그스(Riggs)의 프리즘적 모형은 농경국가도 산업국가도 아닌 제3의 국가형태인 개발도상국을 연구하는 데 적합하다. ( )

**3.** 리그스(Riggs)는 후진국 행정체제에 대한 '프리즘적 사랑방모형'을 설정하여 후진국의 행정행태를 사회문화적 맥락에서 파악하고 행정의 독자성을 인정하여 독립변수로 취급하였다. ( )

**헤디(Heady)의 접근방법**

| | |
|---|---|
| 수정된 전통적 접근 | 행정문헌을 통한 각국 행정체제에 대한 단순 비교·고찰 |
| 발전 지향적 접근 | 국가발전 목표달성을 위한 행정의 필요 요건 규명(발전행정론으로 발전) |
| 일반 체제적 접근 | 각국의 행정현상을 비교하기 위한 일반적 모델 개발 |
| 중범위적 접근 | 일반체제이론은 포괄성과 추상성으로 인해 실증적 자료에 의한 뒷받침이 곤란하다는 점에서 연구대상을 관료제(중범위)로 한정하여 연구(Heady가 가장 중시) |

**헤디(Heady)가 제시한 신생국 행정체제의 특징**
① 외국 제도의 무조건적 모방(제도적 모방성)
② 형식과 실제 간의 괴리
③ 발전지향적 인재의 부족
④ 관료부패의 만연
⑤ 관료제 운영의 자율성(관료제가 국민의 요구가 아닌 관료제 스스로의 자율적 의사에 따라 운영되는 현상)

(3) 리그스(F. W. Riggs)의 비교행정연구

① 접근방법 : 비교행정연구에 생태론적 접근방법을 적용한 리그스(Riggs)는 행정학의 연구 방법이 ㉠ 규범적 접근에서 실증적·경험적 접근으로, ㉡ 개별 사례적 접근에서 일반 법칙적 접근으로, ㉢ 비생태론적 접근에서 생태론적 접근으로 전환되어야 한다고 주장하였다.

② 사회이원론과 사회삼원론

㉠ 사회이원론 : 리그스의 초기 연구는 사회를 농업사회와 산업사회로 이원론적으로 구분하고 행정에 영향을 미치는 5대 변수로 정치적 요인, 경제적 요인, 사회적 요인, 의사소통, 이념적 요인 등을 설정하여 행정환경을 고찰하였다.

㉡ 사회삼원론 : 사회이원론이 개도국의 과도기적 상황을 정확히 설명해 주지 못한다는 비판에 직면하여 리그스는 농업사회(융합사회)에서 산업사회(분화사회)로 이행되어가는 과정에 있는 전이사회(과도사회)를 '프리즘적 사랑방모형'으로 제시하고 개도국의 모델로 설정하였다.

🗀 **사회삼원론[프리즘적 사랑방(살라 : sala)모형]**

| 사회유형 | 농업사회 | 전이사회 | 산업사회 |
|---|---|---|---|
| 사회체제모형 | 융합사회 | 프리즘적 사회 | 분화사회 |
| 행정체제모형 | 안방모형(chamber) | 사랑방모형(sala) | 사무실모형(office) |
| 공중체제모형 | 자유사상가 | 인텔리켄차 | 지성인 |

③ 프리즘적 사회(전이사회)의 특징

㉠ 고도의 이질혼합성 : 전통적 미분화 사회와 현대적 분화 사회의 특징이 혼재되어 극히 이질적인 것들이 동시에 존재하는 불균형현상을 보인다.

㉡ 다규범성(무규범성, 모순적 상용성) : 전통적 규범과 현대적 규범이 공존하며, 일관된 규범이 결여되어 상황에 따라 다른 규범이 적용된다.

㉢ 신분·계약 혼합관계 : 공식적으로는 계약이 법적 권리·의무관계의 기초가 되나, 현실적으로는 신분적 질서가 강하게 작용한다.

㉣ 가치의 집중 및 권력과 통제의 불균형 : 소수 엘리트가 권력을 독점하며, 권력은 집중되어 있으나 통제는 분산되어 권력과 통제 사이에 괴리가 발생한다.

㉤ 양초점성 : 관료의 권한이 법제상으로 상당히 제약되고 있으나, 실제로는 막강한 영향력을 행사한다.

㉥ 기능중복(중첩성) : 공식적으로는 기능이 분화되어 있으나, 실제로는 기능이 융합되어 있어 의식적인 공적 형태(기능분화)와 무의식적인 비공식적 형태(기능융합) 간에 사회적 분열증을 초래한다.

㉦ 형식주의 : 공식적인 법규와 실제 운영상 관행이 불일치한다.

㉧ 연고주의 : 혈연, 지연, 학연 등에 의해 불공평한 임용, 계약, 행정이 이루어진다.

㉨ 다분파주의(붕당성) : 혈연적·지역적 연대에 기초한 여러 적대적 공동체가 존재하며 내면적으로 파벌이 형성된다.

ⓩ **의존증세군**: 권력자가 생산적 활동은 하지 않고 권력을 이용하여 기업가의 재화를 수탈하는 등 기업가의 재력에 의존한다.

ⓚ **천민자본주의**: 정치의 불안정성과 정책의 불확실성 속에서 시민들은 장기적인 자본투자나 생산 활동보다는 단기사업이나 고리대금업 등을 통해 이윤을 추구해 나간다(Weber).

ⓔ **바자캔틴모델✛(가격의 부정가성)**: 상품의 교환수단으로 가격 메커니즘이 적용되나, 전통사회의 의리·보답 등의 성격이 중첩되어 가격이 불확실하다.

ⓟ **상향적·하향적 누수**: 부패로 인해 국가의 세입과정에서 예산의 누수(상향적 누수)와 국가의 세출과정에서 예산의 누수(하향적 누수)가 발생한다.

ⓗ **전략적 지출**: 상관에게 바치는 상납금과 부정부패에 대한 부하의 불만을 무마하기 위한 지출이 일상화된다.

**(4) 공헌과 비판**

① **공 헌**

㉠ **행정을 개방체제로 인식**: 행정체제를 개방체제로 파악하여 문화적·환경적 요인과의 상호관련성 속에서 거시적으로 행정을 고찰하였다.

㉡ **행정의 과학화에 기여**: 공식적인 법규 중심의 연구가 아니라 실제 운영 상태를 구조기능주의 관점에서 파악함으로써 행정연구의 과학화에 기여하였다.

㉢ **신생국 행정체제의 특수성 파악**: 미국 중심에서 벗어나 신생국 행정체제의 특수성을 파악하였다.

㉣ **중범위이론 구축에 기여**: 미국 행정학의 보편성(일반법칙성)에 대한 한계를 인식하고 동일문화권 또는 유사한 정치체제에 적용할 수 있는 중범위이론 구축에 기여하였다.

② **한 계**

㉠ **일반이론 정립 실패**: 특정 국가의 개별적 환경 중심 연구로 행정의 특수성 파악은 용이하나 일반이론 정립에는 실패하였다.

㉡ **환경결정론적 시각과 비관론적 숙명론**: 행정을 환경의 종속변수로 파악하고, 행정체제가 환경적 요인에 따라 피동적·숙명적으로 결정되는 것으로 보아 후진국 발전이나 근대화 전망에 대해 비관적이었다.

㉢ **서구 중심적 편협성**: 서구의 행정문화와 개도국의 행정문화를 비교하여 개도국의 행정문화를 부정적으로만 인식하였고, 이를 개도국의 저발전의 원인으로 지적하는 서구 중심적인 편협한 시각을 갖고 있었다.

㉣ **변화와 발전 설명 곤란**: 구조기능주의적 분석에 입각한 균형이론으로 개도국에서 자주 목격되는 창조적 엘리트에 의한 변화와 발전을 설명하지 못하였다.

㉤ **행정의 목표나 방향제시 미흡**: 환경에 대한 고찰을 통해 행정현상을 설명하고 진단하지만, 행정이 추구해야 할 목표나 방향을 제시해 주지는 못하였다(과학성 추구, 기술성 미흡).

㉥ **독자적인 연구대상 획정 곤란**: 각국의 역사적·정치적·사회적 조건을 규명하고 비교하는 데 초점을 두고 있어 역사학, 정치학, 사회학 등 다른 학문과 구별되는 독자적인 연구대상을 획정하기 곤란하다.

## 07 발전행정론

### 1. 의 의

**(1) 개 념**

개발도상국에서 행정의 역량과 능력을 발전시키고, 발전된 행정을 통해 국가발전을 추구하는 실용주의적 행정이론이다(발전행정＝행정의 발전＋발전된 행정을 통한 국가발전).

**(2) 대두배경 – 비교행정론의 한계**

구조기능주의에 입각한 비교행정론은 행정의 종속변수성에 따른 비관론적 숙명론을 제시하면서 개발도상국의 국가발전에 부정적이었다. 이에 대한 비판으로 개발도상국의 국가발전을 위한 행정의 독립변수성이 강조되면서 발전행정론이 등장하였다.

### 2. 특 징

**(1) 접근방법 – 일치만(W. F. Illchman)의 분류**

① 행정체제적 접근방법(대내적 전략): 행정체제와 타 체제와의 관계를 고려하지 않고 행정체제만의 발전을 국가발전으로 보는 폐쇄적 접근방법이다.

② 사회체제적 접근방법(대외적 전략): 행정체제와 타 체제와의 관계를 중시하는 포괄적 접근방법이다.

  ㉠ 균형적 접근방법: 전체 사회체제의 균형적 발전을 추진하는 전략이다.

  ㉡ 불균형적 접근방법: 행정이 사회체제의 발전에 주도적 역할을 담당한다고 보고 행정의 독립변수적·능동적 성격을 중시하는 전략(Esman, Weidner 등이 주장한 발전행정론의 대표적인 접근방법)이다.

**(2) 이론적 특징**

① 국가주의적 관점: 행정체제가 국가발전의 선도적 역할을 수행해야 한다는 입장이다.

② 엘리트주의적 관점: 변화의 역군이자 주체로서 엘리트 관료를 중시한다.

③ 경제이론과 고전적 행정이론의 결합: 국가발전목표 중 경제발전을 가장 중요시하고 이러한 목표를 추구하는 데 필요한 조직으로 고전적 관료제를 처방한다. 따라서 발전행정론은 경제성장을 위한 국가개입을 지지하는 경제이론과 고전적 행정이론인 관료제의 관점을 결합한 것이다.

**(3) 실천적 특징**

① 추구이념 – 효과성: 국가발전사업의 목표달성도(효과성)를 중시하였다.

② 중시하는 행정변수 – 발전인: 국가발전의 역군으로 쇄신적 가치관을 지닌 행정인을 중시하였다.

③ 이론적 지향 – 처방성(문제해결지향성): 개발도상국의 저발전 문제를 해결하기 위한 행정의 정책형성기능을 강조하였다(정치행정일원론적 시각).

### 3. 공헌과 한계

**(1) 공 헌**

발전행정론은 이론적 측면에서 국가발전을 성취하기 위한 행정의 역할이나 기능을 체계화하는 데 중요한 역할을 수행하였고, 실천적 측면에서 개발도상국의 국가발전을 위한 구체적인 전략이나 정책을 개발하는 데 기여하였다.

### (2) 한 계

#### ① 이론적 측면

㉠ 과학성 미흡 : 주관적·규범적 성격을 지녀 경험적 검증을 거친 이론이 거의 없기 때문에 과학성이 결여되어 있다.

㉡ 보편성 미흡 : 개발도상국의 행정문제만을 다루고 있기 때문에 이론의 보편성이 결여되어 있다.

㉢ 발전 개념의 모호성과 서구적 편견 : 발전에 대한 개념이 대단히 모호할 뿐만 아니라 발전의 개념을 서구화와 혼동하여 서구화를 발전으로 보았다.

#### ② 실천적 측면

㉠ 행정의 비대화 초래 : 관료가 사회발전의 주도적인 역할을 담당함에 따라 행정의 비대화와 독주를 초래하고 군부독재의 정당화 수단을 제공하였다.

㉡ 정치 및 국민의 투입기능 경시 : 시민 또는 정치집단의 투입기능은 무시하고, 행정에 의한 산출기능을 지나치게 강조하였다.

㉢ 민주적 절차 결여 및 가치배분의 불공정성 야기 : 불균형발전전략에 따른 지나친 발전 위주의 결과 중심 행정으로 민주적 절차의 훼손과 가치배분의 불공정성을 야기하였다. 이로 인해 노동자의 인권 억압, 환경파괴, 부의 집중 등 발전국가의 한계를 초래하였다.

## 4. 비교행정론과 발전행정론의 비교

| 구 분 | 차이점 | | 공통점 |
|---|---|---|---|
| | 비교행정론 | 발전행정론 | |
| 시 기 | 1940~50년대 | 1950~60년대 | • 연구대상 : 개발도상국의 행정현상<br>• 학문적 성격 : 종합학문적 성격<br>• 환경관 : 환경과의 관계를 고려하는 개방체제적 성격<br>• 서구적 편견 : 비교행정론은 비관론적 숙명론을 제시했다는 점에서, 발전행정론은 발전을 서구화로 인식했다는 점에서 두 이론 모두 서구적 편견을 지님. |
| 이론 경향 | 보편성·일반성 강조 | 특수성·처방성 강조 | |
| 핵심변수 | 환경 | 인간 | |
| 합목적성 | 정태적·일반법칙성 | 동태적·목표지향성 | |
| 방법론 | 구조기능주의 | 실용주의 | |
| 변수로서의 행정 | • 종속변수로서의 행정<br>• 환경결정론 강조 | • 독립변수로서의 행정<br>• 환경형성론 강조 | |
| 이론의 성향 | 행정현상 간의 비교·분석에 초점을 둔 정태적 균형이론 | 변화와 발전을 중시하는 동태적 불균형이론(변동이론) | |
| 사회변동 | 전이적 변화 강조 | 계획된 변화 강조 | |
| 관 점 | 발전에 대한 비관주의 | 성장에 대한 낙관주의 | |
| 이론의 초점 | 개도국의 행정이 왜(why) 낙후되었는가에 대한 진단 차원(과학성 강조) | 개도국의 행정현실을 어떻게(how) 극복할 것인가에 대한 처방 차원(기술성 강조) | |
| 시 각 | 정치행정이원론 | 정치행정일원론 | |
| 분석의 차원 | 공간적·문화횡단적 차원의 분석(횡단면적 분석) | 시간적·발전지향적 차원의 분석(종단면적 분석) | |

**심화학습**

**발전 개념의 다의성(모호성)**

발전의 개념에 대하여 Riggs는 '사회의 분화', Diament와 Eisnstadt는 '변동대응능력의 증진', Weidner와 Esman은 '계획된 변화'로 정의하였다.

**심화학습**

**발전국가**

| 의의 | 산업화에 뒤쳐진 저개발국가들이 고도의 정부개입을 통해 압축성장을 달성해 나가는 정부형태 |
|---|---|
| 특징 | ① 시장과 시민사회의 미성숙을 보완하는 정부의 적극적 개입 지향성<br>② 과대성장국가의 유산을 반영하는 억압적이고 권위주의적 행정체제<br>③ 군사정부의 속성을 대변하는 명령지시적 행정문화<br>④ 정치보다는 행정을 우선시하는 기술관료엘리트주의<br>⑤ 유교적 왕조국가의 전통을 반영하는 제왕적 통치자<br>⑥ 가치체계의 미분화를 반영하는 정적 인간주의 등 |

## 08 후기행태주의적 접근방법과 신행정론

### 1. 후기(탈)행태론적 접근방법

(1) 의 의

① 개념 : 가치 배제와 논리실증주의에 기반한 행태주의적 접근이 사회문제 해결능력이 없음을 비판하고, 급박한 사회문제 해결을 위한 적실성 있는 연구를 지향하는 접근방법이다.

② 대두배경 – 행태주의의 한계 : 주류 행정학인 행태주의적 접근은 흑인폭동, 월남전 반전 데모, 워터게이트 사건 등 1960년대 미국 사회가 당면한 사회문제를 해결하는 데 무력했을 뿐만 아니라, 존슨 행정부의 '위대한 사회의 건설' 추진에 대한 지적 지지를 제공하지 못했다. 이에 당시 정치학회 회장이었던 이스턴(D. Easton)은 행태주의적 연구방법을 비판하고 후기행태주의를 선언하면서 '적실성의 신조와 실천'을 주장하였다.

(2) 성격 – 적실성의 신조와 실천

① 적실성의 신조(credo of relevance) : 사회과학자들은 과학적 연구방법을 적용할 수 있는 것만 연구대상으로 삼기보다는 급박한 사회문제를 연구대상으로 삼아 연구결과가 사회의 개선에 기여할 수 있도록 해야 한다.

② 실천(action) : 사회과학자들은 연구결과를 단순히 발표함으로써 끝나는 것이 아니라 연구결과가 정책을 통해서 구현되도록 노력해야 한다.

(3) 후기행태주의의 전개

행태주의적 연구방법에 대한 반성에 기반한 후기행태주의는 가치중립적인 과학적 연구보다는 가치평가적인 정책연구의 발전을 가져왔으며, 현상학적 접근, 포스트모더니즘, 비판이론, 담론이론으로 전개되었고 행정학 분야에서도 신행정론자들에 의해서 도입되었다.

(4) 행태주의와 후기행태주의의 비교

| 구 분 | 행태주의 | 후기행태주의 |
|---|---|---|
| 사회문제에 대한 인식 | • 사회문제 해결 등한시<br>• 사회안정 추구 | • 사회문제 해결 중시<br>• 사회변동 추구 |
| 강조점 | 연구방법 중시 | 연구주제 중시 |
| 인식 방법 | 객관주의(논리실증주의) | 주관주의(현상학, 비판이론) |
| 가치에 대한 태도 | 가치중립, 몰가치성 | 가치개입, 가치추구(사회적 형평성) |

## 2. 현상학(해석학)적 접근방법

### (1) 의 의

① **개념**: 사회현상은 자연현상과 달리 인간의 의식이나 동기·언어 등으로 구성되며, 그들의 상호주관적 경험으로 이룩되는 것이므로 행정현상을 정확히 이해하기 위해서는 외면화·표면화된 행태보다는 인간의 내면적인 의식이나 동기를 파악하는 것이 중요하다고 보는 접근방법이다.

② **대두배경 - 행태주의에 대한 반발**: 주관주의에 입각한 철학적 접근방법인 현상학적 접근은 행정학의 주류 접근방법인 실증주의·행태주의·객관주의·합리주의를 비판하면서 등장하였다.

③ **전개**: 현상학적 접근은 독일의 철학자 훗설(E. Husserl)에 의해 발전된 이론을 슈츠(Schutz)가 본격화하였다. 행정학에는 1970년대 커크하트(Kirkhart)에 의하여 신행정론에 도입되고, 1980년대 하몬(Harmon)의 '행위이론(action theory)'에 의하여 정립되었다.

> 📋 **핵심정리 | 하몬(Harmon)의 행위이론(action theory)**
>
> 하몬은 해석사회학, 현상학, 상징적 상호주의, 반실증주의, 실천, 능동적 인간, 상호공존성, 시민의 요구에 대한 대응성, 시민참여, 인간소외현상 극복, 합의적 규칙(관료제나 투표에 의한 결정보다는 합의적 의사결정 중시), 행정인의 적극적 책임, 외재적 결정론의 배척, 사회과학과 자연과학의 구별 등을 주장하였다.

### (2) 학문적 특징

① **철학적·심리학적 접근(주관주의)**: 현상학은 현상에 대한 개개인의 의식이나 지각으로부터 인간의 행동이 비롯된다고 보고, 인간의 행동을 야기하는 주관적이고 내면적인 의식세계를 철학적·심리학적 접근을 통해 연구한다.

② **선험적 관념론**: 현상학은 가치로부터 구분된 순수한 사실이란 존재하지 않는다고 보아 가치와 사실의 구별을 거부하고, 대상과 의식의 상호작용을 바탕으로 직관을 통하여 현상을 파악하고자 하는 선험적 관념론에 입각해 있다.

③ **주의주의(主意主義)**: 현상학은 인간의 지성이나 이성을 중시하는 주지주의(主知主義: intellectualism)적 관점이 아닌, 인간의 의지나 감정을 중시하는 주의주의(主意主義: voluntarism)적 관점에 입각해 있다.

④ **가치주의**: 현상학은 가치를 만들고 문화를 창조하는 인간의 주관성에 관심을 가지며, 사실에 있어서도 주관과 객관의 불가분의 관계를 강조하면서 가치 중심의 연구를 지향한다.

⑤ **미시적 접근**: 현상학은 많은 거시적인 문제들은 인간의 상호작용과 이해를 통해 해결될 수 있다고 보고 미시적 접근을 지향한다.

**O·X 문제**

1. 현상학적 접근방법은 실증주의와 행태주의를 비판하는 입장으로서 인간의 주관적 관념, 의식 및 동기의 의미를 해석하고 가치평가적 연구를 할 수 있게 한다. (　)

2. 현상학에 바탕을 둔 행위이론은 사회현상이 자연현상과 크게 다르지 않다고 보았다. (　)

3. 행위이론을 주장한 하몬(Harmon)은 해석사회학, 현상학, 상징적 상호주의 및 반실증주의의 입장에서 행정을 다루었다. (　)

**O·X 정답** 1. ○  2. ×  3. ○

(3) 주요 내용

① **능동적 자아** : 인간의 행동을 자극에 의한 단순한 반응(수동적 자아)으로 인식하지 않고 내면적 의식과 동기에 의한 산물(능동적 자아)로 인식한다.

② **사회적 자아** : 인간의 행동은 고립된 개체(원자적 자아)로서 이루어지는 것이 아니라 사회구성원들 간의 상호작용(사회적 자아)에 의해 이룩된다.

③ **상호주관성(intersubjectivity : 간주관성)** : 물질로서의 현상이 아닌, 사회구성원들 간의 상호작용(담론)을 통한 주관적 경험으로서의 현상을 강조한다.

④ **탈물상화** : 인간은 비판적 정신에 의해 스스로 역사적 세계의 형성자임을 자각하고 물상화⁺의 속박에서 벗어나 새로운 사고와 행위 선택의 가능성을 열어야 한다.

⑤ **행태(behavior)가 아닌 행위(action) 중시** : 인간의 행위는 내면적인 의식과 동기에 기반한 합목적적 · 의도적인 것이므로 외면적인 행태(behavior)가 아닌, 인간의 내면적인 의도와 결부된 의미 있는 행위(action)를 연구해야 한다.

⑥ **직관적 포착 중시** : 인간의 행위를 이해하기 위해서는 선험적 의식 또는 순수이성에 근거한 직관적 포착⁺이 중요함을 강조한다. 이를 위해서는 과거의 단편적인 지식이나 판단을 거부하는 '괄호 안에 묶어두기(bracketing)' 또는 '현상학적 판단정지'가 필요하다 (현상학적 환원⁺).

⑦ **조직에 대한 인식** : 조직은 인간의 의도적인 행위에 의해 구성되는 가치함축적인 행위의 집합물이므로 조직의 중요성은 겉으로 나타난 구조성이 아닌 그 안에 있는 가치, 의미 및 행동에 있다.

⑧ **환경에 대한 인식 – 환경형성론** : 인간은 주어진 환경을 객관적으로 받아들이는 것이 아니라, 개인의 지각에 따라 개인이 부과하는 주관적 의미에 입각해 환경을 형성한다.

(4) 평가

① 효용

㉠ **미시적 접근을 통한 거시적인 사회문제의 해결** : 흑인폭동과 같은 거시적인 사회문제를 미시적인 개인들 간의 상호주관성(담론)에 의해 해결가능하다는 점을 밝힘으로써 행정의 문제해결능력을 증진하였다.

㉡ **인간에 대한 이해 증진** : 객관주의 · 실증주의 입장에서 다루지 못한 인간의 주관적 관념 · 의식 · 동기 등의 의미를 적절히 다룸으로써 인간에 대한 이해를 증진시켰다.

② 한계

㉠ **무의식적 요소에 대한 고려 미흡** : 인간의 모든 행위를 의식과 주관의 산물로 본다는 점에서 인간의 행위가 무의식의 산물이거나 집단규범, 사회문화 등의 외부적 환경에 영향을 받을 수 있다는 점을 간과하고 있다.

㉡ **연구방법 제시 미흡** : 인간행위의 의도성을 중시하면서도 이를 파악하기 위한 구체적인 연구방법을 제시하지 못하고 있다.

㉢ **구체적인 처방 미흡** : 처방성을 중시하는 접근방법이나 지나치게 사변적이고 주관적이기 때문에 철학의 범주를 벗어나기 어려워 구체적인 처방이 미흡하다.

**O·X 문제**

1. 현상학적 접근에 의하면 조직은 간주관적으로 공유된 의미의 집합이다. ( )

2. 현상학적 접근은 행정연구에서 가치와 사실의 구별을 인정하며, 현상을 개체적으로 파악하고자 한다. ( )

3. 현상학적 접근은 객관적 존재의 서술을 위해서는 현상을 분해하여 분석할 필요가 있다고 본다. ( )

4. 현상학적 접근에서 인간행위의 가치는 행위 자체보다 그 행위가 산출한 결과에 있다. ( )

5. 현상학적 접근에서는 기존의 관찰이나 믿음에 영향을 받지 않기 위해 '괄호 안에 묶어두기' 또는 '현상학적 판단정지'가 중요하다. ( )

6. 현상학적 접근은 행정학 연구를 행정가의 일상적이고 실제적인 측면을 강조하는 미시적 관점으로 방향을 전환한 것이다. ( )

7. 현상학적 접근은 인간행위의 많은 부분이 무의식이나 집단규범 또는 외적 환경의 산물이라는 것을 간과하고 있다. ( )

**O·X 정답** 1. ○ 2. × 3. × 4. × 5. ○ 6. ○ 7. ○

**(5) 행태론의 실증주의와 현상학적 방법론의 비교**

① **공통점**: 인간의 행태나 행위를 연구한다는 점에서 두 이론 모두 미시적 접근방법이다.

② **차이점**

| 구 분 | 행태론의 실증주의 | 현상학적 방법론 |
|---|---|---|
| 존재론 | 실재론 | 임의론(명목론, 유명론) |
| 인식론 | 논리실증주의(과학적) | 반실증주의(철학적) |
| 연구방법론 | 일반법칙적 연구 | 개별문제 중심의 연구 |
| 관 점 | 객관주의(외면주의, 결정론) | 주관주의(내면주의, 자발론) |
| 분석단위 | 개인·조직·국가·체제 | 대면적인 접촉에서 나타나는 현상 |
| 패러다임의 주목적 | • 행정현상의 설명·예측<br>• 과학성 강조 | • 실제 행정의 개선에 중점<br>• 처방성·규범성 강조 |
| 기술의 초점 | 인간의 행태 | 내면적인 의식과 동기에 의한 행동 |
| 설명양식 | 객관적 인과관계 | 행위자의 동기 |
| 동기부여 | 자기이익 추구나 체제의 존속 | 상호 간의 성취욕구 |
| 추구이념 | 합리성, 능률성 | 대응성, 책임성 |
| 인간관 | 수동적·원자적 자아 | 능동적·사회적 자아 |
| 조직관 | 계층구조 | 비계층구조 |
| 행정관 | 비참여적, 생존지향, 관리지향 | 참여적, 고객지향, 정책지향 |
| 행정패턴 | 유일최선의 방식추구(표준화) | 다양화된 행정패턴 |

## 3. 포스트모더니즘(Postmodernism : 탈모더니즘)적 접근방법

**(1) 의 의**

① **개 념**

㉠ 포스트모더니즘이란 모더니즘에 대한 반발적 사조로 산업사회 이후의 사회의 조건을 설명하고 처방하는 하나의 관점을 의미한다.

㉡ 포스트모더니즘적 접근방법은 고도산업화(지식 정보화)의 과정을 겪고 있는 사회의 현재 상태와 도래하고 있는 미래 상태를 '포스트모더니티'라는 개념으로 설명하는 이론이다.

② **대두배경 – 합리주의에 입각한 산업사회에 대한 비판**: 포스트모더니즘은 인간의 합리성을 근거로 사회현상을 이해하고 설명하려는 전통적인 관료제 중심의 산업사회를 비판하고 인간의 이성과 자아를 회복하고자 하는 하나의 운동으로 대두되었다.

③ **포스트모더니티 사회의 특성**

㉠ **원자적·분권적 사회**: 사회와 조직의 인위적 구조에 의한 통제를 거부하고 개인의 다양성(상이성)을 존중하는 원자적·분권적 사회이다.

㉡ **유연한 생산체제와 다품종소량생산체제**: 소비자 욕구의 다양화로 인하여 유연적 생산체제와 다품종소량생산체제의 확립이 촉진되는 사회이다.

㉢ **반관료제적 규범**: 복잡성·공식성·집권성 등의 관료제적 규범이 거부되고, 탈계서화·융통성·잠정성·분권화·반집중화 등 반관료제적 규범이 중시되는 사회이다.

**O·X 문제**

1. 현상학적 접근은 행정현상의 본질, 인간인식의 특성, 이론의 성격 등 사회과학 연구의 본질적 문제에 대해 실증주의와 행태주의적 연구방법에 반대한다. ( )

**O·X 문제**

2. 포스트모더니즘은 이성과 합리성으로 요약되는 현대주의 사조를 전면적으로 거부한다. ( )

3. 포스트모더니티 사회에서 바람직한 행정서비스는 다품종소량생산체제에서 제공될 가능성이 높다. ( )

**O·X 정답** 1. ○ 2. ○ 3. ○

ⓔ **탈물질화** : 이미지와 상상력 등 탈물질적인 경향이 강화되며, 기술의 인간화가 촉진되는 사회이다.

ⓜ **반규제주의** : 산업사회가 일정한 기준과 규범에 의해 인간의 삶을 규제하는 것에 반대하며 반규제적 경향을 지닌 사회이다.

ⓗ **환경의 변동과 높은 불확실성** : 조직은 끊임없이 변동하는 환경 속에서 질서와 혼돈 사이를 오락가락하며, 인간은 높은 불확실성으로 인해 불안을 느끼는 한편 상상력은 더욱 풍부해지는 사회이다.

**(2) 모더니티 행정이론과 포스트모더니티 행정이론**

① **모더니티 행정이론 – 합리주의 지향**

ⓖ **의의** : 모더니티는 인간이 세상의 중심에 있다고 보고, 인간의 주체성과 이성에 대한 신뢰 및 합리성을 전제로 사회과학도 자연과학적 연구를 통해 과학적·경험적으로 연구될 수 있다고 본다(행태주의적 접근).

ⓛ **지적 특징**

ⓐ **특수주의** : 모더니티는 학문영역이 분화되고 전문화될수록 더 합리적이라고 본다. 그러면서도 학문적인 언명은 보편적이어야 한다는 사고하에 메타설화(절대적이고 근원적인 보편적 진리)나 근본주의를 신봉한다.

ⓑ **과학주의** : 모더니티는 엄밀한 과학적 과정을 통해 행정과학을 수립하고자 문제해결에 사회과학방법론(자연과학적 연구)을 사용할 것을 촉구한다.

ⓒ **기술주의** : 모더니티는 행정을 능률적·합리적 기술로 본다.

ⓓ **기업가정신 중시** : 모더니티는 시민정신보다는 기업가정신을 중시한다.

② **포스트모더니티 행정이론**

ⓖ **의의** : 포스트모더니티는 모더니티 행정이론에 대한 회의와 비판을 반영한 것으로 '진리의 기준은 맥락 의존적'이라고 본다. 또한 주체(인간)가 중심에 서 있다는 것, 근본주의적 연구사업과 인식론적 연구사업, 이성(합리성)의 성격과 역할, 거시이론, 거시정치, 거대한 설화 등을 부인하고 해방주의, 구성주의, 다원주의, 미시주의를 추구한다.

ⓛ **지적 특성**

ⓐ **해방주의(인본주의)** : 포스트모더니티는 인간의 자율성을 억압하는 거시적인 사회적 구조의 지시와 제약을 비판하고, 이로부터 인간 해방 및 인간성 회복을 지향하는 미시적 연구이다.

ⓑ **구성주의(주관주의)** : 포스트모더니티는 우리가 발견할 수 있는 객관적 사실이 있다고 보는 객관주의를 배척하고, 실재 자체는 사람들에 의해 마음속에서 주관적으로 구성되는 것이라고 본다.

ⓒ **다원주의(상대주의)** : 포스트모더니티는 진리의 기준은 사회적 맥락에 따라 달라질 수 있다고 보아 보편주의와 객관주의를 비판하고, 지식의 상대주의를 추구한다.

ⓓ **행동과 과정 중시** : 모더니즘이 이미 만들어진 안정된 존재와 결과를 중시한다면, 포스트모더니티는 만들어져 가는 과정과 행동을 중시한다.

---

**O·X 문제**

1. 포스트모더니티는 진리의 기준은 맥락적이기 때문에 인간이 지닌 이성을 통해서만 진리의 기준을 객관적으로 이해할 수 있다고 주장한다. ( )

2. 포스트모더니티 행정은 인권, 인간 이성과 인간중심적 관점에서의 행정을 강조하였다. ( )

3. 포스트모더니티는 거대설화에 대한 믿음을 견지한다. ( )

4. 포스트모더니즘의 세계관은 상대주의적이며 다원주의적이고 개방주의적인 경향을 지닌다. ( )

**O·X 정답** 1. × 2. × 3. × 4. ○

ⓒ 파머(D. Farmer)의 탈근대적 행정학(근대와 탈근대에 대한 해석)

ⓐ 상상 : 부정적으로는 규칙에 얽매이지 않는 행정을, 긍정적으로는 문제의 특수성을 인정해야 한다.

ⓑ 해체(탈구성) : 확실성(능률성)하에 전개된 이야기, 메타설화(근본주의적·보편주의적 언명), 언어, 이론 등의 텍스트의 근거를 파헤쳐 새롭게 해석해야 한다. 예컨대 "행정은 능률적이어야 한다.", "행정학은 객관적으로 연구될 수 있다.", "합리화가 인간의 진보와 같다.", "경제발전이 역사발전의 원동력이다."라는 설화를 당연한 것으로 인정하지 않는다.

ⓒ 탈영역화(영역해체) : 모든 지식이 그 성격과 조직에서 가지는 고유영역이 해체되어 경계가 사라져야 한다.

ⓓ 타자성(alterity) : 나 아닌 다른 사람을 인식적 타인(epistemic other)이 아닌 도덕적 타인(moral other)으로 인정하고 개방적 태도를 가져야 한다. '타자성' 개념은 행정 측면에서는 기존의 관료제 이론을 해체하고 반권위적 행정 수행 또는 서비스 지향적 태도 그 이상을 추구해야 한다는 것을, 공무원 측면에서는 공동체권력에 기초하여 시민참여를 촉진하고 담론적 행정을 수행해야 한다는 것을 의미한다.

## 4. 비판론적 접근방법

(1) 의 의

① 개념 : 현대 사회에 있어서 사회관계의 지나친 합리화와 합리화를 위한 사회지배기구(자본주의, 관료제, 법률)가 인간의 자유와 행복을 억압한다고 비판하고 합리화로 초래된 사회지배기구로부터 인간을 해방함과 동시에 의미 있는 인간생활의 조건을 규명하고 설계하고자 하는 철학운동이다.

② 대두배경 - 행태주의에 대한 반발 : 주류 행정이론인 실증주의(행정행태론)가 행정조직이나 체제의 기능적 합리성에는 공헌하였지만, 인간의 궁극적인 가치와 목표인 자유와 행복은 오히려 억압하였다고 비판하고 인간소외를 극복하고자 하는 목적에서 등장하였다.

③ 전개 : 헤겔(Hegel)의 관념론적 비판철학과 변증법적 분석을 사용하는 마르크스(Marx)의 이데올로기 분석에 기원한 비판이론은 호크하이머(M. Horkheimer), 하버마스(J. Habermas) 등이 주축이 된 프랑크푸르트학파를 중심으로 성립·발전하였다. 이러한 사회과학적 논의를 행정학에 도입한 대표적인 학자는 덴하트(Denhardt)이며, 험멜(Hummel), 던(Dunn), 포레스터(Forester) 등에 의해 발전하였다.

참고 | 하버마스(Habermas)의 세 가지 이성과 비판이론

1. 세 가지 이성

(1) 의 의

하버마스는 인간의 이성을 도구적·합리적 이성, 실천적·해석적 이성, 비판적·해방적 이성으로 구분하고 인간의 행위를 이해하기 위해서는 세 가지 이성이 모두 중요하지만 지금껏 비판적·해방적 이성을 소홀히 했음을 비판하고 비판적·해방적 이성의 회복을 강조하였다.

(2) **이성의 유형**
① **도구적·합리적 이성**: 인간을 목표달성을 위한 기술적 수단으로 이해하고, 지식은 인간을 통제하고 지배하기 위한 이성적 활동으로 보는 입장으로 경험적·분석적·객관적 과학에 근거한 실증주의를 지향한다(과학적 관리론, 관료제론, 행정행태론 등의 전통적 행정학 등).
② **실천적·해석적 이성**: 인간을 인본주의적 관점에서 행위의 주체로 인식하고, 지식은 인간의 이해를 위한 이성적 활동으로 보는 입장으로 사회적 행위자들 간에 상호작용 및 의사소통을 통한 이해를 지향한다(현상학적 접근).
③ **비판적·해방적 이성**: 인간을 자유의지를 지닌 능동적·자율적 존재로 인식하고, 지식은 인간의 성장과 발전을 저해하는 사회적 제약으로부터 해방을 위한 이성적 활동으로 보는 입장으로 자기성찰을 통한 인간해방을 지향한다(비판이론).

2. **현실에 대한 인식**
하버마스는 도구적·기술적 합리성에 기반한 산업사회는 사회적 통제와 조정 수단의 발전을 가져와 생활세계의 식민화를 야기했을 뿐만 아니라 민주적 시민의식과 공공토론을 약화시켜 공공영역의 축소를 가져왔음을 비판한다.

3. **극복방안**
하버마스는 비판적·해방적 이성에 입각한 의사소통의 합리화(자유로운 의사소통과 토론)를 통해 이러한 문제를 극복해야 한다고 주장한다.

(2) **학문적 특징**
① **철학적·심리학적 접근**: 인간의 내면적 이성을 중시하는 접근방법이다.
② **주의주의(主意主義)**: 인간의 의지나 감정을 중시하는 주의주의적 관점이다.
③ **가치주의**: 공공정책의 형성 및 집행을 가치비판적 시각을 통해 파악한다.
④ **미시적 접근**: 사회지배기구로부터 억압받고 있는 개인들과 담론을 통해 인간해방을 지향하는 미시적 접근이다.

(3) **주요 내용**
① **모순의 확인과 변증법적 변동**: '주어진 것' 또는 '불가피한 것'이라고 생각되는 현상유지적 조건은 자기모순적·자가당착적일 수 있다고 보고 비판적 성찰을 통해 변증법적 변동(正-反-合)을 추구한다.
② **총체성(totality)**: 사회세계는 고립된 부분이 아니라 전체적으로 연관되어 있으므로 부분적 이해가 아닌 총체적 이해가 필요하다고 보고 주관적 세계와 객관적 세계를 망라하여 사회세계를 이해한다.
③ **비판(critique)이성⁺과 상상**: 이성의 획일화·절대화·규격화를 부정하는 비판적 이성을 통해 기존의 진리가 최고불변의 진리라는 고정관념을 배격하고 상상을 통해 보다 나은 세계를 추구한다.
④ **인간소외(alienation)의 극복 및 인간해방**: 인간은 합리성에 기반한 사회지배기구(대의민주주의, 관료제 등)에 의해 인간소외현상⁺을 겪고 있다고 보고 인간소외를 야기하는 억압과 불평등으로부터 인간해방을 지향한다.
⑤ **의식(consciousness)의 강조**: 사회적 현실을 규정하며 사회적 세계를 창조하고 유지하는 힘인 인간의식(이성)을 강조한다.
⑥ **상호담론(discourse)의 중시**: 인간소외는 왜곡된 의사소통에 기인한다고 보고 자유로운 의사소통과 토론(의사소통의 합리성)으로 공공행정의 위기(인간소외, 참여배제, 권력과 정보의 비대칭성, 의사소통의 왜곡 등)를 극복할 것을 강조한다.

**⁺ 비판이성**
사물의 외형 이면의 심층적 사실과 이에 내재된 모순적 요소들을 정확하게 분석할 수 있는 이성

**⁺ 인간소외현상**
인간이 본래 지니고 있는 인간성이 상실되어 인간다운 삶을 잃어버리는 현상

(4) 평 가

① 효 용

㉠ 관료제의 병리 파악 : 관료제와 관료제에 매몰된 인간과의 관계를 비판적으로 고찰하여 관료제의 병리를 파악하는 데 기여하였다.

㉡ 민주적 행정의 기반 제공 : 자유로운 의사소통과 토론을 강조하는 의사소통의 합리성을 통해 대·내외적 민주성 향상에 기여하였다.

② 한 계

㉠ 일반화의 오류 : 비판이론은 정부와 시민 간의 모순관계만을 강조하거나, 대의민주주의와 관료제의 억압적 특성만을 강조하는 등 부분적 현상을 지나치게 보편화하거나 강조하는 일반화의 오류를 범하고 있다.

㉡ 구체적 처방 미흡 : 비판이론의 비판대상인 대의민주주의와 이에 기반한 관료제를 대신하여 시민들의 자주적 결정을 보장할 수 있는 새로운 제도적 장치에 대한 구체적인 처방이 미흡하다.

## 5. 담론이론(Fox & Miller)

(1) 의 의

① 담론+주의 : 이해관계를 지닌 시민들이 정책결정자와 직접 협상하거나 또는 대립되는 이해관계자들이 직접적인 협상을 통해 정책을 결정하는 것을 말한다.

② 담론이론 : 폭스와 밀러(Fox & Miller)에 의해 주창된 담론이론에 의하면 포스트모더니즘하에서 행정은 소수 관료의 전문성에 입각한 것이 아닌 이해관계 있는 시민들의 의견을 청취하고 반영하는 담론주의적 행정이 되어야 한다.

(2) 이론적 배경 − 후기행태주의

① 포스트모더니즘 : 대의민주주의에 근거한 관료제와 이를 구성하는 제도를 해체하고 새롭게 구성하고자 하는 해방주의·구성주의와 상대방의 의사를 중시하는 다원주의 등 포스트모더니즘의 지적 특성을 전제로 한다.

② 현상학과 비판이론 : 현상학은 인간의 이해를 위하여, 비판이론은 인간해방을 위하여 담론을 중시한다는 점에서 현상학과 비판이론의 영향을 받았다.

(3) 구체적 내용

① 정통이론(대의민주주의)에 대한 비판 : 대표에 의해 시민의 의사가 행정에 반영된다고 가정하는 대의민주주의는 현실에서 대표의 자기이익 추구로 인해 시민의 의사를 제대로 반영하지 못하며, 이로 인해 민주적 책임성을 확보하지 못하고 있다고 비판한다.

② 정통이론의 대안 및 대안에 대한 비판 : 담론이론은 대의민주주의의 대안으로 공동체주의, 입헌주의, 담론주의를 제시한다. 이 중 입헌주의의 보수성(헌법을 중시한다는 점에서 보수적)과 공동체주의의 비현실성(이해관계 없는 자의 참여를 강조한다는 점에서 비현실적)을 지적하면서 신뢰를 기반으로 다양한 행위자들이 참여하는 연결망형 조직화를 형성할 수 있는 담론주의를 관료제와 대의민주주의의 한계를 극복하기 위한 가장 적합한 대안으로 인식한다.

+ 담론
논리적이고 체계적인 언어에 의한 논증을 토대로 상호이해와 합의를 추구하는 것

**심화학습**

담론이론에서 참여자의 담론 보증 조건
① 진지한 담론을 행하는 성실성
② 특정 상황에 적합한 담론을 행하는 의도성
③ 적극적으로 담론에 참여하는 능동적 관심
④ 대안창출에 실질적인 도움이 되는 전문지식이나 아이디어를 제공하는 실질적 공헌 등

③ **담론이론에서의 행정과 행정기구** : 담론이론은 정책결정에서 중요한 것은 분석을 통한 문제해결능력이 아니라 상호합의할 수 있는 대안창출이라고 본다. 이를 근거로 담론주의는 행정기구를 '담론의 장소'로, 행정을 정책결정 과정에서 시민들의 의견을 적극적으로 청취하여 시민들이 원하는 의도를 파악하는 '담론적 행위'로 정의한다.

④ **담론의 형태** : 담론이론은 엘리트 중심의 독단적 주장이 야기되는 소수담론(few talk)과 무질서한 토론이 이루어지는 다수담론(many talk)을 비판하고 적정수 담론(some talk)을 중시한다.

**(4) 평 가**

① **효 용**

+ 심의(숙의, 토론)민주주의
시민들이 대표에게 공적 문제해결을 위임하지 않고 직접 심의·토론·대화·의사소통에 참여하여 그 과정에서 자신의 선호를 계속 변화시켜 가면서 합의된 집단적 의사결정을 형성하고 이를 통해 공적 문제를 해결하는 방식

   ⑦ 심의민주주의+를 구현하여 정책의 정당성을 확보하고 체제 구성원들 간의 화합을 촉진할 수 있다.

   ⓛ 시민참여의 강화를 통해 의사소통의 왜곡이나 불균등한 참여의 문제를 극복할 수 있다.

   ⓒ 참여자들의 다양한 지식과 정보를 확보하여 정보의 부족 문제를 극복할 수 있다.

② **한 계**

   ⑦ 공론과 토론으로 인한 시간소모적 의사결정을 야기할 수 있다.

   ⓛ 집단이기주의의 발현으로 사회의 분열을 더욱 크게 할 수 있다.

   ⓒ 경험과 상식에 의한 정보를 제공하여 행정의 전문성이 저해될 수 있다.

   ⓔ 구성원 간 지적 수준의 차이나 소득 수준의 차이로 야기되는 의사소통의 왜곡이나 불균등한 참여의 문제를 극복하기 곤란하다.

## 6. 신행정론

**(1) 의 의**

① **개념** : 행정행태론 등 전통적 행정이론이 사회문제 해결능력이 없음을 비판하고 행정의 사회적 적실성과 실천, 정책지향, 행정학의 정체성 등을 강조하면서 등장한 이론적 정향을 의미한다.

② **대두배경**

   ⑦ **현실적 대두배경 – 사회적 격동기의 급박한 사회문제 해결 필요성**

+ 워터게이트 사건
1972년 미국 대통령 선거를 앞두고 닉슨 대통령의 측근이 닉슨의 재선을 위하여 워싱턴의 워터게이트 빌딩에 있는 민주당 본부에 침입하여 도청을 하려 했던 사건(닉슨은 이로 인해 대통령직에서 하야함.)

     ⓐ **정치적 맥락** : 월남전 패전, 반전데모, 워터게이트 사건+ 등으로 인한 행정에 대한 불신

     ⓑ **사회적 맥락** : 신구갈등, 흑인폭동, 소수민족차별 문제 등으로 인한 사회적 갈등 심화

     ⓒ **경제적 맥락** : 풍요 속의 빈곤, 만성적인 재정적자 등으로 인한 소득 불균형

     ⓓ **행정적 맥락** : 행정학의 정체성 위기 등

   ⓛ **이론적 대두배경 – 기존 이론의 한계**

     ⓐ **행태주의의 한계** : 행태주의는 가치중립적 입장에서 관료제 내부의 인간 행태에 대한 과학적 연구를 지향하기 때문에 사회문제 해결능력이 없었다.

     ⓑ **비교행정론·발전행정론의 한계** : 비교행정론과 발전행정론은 개발도상국의 행정을 연구대상으로 삼았기에 격동기에 처해 있는 미국사회의 문제해결에 기여하지 못하였다.

**O·X 문제**

1. 신행정학은 미국의 사회문제 해결을 촉구한 반면 발전행정은 제3세계의 근대화 지원에 주력하였다.
( )

2. 신행정론은 실증주의와 행태주의를 비판하면서 행정학의 실천성과 적실성, 가치문제를 강조하였다.
( )

O·X 정답 1. ○ 2. ○

③ 전개 : 왈도(Waldo)가 주도하였던 시라큐스대학 주최의 미노브루크(Minnowbrook) 회의에서 소장학자들을 중심으로 기존 행정학이 갖고 있는 한계점을 지적하고 행정학의 문제해결지향성 및 정체성 확립을 주장하면서 대두되었다.

④ 학자 : 프리드릭슨(Frederickson), 하몬(Harmon), 마리니(Marini), 키커트(Kirkhart), 오스트럼(Ostrom) 등이 회의에 참여했으며, 특히 마리니(Marini)는 회의의 내용을 정리하여 「신행정학을 지향하며」라는 저서를 발간하였다.

**(2) 주요 내용**

① 행정이념 – 사회적 형평성과 대응성 강조
  ㉠ 사회적 형평과 능동적 행정의 추구 : 행정인은 구조적인 사회불평등을 해소하기 위하여 사회에 적극적으로 개입해야 하며, 사회적 약자의 정치적 지위와 경제적 이익이 증진될 수 있도록 보다 나은 행정서비스를 제공해야 한다.
  ㉡ 고객에 대한 대응성 강조 : 행정인은 조직내부의 문제 처리에만 몰입하지 말고 적극적으로 고객의 편의를 위한 행정을 수행해야 한다. 이를 위해서는 시민에게 정보공개, 의사결정과정에서의 시민참여, 행정과 고객 간의 상호교류 촉진 등이 강화되어야 한다.

② 정책 – 정책학의 발전 : 사회문제 해결능력을 지닌 적실성 있는 행정학을 위하여 정책학 연구를 강조하였으며, 정책학의 발전에 기여하였다.

③ 조직 – 민주적 조직설계(계층제의 수정) : 계층제의 비민주적 성격을 타파하기 위해 계층제적 위계질서를 완화하고 시민참여가 가능한 민주적 조직설계 및 분권화를 지향하였다.

④ 인사 – 적극적 행정인 : 소속기관의 정책이 잘못되었을 경우 도전하고 대결하는 행동주의적인 적극적 행정인을 중시하고 이를 가장 중요한 행정의 변수로 보았다.

⑤ 행정통제 – 시민참여와 행정책임의 강화 : 시민참여에 의한 정책형성, 관료제 구성에서의 대표성 확보 등 민주주의적 장치를 마련하고 시민에 의한 민주통제 및 이에 따른 행정책임을 중시하였다.

**(3) 학문적 특징**

① 연구방향 : 순수과학적이기보다는 응용과학적, 서술적이기보다는 처방적, 기관지향적이기보다는 수익자지향적, 가치중립적이기보다는 가치지향적, 과학적이기보다는 철학적이어야 함을 강조하였다.

② 행정의 적실성·문제지향성(처방성) 강조 : 행정은 내부관리 지향적이기보다는 사회문제해결 지향적이어야 한다고 보고 대내적인 의사결정보다는 사회문제해결을, 미시적인 관리과학보다는 거시적인 정책분석을 중시하였다.

③ 행태론의 지양과 규범(가치)주의 추구 : 가치중립적이고 보수적인 행태론(실증주의)을 비판하면서 현상학적 또는 비판론적 철학사유에 기반을 두고 구체적 해결책을 제시하려는 규범주의를 지향하였다.

④ 과학적 지식의 배격이 아닌 활용 강조 : 행태과학적 지식(행태주의에서 활용한 통계학과 컴퓨터 분석 등 계량적 분석방법)을 배격하기보다는 사회문제해결에 적극적으로 활용할 것을 강조하였다.

**O·X 문제**

1. 1968년 미노부룩 회의(Minnowbrook Conference)는 행정의 적실성, 사회적 형평성 등을 강조한 신행정학의 탄생에 영향을 주었다. ( )
2. 신행정학은 다양한 관점을 보이지만 대체로 규범이론, 철학, 사회적 타당성, 행동주의(activism)로 특징지을 수 있다. ( )
3. 신행정론은 고객중심의 행정, 시민의 참여, 가치문제 등을 중시했다. ( )
4. 신행정론은 행정학의 실천적 성격과 적실성을 회복하기 위한 정책지향적 행정학을 요구하였다. ( )
5. 신행정학은 조직발전에 있어 분권화를 지향하는 구조설계를 처방하고 조직구성원의 참여를 강조했다. ( )
6. 왈도(Waldo)는 가치로부터 구분된 순수한 사실이란 존재하지 않는다고 주장하므로 사이먼(Simon)의 행태주의에 반대하는 입장이다. ( )
7. 신행정론은 행정관리론에서 개발된 행정원리를 토대로 행정의 처방적 기능을 강조하였다. ( )
8. 신행정학은 정치행정이원론에 입각하여 독자적인 행정이론의 발전을 이루고자 하였다. ( )

**O·X 문제**

9. 신행정론은 전문직업주의, 가치중립적인 관리를 지향했다. ( )
10. 신행정론은 적실성, 참여, 변화, 가치, 사회적 형평성 등에 기초한 행정의 독자적 주체성을 강조한다. ( )
11. 신행정학은 가치에 대한 새로운 인식을 기초로 규범적이며 처방적인 연구를 강조하였다. ( )

O·X 정답 1. ○ 2. ○ 3. ○ 4. ○ 5. ○ 6. ○ 7. × 8. × 9. × 10. ○ 11. ○

⑤ **행정학의 정체성 위기 극복** : 행정학의 정체성 위기를 극복하기 위하여 신행정론의 주창자인 왈도(Waldo)는 전문직업주의의 확립을 역설하였다.

### (4) 평 가

① 유용성

　㉠ **후기산업사회 행정연구의 토대 제공** : 신행정론은 현상학, 비판이론, 담론이론, 공공선택론 등과 연계되어 후기산업사회의 행정연구를 위한 토대를 제공하였다.

　㉡ **행정학의 적실성 제고** : 자연과학적 연구방법으로는 다루기 어려운 인간의 의식·동기·관념 등을 다룸으로써 행정학 연구의 적실성을 제고하였다.

　㉢ **행정의 윤리적·철학적 가치 기준 제시** : 공익, 사회적 형평성, 고객에의 대응성 등을 강조함으로써 행정의 윤리적 가치 기준을 제시하였다.

② **한계 - 학문적 응집성 결여** : 신행정론은 기존 이론에 대한 반발로 나타난 다양한 학문적 경향을 모두 포함하고 있어 이념적 공통성이나 독립적인 실체가 없다.

---

### 제 4 절　최근의 행정이론과 접근방법

### 01 신공공관리론

### 1. 의 의

### (1) 개 념

신공공관리론은 1970년대 정부실패 이후 전통적 관료제의 한계를 극복하기 위해 영연방국가 등 서구 선진국이 추진해 왔던 행정개혁의 흐름을 의미하며, 다양한 의미로 활용되고 있다.

① **협의 - 신관리주의** : 민간의 능률적인 관리기법을 행정에 도입하고자 하는 행정개혁을 말한다.

② **일반적 의미 - 신관리주의＋시장주의(신자유주의)** : '신관리주의'에 시장의 자율성 및 정부기능의 시장으로의 이전을 강조하는 '시장주의'를 결합한 행정개혁을 말한다.

③ **광의 - 신관리주의＋시장주의＋공동체주의** : 일반적 의미의 신공공관리론에 자원봉사자의 활용을 강조하는 '신우파적 공동체주의'를 결합한 행정개혁을 말한다.

📁 **신공공관리론의 의미**

| 협의적 의미 | 일반적 의미 | 광의적 의미 |
|---|---|---|
| • 인사·예산 등 내부통제 대폭 완화<br>• 일선 관리자에게 재량권과 책임 부여<br>• 성과 향상과 고객 만족의 행정 관리<br>• 민간 기업의 관리 기법을 공공 부문에 도입 | • 협의의 신공공관리론에 시장주의 추가<br>• 신관리주의와 신제도주의 경제학의 결합<br>• 경쟁원리와 고객주의를 공공부문에 도입<br>• 신공공관리의 신보수주의적·신자유주의적 측면 | • 일반적 의미의 신공공관리론에 공동체주의(우파) 결합<br>• Osborne & Gaebler의 정부재창조에서의 기업가적 정부<br>• Bozeman의 신공공관리론 |

(2) 현실적 배경 – 정부실패(공공재정의 구조적 위기)

제1 · 2차 오일쇼크, 미국 캘리포니아 주의 조세저항, 1980년대 영(英)의 대처리즘과 미(美)의 레이거노믹스 등 신보수주의 정권의 등장으로 인한 공공재정의 구조적 위기가 신공공관리론의 현실적 배경이다.

(3) 이론적 배경

① 신관리주의

ⓞ 개념 : 행정은 민간의 경영원리와 관리기법을 받아들임으로써 합리화될 수 있다고 보는 이념으로, 내부규제를 완화하는 대신 성과에 의한 통제를 통해 관리의 효율성을 제고하는데 초점이 있다.

ⓛ 강조점 : 관료를 규칙과 법규로부터 해방시키고자 하는 관료해방론에 기반을 두고 기업가 정신, 성과관리(성과통제), 권한위양, 품질관리기법, 인센티브 메커니즘, 마케팅 기법, 고객만족 경영기법 등의 도입을 강조한다.

② 시장주의(신자유주의)

ⓞ 개념 : 신자유주의에 기반하여 시장의 우월성 및 시장의 핵심적인 요소인 경쟁을 중시하는 이념으로, 민간부문의 적극적 활용(민영화, 민간위탁)을 통한 작은 정부 구축을 지향한다.

ⓛ 강조점 : 신제도주의 경제학(대리인이론, 거래비용이론) 및 공공선택론에 이론적 기반을 두고 민간부문 상호 간 경쟁 원리를 활용하기 위한 민영화와 민간위탁의 확대, 수익자부담 원칙의 강화, 공급중시 경제정책, 정부부문 내 경쟁 원리의 도입, 규제완화 등을 강조한다.

③ 고객주의

ⓞ 개념 : 국민을 정부의 고객으로 인식하고 각각의 개별적인 고객에게 선택권을 부여하여 행정의 대응성을 제고하고자 하는 이념이다.

ⓛ 강조점 : 고객이 가치를 부여하는 결과의 산출, 서비스의 질 관리, 고객에게 서비스의 선택권 부여 등을 강조한다.

## 2. 구체적 방안

(1) 추구하는 가치

① 행정의 효율성 증진 : 신공공관리론은 거대해진 관료제의 비효율성으로 인한 정부실패를 치유하고 납세자의 돈의 가치 증대(value of money)를 위해 절약을 지향하는 경제성(Economy), 최소의 투입으로 최대의 산출을 지향하는 능률성(Efficiency), 목표달성도를 지향하는 효과성(Effectiveness)을 결합한 효율성(생산성, 3E's)을 추구한다.

② 고객에의 대응성 증진 : 신공공관리론은 행정에 대한 시민의 불신을 극복하기 위해 시민을 정부의 고객으로 인식하고 고객인 시민의 입장에서 행정을 수행함으로써 고객만족을 추구해 나간다.

(2) 정부역할 재조정을 통한 작은 정부 구축(시장주의 관점)

① 정부와 민간 간의 기능 재조정 : 엄격한 시장성 검증(market testing)을 통해 정부보다 민간이 보다 잘할 수 있는 일이거나 반드시 정부가 해야 할 일이 아닐 경우에는 민영화 · 민간위탁 등을 통해 시장에 이전한다.

② **중앙정부와 지방정부 간의 기능 재조정**: 과거 관료제적 통제와 공급자 중심의 행정에서 벗어나 고객만족 행정을 추구하기 위해 고객과 가장 가까운 위치에 있는 지방정부에게 권한을 위임하여 지역사회가 주도하는 정부를 형성한다.

③ **규제완화**: 정부의 역할을 축소하고 시장의 자율성을 증진하기 위해 규제를 완화한다. 규제완화는 정부의 역할 축소로 인력감축에도 기여할 수 있다.

④ **정부의 역할변화 − 노젓기(rowing)에서 방향잡기(steering)로**: 정부가 직접 공공서비스를 제공하는 노젓기 역할(정책집행, 생산)에서 벗어나, 공공서비스의 생산권한을 시장에 위임하고 정부는 나아가야 할 방향을 설정하는 방향잡기 역할(정책결정, 전략 및 계획 수립)을 수행한다.

**(3) 경쟁원리 도입을 통한 성과체제 구축(신관리주의 관점)**

① **내부시장화 − 경쟁체제의 확립 및 수익자부담주의의 강화**: 공공부문 내부에 시장요소를 도입하고자 대규모 통일적 행정조직에서 탈피하여 공공조직을 산출물 단위로 분화시키고 경쟁을 촉진해 나간다. 또한 조세보다는 사용료, 수수료 등의 확대를 통해 수익자부담주의를 강화해 나간다.

② **관리자에게 권한부여**: 관리자에게 조직관리상의 자율성을 부여하는 대신 성과에 대한 책임을 지도록 하여 재량적 전문관리가 이루어지도록 한다.

③ **성과(결과)에 의한 통제**: 관료들의 창의성을 질식시키는 관료제의 법규를 철폐하여 내부통제를 완화하는 대신, 분명하고 측정 가능한 성과지표에 의한 성과평가 및 평가결과에 따른 제재와 보상을 통해 성과를 통제한다. 즉, 관료에 대한 통제방식을 규칙과 법규 중심의 사전적 통제에서 성과 중심의 사후적 통제로 전환한다.

④ **고객주의 확립**: 종래 공급자(관료) 위주의 행정편의주의에서 벗어나, 수요자(고객) 중심의 행정을 지향한다. 이를 위해 고객헌장(citizen's charter), 총체적 품질관리(TQM), 행정업무과정재설계(PAPR) 등의 고객관리기법을 도입하는 한편, IT 기술을 활용한 One-Stop, Non-Stop 서비스를 구현해 나간다.

## 3. 한 계

**(1) 이념상의 한계 − 민주성과 충돌**

① **민주주의 원리와 충돌가능성 − 합법성과의 충돌**: 규칙과 법규를 없애고 성과 중심으로 조직을 운영하기 때문에 민주주의의 기본원리인 정당한 절차(due process)와 법치주의를 저해할 수 있다.

② **공공부문과 민간부문의 차이 불고려 − 공익과의 충돌**: 민간부문의 최고의 가치는 능률인 반면, 공공부문의 최고의 가치는 공익이다. 따라서 행정과 경영은 법적 제약, 정치적 영향력, 강제성 등에 차이가 있다. 신공공관리론은 이러한 차이에도 불구하고 경영관리기법을 무비판적으로 도입함으로써 행정의 궁극적 가치인 공익을 저해할 수 있다.

③ **수익자 민주주의 초래 − 사회적 형평성과의 충돌**: 국가는 윤리적 관점에서 사회적 약자에 대한 배려가 있는 반면, 시장은 사회적 약자에 대한 배려가 없다. 따라서 신공공관리론이 추구하는 민영화, 민간위탁을 통한 국가기능의 시장으로의 이전은 사회적 형평성을 저해할 수 있다.

## (2) 정부역할 재조정에 따른 한계

① **기능분담의 적정성 확보 곤란**: 신공공관리론은 결정과 집행을 구분하고 집행부분을 시장에 이전하고자 하지만 집행과정에서도 끊임없는 결정이 이루어지기 때문에 결정과 집행의 분리는 현실적으로 불가능하다. 이로 인해 어디까지 정부가 기능을 수행하고 어디까지 민간에게 기능을 수행하게 할 것인가에 대한 적정성을 확보하기 곤란하다.

② **역대리인 문제(역선택과 도덕적 해이) 야기**: 결정과 집행을 분리하고 집행부분을 민간에게 이전할 경우 이전기관 선정과정에서는 역선택의 문제가, 업무수행과정에서는 국가사무를 이전받은 민간조직의 도덕적 해이가 야기될 위험성이 있다.

③ **분절화로 인한 거래비용 증가 및 책임성 저하**: 결정기관과 집행기관을 구분하는 분절화 현상은 결정기관의 집행기관에 대한 거래비용(감시·통제 비용)을 증가시킬 수 있으며, 서로 간의 책임 떠넘기기 현상을 야기하여 책임성이 저하될 수 있다.

④ **공동화국가(hollow-out state) 초래**: 행정기능의 민간으로의 이전은 정부의 역할과 조직이 최소화되는 공동화국가 현상을 초래하여 정부능력이 퇴화되고 공무원의 사기가 저하될 수 있다.

## (3) 성과 중심 체제의 한계

① **관료의 책임성 저하**: 신공공관리론이 추구하는 규칙과 법규의 철폐를 통한 공무원의 자유재량권 확대는 공무원의 도덕적 해이를 야기하여 공공책임성을 저해하고 부패를 조장할 위험성이 있다.

② **성과평가 중시로 인한 한계**: 성과지표에 의한 성과평가는 계량화·수량화가 용이한 한정적인 영역에서만 적용이 가능하므로 질적·무형적 요소가 많은 행정부분에 적용이 곤란하다. 또한 공무원들의 성과지표에 대한 지나친 집착을 야기함으로써 창의적인 사고를 억제하고 행정의 궁극적 목표인 공익보다는 성과지표만을 중시하는 목표의 전환 현상을 초래할 수 있다.

③ **X이론적 관리**: 성과관리는 성과평가에 따른 제재와 보상을 강조하므로 지시·명령·통제 중심의 X이론적 관리에 입각해 있다.

## (4) 고객 중심 행정의 한계

① **시민의 수동적 존재화**: 시민은 정책과정에 참여하여 공공서비스의 질과 양을 직접 결정하는 능동적 존재인 반면, 고객은 공급권자 선택권한만을 지닌 수동적 존재에 불과하다. 고객지향적 행정은 시민을 수동적 존재인 고객으로 전락시켜 시민의 정치적 성격을 훼손할 가능성이 있다.

② **고객개념의 모호성**: 고객 중심 행정은 직접 수혜자와 일반국민, 피규제집단과 피보호집단, 내부고객과 외부고객 중 어떤 고객의 이익에 초점을 맞출 것인가에 대한 문제가 제기된다. 특히 각각의 고객 이익이 충돌할 경우 고객지향적 행정은 특수이익을 추구하는 이익집단정치로 전락할 위험성이 있다.

③ **정책의 일관성 상실**: 고객 중심 행정은 행정의 대응성을 증진하나, 정책의 비일관성을 야기하여 정부정책에 대한 신뢰성을 저해할 위험성이 있다.

④ **서비스 왜곡가능성**: 고객 중심 행정은 고객의 욕구 파악이 어려워 목소리 큰 고객의 요구만을 중시하고 침묵하는 다수의 고객 의견을 묵살함으로써 공공서비스를 왜곡시킬 위험성이 있다.

## 4. 신공공관리론의 주요 이론과 이에 대한 비판이론

(1) 오스본과 게블러(Osborne & Gaebler)의 「정부재창조론」

① 의의

　　㉠ 오스본과 게블러가 자신들의 저서 「정부재창조론」에서 제시한 '기업가적 정부'의 10대 운영 원리는 신공공관리론의 행정개혁 방향을 잘 나타내주고 있다.

　　㉡ 「정부재창조론」은 기업가 정신과 기업경영 원리를 행정에 도입함으로써 정부의 효율성을 제고할 수 있다는 점을 강조한다.

② 기업가적 정부의 10대 운영 원리

　　㉠ 촉진(매)적 정부 – 노젓기보다 방향잡기 : 정부는 서비스 공급자보다는 촉매작용자·중개자·촉진자 역할(방향잡기 역할)을 수행해야 한다.

　　㉡ 지역사회가 주도하는 정부 – 서비스 제공보다 권한부여 : 정부는 관료제적 통제와 직접서비스를 제공하는 공급자 위주의 행정에서 벗어나 주민에게 권한을 부여해 지역공동체를 형성함으로써 지역주민과 지역공동체를 서비스 공급 주체의 일원으로 참여시켜주어야 한다.

　　㉢ 경쟁적 정부 – 독점이 아닌 경쟁 : 정부는 경쟁원리의 도입을 통해 행정서비스 공급의 경쟁력을 제고해야 한다.

　　㉣ 임무(사명)지향적 정부 – 규칙 중심보다 임무 중심 : 정부는 법규나 규정에 의한 관리보다는 목표나 임무(사명)를 중심으로 조직을 운영해야 한다.

　　㉤ 성과(결과)지향적 정부 – 투입이 아닌 결과 : 정부는 투입이 아니라 산출과 결과를 중심으로 자원(예산)을 배분해야 한다.

　　㉥ 고객지향적 정부 – 관료제의 편의가 아닌 고객의 편의 : 정부는 관료제의 필요가 아니라 고객인 국민의 필요에 따라 서비스를 제공해야 한다.

　　㉦ 기업가적 정부 – 지출보다는 수익 창출 : 정부는 예산 지출(소비) 위주의 정부운영방식에서 탈피해 수익 확보 위주의 정부운영을 해야 한다.

　　㉧ 예방적 정부(미래에 대비하는 정부) – 사고수습보다는 사고예방 : 정부는 사후적으로 대책을 수립하기보다는 사전에 문제를 예방하는데 주력해야 한다.

　　㉨ 분권적 정부 – 위계조직이 아닌 참여·팀워크 : 정부는 권한분산과 하부위임을 통해 참여적 의사결정을 촉진시켜야 한다.

　　㉩ 시장지향적 정부 – 행정 메커니즘이 아닌 시장 메커니즘 : 정부는 관료주의보다는 시장기능 메커니즘을 좀 더 폭넓게 활용하여야 한다.

📂 전통적인 관료제 정부와 신공공관리론(기업가적 정부 모형)의 비교

| 기 준 | 전통적인 관료제 정부<br>(행정 : government) | 신공공관리론<br>(NPM : governance) |
|---|---|---|
| 정부의 역할 | 노젓기(rowing) | 방향잡기(steering) |
| 정부의 활동 | 직접적인 서비스 제공 | 할 수 있는 권한 부여 |
| 행정의 가치 | 형평성·민주성 | 경제성·효율성·효과성 |
| 서비스 | 독점적 공급 | 경쟁 도입 : 민영화·민간위탁 |
| 공급 방식 | 행정 메커니즘(조직 중심) | 시장 메커니즘(시장 중심) |

| 행정관리 기제 | 법령·규칙 중심 관리 | 임무(사명) 중심 관리 |
|---|---|---|
| 행정관리 방식 | 투입 중심 예산 | 성과 연계 예산 |
| | 지출(소비) 지향 | 수익(수입) 창출 |
| | 사후대처(단기적·반응적) | 사전예방(예견적·예방적) |
| | **집권화**: 명령과 통제 | **분권화**: 참여와 팀워크 및 네트워크관리 |
| 주체 및 책임성 | 관료 및 행정기관의 편의 | 고객의 편의 |
| | 계층제적 책임 확보 | 참여적 대응성 확보 |

③ 기업가적 정부구현을 위한 정부개혁의 5C 전략(Osborne & Plastrick)

    ㉠ 핵심전략(Core strategy): 정부가 해야 할 기능과 하지 말아야 할 기능을 분리하고 정부는 방향잡기 등 핵심기능만 수행한다(목표와 방향의 명확화).

    ㉡ 성과전략(Consequence strategy): 경쟁원리의 도입과 유인설계장치의 도입을 통한 성과향상을 중시한다(성과관리, 경쟁관리).

    ㉢ 고객전략(Customer strategy): 고객에 대한 책임성을 강조한다(고객의 선택권 확보, 품질확보).

    ㉣ 통제전략(Control strategy): 관리자에 대한 중앙의 사전적 통제를 줄이고 재량을 부여한다(권한위임, 분권화).

    ㉤ 문화전략(Culture strategy): 기업적 조직문화를 강조한다(관습타파, 감동정신, 승리정신).

(2) 작은 정부론

① 개념: 양적으로는 규모축소를, 기능적으로는 경제·사회영역에 정부의 개입축소를 지향하는 정부를 말한다.

② 배경: 시장을 중시하는 신자유주의 사상과 신고전학파 경제 이론에 근거를 두고 있다.

③ 정부규모 판단 기준

    ㉠ 정부규모를 판단하는 절대적 기준은 없으며, 국가 간 상대적 비교를 통하여 판단한다.

    ㉡ 판단기준으로는 양적 기준으로 정부의 재정규모, 인력규모, 인건비 비중 등이 있으며, 질적 기준으로 규제와 영향력의 정도 등이 있다.

    ㉢ 현실적으로 양적 기준은 국가 간 포괄범위의 차이로, 질적 기준은 측정의 곤란성으로 인해 명확한 비교가 어렵다.

④ 작은 정부의 지향

    ㉠ 작은 정부의 개혁대상은 입법부·사법부·행정부를 모두 포함하는 광의의 정부가 아니라 협의의 정부인 행정부이다.

    ㉡ 작은 정부는 객관적·절대적인 기준이 존재하는 것이 아니라, 정부실패에 대응하기 위한 정치적 상징으로서 개혁의 지향점이다.

    ㉢ 작은 정부는 정부규모의 총량에 관심이 있으며, 무절제한 정부팽창에 반대하지만 무조건적인 감축을 지향하는 것이 아니라 생산성이 낮은 부분의 인력을 감축하여 필요한 부분에 재투자함으로써 정부의 생산성을 향상시키고자 하는 개혁전략이다.

## 5. 신공공관리론에 대한 비판이론

(1) 탈신공공관리론

① 개념 : 신공공관리론의 한계를 보완하고 정치·행정체제의 통제와 조정을 개선하기 위해 통치역량을 강화하고 재집권화·재규제·구조 통합 등을 주창하는 일련의 개혁의 흐름을 의미한다.

② 대두배경 : 신공공관리론적 행정개혁이 분절화 현상 등으로 인해 조정의 곤란 및 정치적 통제 훼손 등의 문제를 야기함에 따라 이를 보완할 목적으로 추진되었다.

③ 내용 : 탈신공공관리는 신공공관리의 대체가 아니라 조정이다. 따라서 주요 아이디어들은 신공공관리의 수정과 보완조치로 구성되어 있다. 그 내용은 ㉠ 구조적 통합을 통한 분절화의 축소[통(通)정부(whole of government), 총체적 정부, 합체된 정부의 주도], ㉡ 재집권화와 재규제의 주창, ㉢ 정부의 정치·행정적 역량 강화 및 조정능력 증대, ㉣ 역할 모호성의 제거 및 명확한 역할 관계의 안출(案出), ㉤ 민간과 공공부문의 파트너십 강조, ㉥ 환경적·역사적·문화적 요소에의 유의 등이다.

📁 신공공관리론과 탈신공공관리론의 비교

| 비교 국면 | | 신공공관리론 | 탈신공공관리론 |
|---|---|---|---|
| 정부기능 | 정부-시장 관계 | 시장지향주의 : 규제 완화 | 정부의 정치·행정적 역량 강화 : 재규제 및 정치적 통제 강조 |
| | 행정의 가치 | 능률성, 경제적 가치 강조 | 민주성·형평성 등 전통적 행정가치 동시 고려 |
| | 정부규모와 기능 | 정부 규모와 기능의 감축 : 민간화(민영화·민간위탁 등) | 민간화·민영화의 신중한 접근 |
| | 공공서비스의 제공방식 | • 시민과 소비자 관점 강조<br>• 시장 메커니즘(경쟁요소, 내부시장화, 계약, 외주화)의 활용 | 공공부문과 민간부문의 파트너십 강조 |
| 조직구조 | 기본모형 | 탈관료제모형 | 관료제와 탈관료제의 조화 |
| | 조직구조의 특징 | 비항구적·유기적 구조 : 임시조직·네트워크 활용, 비계층적 구조, 권한이양과 분권화 | 재집권화 - 분권화와 집권화의 조화 |
| | 조직개편의 방향 | 소규모의 준자율적 조직으로 분절화<br>예 책임운영기관 | • 분절화 축소 및 총체적 정부[통(通)정부(whole of government)]<br>• 집권화, 역량 및 조정의 증대 |
| 관리기능 | 조직관리의 기본철학 | 경쟁과 자율을 강조하는 민간기법 도입 | 자율성과 책임성의 증대 |
| | 통제 방식 | 결과·산출 중심의 통제 | - |
| | 인사관리 | 경쟁적 인사관리 : 능력·성과기반 인사관리, 경쟁적 인센티브 중시, 개방형 인사제도 | 공공책임성 중시 |

(2) 공공가치관리론

① 의의 : 시장주의와 신관리주의에 입각한 신공공관리론이 도구적 관점에서 행정의 수단성만을 강조함으로써 행정의 근본적 가치(행정의 공공성)를 훼손하고 행정의 정당성 위기를 초래함에 따라 이에 대한 대안적 패러다임으로 공공가치관리론이 등장하였다.

② 공공가치의 개념 : 공공서비스의 생산자(선출직 대표와 관료)와 소비자(시민) 등 다양한 이해관계자들이 관여한 숙의 과정을 통해 결정되는 것으로 개인적 선호의 총합 이상의 것을 의미한다.

③ 무어(Moore)의 공공가치창출론

　ⓖ 의의 : 무어(Moore)는 민간분야의 관리자들이 주어진 자산(기술, 인력, 예산 등)을 활용하여 주주가 요구하는 민간부문의 가치를 창출하는 것처럼, 공공분야의 관리자들은 공공자산(국가 권위, 공적자금 등)을 활용하여 시민을 위한 공공가치를 창출해야 한다고 주장하면서 이를 위한 방안으로 전략적 삼각형과 공공가치회계(공공가치점수판)를 제시하였다.

　ⓛ 공공가치 창출을 위한 전략적 관리 − 전략적 삼각형 모형(strategic triangle model) : 전략적 삼각형 모형은 공적가치의 형성, 정당성과 지원의 확보, 운영 역량의 형성으로 구성되며, 이 구성요소들은 동등한 위치에서 상호 연결되어 있다고 보았다.

📂 전략적 삼각형 모형(strategic triangle model)

| 구성요소 | 의의 | 중요요소 |
|---|---|---|
| 공적가치의 형성 | 해당 조직이 궁극적으로 구현해야 할 소명을 공공가치의 관점에서 정의하는 것(공중의 선호 가치를 반영하고 공공영역에 이득이 되는지를 고려해야 함) | 조직차원에서 조직 비전과 미션, 전략목표, 목표와 활동 산출물 사이의 연계성, 정부조직에 대한 신뢰 등을 통한 과업환경 확보 |
| 정당성과 지원의 확보 | 다양한 외부 이해당사자와의 숙의 과정을 통해 조직이 추구하는 공공가치에 대한 정당성과 지지를 확보하는 것 | 시민의 지지(가시성) 및 정당성, 선출직 대표에 대한 책무성, 시민사회와의 관계, 미디어 평판 등 |
| 운영역량 | 공공가치 성과달성을 위해 조직 내·외부로부터 인적, 물적, 기술적 자원을 동원하는 과정 | 재정적 역량, 인적자원 역량, 조직혁신 역량, 조직의 생산성 등 |

　ⓒ 공공가치 창출 판단기준 − 공공가치회계(공공가치 점수판 : public value scoreboard)

　　ⓐ 의의 : 무어는 민간기업이 민간자원을 민간가치 창출을 위해 사용하는 바와 같이 공공영역의 공공자원은 공공가치 창출을 위해 사용되어야 한다고 보고 공공가치의 평가틀인 공공가치회계를 제안한다.

　　ⓑ 공공가치회계에서 지출과 수입 : 지출에는 공공가치를 창출하는데 투입된 재정적 비용과 사회적 비용 및 의도되지 않은 부정적 결과 등이 기록되어야 하며, 수입에는 사회적 성과 달성, 미션 달성, 의도되지 않은 긍정적 결과, 정의와 형평성 등이 기록되어야 한다.

④ 보즈만(Bozeman)의 공공가치실패론

　ⓖ 의의 : 보즈만(Bozeman)은 시장실패가 정부개입의 정당성을 확보해주는 것이 아니라 공공가치의 실패가 정부개입의 정당성을 확보해준다고 주장하면서 공공가치의 범주를 체계화하고 공공가치실패의 판단기준을 제시하였다.

　ⓛ 공공가치 지도그리기(mapping) : 보즈만은 공공가치의 핵심(마디)가치를 인간의 존엄성, 지속가능성(미래에 대한 대비), 시민참여, 개방성, 기밀성, 타협(이해관계의 균형), 온전성(정직성), 강건성(안정성)으로 보고, 핵심가치들과 관련된 이웃가치를 매칭한 '공공가치 지도그리기(mapping)'를 통해 공공가치를 체계화하고 공공가치실패를 진단하는 도구로 활용한다.

　ⓒ 공공가치실패 : 보즈만은 공공가치실패란 시장 또는 공공 부분이 공공가치를 달성하기 위해 요구된 재화와 서비스를 제공하지 못하였을 경우 발생한 것으로 보고, 7가지의 공공가치실패 판단기준을 제시하였다.

**O·X 문제**

1. 무어의 공공가치창출론적 시각은 신공공관리론을 계승하여 행정의 수단성을 강조한다. (　　)

2. 무어의 공공가치창출적 시각은 행정의 정당성 위기를 극복하기 위한 대안적 접근이다. (　　)

3. 무어의 공공가치창출론적 시각은 전략적 삼각형 개념을 제시한다. (　　)

4. '전략적 삼각형' 모델은 정당성과 지지, 운영 역량, 공공가치로 구성된다. (　　)

**O·X 문제**

5. 보즈만은 공공기관에 의해 생산된 순(純)공공가치를 추정하는 '공공가치 회계'를 제시했다. (　　)

**O·X 문제**

6. 무어는 공공가치 실패를 진단하는 도구로 '공공가치 지도그리기(mapping)'를 제안한다. (　　)

7. 보즈만에 의하면 시장과 공공부문이 공공가치 실현에 필수적으로 요구되는 재화와 서비스를 제공하지 못할 때 '공공가치 실패'가 일어난다. (　　)

O·X 정답 : 1. × 2. ○ 3. ○ 4. ○
5. × 6. × 7. ○

**📁 보즈만(Bozeman)의 공공(가치)실패 판단기준**

| 공공(가치)실패 판단기준 | 내 용 |
|---|---|
| 가치의 표출과 결집 메커니즘의 왜곡 | 공공가치의 결집을 위한 의사소통, 공공가치 처리에 필요한 정치적 과정, 사회적 응집력 등의 부족 |
| 불완전 독점 | 정부독점이 공익에 부합됨에도 공공서비스의 민간공급 허용 |
| 혜택 숨기기 | 공공서비스가 전 국민에게 제공되지 않고 특정집단에 혜택 집중 |
| 제공자의 부족 | 공공서비스를 공공적 방법에 의해 제공키로 합의했음에도 제공자를 확보할 수 없어 공공재화와 서비스를 제공하지 못함 |
| 단기적 시계 | 단기적 시계에 따른 대안선택(장기적 고려의 실패) |
| 자원의 대체 가능성 대 자원 보존 | 만족할 만한 대체재가 없는 경우에는 보전해야 함에도 대체가능성에 초점을 맞추고 서비스 제공 |
| 최저생활과 인간 존엄에 대한 위협 | 최저생활과 인간존엄과 같은 근본적이고 핵심적인 가치의 훼손 |

⑤ **전통적 행정론, 신공공관리론, 공공가치관리론의 비교**

| 구 분 | 전통적 행정론 | 신공공관리론 | 공공가치관리론 |
|---|---|---|---|
| 공 익 | 정치인/전문가가 정의 | 개인 선호의 합 | 숙의를 거친 공공의 선호 |
| 성과목표 | 정치적으로 정의 | 효율성(고객 대응성과 경제성) | 공공가치 달성(만족, 사회적 결과, 신뢰와 정당성 등) |
| 책임성 | 정치인을 통한 의회에 대한 책임 | 성과계약을 통한 상위기관에 대한 책임, 시장메커니즘을 통한 고객에 대한 책임 | 다원적 차원(정부 감시자로서의 시민, 사용자로서의 고객, 납세자에 대한 책임) |
| 서비스 전달체계 | 계층조직, 자율규제하는 전문직 | 민간조직, 책임운영기관 | 대안적 전달체계(공공부문, 공공기관, 책임운영기관, 민간기업, 공동체조직)를 실용적으로 선택 |
| 관리자의 역할 | 규칙과 적합한 절차 준수 | 성과목표를 정의하고 달성 | 숙의 절차와 전달네트워크를 운영하고 전체 시스템의 역량 유지 |
| 공공서비스 | 공공부문이 독점 | 공공서비스 정신에 회의적 | 공유가치를 통한 관계유지 중시 |
| 민주적 과정 | 책임성의 전달(선거를 통해 책임성 확보) | 목표의 전달(성과목표의 형성 및 성과점검 전달) | 대화의 형성과 전달(지속적인 민주적 소통) |
| 공공참여 | 투표, 정치인에 대한 압박 등 제한적 | 고객만족도 조사 등을 통한 제한적 허용 | 소비자, 시민, 이해관계자 등의 다원적 참여 보장 |

⑥ **공공가치관리론의 함의**
　㉠ 공공가치는 공공기관이 공급자 입장에서 주도해서는 아니되며, 공공가치의 공동생산자인 수요자의 입장과 만족을 반영해야 한다.
　㉡ 공공가치를 추구하기 위해 반드시 큰 정부가 필요한 것은 아니다. 공공가치는 공공부문만이 아닌 시민들에 의해 집합적으로 생산되기 때문이다.
　㉢ 공공가치를 실현함에 있어 기회비용 문제를 고려해야 한다. 공공가치의 창출로 얻어지는 편익이 비용보다 커야 공공개입의 정당성이 확보될 수 있기 때문이다.
　㉣ 공공가치의 성과는 경제적 측면만이 아니라 사회적, 정치적, 생태적 측면에서 평가되어야 한다.

**(3) 블랙스버그 선언(Blacksburg Manifesto : 행정재정립운동)**

① 의의 : 신공공관리론이나 탈관료제 이론 등 반관료제적·반직업공무원제적인 정치·사회적 환경에 반발하면서 행정의 정당성과 행정의 정체성을 주장하고 나선 행정재정립운동으로 웜슬리(Wamsley), 굿셀(Goodsell), 테리(Terry), 화이트(White), 로어(Rohr) 등이 1987년에 공동선언하였다.

② 논의의 전개

ㄱ 발상의 전환 : 정부 효율성에 관한 논의는 정부의 개입을 축소해야 한다는 자유주의적 발상이 아니라 어떻게 정부개입이 이루어졌을 때 가장 효율적인가에 대한 것이어야 한다.

ㄴ 행정의 정당성 하락 이유 : 관료제가 무능력해서가 아니라 대통령 등이 자기통치를 원활히 하기 위해 관료후려치기(정당한 이유 없이 가해지는 공무원에 대한 비판과 강한 공격)를 행함으로써 관료제의 역할에 대한 공공의 인식이 왜곡되어 있기 때문이다. 즉, 관료제가 개혁의 대상이 되어온 것은 관료제의 진정한 문제에 기인하기보다는 정치적 요인에 기인한 것이라는 주장이다.

③ 행정의 정당성 확립방안

ㄱ 행정의 정체성 확립 : 행정과 경영의 관계에서 행정은 모든 중요하지 않은 부분에서만 유사하다는 세이어의 법칙(공사행정이원론)을 받아들여야 할 뿐만 아니라 행정과 정치와의 관계에서도 행정의 특수성을 인정하여야 한다(정치행정이원론).

ㄴ 전문직업주의의 확립 : 정부의 효율성을 증진하기 위해서는 정부재창조가 아니라 정부재정립이 필요하다. 정부재정립을 위해서 관료들은 전문가적 자질 및 공직윤리에 기반을 둔 행정의 전문직업주의를 확립하여야 한다.

ㄷ 균형의 수레바퀴 : 전문직업주의 확립하에 관료들은 항상 대통령에게 봉사할 것이 아니라 때로는 대통령을, 때로는 의회를, 때로는 법원을, 때로는 이익집단을 지원할 수 있어야 한다.

④ 신행정론과 블랙스버그 선언 : 블랙스버그 선언은 행정의 규범적 역할과 전문직업주의를 강조하는 신행정론의 정신을 계승하고 있다. 다만 형평성이나 대응성보다는 행정의 정당성을 중시한다는 점과 정치행정이원론적 시각이라는 점에서 차이가 있다.

**(4) 샤크터(Schachter)의 「시민재창조론」**

① 의의 : 샤크터(Schachter)는 정부재창조 운동이 시민을 정부의 고객으로 인식하는 문제점을 지적하면서, 정부기관의 성과를 효과적으로 제고하기 위해서는 시민들의 능동적 참여가 필요하다는 것을 강조하고 「시민재창조론」을 주창하였다.

② 정부개혁의 두 가지 접근법 – 정부재창조론과 시민재창조론

| 구 분 | 정부재창조론 | 시민재창조론 |
|---|---|---|
| 기본모형 | '고객으로서의 시민' 모형 | '소유주로서의 시민' 모형 |
| 주요 목표 | '정부가 어떻게 일을 해야 하는가?'의 규명 | '정부가 무엇을 해야 하는가?'의 규명 |
| 주요 방안 | 정부구조, 업무절차 및 관료제 문화의 재창조 | 시민의식의 재창조(공공부문 의제설정에 시민들의 능동적 참여) |

## 02 (뉴)거버넌스론(신국정관리론)

### 1. 의 의

#### (1) 개 념

거버넌스는 최근 서구 선진국의 행정개혁과정에서 가장 많이 사용되는 수사(rhetoric)이지만 그 개념은 명확하지 않으며 다양한 의미로 사용되고 있다.

① **최광의**: 국가의 모든 국정운영방식을 의미한다. 이 개념에 의하면 관료제적 국정운영방식(관료제적 거버넌스), 신공공관리론적 국정운영방식(신공공관리론적 거버넌스), 연결망에 의한 국정운영방식(네트워크 거버넌스) 모두 거버넌스 개념에 포함된다.

② **광의**: 1980년대 이후에 새롭게 대두된 국정운영방식을 의미한다. 이 개념에 의하면 1980년대 이전의 관료제적 국정운영방식은 정부(government)로, 최근의 신공공관리론과 네트워크에 의한 국정운영방식은 (뉴)거버넌스(governance)로 표현된다(G. Peters, Rhodes 등).

③ **협의(일반적 의미)**: 서비스 연계망(network)에 의한 국정운영방식을 의미한다. 이 개념에 의하면 (뉴)거버넌스는 정부·시장·시민사회의 연결망에 의한 국정운영방식을 말한다(Baker 등).

#### (2) 대두배경

① **현실적 배경 - 범세계적 행정환경과 정부실패·시장실패**

㉠ **범세계적인 행정환경**: 세계화·지방화·민주화·지식정보화 등의 최근의 행정환경은 중앙정부의 권한을 세계기구·지방정부·시장 및 시민사회에 이전시킨다. 이에 중앙정부는 더 이상 독자적인 사회문제해결기제가 될 수 없어, 세계기구·중앙정부·지방정부·시장 및 시민사회 간의 협력체제인 거버넌스가 대두되었다.

㉡ **시장실패와 정부실패**: 사회문제해결기제로서 시장은 시장실패를, 정부는 정부실패를 야기함에 따라 정부와 시장 모두의 한계를 인식하고, 정부·시장·시민사회 간의 협력체제인 거버넌스가 대두되었다.

② **이론적 배경 - 참여주의(공동체주의)**: 거버넌스는 개인의 권리와 의무보다는 연민·정의 등의 공동체적 덕목을 중시하고 시민들의 자발적인 참여를 강조하는 참여주의·공동체주의를 이론적 기반으로 한다.

### 2. 주요 내용

#### (1) 특 징

① **추구하는 가치 - 민주성과 효율성**: 거버넌스는 다양한 참여자들의 참여적 과정과 협력적 상호작용을 통해 민주적이면서도 효율적인 국정운영을 지향한다.

② **다양한 정부 및 비정부조직의 참여**: 거버넌스는 세계기구·중앙정부·지방정부뿐만 아니라 비정부조직(NGO), 심지어 시장까지도 정부의 정책과정에 참여하는 것을 강조한다.

③ **연결망(network)**: 거버넌스에서는 다양한 정부 및 비정부조직과 개인들이 계층제적(위계적) 명령이나 복종관계 없이 비교적 수평적인 관계에서 협력적으로 상호작용을 한다. 이때의 상호작용은 다중심적(polycentric)이고 중심이 없으며(centerless), 느슨하게 연결된 모습을 지닌다.

④ **사회적 자본으로서의 신뢰**: 다양한 행위자들의 참여를 전제로 하는 거버넌스는 참여자들 간의 신뢰가 존재하지 않는 경우 혼란과 분열만을 야기하게 된다. 따라서 거버넌스는 신뢰를 무엇보다도 중요한 국정운영의 핵심적 구성요소로 본다.

⑤ **총체적 공사 파트너십 – 공동조향·공동생산**: 거버넌스에서는 공적인 문제에 대한 과업과 책임을 정부·시장·시민사회가 함께 공유하고 함께 해결해 나간다. 이로 인해 공동조향(co-streering : 함께 방향잡기)·공동생산·공동지도·공동규제가 정부의 하향적·집권적 조향을 대체하며, 사회의 자기조직능력이 개선된다.

⑥ **민주적 정치 과정 중시**: 거버넌스는 다양한 행위자들이 참여하고 협력하는 과정이므로 참여자들 간의 협상·타협 등의 민주적 정치과정이 강조된다. 이때의 정치과정은 공식적 과정뿐만 아니라 비공식적 과정도 포함된다(공식적·비공식적 과정 모두 고려).

⑦ **관료의 역할 – 조정자**: 거버넌스 체제에서는 공식적인 권한과 계층제에 입각한 전통적 관리 방식이 아닌 간접적이고 다층적인 협력망 관리가 필요하다. 이를 위해서는 관료가 네트워크 조정자로서 각 행위주체 간 갈등관리, 협상과 조정능력과 같은 조직경계 관리 또는 모호성 관리 역량을 갖춰야 한다.

### (2) 한 계

① **방향잡기(steering) 곤란**: 거버넌스(네트워크)는 일단 형성되면 정부나 특정 행위자의 의지와 관계없이 스스로 변화하고 활동하는 자기조직화 경향을 지녀 일정한 방향으로 유도하기 곤란하다.

② **분절화로 인한 거래비용 증가 및 책임성 저하**: 거버넌스는 정책과정에서 여러 행위자들이 업무를 분담하기 때문에 분절화 현상이 야기되고 거래비용(조정·통제비용)이 증가하며, 공동조향 및 공동생산과정에서 책임 떠넘기기 현상으로 책임소재 규명이 곤란하다.

③ **공동화 국가(hollow-out state) 초래**: 거버넌스에서 정부는 네트워크 내의 하나의 행위자에 불과하므로 정부의 역할과 조직이 최소화되는 공동화 국가 현상을 초래하여 정부 능력이 퇴화될 수 있다.

④ **정책 담합 야기**: 거버넌스는 형성과정에서 정부와 친화적인 일부 이익집단만을 과다 참여시킬 위험성이 있으며, 이 경우 정부와 참여하는 특정 이익집단 간에 유착관계가 형성될 수 있다.

⑤ **행정의 정체성 확보 곤란**: 거버넌스는 행정수행과정에서 시민사회와 시장의 참여를 중시하므로 정치와 행정, 행정과 경영의 구분이 모호해져 행정의 정체성을 확보하기 곤란하다.

⑥ **보편적 이론화 곤란**: 새로운 국정운영방식으로써 거버넌스는 형태가 다양하고 기본형이 없기 때문에 보편적 이론화가 곤란하다.

## 3. 주요 이론

### (1) 피터스(Peters)의 모형

① **의의**: 피터스는 「미래의 국정관리(The Future of Governing)」에서 현재의 공공부문(대의민주주의에 입각한 관료제)이 지니고 있는 근원적인 문제를 보는 시각의 차이를 중심으로 미래의 거버넌스 유형(관료제의 대안모형)을 시장모형, 참여모형, 신축모형(유연조직모형), 탈내부규제모형(저통제모형)으로 분류하여 제시하였다.

② 대안모형

㉠ 시장모형 – '관료제의 독점성'에 대한 비판 : 전통적 관료제의 관리방식보다 민간의 관리방식이 우월하다는 전제하에 공공이 더 나은 성과를 창출하기 위해서는 시장기제(경쟁원리)를 채택해야 한다고 주장하는 모형이다. 특히, 시장모형은 책임운영기관 등과 같은 준자치적·준시장적 조직을 형성하고 이들 간의 경쟁을 중시한다.

㉡ 참여모형 – '관료제의 계층성'에 대한 비판 : 전통적 관료제의 계층성과 하향적 관리가 하위직 공무원과 시민의 참여를 제한함으로써 행정의 궁극적 목적을 상실케 했다고 보고 참여의 제도화(위원회, 자문집단 등)를 강조하는 모형이다.

㉢ 신축(유연조직)모형 – '관료제의 불변성'에 대한 비판 : 전통적 관료제 조직의 항구성이 현상 유지 관행을 고착화함으로써 조직의 역동성을 저해하고 정책을 보수화한다고 보고, 조직구조의 신축성 및 시간제 공무원의 활용을 강조하는 모형이다.

㉣ 탈내부규제(저통제정부)모형 – '관료제의 내부규제'에 대한 비판 : 정부관료제가 시민에 봉사하기 위해 직무에 최선을 다하려는 희생적이고도 재능 있는 사람들로 구성된 것으로 보고, 내부규제가 적을수록 정부활동이 훨씬 더 창조적이고 능률적으로 수행될 수 있다고 주장하는 모형이다.

📁 전통적 정부모형과 네 가지 모형의 특징 및 주요 요소

| 구 분 | | 전통적 정부 모형 | 시장 모형 | 신축(유연조직) 모형 | 참여 모형 | 탈규제(저통제) 모형 |
|---|---|---|---|---|---|---|
| 문제의 진단수준 | | 전근대적 권위 | 독점 | 영속성 | 계층제 | 내부규제 |
| 조직 | 구 조 | 계층제 | 분권화(탈집권화)된 조직＋ | 가상조직＋ | 평면조직 | 없음. |
| | 관 리 | • 직업공무원제 • 절차적 통제 | • 성과급 • 민간부문의 관리기법 | 가변적(일시적) 인사관리 | • TQM, MBO • 팀제 | 자율적 관리 (관리재량권 확대) |
| | 정책 결정 | 정치·행정의 구분 | • 내부시장 • 시장적 유인 | 실험 | 협의, 협상 | 기업가적 정부 |
| 공익의 기준 | | 안정성, 평등 | 저비용 | 조정과 저비용 | 참여, 협의 | 창의성, 능동성 |
| 조 정 | | 상의하달 | 보이지 않는 손 | 조직개편 | 하의상달 | 관리자의 자기 이익 |
| 오류발견/ 수정 | | 절차적 통제 | 시장적 선호 | 오류의 제도화 방지 | 정치적 선호 | 더 많은 오류의 수용 |
| 공무원제도 | | 실적주의와 직업공무원제 | 시장기제로 대체 | 임시고용제 활용 | 계층제 축소 | 내부규제 철폐 |
| 책임성 확보 | | 대의정치에 의존 | 시장에 의존 | 없음. | 소비자 불만에 의존 | 사후통제에 의존 |

(2) 로즈(Rhodes)의 모형

① 의의 : 로즈는 거버넌스를 정부가 의미하는 바가 변화하고 있음을 알려주는 새로운 통치과정으로 개념화하고 6가지 용법을 제시하였다.

② 거버넌스의 용법

㉠ 최소국가적 거버넌스 : 공공개입의 범위와 형태를 최소화하고 공공서비스의 공급에서 시장과 준시장을 활용하는 것을 강조하는 거버넌스

㉡ 신공공관리론적 거버넌스 : 정부조직 내에 잘 발달된 경영관리기법을 도입하여 행정을 효율화하는 것을 강조하는 거버넌스

㉢ 기업 거버넌스(법인 거버넌스) : 회사의 관리자들이 주주의 이익을 위해 최선을 다하는 것처럼 정부의 관료도 국민의 이익을 위해 최선을 다하여 업무를 수행해야 함을 강조하는 거버넌스

㉣ 자기조직화 연결망 거버넌스(공공 거버넌스) : 신뢰와 협력을 기반으로 스스로 조직화되고, 스스로 지배하는 거버넌스

㉤ 사회적 인공지능 체계로서 거버넌스(사회·정치 거버넌스) : 다양한 행위자들이 상호협력을 통해 민주적이고 효율적으로 사회문제를 해결해 나가는 거버넌스

㉥ 좋은 거버넌스(good governance)

ⓐ 의의 : 나쁜 거버넌스(bad governance)에 대한 반개념으로 거버넌스의 이상적 정의이며, 신공공관리와 자유민주주의의 결합을 의미한다.

ⓑ 대두배경 : 유엔개발계획(UNDP)이 부패가 만연한 개도국의 지배구조개선을 위한 방안으로 제시한 모형이나, 최근에는 세계은행이나 IMF에서 제3세계 국가들의 대출조건으로 활용하고 있다.

ⓒ 내용

| 행정적 관점 | 법의 지배와 부패척결, 효율성과 일관성, 투명성과 책임성을 지닌 국가 |
| 경제적 관점 | 빈곤완화(사회적 형평성), 경제적 자유화, 시장친화적 여건이 조성된 국가 |
| 정치적 관점 | 인권과 민주주의(시민참여, 정보공개, 언론·출판의 자유)를 중시하는 국가 |
| 체제적 관점 | 민주적 자본주의 체제를 지닌 국가 |

심화학습
쿠이만(J. Kooiman)의 거버넌스 유형 – 국가와 사회의 중심성을 기준으로

| 자치 거버넌스 | 사회적 행위자 간의 자생적으로 형성된 자기조직적 거버넌스 – 사회적 행위자 간 관계 네트워크 중시 |
| 협력 거버넌스 | 정부와 민간 간 긴밀한 의사소통과 네트워크에 의해 형성된 거버넌스 – 정부와 민간의 상호존중의 원리에 기초한 협력관리와 의사소통 중시 |
| 계층제 거버넌스 | 정부관료제 중심의 계층제를 토대로 한 거버넌스 – 정부의 사회운영에 대한 조정능력 중시 |

## 4. 거버넌스의 분류

### (1) 최광의의 거버넌스

| 구 분 | 관료제적 거버넌스 | 신공공관리론적 거버넌스 | 네트워크 거버넌스 |
| --- | --- | --- | --- |
| 추구이념 | 합법성과 평등성 | 효율성과 대응성 | 민주성과 효율성 |
| 구 조 | 계층제 | 준자치적 조직 | 네트워크 조직 |
| 관리방식 | 규칙과 절차 | 성과 | 참여 |
| 조정방식 | 권위와 상의하달식 명령 | 자율적 교환과 경쟁 | 참여와 신뢰·협력 |
| 서비스 | 독점공급체계 | 민영화 및 민간위탁 | 공동생산 |
| 정부역할 | 노젓기 | 방향잡기 | 방향잡기 |
| 관료역할 | 일반행정가 | 공공기업가 | 네트워크 관리자 |
| 관리기구 | 계층제 | 시장 | 연계망(네트워크) |
| 인 식 | 대의민주주의 | 신자유주의 | 공동체주의 |
| 분석수준 | 조직 내 | 조직 내 | 조직 간 |

### (2) 수준에 따른 분류 – 다층적 거버넌스

① 글로벌(Global) 거버넌스 : 국가가 다양한 국제기구, 국가, 다국적 기업, 초국적 NGO 등과 관계를 맺으면서 국제사회의 변화와 도전에 대응하는 협력체제

② 리저널(Regional) 거버넌스 : EU, NAFTA 등 인접국가 간 구축된 협력체제

③ 내셔널(National) 거버넌스 : 개별 국가 차원에서 국가·시장·시민사회의 협력체제

④ 로컬(Local) 거버넌스 : 지방 차원에서 지방정부·지방기업·지방시민사회의 협력체제

### (3) 주도세력 중심의 분류

① 국가 중심 거버넌스(신관리주의와 관료주의의 결합) : 국가가 중심적인 위치에서 문제를 해결해 나가면서 정부 내부에 기업가적 정신 및 경영관리기법을 적용하여 정부조직의 유연화를 추구하는 거버넌스

② 시장 중심 거버넌스(시장주의) : 신자유주의적 관점에서 경쟁원리와 고객주의를 근간으로 하는 시장원리가 국정을 주도하는 거버넌스

③ 시민사회 중심 거버넌스(참여주의, 공동체주의) : 시민사회가 직접 정책결정과정에 참여하여 공동체의 주요 문제의 방향성을 결정하고 주도해 나가는 거버넌스

## 5. 거버넌스의 구체적 실현

### (1) 「비영리민간단체지원법」 – 정부와 비영리민간단체(NGO)의 협력

| 비영리민간단체 | 영리가 아닌 공익활동을 수행하는 것을 주된 목적으로 하는 민간단체 |
|---|---|
| 보조금의 지원 | 행정안전부장관, 시·도지사나 특례시의 장은 등록비영리민간단체에 공익사업의 소요경비를 지원할 수 있으며, 지원하는 소요경비의 범위는 사업비를 원칙으로 함. |
| 사업계획서 제출 | 등록비영리민간단체가 공익사업을 추진하기 위해 보조금을 교부받고자 할 때에는 사업의 목적과 내용, 소요경비, 기타 필요한 사항을 기재한 사업계획서를 해당 회계연도 2월 말까지 행정안전부장관 등에게 제출해야 함. |
| 사업보고서 제출 | 등록비영리민간단체는 사업계획서에 따라 사업을 완료한 때에는 다음 회계연도 1월 31일까지 사업보고서를 작성하여 행정안전부장관 등에게 제출해야 하며, 사업보고서를 제출받은 행정안전부장관 등은 해당 사업에 대해 평가를 실시하고, 사업보고서의 주요 내용과 그 평가결과를 공개해야 함(사업 평가, 사업보고서 및 평가결과의 공개 등에 필요한 사항은 행정안전부령으로 정함). |

### (2) 「사회적기업 육성법」 – 정부와 기업 간의 협력

| 사회적 기업 | 사회적 목적을 추구하면서 재화 및 서비스의 생산·판매 등 영업활동을 하는 기업으로 고용노동부장관의 인증을 받은 자 |
|---|---|
| 인증 요건 | ① 법인·조합, 회사 또는 비영리민간단체 등 조직 형태를 갖출 것<br>② 유급근로자를 고용하여 서비스의 생산·판매 등 영업활동을 할 것<br>③ 취약계층에게 서비스 또는 일자리를 제공하거나 지역사회에 공헌하여 지역주민의 삶의 질을 높이는 등 사회적 목적 실현을 목적으로 할 것<br>④ 서비스 수혜자, 근로자 등이 참여하는 의사결정 구조를 갖출 것<br>⑤ 회계연도별로 배분 가능한 이윤이 발생한 경우에는 이윤의 3분의 2 이상을 사회적 목적을 위하여 사용할 것 등 |

**심화학습**

주도세력 중심 분류의 예

| 국가 중심 거버넌스 | ① Rhodes의 신공공관리론적 거버넌스와 좋은 거버넌스<br>② Peters의 신축모형과 탈내부규제모형<br>③ Osborne & Gaebler의 기업가적 정부 |
|---|---|
| 시장 중심 거버넌스 | ① Peters의 시장모형<br>② Rhodes의 최소국가적 거버넌스 |
| 시민사회 중심 거버넌스 | ① Rhodes의 사회 인공지능체계로서 거버넌스, 자기조직화 연결망 거버넌스, 기업(법인) 거버넌스<br>② Peters의 참여모형 |

**O·X 문제**

1. 우리나라에서는 시민단체의 자율성을 위하여 정부가 재정지원을 하지 않는다. ( )

2. 비영리민간단체는 영리가 아닌 공익활동을 수행하는 것을 주된 목적으로 하는 민간단체이어야 한다. ( )

3. 등록비영리민간단체는 공익사업의 소요경비를 지원받을 수 있으며 소요경비의 범위는 사업비를 원칙으로 한다. ( )

4. 등록비영리민간단체는 보조금을 받아 수행한 공익사업을 완료한 때에는 사업보고서를 대통령에게 제출해야 하며 사업 평가, 사업보고서 및 평가결과의 공개 등에 필요한 사항은 대통령령으로 정한다. ( )

O·X 정답 1. × 2. ○ 3. ○ 4. ×

| 주체별 책무 | 국 가 | 사회적 기업에 대한 지원대책 수립 및 필요한 시책 추진 |
|---|---|---|
| | 자치단체 | 지역별 특성에 맞는 사회적 기업 지원시책 수립·시행 |
| | 사회적 기업 | 영업활동을 통해 창출한 이익을 사회적 기업의 유지·확대에 재투자하기 위해 노력해야 함. |
| | 연계기업 | 사회적 기업이 창출하는 이익을 취할 수 없음. |
| 육성 및 지원 | 육성 기본계획 | 고용노동부장관은 사회적 기업의 실태를 5년마다 조사하고, 매 5년마다 사회적 기업육성기본계획을 수립하며, 매년 연도별 시행계획을 수립·시행해야 함. |
| | 지 원 | 경영지원, 교육훈련지원, 재정지원, 조세감면 및 사회보험료의 지원, 공공기관의 우선구매, 연계기업의 조세감면 등 |

## 6. 신공공관리론과 거버넌스론의 비교

(1) 이념적 지향 비교 – 시장주의(신자유주의)와 참여주의(공동체주의)

① 참여주의의 방식

㉠ 담론주의적 참여 : 이해관계 당사자들이 정책과정에 참여하여 정책결정자 또는 다른 관점을 지닌 시민들과 직접 협상하는 것을 말한다(후기행태주의에서 강조).

㉡ 공동체주의적 참여 : 이해관계가 없는 제3자로서의 일반시민이 정책과정에 참여하는 것을 말한다(거버넌스에서 강조).

② 시장주의(신자유주의)와 참여주의(공동체주의) 비교

㉠ 국민에 대한 시각 : 시장주의는 이기적이고 개인적인 행동을 하는 고객을 전제로 하지만, 공동체주의는 이타적이고 집단적 행동을 하는 시민을 전제로 한다.

㉡ 국민의 존재형태 : 시장주의에서 고객은 행정서비스에 불만이 있는 경우 아무 말 없이 서비스 생산자를 바꾸지만(수동적 존재), 참여주의에서 시민은 행정서비스에 불만이 있는 경우 정책과정에 개입하여 주장하고 싸운다(능동적 존재).

㉢ 행정서비스 개선방안 : 시장주의에서는 소비자가 선택권을 행사함으로써 생산자 간에 경쟁을 유도하여 서비스의 품질을 향상시킬 수 있다고 보지만, 참여주의에서는 시민이 정책과정에 참여하여 직접 서비스의 품질을 개선할 것을 강조한다.

㉣ 분권화의 대상 : 시장주의에서는 기업가적 역할을 수행해야 할 일선관리자(책임운영기관의 장 등)에게 권한위임을 강조하지만, 참여주의에서는 시민과 직접 대면하는 일선관료에게 권한위임을 강조한다.

### 🗁 시장주의(신자유주의)와 참여주의(공동체주의)의 비교

| 구 분 | 시장주의(신자유주의) | 참여주의(공동체주의) |
|---|---|---|
| 작동의 기본원리 | 경쟁원리와 고객주의 | 참여와 타협 |
| 기존 행정의 핵심문제 | 행정서비스의 독점공급 | 행정의 비민주성(폐쇄성) |
| 서비스에 대한 불만표시 | 공급자 변경 | 항의와 직접 참여 |
| 인간관 | 이기적·합리적 인간 | 이타적인 인간도 인정 |
| 분권화의 대상 | 일선관리자 중심 | 일선관료 중심 |
| 공동체주의 관점 | 자원봉사자의 활용(우파) | 시민주의적 참여(좌파) |
| 정부의 역할 | 방향잡기로 민간유도 | 각종 조직들과 공동생산 |

**심화학습**

**공동체주의 좌파와 우파**

| 신좌파의 공동체주의 | 시민주의 : 참여유인을 위해 정부가 적극적으로 이타적이고 헌신적인 시민을 양성해야 한다는 주장 |
|---|---|
| 신우파의 공동체주의 | 자원봉사주의 : 참여유인을 위해 정부가 적극적으로 개입하기보다는 이미 존재하는 자원봉사자들을 활용하면 된다는 주장 |

**심화학습**

**시민과 고객**

| 비교 측면 | 시민 | 고객 |
|---|---|---|
| 권리의 근거 | 법적 권리 | 구매력 |
| 권리의 유형 | 보편적 권리 | 선택적 권리 |
| 책임의 유형 | 정치적 | 없음. |
| 활동방식 | 집합적 | 개인적 |
| 국가와 개인 간 관계 | 포함적 | 배타적 |
| 국가와 개인 간 의사소통 | 언어적 (불만) | 비언어적 (탈퇴) |

(2) 이론 비교 - 신공공관리론과 뉴거버넌스론

① 공통점과 차이점

| 구 분 | 차이점 | | 공통점 |
|---|---|---|---|
| | 신공공관리론 | 뉴거버넌스론 | |
| 이론적 기초 | 신관리주의와 신자유주의 | 공동체주의와 참여주의 | • 대의민주주의에 기반한 관료제적 통치에 대한 반개념<br>• 정부의 역할 변화 – 노젓기에서 방향잡기로<br>• 정부와 민간 간 서비스 연계망 형성<br>• 투입통제보다는 산출통제 강조<br>• 공·사행정일원론적 시각<br>• 분절화 현상으로 거래비용(조정·감시비용) 증가 및 공공책임성 저해 |
| 추구이념 | 효율성, 고객에 대한 대응성 | 민주성, 효율성, 신뢰성 등 | |
| 개념상 차이 | 비정치성 – 개인적 선택의 자발적 교환영역에 관심을 갖는 비정치적 개념 | 정치성 – 집단적 선택의 민주적 의사결정영역에 관심을 갖는 정치적 개념 | |
| 혁신 기제 | 경쟁(시장 메커니즘) | 신뢰와 협력(참여 메커니즘) | |
| 정부혁신의 초점 | 조직(부문) 내에 초점 – 정부관료제 내부의 조직관리 중시 | 조직 간(부문 간) 관계에 초점 – 정부와 사회 간의 상호작용 중시 | |
| 국민의 개념 | 고객 – 공공서비스에 대한 선택권한을 부여받은 수동적 존재 | 시민 – 공공서비스의 양과 질을 직접 결정하는 능동적 존재 | |
| 관료의 역할 | 공공기업가 | (네트워크) 조정자 | |
| 중심과제 | 결과에 초점 | 과정에 초점 | |
| 시 각 | 정부재창조 | 시민재창조 | |
| 시민참여 | 공동체주의 우파(자원봉사주의) | 공동체주의 좌파(시민주의) | |
| 정치성 | 정·행이원론(탈정치화) | 정·행일원론(재정치화) | |
| 서비스 공급 | 민영화·민간위탁 | 시민공동생산 | |
| 관리방식 | 고객지향 | 임무지향 | |

② 양자 간 관계

㉠ 긍정적 관계 : 신공공관리론은 서비스 제공권한을 시장에 이전함으로써 정부와 민간 간 서비스 연계망을 형성하는 데 기여하였다. 뉴거버넌스론은 여기에 더하여 세계기구·지방정부·시민사회 등으로 서비스 연계망을 더욱 확장하는데 초점을 두고 있다. 즉, 서비스 연계망 구축 측면에서 뉴거버넌스론은 시기적으로 앞선 신공공관리론을 토대로 한다.

㉡ 부정적 관계 : 신공공관리론은 서비스 연계망 속에 경쟁을 도입함으로써 상호신뢰를 저해하여 연계망을 불안정하게 한다. 반면, 뉴거버넌스론은 서비스 연계망 속에 상호신뢰를 형성함으로써 공정한 경쟁을 어렵게 한다.

## 03 (뉴)거버넌스이론의 확장

### 1. 도시 거버넌스와 레짐이론(Regime Theory)

(1) 의 의

① 레짐: 도시정부에서 정부부문과 민간부문 간에 협조와 조정을 통한 비공식적 통치연합을 의미한다.

② 레짐이론: 도시정부가 직면하는 사회적 · 경제적 문제에 대응하기 위하여 형성된 레짐을 연구하는 이론이다. 레짐이론은 도시 거버넌스(로컬 거버넌스: Local Governance)를 대표하는 이론으로 '개인'이나 '구조'가 아닌 '제도'(레짐)에 연구의 초점을 둔다.

(2) 대두배경

① 현실적 대두배경 – 지방정부의 통치능력의 한계: 도시정부는 재정난으로 인해 독자적인 업무추진이 불가능한 '제한된 능력을 지닌 통치체제'에 불과하다. 이로 인해 도시 내 자원통제력을 지닌 다른 이해 세력과 연합하여 공동으로 업무를 추진해 나갈 수밖에 없어 레짐이 형성되었다.

② 이론적 대두배경 – 성장기구론(성장연합론): 공공부문(지방정부)과 민간부문(개발업자 및 토지소유자) 간의 연합체에 의해 도시가 개발된다고 보는 성장기구론이 레짐이론의 단초가 되었다.

> **핵심정리 | 성장기구론**(성장연합론)
>
> 1. **성장연합**: 개발업자 · 토지소유자 · 지방정부 등은 토지의 교환가치(금전적 효용)를 증대하기 위하여 도시개발을 위한 성장연합을 형성한다.
> 2. **반성장연합**: 일부 지역주민과 환경운동단체 등은 토지의 사용가치(환경보호)를 증대하기 위하여 개발에 반대하기 위한 반성장연합을 형성한다.
> 3. **도시개발**: 성장연합과 반성장연합은 대결을 벌이며, 이 과정에서 성장연합이 승리를 통해 권력을 쟁취하여 이들의 주도하에 도시개발이 이루어진다.

(3) 특 징

① 레짐의 권력 – 사회적 생산: 도시정부에서 레짐의 권력은 사회적 통제가 아닌 사회적 생산(도시개발, 국제행사 유치 등)을 통해 표출된다.

② 레짐의 참여자 – 자원동원능력을 지닌 자: 레짐 내 참여자들은 전략적 지식과 그러한 지식에 입각한 행위능력 및 자원의 통제능력을 지닌 자들이다.

③ 레짐의 구성요소 간의 관계 – 장기적 네트워크: 레짐은 정권차원의 단기적 네트워크가 아닌 장기적이고 비공식적인 협력적 네트워크이다.

④ 도시정책의 성격: 도시정부에서 정책적 요구들은 레짐에 의해 여과된다. 즉, 레짐의 생산능력을 초과하지 않는 정책적 요구는 레짐에 의해 채택되지만, 초과하는 정책적 요구는 받아들여지지 않는다(무의사결정).

⑤ 도시정부의 성격: 도시정부는 유권자들에게 책임을 지면서 정치적 결단을 내리는 실체적 주체이므로 정치적 독립성을 지니지만, 경제적으로는 정책의 생산능력을 지닌 레짐에 종속되어 있다.

### (4) 레짐의 유형

#### ① 레짐의 형성 동기에 따른 분류(Stoker & Mossberger)

| 도구적 레짐 | 구체적 프로젝트(올림픽 게임 등) 등 단기적 목표를 달성하기 위해 구성되는 레짐으로 프로젝트의 실현과 가시적 성과 및 정치적 파트너십 등이 특징이다. |
|---|---|
| 유기적 레짐 | 현상유지와 정치적 교섭에 초점을 두는 레짐으로 군건한 사회적 결속체와 높은 수준의 합의 등이 특징이다(주로 소규모 도시에서 형성). |
| 상징적 레짐 | 기존의 이데올로기나 이미지를 재조정하려는 레짐으로 도시의 변화를 추구하려는 곳에서 형성되며, 도시 변화의 과도기적 역할을 수행한다. |

**O·X 문제**

1. 현상유지 레짐은 친밀성이 강한 소규모 지역사회에서 나타나는 유형으로 관련 행위주체 간 갈등이나 마찰이 적고 생존능력이 강한 레짐이다. (　　)

#### ② 레짐의 생존능력에 따른 분류(Stone)

| 현상유지 레짐 | 친밀성이 높은 소규모 지역사회에 나타나는 유형으로 기존에 실시하던 정책 이외의 새로운 정책을 추구하려 하지 않으며 기본적 행정서비스 제공이 주된 업무이다. 관련 구성원 간에 갈등이 적고 레짐의 생존능력은 강하다. |
|---|---|
| 개발 레짐 | 도시의 쇠락 방지 및 성장(개발)을 위하여 적극적인 도시재개발, 공공시설의 설치, 투자자에 대한 세제혜택, 보조금 제공 등의 정책을 추진하는 레짐이다. 관련 구성원 간에 갈등이 심하며 레짐의 생존능력은 비교적 강하다. |
| 진보 레짐 | 개발에 따르는 폐해를 줄이기 위하여 중산층이 중심이 되어 환경보호, 사적지 보호, 쾌적한 주택환경조성, 소수집단보호 등의 정책들을 추진하는 레짐이다. 시민의 참여와 감시, 통제가 강조되며 레짐의 생존능력은 보통이다. |
| 하층기회확장 레짐 | 저소득층의 보호와 이익확대를 위하여 저소득층이 중심이 되어 재교육, 직업훈련, 소규모사업과 주택 소유 기회확대 등의 정책을 추진하는 레짐이다. 대중동원이 가장 중요한 과제로 대두되며 레짐의 생존능력은 약하다. |

### (5) 함 의

레짐이론은 도시정부의 권력구조에 대한 고찰을 통해 특정 정책적 요구가 수용되거나 수용되지 못한 이유를 설명해줌으로써 도시정치에서 인과관계의 이론성을 강화해준다. 또한 레짐이론은 레짐의 참여자를 연구함으로써 행태적 측면의 연구에 대한 이론성도 강화해준다.

## 2. 신공공서비스론(Denhardt & Denhardt)

### (1) 의 의

① 개념 : 행정에서 중요한 것은 '행정업무 수행에서의 효율성'이 아니라 '시민들에게 보다 나은 삶을 보장'하는 것이라고 보고, 행정이 소유주인 시민을 위해 봉사하도록 시민중심의 공직제도를 구축하고자 하는 행정개혁운동이다.

② 등장배경 – 전통적 행정과 신공공관리론에 대한 비판 : 신공공서비스론은 전통적 행정이론과 신공공관리론이 공익, 거버넌스 과정, 민주적 시민의식의 확대 등과 같은 민주적인 국정운영방식에 대한 고려가 없다는 점을 비판하고 민주행정의 규범적 모델을 구축하기 위하여 등장하였다.

O·X 정답 1. ○

### ③ 이론적 기초

- ⊙ **민주적 시민주의(democratic citizenship)**: 시민을 공익을 위해 거버넌스 과정에 적극적으로 참여하는 능동적 존재로 보는 민주적 시민주의를 기반으로 한다.
- ⓒ **사회공동체주의**: 사회공동체 형성을 강조하고, 정부가 이를 위해 적극적 역할을 수행해야 한다고 보는 사회공동체주의를 기반으로 한다.
- ⓒ **담론이론(포스트모더니즘, 신행정학)**: 관료와 시민 간, 시민 상호 간의 '담론'을 강조하는 포스트모더니즘과 신행정학을 기반으로 한다.
- ⓔ **조직인본주의**: 조직구성원의 자유 및 인간적 가치에 기반을 둔 조직 관리를 강조하는 조직인본주의를 기반으로 한다.

### (2) 주요 내용

- ① **행정의 주요 가치 – 공유된 가치와 공익**: 공익이란 이기적이고 합리적인 개인 이익의 합이 아니라 공유된 가치에 대해 시민들 간 대화와 토론을 통해 얻은 결과물이며, 행정의 부산물이 아니라 목표물(궁극적 지향점)이다.
- ② **행정의 역할 – 방향잡기가 아닌 봉사**: 행정의 역할은 사회의 새로운 방향을 잡고 통제하는 것에 있는 것이 아니라 시민들로 하여금 그들의 공유된 가치를 표명하게 하고 그것을 충족할 수 있도록 도와주는 데 있다.
- ③ **행정의 대상 – 고객이 아닌 시민**: 행정의 대상은 구매력을 지닌 수동적 존재인 고객이 아니라 구매력이 없는 사회적 약자를 포함하여 정부와 끊임없이 상호작용을 하는 모든 시민이다.
- ④ **행정의 활동방식 – 전략적 사고와 민주적인 행동**: 행정은 공동의 비전을 형성하고 공공정책을 집행하는 과정에서 시민들의 협력을 이끌어내기 위한 전략적 사고와 민주적 행동을 도모해야 한다.
- ⑤ **행정의 책임 – 책임의 다원화**: 정부는 시장책임뿐만 아니라 헌법, 법률, 공동체 가치, 정치규범, 전문직업적 기준, 시민적 이익 등에 대하여 다양한 책임을 져야 한다.
- ⑥ **관료에 대한 시각 – 통제가 아닌 공유된 리더십+**: 정부조직의 공공관료들이 시민을 존중하도록 하기 위해서는 먼저 관리자들이 하위관료들을 존중하고 협동과정과 공유된 리더십을 통해 서로의 가치를 공유해야 한다.
- ⑦ **가치에 대한 시각 – 기업가 정신이 아닌 시민주의**: 공익은 기업가적 관료가 아닌 사회에 의미 있는 기여를 하는 시민과 관료에 의해 증진된다. 따라서 관료는 시민에 근접한 일선 리더로서 시민에게 봉사해야 한다.
- ⑧ **인간에 대한 시각 – 생산성보다는 사람 존중**: 공공조직과 그 네트워크는 생산성보다는 모든 사람을 존중하는 바탕 위에서 공유된 리더십과 협력의 과정을 통해 작동될 때 성공할 수 있다.

**O·X 문제**

1. 신공공서비스론은 신공공관리론의 오류에 대한 반작용으로 대두되었으며, 주로 민주적 시민이론, 조직인본주의와 담론이론 등에 기초하고 있다. ( )

2. 신공공서비스론에서는 공익을 행정의 목적이 아닌 부산물로 보아야 한다는 점을 강조한다. ( )

3. 신공공서비스론은 행정관료가 사회를 새로운 방향으로 조정(steer)하기보다 시민들의 공유된 이익을 달성하도록 도와주어야 한다고 본다. ( )

4. 신공공서비스론은 정부가 시장의 힘을 활용하는데 있어 방향잡기의 역할을 해야 한다고 본다. ( )

5. 신공공서비스론에 의하면 책임성이란 단순하지 않기 때문에 관료들은 헌법, 법률, 정치적 규범, 공동체의 가치 등 다양한 측면에 관심을 기울여야 한다. ( )

6. 신공공서비스론은 생산성보다는 사람에게 가치를 부여하기 때문에 공공조직은 공유된 리더십과 협력의 과정을 통해 작동되어야 한다. ( )

**+ 공유된 리더십**
특정 정책문제와 관련된 모든 사람들을 참여시키고, 대화를 통해 그들 간의 견해 차이를 해결하거나 완화하며, 공유가치에 근거한 해결책을 도출하는 리더십

O·X 정답 1. ○  2. ×  3. ○  4. ×
5. ○  6. ○

**(3) 전통적 행정이론, 신공공관리론, 신공공서비스론의 비교**

| 이론 관점 | 전통적 정치행정이원론 | 신공공관리론(NPM) | 신공공서비스론(NPS) |
|---|---|---|---|
| 이론 및 인식론적 토대 | • 초기 사회과학의 정치이론<br>• 사회학 이론 | • 신고전학파 경제이론<br>• 드러커의 성과관리론 | • 민주주의 이론<br>• 실증주의·해석학·비판이론·탈모더니즘 등 복합적 |
| 합리성과 인간행태 모형 | • 개괄적 합리성<br>• 행정인 | • 기술적·경제적 합리성<br>• 경제인 또는 사익에 기초한 의사결정자 | • 전략적 합리성<br>• 정치·경제·조직적 합리성에 대한 다원적 검증 |
| 공익 | 법률로 표현된 정치적 결정 | 개인 이익의 총합 | 공유가치에 대한 담론의 결과 |
| 대상 | 고객과 유권자 | 고객 | 시민 |
| 정부의 역할 | 노젓기 : 정치적으로 정의된 목표에 초점을 맞춘 정책 설계 및 집행 역할 | 방향잡기 : 시장의 힘을 활용한 촉매자 역할 | 봉사 : 공유된 가치 창출을 위한 시민 및 지역공동체 집단들과 이익을 협상하고 중재하는 역할 |
| 정책 목표 달성 기제 | 기존의 정부기구를 통한 프로그램 관리 | 민간 및 비영리기구를 활용해 정책 목표를 달성할 기제와 유인체계의 창출 | 상호합의된 필요를 충족시키기 위한 공공기관·비영리 및 민간기관들의 네트워크 |
| 책임성 확보 방법 | **계층제적(위계적) 책임** : 관료는 민주적으로 선출된 대표에게 책임 | **시장지향적 책임** : 사익의 총합은 고객에게 바람직한 결과 창출 | **다면적 책임** : 관료는 법, 공동체, 정치규범, 전문성, 시민의 이익 존중 |
| 행정재량의 수준 | 관료에게 제한된 재량만 허용 | 관료에게 폭넓은 재량 허용 | 재량이 필요하지만 제약과 책임 수반 |
| 기대되는 조직구조 | 상명하복하는 관료제조직과 고객에 대한 규제와 통제 | 조직 내 주요 통제권이 유보된 분권화된 조직(책임운영기관 등) | 조직 내외적으로 리더십을 공유하는 협력적 구조 |
| 관료의 동기유발 수단 | • 보수와 편익<br>• 공무원 신분보장 | • 기업가 정신<br>• 정부 규모를 축소하고자 하는 이데올로기적 욕구 | • 사회봉사<br>• 공익의 실현 및 사회에 기여하려는 욕구 |

**(4) 평가**

① **긍정적 측면 – 민주행정의 규범적 모델 제시** : 공익에 대한 인식, 시민참여, 시민에 대한 봉사, 공동체 거버넌스 과정 등을 통한 시민의식 증진과 공익 실현을 중시한다는 점에서 민주행정의 규범적 모델을 제시하고 있다.

② **부정적 측면 – 구체적인 대안 제시 미흡** : 행정의 규범적 특성과 가치만을 강조한 나머지 행정에서 요구되는 전문성·효율성 등의 실천적 또는 수단적 가치의 유지를 위한 구체적인 대안이 부족하다. 또한 시민참여 측면에서 시민들의 불평등한 접근 및 참여비용에 대한 고려도 없다.

### 3. 기타 (뉴)거버넌스 관련 논의

#### (1) 연성정부

연성정부는 경성정부와 대비되는 개념으로 지식정보화 사회가 대두되면서 나타난 유연하고 융통성 있는 행정모형을 의미한다. 경성정부가 관료제에 기반한 정부라면, 연성정부는 뉴거버넌스에 기반한 정부로 임무중심적·성과지향적·고객지향적 행정을 추구하고, 정보네트워크의 토대에서 참여와 협력을 중시한다.

#### (2) 제3자 정부(Salamon)·대리정부(Kettl)

제3자 정부(대리정부)란 과거 국가에 의한 직접적인 공공서비스의 공급체계에서 민영화 및 민간위탁 등에 의한 계약 중심의 민간서비스 공급체제로의 변화를 의미함과 동시에, 정책결정에 있어 국가엘리트 중심에서 민간행위자를 포함한 포괄적 형태의 정책네트워크로의 변화를 의미한다.

#### (3) 공동화정부(hollow state)

공동화정부란 조정, 기획 등의 정책기능은 정부가 보유하나 집행기능은 제3자(기업, NGO, 공공기관 등)에게 위임 또는 위탁하여 수행하는 정부를 말한다. 즉, 정부의 많은 업무들이 민간으로 이전되고 정부와 민간이 네트워크를 통해 업무를 수행하게 됨으로써 정부의 역할과 조직이 최소화되는 정부를 말한다.

#### (4) 사이버 거버넌스

사이버 거버넌스란 정보기술을 이용하여 시민들의 참여를 통한 직접민주주의를 달성하려는 거버넌스 체제를 말한다. 사이버 거버넌스는 가상공간에서 형성되며, 민주적 전자정부와 관련된다.

## 04 공공선택론적 접근

### 1. 의 의

#### (1) 개 념

① 뮬러(Muller)에 의하면 공공선택론은 비시장적 의사결정(정치·행정적 의사결정, 공공재 공급에 대한 의사결정, 집단적 의사결정)에 대한 경제학적 연구를 총칭한다(정치경제학적 접근).

② 이 이론은 제약된 조건하에서 최적화를 찾는 경제학의 연구방법을 사회과학의 분야(국가이론, 투표 규칙, 투표자의 행태, 정당정치, 관료행태, 이익집단의 연구 등)에 적용한 것으로 신제도주의의 한 흐름(합리선택적 제도주의)을 구성하고 있다.

#### (2) 배 경

공공선택론은 철학적으로는 홉스, 스피노자, 루소 등이 제시한 사회계약론과 사상적 배경을 같이하고, 정치학에서는 메디슨, 토크빌의 사상과 맥을 같이하며, 경제학에서는 뷰케넌과 털럭, 올슨 등의 사상과 관련된다. 공공선택론은 1960년대 버지니아 학파와 로체스터 학파 등에 의해 주도되었다.

---

**심화학습**

**경성정부와 연성정부**

| 구분 | 경성정부 | 연성정부 |
|---|---|---|
| 문제해결방법 | • 노젓기<br>• 관료제<br>• 문제제기형 분업시스템 | • 방향잡기<br>• 거버넌스<br>• 문제해결형 네트워크 |
| 행정의 모습 | • 분절적 행정<br>• 규칙중심의 관리<br>• 투입중심의 행정 | • 단절 없는 행정<br>• 임무중심의 관리<br>• 성과중심의 행정 |
| 환경과의 관계 | 폐쇄적 독점 행정(관료 중심) | 개방적 경쟁 행정(고객 중심) |
| 행정구조 | 기계적이고 계서적 | 유기적이고 반계서적 |
| 조직관리 | X이론적 관리 | Y이론적 관리 |
| 의사결정 | 집권적(명령과 통제) | 분권적(협력과 네트워크) |

**O·X 문제**

1. 공공선택론은 시장의 범주 밖에서 일어나는 결정행위를 경제학적으로 접근하고 연구하는 이론이다. ( )

2. 공공선택론은 정치학적 분석도구를 시장적 의사결정부분에 응용하여 현상을 설명·분석하고 처방을 모색하는 이론체계이다. ( )

**심화학습**

**공공선택론의 학파**

경제학의 관점에서 공공선택론을 창도한 Virginia 학파, 정치학적인 입장에서 접근한 Rochester 학파, 행정학적 입장에서 접근한 Bloomington 학파, 정치적 경기순환론을 제시한 Zurich 학파 등이 있다.

**O·X 정답** 1. ○ 2. ×

## 2. 연구방법과 기본가정

(1) 연구방법

① 방법론적 개체주의(환원주의적 시각, 미시적 연구) : 사회적 행위는 개인적 선택행위의 총합에 불과하며, 전체는 개인들로 환원된다고 보고 개인 중심의 연구에 중점을 둔다.

② 연역적 연구 : 경제학의 기본가정을 그대로 받아들이고 연역적 추론에 의한 연구를 지향한다.

(2) 기본가정

① 공공서비스의 성격 : 공공선택론은 정부(정치인, 관료 등)는 공공재의 생산자이고, 시민은 공공재의 소비자라고 본다. 그리고 시민의 편익을 극대화할 수 있는 서비스의 생산과 공급은 공공부문의 시장경제화를 통해 가능하다고 본다.

② 인간관 – 합리적 경제인관 : 공공선택론은 경제학적 가정에 기반하여 인간을 자기이익추구적인 합리적 경제인으로 본다. 즉, 공공재의 생산자들은 자기이익 극대화를 위해 생산하며[정치인 – 득표극대화(교환으로서의 정치), 관료 – 예산극대화(니스카넨의 예산극대화 모형)], 공공재의 소비자들도 자기이익 극대화를 위해 공공재를 최소의 비용으로 소비하고자 하는 무임승차자(free rider)로 행동한다고 본다.

③ 제도적 장치(유인설계장치)의 마련 : 공공선택론은 합리적 경제인의 행동을 유인하기 위한 제도적 장치(유인설계장치)의 마련을 중시한다. 제도적 장치는 각각의 행위자들에게 제약된 조건으로 작용하며, 각각의 행위자들은 제도적 장치의 제약조건하에 최적의 행위를 선택하는 과정에서 행동이 유인된다고 가정한다.

## 3. 주요 이론

공공선택론은 '비시장적 의사결정에 대한 경제학적 연구'를 총칭하므로 다양한 이론이 존재한다. 구체적으로 공공선택론을 행정학에 도입한 오스트럼의 민주행정 패러다임, 집단적 의사결정에 대한 연구, 정부실패를 야기하는 관료행태에 대한 연구, 사회적 효율성을 저해하는 이익집단의 행태에 대한 연구, 거시적 경기변동 실패에 대한 연구 등이 있다.

(1) 오스트럼(Ostrom)의 민주행정 패러다임

① 의의 : 오스트럼은 「미국 행정학의 지적 위기」(1973)에서 윌슨 – 베버 패러다임(정치행정이원론에 기반한 정부관료제)을 비판하고 민주행정 패러다임을 주장하였다.

② 윌슨 – 베버 패러다임 비판 : 오스트럼에 의하면 관료제는 공공서비스를 독점적으로 공급하기 때문에 소비자의 요구에 민감하게 대응하지 못하고 정부실패를 야기한다. 뿐만 아니라 관료제는 권력이 집중되어 권력 상호 간에 제약과 통제가 없기 때문에 관료들이 이기적인 목적으로 권력을 남용하게 된다.

③ 민주행정 패러다임의 대안 : 오스트럼은 경쟁체제를 확립하여 공공서비스를 공급하면 시민 개개인의 선호와 선택이 존중되어 행정의 대응성을 높일 수 있다고 보았다. 또한 이기적인 관료들의 권력독점을 막기 위해서 공공서비스의 공급은 민간위탁(contracting-out), 민영화 등과 같은 시장원리를 적용하여 다양한 의사결정자에 의해야 한다고 주장하였다.

④ 윌슨 – 베버 패러다임과 민주행정 패러다임의 비교

| 윌슨 – 베버 패러다임(관료제) | 민주행정 패러다임(공공선택론) |
|---|---|
| 초점 : 관료제 | 초점 : 서비스 전달체제 |
| 단일의 권력중추에 의한 완벽한 부패통제 가능 | 정부관료 또한 일반국민과 마찬가지로 부패 가능 |
| 권력의 집중 | 권력의 분산 |
| 국민의 대표에게 통치권한 부여(대의민주주의) | 다양한 정부기관과 일반국민들에게도 권한 부여 |
| 정치행정이원론 | 정치행정일원론 |
| 행정조직의 강한 구조적 유사성 | 행정조직의 다양한 조직구조 활용 강조 |
| 전문지식을 갖춘 관료들로 구성된 관료제의 완성이 효율성 극대화 | 관료제를 타파하고 관할권의 중첩 및 다원조직제의 형성이 행정의 효율성과 대응성 증진 |

⑤ 민주행정 패러다임의 구체적 내용

㉠ 관료제의 타파와 다원조직제 : 단일공급체계인 관료제를 타파하고 공공서비스의 공급에 적합하도록 설계된 다양한 공공조직을 구성해야 한다.

㉡ 관할권의 중첩 및 권한의 분산 : 특정 관할권 내에 잠재적 거부권을 지닌 다수의 공급체제(다중공공관료제)를 개발하고, 권한을 분산하여 공공서비스를 경쟁적으로 공급하도록 해야 한다.

㉢ 권한위임(분권화) 및 비계서적 조정 : 관료제의 중앙집권성과 계층성을 타파하고 일선기관에게 권한을 위임하는 한편, 하향적·강제적 권력에 의한 계서적 조정이 아닌 교환·거래·재결이나 사법적 판결에 의한 비계서적 조정이 이루어져야 한다.

㉣ 시장으로의 권한 이전 : 민영화·민간위탁 등을 통해 공공서비스의 생산권한을 시장으로 이전해야 한다.

㉤ 정부영역의 준시장화 : 시장의 작동원리인 경쟁을 정부조직 내에 도입(내부시장화)하여 행정의 비효율성을 개선해야 한다.

㉥ 선호표출 메커니즘의 활용 : 수익자부담세·수수료·바우처 제도 등 시민의 선호를 표출하게 할 수 있는 각종 제도적 장치를 도입해야 한다.

㉦ 고객지향적 행정의 추구 : 고객은 공공조직의 정당성과 존립의 근거이므로 고객만족 기법을 활용하여 고객지향적 행정을 추구해야 한다.

㉧ 기능 중심의 지방자치 : 지역 중심의 지방자치가 아닌 각각의 기능(경찰, 수도, 교육 등)별로 관할구역을 설정하는 기능 중심의 지방자치가 행해져야 한다.

㉨ 시민공동체 구성 촉진 및 소비자보호운동 중시 : 공공서비스의 생산과 소비를 위해 자치적으로 활동하는 자조적 방식의 시민공동체를 형성해야 하며, 소비자보호운동을 촉진하여 공공서비스의 품질을 개선해 나가야 한다.

PART · 01

**O · X 문제**

1. 공공선택론은 관료도 부패할 수 있으므로 강력한 계층제적 통제를 통한 부패방지가 필요하다고 주장한다. ( )

2. 공공선택론은 관료로서의 개인은 공공문제에 대한 선택을 하므로 일반국민과는 다른 행태를 보인다고 가정한다. ( )

3. 공공선택이론은 권한이 분산된 여러 작은 조직들에 의해 공공서비스가 공급되는 것보다 단일의 대규모 조직에 의해 독점적으로 공급되는 것을 선호한다. ( )

4. 공공선택론은 행정은 가치중립적인 것이고 효율적인 집행을 담당하기 때문에 정치의 영역 밖에 있으며, 행정기능에 관한 한 모든 정부는 구조적으로 유사성을 지닌다고 본다. ( )

5. 공공선택론은 시민 개개인의 선호와 선택을 존중하며 경쟁을 통해 서비스를 생산하고 공급함으로써 행정의 대응성이 높아진다고 본다. ( )

6. 공공선택론은 공공재 공급의 능률성 향상을 위해 정부실패의 원인이 되는 관료제의 중첩적 관할권 문제를 해결할 것을 제안하였다. ( )

7. 공공선택론은 공공서비스의 효율적 공급을 위해서 분권화된 조직 장치가 필요하다는 입장이다. ( )

8. 공공선택론은 전통적인 정부실패의 한계에서 출발하였으며 관할구역의 분리와 분권화를 주장한다. ( )

9. 공공선택론은 시민들의 다양한 요구와 선호에 민감하게 부응할 수 있는 제도적 장치 마련을 강조한다. ( )

O · X 정답 1. × 2. × 3. × 4. ×
5. ○ 6. × 7. ○ 8. ×
9. ○

(2) 집단적 의사결정에 대한 연구

① 애로우(Arrow)의 불가능성정리(Impossibility theorem)

　㉠ 의의 : 애로우는 사회적 선택의 조건(가능성 정리의 공준)으로 ⓐ 파레토원리, ⓑ 완전성, ⓒ 이행성의 원리, ⓓ 독립성원리, ⓔ 비독재성원리를 제시하고, ⓐⓑⓒⓓ의 공리를 모두 충족시키는 사회적 선호체계는 반드시 공리 ⓔ를 위배하게 된다는 것을 입증하였다.

　㉡ 함의 : 애로우의 불가능성정리는 "어떠한 사회적 의사결정도 민주적(비독재성원리)인 동시에 효율적(파레토원리)이기 불가능하다."는 것을 입증하였다. 즉, 이 이론은 민주적인 정부라도 국민의 집단적인 선호를 정확하게 반영하지 못하고 때로는 국가 스스로의 의사 또는 어떤 특수한 이익집단의 영향력에 따라 정부의 권한이 행사되어 정부실패를 야기함을 설명한다.

② 다운스(Downs)의 중위투표자정리

　㉠ 의의 : 호텔링(Hotelling) 정리를 다운스가 정당 간의 관계에 적용한 이론이다.

　㉡ 전제 : 양당체제에 입각한 단봉선호를 전제로 한다. 다봉선호가 나타날 수 있는 다당체제에서는 중위투표자정리가 성립되지 않는다.

　㉢ 함의 : 양당체제에서 두 정당은 집권에 필요한 과반수의 득표를 얻기 위해 편향된 이념이나 정책을 추구하지 않고 오로지 중위자의 선호에 맞는 정책과 이념만을 추구함으로써 정부가 다양한 시민들의 선호와 의사를 반영하는 데 실패함을 설명한다.

　㉣ 한계 : 투표자의 선호의 강도나 선택에 소요되는 비용 등은 고려하지 않고 있다.

③ 투표의 교환(log-rolling : 투표의 거래)

　㉠ 의의 : 담합에 의하여 자신의 선호와는 무관한 대안에 투표하는 행동을 보이는 집단적 의사결정행태를 말한다.

　㉡ 논의의 전개 : 세 가지 대안 중 갑은 A안을, 을은 B안을, 병은 C안을 각각 지지한다고 가정하면 과반수 규칙에 의한 투표로는 어떠한 대안도 채택되지 못한다. 이 경우 갑과 을이 상호지지를 약속하고 담합을 행함으로써 A안과 B안이 모두 통과되는 의사결정행태가 나타나는데 이를 '투표의 교환'이라 한다.

　㉢ 평가 : 투표의 교환은 '투표의 역설(순환)현상'을 극복해 주는 장치로서 현실적인 정치세계에서 어떤 대안이 채택되도록 하는 정치기술로서의 의미를 지닌다. 그러나 투표의 교환은 개인의 선호를 변질시켜 의사결정을 왜곡함으로써 정부실패를 야기한다.

④ 뷰케넌과 털럭(Buchanan & Tullock)의 의사결정모형

　㉠ 의의 : 의사결정과정에서 참여자 수가 많을수록 결정비용은 높아지나 집행비용은 낮아지므로 결정비용과 집행비용을 더하여 최소의 비용이 이루어지는 지점에서 참여자 수를 결정해야 한다는 이론이다.

　㉡ 함의 : 의사결정과정에서 참여자가 너무 많거나(투표나 선거 등), 너무 적을 때(관료제) 정부실패가 발생하므로 적정수 참여가 중요함을 강조한다(즉, 투표나 선거 등 정치적 표결이 공공선택을 위한 하나의 방안이 될 수 있지만 최선의 방안은 될 수 없음을 주장한다).

⑤ 티부가설(Tiebout Hypothesis) : 공공재 공급영역에 관한 이론

⑥ 오츠(Oates)의 분권화 정리

### (3) 정부실패를 야기하는 관료의 행태 분석

① 니스카넨(Niskanen)의 예산극대화모형

㉠ 가정 : 관료는 공공서비스의 독점적 생산자(예산집행자)이며, 정치인은 비용을 지불하는 공공서비스의 독점적 소비자(예산결정자)로 관료와 정치인은 쌍방독점관계에 있으며, 쌍방독점관계에서 관료가 정보의 우위성으로 인해 더 높은 협상력을 지닌다고 가정한다.

㉡ 정치인의 행태 : 정치인은 공공서비스의 독점적 수요자로 '사회후생극대화'를 목적함수로 하며, 총편익과 총비용의 차이인 순편익이 최대가 되는 수준(한계편익과 한계비용이 일치하는 수준 : 최적생산점)에서 소비하려 한다.

㉢ 관료의 행태 : 관료는 공공서비스의 독점적 공급자로 '자기이익극대화'를 목적함수로 하며, 총편익과 총비용이 일치하는 수준에서 생산하려 하기 때문에 최적생산보다 2배의 과잉생산이 야기될 수 있다.

㉣ 함의 : 관료들은 사익추구자이며 자신의 효용(승진, 권력, 명성 등)을 극대화하기 위해 예산확대를 추구하는 과정에서 공공서비스의 과다생산을 야기함으로써 정부실패를 초래한다.

② 던리비(Dunleavy)의 관청형성모형

㉠ 의의 : 니스카넨의 예산극대화모형이 관료의 효용에 부서 간 차이점과 업무의 편의성을 고려하지 못했다고 비판하고, 합리적인 고위관료들은 금전적 편익보다는 수행하는 업무의 성격과 업무환경에서 오는 효용을 증진시키는 데 더 큰 관심을 갖는다고 보는 이론이다.

㉡ 관청형성모형에서 예산극대화 동기에 대한 반론

ⓐ 예산유형에 따른 변이 : 중하위직 관료는 핵심예산(기관 자체의 운영비)의 증대로부터 이득을 얻고, 고위직 관료는 관청예산(해당 기관이 민간부문에 지출하는 예산)의 증대로부터 이득을 얻는다. 그러나 사업예산(해당 기관이 다른 공공기관에게 이전하는 예산)의 증대로는 어떤 관료의 이익도 증진되지 않기 때문에 관료들이 모든 예산에 대하여 예산극대화를 추구하는 것은 아니다.

ⓑ 기관유형에 따른 변이 : 핵심예산이 큰 비중을 차지하는 규제·거래·조세·봉사기관과는 달리 사업예산이 큰 비중을 차지하는 통제기관은 예산이 확대되어도 관료들의 이익이 증진되지 않기 때문에 예산극대화를 추구하지 않는다.

ⓒ 시간의 전개에 따른 변이 : 지나치게 팽창된 조직은 그 기능의 일부를 타 부서에게 넘겨줄 위험성이 있기 때문에 부서의 팽창을 가져올 사업예산의 증대를 추구하지 않는다.

㉢ 관료들의 업무에 대한 이기적 행태

ⓐ 참모기능 선호 : 합리적인 고위관료들은 반복적이고 일상적이며 자율성이 낮고 시민의 눈에 잘 노출되는 계선기능보다는, 창의성을 요하고 자율성이 높으며 시민의 눈에 잘 띄지 않고 소규모 엘리트 중심적이어서 정치권력의 중심에 접근해 있는 참모기능을 수행하는 것을 더 선호한다.

ⓑ 분봉전략 : 골치 아픈 업무나 단순 업무, 책임과 통제가 수반되는 업무 등 고위관료의 선호에 맞지 않는 기능은 민영화나 위탁계약을 통해 기업, 지방정부나 준정부기관, 책임운영기관 등으로 떠넘긴다[분봉(hiving-off)].

ⓔ 함의 : 관료들의 사익추구성으로 인하여 준정부조직, 책임운영기관, 민영화, 민간위탁 등 다양한 형태로 정부조직의 팽창(그림자 정부)이 야기되어 정부실패가 초래된다.

③ 정부영역에서의 공유지 비극

　　ⓐ 의의 : 개인의 합리적 선택이 집단의 합리적 선택을 보장하지 못할 뿐만 아니라 사회적 파멸을 초래한다는 공유지의 비극은 시장실패의 이론적 근거이다. 다만, 정부 예산이나 인력, 승진자리 역시 공유지의 성격인 비배제성과 경합성을 지니고 있어 시장과 유사한 공유지의 비극 현상을 빚는다.

　　ⓑ 정부영역에의 적용 : 각 부처는 구성원들의 사익 추구성에 의해 비배제성과 경합성을 지닌 예산과 인력의 과다사용이 야기되어 공유지의 비극 현상이 나타난다. 이 경우 정부는 국민의 수요와 무관하게 인력과 예산을 과잉공급하게 되어 정부실패를 초래한다. 니스카넨(Niskanen)의 예산극대화모형, 파킨슨(Parkinson) 법칙, 피터(Peter)의 법칙은 모두 이와 같은 공유지의 비극현상으로 설명이 가능하다.

⑷ 사회적 효율성을 저해하는 이익집단의 행태 분석

① 올슨(Olson)의 집단행동의 딜레마

　　ⓐ 의의 : 많은 사람으로 구성되는 집단 혹은 잠재적 집단이 공통의 이해관계가 걸려 있는 문제를 스스로의 노력으로 해결하지 못하는 현상을 말한다.

　　ⓑ 원인 : 집단 내의 구성원들이 이기적이라면 집단행동으로부터 발생하는 비용은 지불하지 않고 집단행동으로부터 얻어지는 편익만을 누리고자 하는 무임승차(free ride) 현상이 야기된다. 이 경우 집단행동이 발생해야 함에도 불구하고 발생하지 않는 집단행동의 딜레마 현상이 나타난다.

② 털럭(Tullock)의 지대추구이론

　　ⓐ 의의 : 지대란 특권이나 특혜로 인한 이득(불로소득)을, 지대추구란 정부개입에 의해 발생하는 특권이나 특혜를 획득하기 위해 자원을 낭비하는 활동을 의미한다(독점권이나 보조금을 획득하기 위한 로비활동).

　　ⓑ 사회적 의미 : 지대추구는 특정 개인 및 기업이 자신들의 경제적 이득을 증대시킬 목적으로 로비 등을 통해 정치인·관료와 결탁하여 각종 정부규제 및 해제, 법률제정 등을 추진해 나감으로써 그 사회의 다른 집단으로부터 자신들에게로 부나 가치의 이전을 꾀하는 사회적으로 생산적이지 못한 사회적 낭비활동이다. 지대추구행위는 정부의 시장개입이 클수록 증가하게 되며 그에 따른 사회적 손실도 증가하게 된다.

⑸ 경기변동 실패 – 노드하우스(Nordhaus)의 정치적 경기순환이론

정치가들은 자신들의 집권을 위해 경제상황과 무관하게 선거 전에는 과다한 확대재정정책을, 선거가 끝난 후에는 이를 만회하기 위해 과다한 긴축재정정책을 운용함으로써 지나친 경기변동을 야기하여 정부실패를 초래한다.

⑹ 주인 – 대리인이론

① 의의 : 한 사람(주인)이 다른 사람(대리인)으로 하여금 자신의 이익과 관련된 행위를 그의 재량으로 하여 줄 것을 내용으로 하는 계약이 있을 때 이들 간의 관계를 분석하는 이론이다(예 주주 – 경영자 간 관계, 국민 – 국회의원 간 관계, 국회의원 – 관료 간 관계 등).

---

O·X 문제

1. 지대추구이론에 의하면 정부의 허가나 정책에 의해 만들어진 배타적 이익은 지대에 해당한다. (　)

2. 지대추구이론은 규제나 개발계획과 같은 정부의 시장개입이 클수록 지대추구행태가 증가하고 그에 따른 사회적 손실도 증가한다고 주장한다. (　)

심화학습

지대추구행위 극복방안
민영화, 규제완화, 경쟁입찰, 지대획득에 들어가는 비용 증대(단독결정이 아닌 위원회제의 활용) 등

O·X 정답 1. ○ 2. ○

② 기본가정

　㉠ 인간 – 합리적 경제인 : 경제학적 가정에 기반하여 주인과 대리인을 모두 자신의 효용을 극대화하는 합리적 경제인(이기적 존재)으로 인식한다.

　㉡ 정보 – 비대칭적 정보(불완전한 정보) : 주인은 대리인의 업무행태나 특성에 대해 잘 알지 못하지만, 대리인은 잘 알고 있는 비대칭적 정보 상황(어느 한 쪽의 정보가 다른 한 쪽의 정보보다 우월한 상황)을 전제로 하며, 이로 인해 주인은 대리인의 재량에 의존할 수밖에 없다.

　㉢ 주인과 대리인 간의 관계 – 이해상충 : 주인과 대리인은 모두 자기이익 추구적이므로 서로 이해관계가 상충하며, 이로 인해 대리인의 기회주의적 행태가 발생한다.

③ 대리손실

　㉠ 역선택(adverse selection) : 주인이 대리인을 선택함에 있어 정보부족으로 선택대상자들의 감추어진 특성(능력 등)을 정확하게 파악하지 못하고 잘못된 선택이 야기되는 상황(계약 이전에 발생)

　㉡ 도덕적 해이(moral hazard) : 대리인이 주인을 위해서 일할 것을 계약했음에도 불구하고 주인의 정보부족을 틈타 감추어진 기회주의적 행태를 통해 대리인 스스로의 이익을 추구하는 현상(계약 이후에 발생)

④ 주인 – 대리인이론을 통한 현대 행정의 고찰

　㉠ 국민–국회–행정부와의 관계 : 대의민주주의에서 국민과 국회와의 관계는 국민이 주인이고 국회가 대리인이며, 국회와 행정부의 관계는 국회가 주인이고 행정부가 대리인이다. 더 나아가 국민과 행정부의 관계는 이중의 계약이 체결된 복대리의 구조를 띠고 있다.

　㉡ 역선택의 발생 : 국민이 대표를 선출하는 선거과정에서 정보부족으로 바람직하지 못한 자를 선택하는 경우, 정부가 공무원을 선출하는 과정에서 정보부족으로 바람직하지 못한 자를 선택하는 경우 등에서 역선택이 발생한다.

　㉢ 도덕적 해이의 발생 : 행정현실에서 국민은 정보부족으로 대리인의 활동을 감시할 수 없기 때문에 대리인인 국회 구성원 또는 관료가 국민의 이익을 위해 일하기보다는 자신의 이익을 추구하는 기회주의적 행태를 보이게 된다.

⑤ 대리손실 최소화 방안

　㉠ 정보 불균형 해소 : 정보공개법 및 행정절차법의 내실화, 내부고발자 보호제도, 행정 및 재정정보 공표제도, 정책실명제, 전자정부의 구현 등을 통해 정보 불균형을 해소해야 한다.

　㉡ 효과적인 외부통제장치의 마련 : 주민소환제, 주민소송제, 주민감사청구제, 국민감사청구제, 불법지출에 대한 국민(주민)감시제 등 실질적인 주인인 국민이 대리인을 효과적으로 감시·통제할 수 있는 장치를 마련해야 한다.

　㉢ 유인설계장치의 마련 : 주인의 이익과 대리인의 이익을 일치시켜주는 제도를 마련하여 이기적인 대리인이 주인을 위해서 일하도록 유인해야 한다. 구체적으로 성과급제, 신성과주의 예산, 직무성과계약제 등을 통해 대리인이 주인을 위해서 일했는지를 평가하고, 평가결과에 따라 대리인에게 보상과 제재를 가하여야 한다(성과관리).

⑥ 한 계

　　㉠ 비경제적 요인 불고려 : 대리인이론은 경제학적 가정에 기반한 모형으로 비경제적 요인에 대한 고려가 없다는 비판을 받는다.

　　㉡ 청지기이론에 의한 비판 : 대리인이론은 대리인을 자기이익 추구적인 불신의 대상자로 인식하나, 청지기이론은 대리인을 이타주의적이고 신뢰할 수 있는 존재로 인식하면서 주인 - 대리인이론이 전제하고 있는 이기적 인간모형에 대한 다른 시각을 제시하고 있다.

### 4. 주요 내용

(1) 특 징

① **정부실패의 원인과 대책 마련** : 정치인과 관료를 사익추구자로 가정함으로써 정부가 왜 비민주적이고 비효율적인가를 분석하는 이론적 틀을 제공할 뿐만 아니라 이에 대한 대응방안을 제시해준다.

② **합리적 의사결정구조 연구** : 의사결정에 소요되는 사회총비용을 극소화하면서도 시민의 선호를 효율적으로 반영할 수 있는 의사결정구조와 방법(다원조직제)을 연구한다.

③ **민주적인 집단적 의사결정 연구** : 시민참여, 정보제공, 설득과 합의, 정치적 타협 등 민주적 방식에 의한 집단적 의사결정을 경제학적 관점에서 연구한다.

④ **공공부문의 시장경제화** : 공공부문의 시장경제화를 통하여 생산 측면은 비용을 극소화하고, 소비 측면은 편익을 극대화하고자 한다.

⑤ **시민의 선호와 대응성 중시** : 다원조직제를 통해 관할권이 중첩된 여러 조직들이 시민의 선호반영 및 고객만족을 위해 경쟁토록 함으로써 행정의 대응성을 향상시키고자 한다.

⑥ **정책의 파급효과를 고려한 적정 공급영역 설정** : 하나의 정책이 사회에 미치는 파급효과를 고려하여 적정 공급영역을 설정하고자 한다. 특히, 이를 위해서 선호가 동질적인 집단별로 공급영역을 설정해야 함을 강조한다.

(2) 한 계

① **경제학적 가정의 편협성** : 인간을 합리적 경제인으로 인식함으로써 인간행위에 대한 사회적 상호작용 및 심리적 요인을 충분히 고려하지 못하고 있다.

② **시장실패의 가능성** : 시장원리의 지나친 신봉으로 인해 사회적 불평등 시정기제로서의 정부역할을 간과하여 시장실패의 가능성을 지니고 있다.

③ **개인의 기득권 유지를 위한 보수적 접근** : 현상유지와 균형이론을 전제로 하는 공공선택론의 시장논리는 역사적으로 누적·형성된 개인의 기득권을 유지하기 위한 보수적 접근에 불과하다.

④ **조정비용 증가가능성** : 공공선택론이 강조하는 관할권의 중첩과 다원조직제는 현실적합성이 낮을 뿐만 아니라 정부 내 부서 간의 조정과 관리를 어렵게 할 위험성이 있다.

## 05 신제도주의적 접근

### 1. 의 의

(1) 개 념

신제도주의적 접근은 정치·행정·경제·문화 등 사회현상을 연구하는 데 있어서 '제도'를 중심개념으로 사용하는 접근방법을 의미한다. 여기에서 '제도(institution)'란 개인의 행태를 제약하기 위해 고안된 일단의 체제·구조·조직, 규칙·절차, 도덕적·행태적 규범, 균형점, 관계 등을 말한다.

(2) 대두배경 – 역사적 전개과정(B. Guy Peters)

① 법적·제도적 접근(구제도론적 접근)

ㄱ 의의 : 행정학 초기 접근방법인 법적·제도적 접근은 '공식적인 제도가 행태를 결정한다.'는 관점에서 법률과 이에 근거한 제도를 행정학의 설명변수로 보고 제도 중심의 연구를 지향하였다.

ㄴ 특징 : 이 접근방법은 개인의 행태를 바람직한 방향으로 조직할 수 있는 공식적이고 규범적인 제도의 본성을 중시하며, 공식적인 법률 체계 및 헌법과 법령에 근거한 제도(기관이나 직제)를 자세히 기술(記述)하는 데 관심을 가졌다.

ㄷ 한 계

ⓐ 공식적인 법률과 제도 이면에 있는 행정의 동태적 현상(인간관계·권력관계·인간의 심리적 현상)을 고려하지 못한다.

ⓑ 제도의 이상과 실제의 괴리가 나타나는 현상을 설명하지 못한다.

ⓒ 공식적인 법률 체계에 근거한 제도를 자세히 기술(記述)하는 정태적 연구로 제도의 동태적 현상을 설명하지 못한다.

② 행태론적 접근 등 미시적 연구방법

ㄱ 전개 : 법률·제도적 접근의 한계에 대한 불만으로 개인적 선택과 행동을 미시적으로 분석하는 일련의 접근방법(공리주의, 다원주의, 행태주의 등)이 확산되었는데, 그 중심에 개인의 행태를 연구하는 행태론적 접근이 있었다.

ㄴ 한 계

ⓐ 행태론적 접근은 정치·행정·경제 등의 결과를 개인들의 자율적 선택에 의한 집합물로 보기 때문에 개인의 행동을 제약하는 제도의 중요성을 간과하였다.

ⓑ 행태론적 접근은 보편타당한 일반법칙성만을 강조하여 시대별 정책(제도)적 차이나 각 국가 간 제도적 차이를 간과하였다.

③ 신제도론적 접근 : 행태론적 접근의 한계에 대한 불만이 다시 제도에 대한 관심을 불러일으켰고 1970년대에 신제도주의를 출범시킨 동인이 되었다. 신제도론적 접근은 행태론적 접근과 달리 사회의 제 현상을 설명하는 데 있어 제도를 사람과 동등한 위치의 독립변수 또는 행위자의 행태에 영향을 미치는 상위의 독립변수로 고려하였다.

---

**심화학습**

신제도론에서의 제도

| | |
|---|---|
| 규칙 | 개인들 상호 간의 구체적 관계에 질서를 부여하기 위한 사회적 제약 |
| 규범 | 어떤 행동이 적절하고 부적절한가에 대한 공동체 구성원의 공유된 인식 |
| 균형점 | 합리적인 인간들의 상호작용과정에서 더 이상 변화가 없는 상태(안정적 질서 등) |
| 기타 | 구체적인 조직, 특정 사회에서 설정된 인간관계(가족제도 등) |

---

**O·X 문제**

1. 1970년 이후 부활한 신제도주의에서는 제도를 개별 행위자들의 행태를 지배하고 그에 제약을 가하는 규칙의 집합이라고 본다. ( )

2. 법적·제도적 접근방법은 개인이나 집단의 속성과 행태를 행정 현상의 설명변수로 규정한다. ( )

3. 법적·제도적 접근방법은 연구가 지나치게 기술적(descriptive) 수준에 머물고 정태적이라는 비판에 부딪혔다. ( )

4. 신제도주의 접근방법에서는 제도를 공식적인 구조나 조직 등에 한정하지 않고, 비공식적인 규범 등도 포함한다. ( )

5. 신제도주의는 기존의 행태주의가 시대별 정책적 차이나 다양성을 설명하지 못하는 한계를 가지고 있다는 점에 주목한다. ( )

O·X 정답 **1.** ○ **2.** × **3.** ○ **4.** ○
**5.** ○

### (3) 접근방법 간의 비교

#### ① 구제도론적 접근과 비교

| 구 분 | 구제도론적 접근방법 | 신제도론적 접근방법 |
|---|---|---|
| 대두시기 | 행정학 성립 당시 | 1970년대 |
| 제도의 개념 | 공식적인 법적 구조, 제도, 조직, 규칙과 절차, 법령 등 | 인간의 행위를 제약하는 공식적·비공식적 규범(관행, 문화, 관계 등) |
| 제도의 성격 | 제도는 독립변수 | 제도는 독립변수이자 종속변수 |
| 제도의 형성 | 외생적 요인에 의해 형성 | 제도와 행위자 간의 상호작용으로 형성 |
| 환경인식 | 사회적 상황(환경) 불고려 | 사회적 상황 고려 |
| 제도 연구 | 정태적 연구 : 제도의 변화과정 불고려 | 동태적 연구 : 제도의 변화과정 중시 |
| 연구방식 | 공식적 제도에 대한 단순한 기술(記述) | 제도를 통해 개인의 행위 및 사회현상 설명 |
| 연구의 방향 | 바람직한 정부형태, 정부구조 등에 대한 규범적·도덕적 원칙 제시 | 분석적 틀에 의한 현상의 설명 및 이론의 발전 |
| 거시와 미시 | 거시주의 : 제도 자체만을 연구할 뿐 인간 행위에 대한 설명 없음. | 거시주의와 미시주의의 절충 : 제도(거시)를 통해 인간의 행위(미시) 설명 |

#### ② 행태론적 접근과 비교

| 구 분 | 행태론적 접근방법 | 신제도론적 접근방법 |
|---|---|---|
| 제도의 개념 | 제도는 개인행태의 단순한 집합 | 제도는 개인행태의 단순한 합 이상 |
| 제도와 행태 | 제도의 독립변수성 부인 : 제도는 인간의 행태에 영향을 주지 못함. | 제도의 독립변수성 인정 : 집합적 선호 등의 제도가 개인의 선택에 영향을 미침. |
| 연구방법 | 정태적 연구 | 동태적 연구 |
| 시 각 | • 미시주의(개체주의)<br>• 일반법칙적 연구 | • 거시주의와 미시주의의 절충<br>• 중범위이론 |
| 공통점 | 제한된 합리성 인정, 공식적 제도에 대한 반발 | |

## 2. 신제도론적 접근의 유파 - 홀(P. Hall)의 분류

신제도주의적 접근은 단일한 성향을 지닌 하나의 통일된 이론체계가 아니며, 그 안에는 개별적 특성이 다른 다양한 이론들로 구성되어 있다. 즉, 역사적 신제도주의(정치학적 시각), 사회학적 신제도주의(조직학적 시각), 합리선택적 신제도주의(경제학적 시각) 등 신제도주의 유파들은 강조점이 매우 상이하며, 동일 유파 내에서도 학자별로 다양한 관점을 가지고 있다.

### (1) 역사적 신제도주의(Historical Institutionalism) - 정치학

① 의의 : 제도가 형성되는 역사적 과정 및 제도의 지속성을 중시하고, 이를 통해 국가 간 제도(정책)의 상이성과 한 국가 내 정책패턴의 지속성을 설명하는 접근방법이다.

② 대두배경 : 제도를 개인행위들의 단순한 집합체로 인식하는 미시적 접근(행태론, 다원론)과 제도(정책)를 사회체제로부터 정치체제로의 투입에 대한 반응으로 보는 구조기능주의(체제론)에 대한 반작용으로 등장하였다.

③ 제도의 의의: 정치·경제체제의 구조에 내포된 공식적·비공식적 절차, 관례, 규범과 관습 등 개인과 집단의 행위에 대한 외적 제약요인으로 작용하는 거의 모든 것을 제도로 인식한다.

④ 제도의 형성

    ㉠ 비합리적 제도의 형성: 제도는 역사적 우연성(역사적 사건), 제도적 배열✛(기존 제도의 발달경로에 따른 제도적 맥락) 등의 우연한 결합에 의해 생성된다. 따라서 제도는 상황에 가장 적합하게 기능하도록 합리적으로 설계된 것이 아니다.

    ㉡ 형성된 제도의 특수성: 새로운 제도의 형성은 각 국가마다 역사적으로 다르게 형성된 제도적 배열에 의해 영향을 받기 때문에 동일한 제도라도 각 국가별 상황에 따라 제도의 형태나 결과가 다르게 나타난다.

⑤ 제도의 지속성과 변화

    ㉠ 제도의 경로의존성(path dependence)✛ 및 지속성: 일단 형성된 제도는 사회적 환경 변화에도 불구하고 제도의 경로의존성 때문에 자기강화성에 입각한 지속성을 지닌다. 이로 인해 기존 제도는 현재의 제도선택을 제약하는 요소로 작용하는 한편, 현재의 제도 도입은 미래의 제도 선택에 제약요건으로 작용한다. 이는 문제해결에 더 효율적인 새로운 제도가 존재하더라도 기존 제도가 쉽게 변하지 않는다는 것을 의미한다.

    ㉡ 결절된 균형(punctuated equilibrium)에 의한 제도의 변화: 제도의 변화는 계속적·점증적으로 이루어지는 것이 아니라 사회경제적 위기나 군사적 갈등과 같은 위급한 상황(역사적 전환점, 중요한 분기점: critical junctures)에서 간헐적·단절적으로 급격하게 일어난다. 그리고 변화된 제도는 또 다른 위기상황이 도래하기 전까지 그 구조와 형태를 지속해 나간다.

⑥ 주요 내용

    ㉠ 제도에 대한 시각 – 공식적 제도 중시: 역사적 산물로서 제도가 인간의 행위를 제약하지만 동시에 제도 자체가 인간 행위의 전략, 갈등, 선택의 산물이라고 보고 이를 통해 형성되는 공식적 제도에 초점을 둔다.

    ㉡ 인간에 대한 시각 – 내생적 선호: 제도는 행위자의 선호형성에 중대한 영향을 미친다. 즉, 각 개인의 선호는 주어진 것이 아니라 수직적·수평적 제도의 맥락 속에서 제도의 영향을 받아 내재적으로 형성된 것으로 본다.

    ㉢ 정부와 정책에 대한 시각

        ⓐ 정부(정치적 영역)의 상대적 자율성: 정부를 단순히 이익집단의 요구를 수동적으로 전환시키는 중립적 중재자가 아닌 집단들 간에 갈등의 결과에 영향을 줄 수 있는 제도들의 복합체로 인식한다. 즉, 역사적 제도주의에서 정부는 그 자체가 하나의 제도로서 자율적이고 독립적인 행위자이다.

        ⓑ 권력관계의 불균형: 사회에 형성된 권력관계에 따라 형성되는 제도의 모습이 달라지는 한편, 역사적으로 형성된 제도는 사회집단 사이에 권력을 불균등하게 배분한다. 즉, 제도가 의사결정과정에서 특정집단에 대해 특권적 접근을 허용함으로써 국가 정책으로 인한 수혜집단과 피해집단이 존재하게 된다.

✛ 제도적 배열
정책결정구조(제도)에 영향을 미치는 기존 제도들의 위치와 수의 배열

✛ 제도의 경로의존성
기존 제도가 지속성으로 일정한 경로를 지니게 되어 새로운 투입(제도)이 발생할 경우에도 그 경로를 벗어나지 못하고 과거와 유사한 선택을 하게 되는 현상

**O·X 문제**

1. 역사적 제도주의는 경로의존성에 의한 정책선택의 제약을 인정한다. (  )

2. 역사적 제도주의에 의하면, 제도는 환경의 변화가 크지 않으면 안정적인 균형상태를 유지하다가 외부의 충격을 겪으면서 근본적 변화를 경험하고 새로운 경로에서 다시 균형상태를 이루는 단절적 균형의 특성을 보인다. (  )

3. 역사적 제도주의에서 제도는 개인의 전략을 바꾸고 개인의 선호와 판단에 영향을 미친다. (  )

O·X 정답 1. ○ 2. ○ 3. ○

ⓒ **제도적 배열과 제도적 맥락 중시** : 역사적 제도주의는 인과관계를 설명할 때 복잡 다양한 제도들의 결합인 제도적 배열 및 영향력을 중시한다. 또한 제도적 맥락을 중시하여 동일한 제도들의 결합이라 할지라도 이들 요인들이 결합되는 역사적 시점과 상황에 따라 결과가 전혀 다르게 나타날 수 있다고 본다.

⑦ **연구방법**

　ⓐ **분석수준 – 거시주의(전체주의)** : 현상을 개인들의 전략적 선택행위의 합으로 보지 않고 기존 제도의 제도적 배열이나 제도적 맥락 등을 통해 연구한다.

　ⓑ **분석대상 – 중범위이론** : 계급구조 같은 거시적 변수나 개인의 선호체계와 같은 미시적 변수가 아닌 이익집단, 정당체제 등 중범위적 제도 변수를 연구한다.

　ⓒ **역사적 접근 및 비교분석적 방법** : 다양한 요인들이 결합되는 역사적 우연성과 역사적 맥락을 중시하면서 국가 간 제도의 다양성과 특수성을 파악하는 비교분석적 방법을 활용한다(귀납적 접근, 역사적·종단면적 분석, 제도의 특수성 강조).

⑧ **유용성**

　ⓐ **국가 간 정책(제도)의 상이성 설명** : 종단면적 측면에서 각 국가의 역사적 특수성을 고려하여 제도를 분석함으로써 동일한 정책이라도 정책의 구성요소와 결과가 각 국가마다 다르게 나타나는 것을 설명할 수 있다.

　ⓑ **제도의 의도하지 않은 결과 설명** : 새롭게 형성된 제도가 기존 제도들의 제도적 배열과 충돌하여 의도하지 않은 결과를 야기하는 현상을 설명할 수 있다. 즉, 제도의 이상과 실제가 괴리되는 현상에 대한 설명이 용이하다.

　ⓒ **제도의 동태적 변화 설명** : 새롭게 형성된 제도가 기존 제도들의 경로의존성과 충돌할 때, 제도들 간의 정합성을 확보하기 위해 새롭게 형성된 제도의 내용이 변화되는 현상을 설명할 수 있다.

⑨ **한 계**

　ⓐ **보편성이 결여된 중범위이론** : 각 국가의 역사적 특성을 고려하기 때문에 일반화된 이론개발은 불가능하며, 사례분석과 비교분석 방법을 통한 중범위 분석만 가능하다.

　ⓑ **미시적 기초의 결여** : 개인이나 집단이 행동하는 구조적 조건을 해명하는 데는 크게 공헌하였지만, 개인행위를 설명할 수 있는 미시적 기초를 갖추지 못하였다.

　ⓒ **제도결정론으로 전락가능성** : 제도의 지속성을 강조할 뿐만 아니라, 제도의 변화를 간헐적인 외부적 충격에 의한 것으로 인식한다는 점에서 제도결정론으로 전락될 위험성이 있다.

　ⓓ **복잡 다양한 변수의 활용** : 제도적 배열이나 제도적 맥락을 고려할 때 지나치게 복잡하고 다양한 기존 제도들을 변수로 활용한다. 또한, 제도의 기원이 제도의 유지를 설명할 수 없고, 제도의 유지가 새로운 제도의 형성을 설명할 수 없기 때문에 제도의 기원과 제도의 유지를 설명하기 위해서는 각기 상이한 변수를 동원하여 설명해야 한다.

참고 │ **역사적 제도주의의 확장**: 시차적 접근모형

1. **의의**
   시차이론은 시간변수를 중요한 분석요소로 도입하고, 제도화를 시간이라는 동태성에 근거하여 설명하는 이론이다. 이 이론은 우리나라에서 정책집행이나 정부개혁과정이 성공을 거두지 못하는 이유를 파악하고자 하는 목적에서 제시되었다.

2. **구체적 내용**
   (1) **시차적 요소**: 시차이론이 강조하는 시차적 요소로는 시간 차이에 대한 가정, 인과관계의 시차적 성격, 숙성기간, 변화의 속도와 안정성, 선후관계·적시성·시간규범 등이 있으며, 시차이론은 기존 제도들의 작동순서에 따른 화학적 인과관계✛를 전제로 연구한다.
   (2) **제도의 도입 – 시차적 요소의 고려**: 제도의 개혁은 제도의 도입과정에서 발생하는 시차적 요소에 의해 결과가 달라진다. 따라서 제도의 도입 시기, 도입의 순서(제도의 선후관계), 원인변수의 수나 작동순서, 변화주체의 개입시기 등을 고려하여 제도를 도입해야 한다.
   (3) **제도의 평가 – 제도의 숙성기간 고려**: 제도를 어떤 시기에 평가하느냐에 따라 평가결과가 달라질 수 있다. 따라서 제도는 충분한 숙성기간이 지난 후에 평가해야 한다.

3. **함의**
   시차이론에 의하면 행정개혁(제도 도입)의 실패는 시차적 요소에 대한 고려가 배제되었기 때문이라고 본다. 이 이론은 행정개혁의 실천적 처방으로 개혁 추진 시 구성요소들 간의 내적 정합성 확보가 필요하며, 변화담당자의 지적·정치적 능력과 더불어 시차적 요소를 고려하는 시간적 리더십이 중요하다는 점을 제시하였다.

**✛ 시차이론에서 인과관계**

| 화학적 인과 관계 | 원인변수들의 작동순서가 결과변수에 크게 영향을 미치는 경우 |
|---|---|
| 물리적 인과 관계 | 원인변수들의 작동순서가 결과변수에 별다른 영향을 미치지 않는 경우 |

**O·X 문제**

1. 시차적 접근은 원인변수와 결과변수 간 인과관계가 원인변수들이 작용하는 순서에 따라 달라지는 않는다고 본다. ( )

2. 시차적 접근은 정책이나 제도의 효과는 어느 정도 숙성기간이 지난 후에 평가하는 것이 보다 합리적이라고 본다. ( )

3. 시차이론은 구성요소들 간의 내적 정합성 확보 측면은 고려하지 않으나, 충분한 성숙시간은 필요하다고 본다. ( )

(2) **사회학적 제도주의(Sociological Institutionalism) – 조직학**

① **의의**: 조직사회학, 조직환경론, 조직문화론 등과 관련하여 발전되어 온 제도주의로 사회문화적 환경과 조직과의 관계를 중시하는 조직이론을 토대로 '인지된 문화적 관행'으로서 제도를 중시하는 접근방법이다.

② **대두배경**: 조직을 합리적이고 효율적인 도구로 보았던 베버(Weber)의 관료제모형에 대한 이론적 의구심에서 출발하였으며, 구조적 상황론·조직군생태학 등의 수정 및 대안이론으로 주목을 받고 있다.

③ **제도의 의의**: 신제도론적 접근 중 제도의 개념을 가장 넓게 인식하며, 규칙·절차뿐만 아니라 상징체계, 전통·관습·문화 등 인간의 표준화된 행동을 낳는 것이면 모두 제도로 이해한다.

④ **제도의 생성**

   ㉠ **동형화(isomorphism) 현상**: 현대 조직에서 사용되는 많은 제도적 행태와 절차들은 경쟁의 결과물이거나 과업을 수행하는 데 효율적이기 때문이 아니라 동형화 현상에 따른 '문화적인 관행'으로 형성된 것이다.

**O·X 문제**

4. 사회학적 제도주의는 신제도주의에서 제도의 개념을 가장 좁게 해석한다. ( )

5. 사회학적 신제도주의는 경제적 효율성이 아니라 사회적 정당성 때문에 새로운 제도적 관행이 채택된다고 주장한다. ( )

O·X 정답 │ 1. × 2. ○ 3. × 4. × 5. ○

1. 조직의 제도적 동형화는 특정 조직이 환경에 있는 다른 조직을 닮는 것을 말한다. ( )

2. 정부의 규제정책에 따라 기업들이 오염방지장치를 도입하거나 장애인 고용을 확대하는 것은 강압적 동형화의 예이다. ( )

3. 조직들이 시장의 압력 속에서 생존하기 위해 경쟁력 있는 조직형태나 조직관리기법을 합리적으로 선택하는 것은 규범적 동형화의 예이다. ( )

4. 사회학적 제도주의에서 제도는 개인들 간의 선택적 균형에 기반한 제도적 동형화 과정의 결과물로 본다. ( )

5. 조직이론에서 강조하는 신제도론에서 규범으로 주장하는 것은 능률성이다. ( )

6. 사회학적 신제도론에 의하면 조직 내 제도의 변화는 효율성을 증진하기 위한 것이다. ( )

7. 사회적 신제도주의는 제도의 형성과 변화 과정에서 외생적 선호와 공식적인 과정을 중시하였다. ( )

8. 사회학적 제도주의는 제도의 변화에서 개인의 역할을 인정하지 않고, 개인이 자신의 의도에 따라 제도를 만들거나 변화시킬 수 없으며 제도에 종속될 뿐이라고 본다. ( )

9. 사회학적 제도주의에서는 개인이나 조직의 제도적 환경에 대한 적응력이 강조되고, 사회적으로 표준화된 규칙 또는 규범에 적절하게 순응하는 개인이나 조직은 사회로부터 정당성을 부여받는다. ( )

10. 사회학적 제도주의는 개인의 행위는 고립된 상태에서 선택되는 것이 아니라 사회관계에 의하여 영향을 받는다는 의미에서 '배태성'이라는 개념을 사용한다. ( )

11. 조직 배태성의 특징은 조직구성원들이 정당성보다 경제적 이익을 추구하는 행위를 하려는 것이다. ( )

12. 사회학적 제도주의는 적절성의 논리보다 결과성의 논리를 중시한다. ( )

---

**핵심정리 | 제도적 동형화**(instutinal isomorphism) — **디마지오와 포웰**(Dimaggio & Powell)

1. **의의**
   유사한 제도적 환경에서 활동하는 조직들 간에 운영방식과 구조가 유사해지고 동질화되는 현상
2. **유형**
   (1) **강압적 동형화**(coercive isomorphism) — 규제
      정부 규제나 법적 제약 또는 사회문화적 압력 등에 순응하는 과정에서 나타나는 동형화 (예 정부규제에 의한 동형화, IMF의 구조조정 요구에 의한 동형화 등)
   (2) **모방적 동형화**(mimetic isomorphism) — 벤치마킹
      환경의 불확실성이 높을 때 특정 조직이 타조직의 성공사례를 모방하는 과정에서 나타나는 동형화(예 1990년대 한국의 신자유주의 행정개혁 등)
   (3) **규범적 동형화**(normative isomorphism) — 전문적 기준
      전문가 집단이 바람직하다고 규정한 기준을 수용하는 과정에서 나타나는 동형화(예 외부 전문가 집단의 컨설팅 수용 등)

ⓛ 도구성의 논리가 아닌 정당성(legitimacy)의 논리 : 제도는 도구성(합리성)의 논리보다는 사회적 정당성의 논리에 의해 동형화 현상에 따라 비합리적으로 형성된다. 즉, 조직은 비합리적(비효율적)인 제도라 할지라도 사회·문화적 환경이 요구하는 대로 제도를 형성함으로써 외부로부터 사회적 정당성을 획득해 나간다.

ⓒ 인지에 의한 제도 채택 : 제도는 사회에서 정당한 것으로 인정되어 '당연시(taken-for-granted)되는 것'으로 특정 개인이 인지한 것으로, 특정 제도의 채택은 개인의 문화적 인지에 의한 것이다.

⑤ 제도의 지속성과 변화
   ㉠ 제도의 지속성 : 제도는 사회에서 정당한 것으로 인정된 것으로, 비합리적·비효율적이라 하더라도 별도의 노력 없이 오랜 기간 계속 유지된다.
   ㉡ 제도의 변화 : 기존 제도에 대한 사회적 정당성이 상실되고 새로운 제도가 새롭게 사회적 정당성을 획득할 때 제도의 변화가 발생한다.

⑥ 주요 내용
   ㉠ 제도에 대한 시각 – 비공식적 제도 중시 : 공식적 제도보다는 전통·관습·문화·상징체계·인지구조 등 비공식적 제도를 중시한다.
   ㉡ 인간에 대한 시각 – 내생적 선호 : 개인의 선호는 제도적 환경(문화, 관습, 유행 등)에 의해 내생적으로 형성된다. 따라서 사회학적 제도주의에서 개인은 사회문화적 환경이 요구하는 대로 움직이는 자율성이 없는 피동적 존재에 불과하다.
   ㉢ 제도적 환경과 배태성(embeddedness) : 사회학적 제도주의는 제도적 환경을 배태성 개념으로 설명한다. 이는 개인의 행위가 자율적인 선택에 의한 것이 아니라 제도적(문화적) 환경이 배태(내재)하고 있는 대로 선택되며 지속된다는 것을 의미한다.
   ㉣ 결과성의 논리가 아닌 적절성(appropriateness)의 논리 : 사회학적 제도주의에서 특정 제도의 도입과 지속성은 업무수행에 효율적(결과성의 논리)이기 때문이 아니라, 단지 그러한 제도를 도입하고 유지하는 것이 현존하는 사회·문화적 환경에 가장 적절(적절성의 논리)하여 조직의 외적 정당성을 높일 수 있기 때문이다.

⑦ 연구방법

  ㉠ 분석수준 – 거시주의(전체주의): 현상을 개인의 전략적 선택에 따른 개별 행위의 합으로 설명하지 않고 전통·관습·문화·상징체계 등 문화적 관행을 통해 설명한다.

  ㉡ 현상학(해석학)적 접근: 제도적 환경에 대한 개인의 인지를 강조한다는 점에서 현상학적 접근이 활용된다.

  ㉢ 문화·횡단면적 연구: 사회학적 제도주의는 동형화 현상을 증명하기 위해 조직 간에 유사한 제도에 대한 실증주의적 연구방법을 활용한다(귀납적 접근, 문화적·횡단면적 분석, 제도의 일반성 강조).

⑧ 유용성

  ㉠ 국가 간 제도의 유사성 설명: 역사적 제도주의가 제도의 종단면적 측면을 중시하면서 국가 간 제도의 차이를 잘 설명한다면, 사회학적 제도주의는 횡단면적으로 국가 간 제도의 유사성을 잘 설명한다.

  ㉡ 제도의 형성·확산·재생산 설명: 사회학적 제도주의는 합리성·효율성 중심의 도구주의(기능주의)적 관점을 비판하고, 인지적 측면에 대한 강조를 통해 특정한 제도가 형성·확산·재생산되는 과정을 설득력 있게 설명한다.

⑨ 한 계

  ㉠ 제도의 변화에 대한 설명 미흡: 동형화, 사회적 정당성, 배태성, 적절성의 논리 등을 통해 제도의 형성과 재생산은 잘 설명할 수 있으나, 제도의 변화에 대한 설명은 미흡하다.

  ㉡ 미시적 기초의 결여: 개인의 자율적인 선택행위와 의도성을 설명할 수 있는 미시적인 이론체계가 결여되어 있다.

  ㉢ 조직의 다양한 전략적 대응 및 기술적 능률성 무시: 조직이 합리적으로 전략을 선택하고 대응하는 측면, 조직이 기술적 능률성을 이유로 제도화하는 측면 등을 무시하고 제도적 압력에 의한 무조건적인 모방만을 강조한다.

(3) 합리선택적 제도주의(Rational Choice Institutionalism) – 경제학

① 의의: 현실세계의 경제는 단순히 가격기구에 의해 작동하는 것이 아니라 규칙, 법규, 문화, 사회적 관습 등 각종 제도적 제약하에서 개인들의 합리적 선택의 결과로 작동하는 것으로 보고 제도 중심으로 연구하는 접근방법이다.

② 대두배경 및 전개: 제도주의 경제학을 기원으로 하는 합리선택적 제도주의는 제도의 중요성을 간과했던 신고전파 경제학을 비판하고 등장하였으며, 현재 공공선택론, 조직경제학(주인–대리인이론, 거래비용이론), 공유지 이론, 집단행동의 딜레마 이론 등으로 전개되고 있다.

③ 제도의 의의: 인간의 합리적 행동의 상황적 조건(제도적 제약 조건) 또는 유인체계로 작용하는 법률, 규칙, 관습, 문화 등을 의미한다.

④ 제도의 생성: 제도는 자생적인 것이 아니라 효용극대화를 추구하는 이기적인 개인들의 합리적·전략적 선택이 합쳐진 결과이다. 한편, 형성된 제도는 유인구조를 형성하여 인간의 행위를 제약하는 전략적 맥락(게임의 규칙)으로 작용한다.

⑤ 제도의 지속성과 변화
  ㉠ 제도의 지속성: 제도는 합리적 행위자들의 자발적 합의에 의해 설정한 게임의 규칙으로 일탈 시 수반되는 제재에 의해 유지된다.
  ㉡ 제도의 변화: 제도는 합리적 행위자들이 새롭게 도입하고자 하는 제도로부터 얻게 되는 편익이 비용보다 크다는 인식에 의한 전략적 선택이 합쳐진 결과로 변화된다.
⑥ 주요 내용
  ㉠ 제도에 대한 시각 – 공식적 제도에 초점: 합리적 행위자들을 일정한 방향으로 유인하기 위한 혁신적인 공식적 제도의 창설을 강조한다.
  ㉡ 인간에 대한 시각 – 외생적 선호: 경제학적 가정에 기반하여 개인의 선호는 이기적이며, 제도와는 무관하게 선험적으로 외부에서 주어지는 것으로 가정한다.
  ㉢ 집단행동의 딜레마 극복: 정치를 일련의 집단행동의 딜레마(죄수의 딜레마, 공유지의 비극)로 이해하고, 이를 극복하기 위한 합리적인 제도적 장치의 설계를 강조한다.
  ㉣ 균형의 강조: 안정적인 균형점(집단행동의 딜레마가 해결된 상태에서의 균형점)을 강조하며, 이러한 균형 상태를 유지하는 데 있어서 제도의 역할을 중시한다.
⑦ 연구방법
  ㉠ 분석수준 – 미시주의(개체주의): 경제학적 가정에 입각하여 행위자의 개별 행위를 분석(미시주의)하고, 사회 전체를 개별 행위의 합으로 보는 방법론적 개체주의에 입각하여 연구한다.
  ㉡ 연역적 접근: 어떻게 제도가 생성되고 유지되는지를 경제학적 가정에 기반한 연역적인 접근을 통해 설명한다.
  ㉢ 경제학적 가정의 완화: 인간을 효용극대화를 추구하는 이기적 존재로 인식하나, 신고전적 경제학의 가정을 그대로 받아들이지 않고 인간은 정보의 불완전성으로 인해 제한된 합리성을 지닌다고 본다.
⑧ 유용성: 합리선택적 제도주의는 집합적으로 더 나은 결과를 낳을 수 있도록 행위자들의 행동을 유인하기 위한 제도적 장치의 마련을 강조한다는 점에서 최근 성과지향적 정부혁신의 이론적 기반이 되고 있다.
⑨ 한계
  ㉠ 권력관계와 문화에 대한 인식 미흡: 합리적 제도 설계를 강조하므로 한 사회 내에 존재하는 권력관계의 불균형이나 문화가 제도의 형성과 선택에 어떤 영향을 미치는가에 대해서는 관심을 두지 않는다.
  ㉡ 행위자의 선호형성에 대한 설명 미흡: 인간의 선호는 이기적이며, 선험적으로 주어져 있다고 보므로 인간의 선호형성과정을 설명하지 못한다.
(4) 신제도론 접근의 유파별 비교
  ① 공통점
    ㉠ 제도의 의미: 제도는 개인행위를 제약하며, 제도적 맥락하에서 이루어지는 개인행위는 규칙성을 띠게 된다.
    ㉡ 제도의 범위: 제도는 공식적인 규칙이나 법률뿐만 아니라 비공식적인 문화, 규범 및 관습도 포함한다.

ⓒ 제도의 성격 : 제도는 개인행위를 제약하는 반면, 개인 간 상호작용의 결과로 변화되기도 하므로 독립변수인 동시에 종속변수이다.

ⓔ 제도의 안정성 : 제도는 일단 형성되면 그때그때의 상황이나 목적에 따라 쉽게 변화하는 것이 아니다.

ⓜ 제도의 유용성 : 제도는 사회의 구조화된 어떤 측면을 의미하며, 사회현상을 설명할 때에는 이런 구조화된 측면에 초점을 맞출 필요가 있다.

② 차이점

| 구 분 | 역사적 제도주의 | 사회학적 제도주의 | 합리적선택 제도주의 |
|---|---|---|---|
| 제 도 | 공식적 제도에 초점 | 비공식적 제도에 초점 | 공식적 제도에 초점 |
| 선호형성 | 내생적 | 내생적 | 외생적 |
| 학문적 기초 | 정치학 | 사회학(조직학) | 경제학 |
| 초 점 | 국가 중심 | 사회(조직) 중심 | 개인 중심 |
| 강조점 | 권력불균형, 역사적 과정 | 인지적 측면 | 전략적 행위, 균형 |
| 제도변화 | 결절된 균형, 외부적 충격 | 유질동형화, 적절성의 논리 | 비용편익 비교, 전략적 선택 |
| 방법론 | 귀납적 연구<br>(사례연구, 비교연구) | 귀납적 연구<br>(경험적 연구, 해석학) | 연역적 연구<br>(일반화된 이론) |
| 시 각 | 총체주의 | 총체주의 | 개체주의 |
| 한 계 | • 보편성 결여<br>• 미시적 기초 결여<br>• 제도결정론 전락가능성 | • 제도 변화 설명 미흡<br>• 미시적 기초 결여<br>• 조직의 전략적 대응 무시 | • 권력관계 인식 미흡<br>• 문화 인식 미흡<br>• 선호형성 설명 미흡 |

참고 | 툴민(Toulmin)의 논변적 접근(논변모형)

1. 의 의
불확실성을 전제로 '결정에 대한 주장을 정당화'할 수 있도록 논거를 체계적으로 전개할 수 있는 모형(틀)을 제공하는 접근방법을 말한다.

2. 대두배경 – '주장의 정당성'의 중요성
툴민(Toulmin)은 행정현상의 경우 가치의 요소가 포함되기 때문에 확실성을 지닌 법칙의 추구는 불가능하다고 보고, '문제 해결방안의 진실성'이 아니라 '해결방안에 대한 주장의 정당성'을 체계적으로 전개할 수 있는 모형을 제시하였다.

3. 주장의 정당화에 필요한 기본요소
(1) 자료 : 공공문제에 대한 정보(논변의 출발점)
(2) 주장 : 문제의 해결방안들(당위적 · 처방적 대안)
(3) 본증 : 주장이 도출된 이유나 증거
(4) 보증 : 본증에 대한 추가적 보완
(5) 반증 : 주장의 정당성을 약화시키는 증거
(6) 한정접속사 : 주장의 정당성을 제한하는 표현(아마도, 90% 정도 등)

4. 장 점
행정현실에서 보편성과 확실성을 지닌 주장을 확립하는 것은 불가능하다고 보고 건전성과 정당성을 지닌 주장을 확립하기 위한 논리적 틀을 제공하였다.

5. 단 점
주장의 정당성을 확보하기 위한 논리구조의 틀만 제시하고 있어 분석의 안내 역할을 수행하는 데 불과하다.

PART · 01

O·X 문제

1. 신제도주의는 행위 주체의 의도적이고 전략적인 행동이 제도에 영향을 미칠 수 있다는 점을 부정하고, 제도설계와 변화보다는 제도의 안정성 차원에 관심을 보이고 있다. (　)

2. 신제도론은 외생변수로 다루어져 오던 정책 혹은 행정환경을 내생변수와 같이 직접적인 분석 대상에 포함시켰다. (　)

O·X 문제

3. 논변적 접근방법은 결정에 대한 주장을 정당화할 수 있도록 논거를 전개할 수 있는 모형을 제공한다. (　)

4. 툴민(Toulmin)의 논변적 접근방법은 환경을 포함하여 거시적인 관점에서 행정 현상을 분석하고, 확실성을 지닌 법칙 발견을 강조한다. (　)

O·X 정답 1. ✕  2. ○  3. ○  4. ✕

# CHAPTER 04 행정가치

---

## 제1절 행정철학과 가치

### 01 행정철학

#### 1. 행정철학의 의의

**(1) 개 념**

행정철학이란 행정이 추구하고 실현하고자 하는 바람직한 가치가 무엇이고, 관료들이 어떤 가치에 기초하여 행정행위를 해야 하는가를 연구하는 '가치규범적 연구'를 말한다. 즉, 가치에 대한 연구가 행정철학이다.

**(2) 대두배경**

행정철학에 대한 연구는 사실 중심의 연구를 지향했던 행정행태론을 비판하고 가치지향적 연구를 추구했던 후기행태주의에서 강조되었다.

#### 2. 행정철학의 연구대상으로서 가치

**(1) 가치의 개념**

가치란 사실과 대비되는 개념으로 바람직한 것에 관한 사람의 관념, 즉 '해야 하는 것', '해서는 안 되는 것', 또는 '있어야 하는 것', '있어서는 안 되는 것', '좋은 것과 나쁜 것', '옳은 것과 그른 것'에 대한 관념으로 사람들의 행동에 영향을 미치는 힘이다.

**(2) 가치의 본질 – 상대론과 절대론**

① **상대론(목적론)**: 상대론은 옳고 그름을 판단하는 보편적 원칙은 존재하지 않는다고 보며 행위의 결과와 목적에 따라 옳고 그름을 판단한다(가치상대주의). 이 시각은 목적이 수단을 정당화한다는 비판을 받는다.

② **절대론(의무론)**: 절대론은 옳고 그름은 행위의 동기를 기준으로 선험적으로 존재하는 보편적 원칙의 준수 여부에 달려있다고 본다(가치절대주의). 이 시각은 실제 생활세계에서 보편적 원칙의 예외가 지나치게 많이 발생한다는 비판을 받는다.

## 02 가치유형론

### 1. 칼프란(Kaplan)의 가치접근법

| 가치접근 | 내 용 |
|---|---|
| 개인적 맥락 | 개인의 가치관이나 욕구 및 선호 등을 가치로 파악하는 입장 |
| 표준적 맥락 | 특정 집단의 가치관이나 욕구 및 선호 등을 가치로 파악하는 입장 |
| 이상적 맥락 | 개인이나 특정 집단의 욕구나 선호를 초월한 바람직한 가치를 중시하는 입장 |

### 2. 앤더슨(Anderson)의 가치기준(공공정책결정의 기준)

| 가치기준 | 내 용 |
|---|---|
| 정치적 가치 | 정치집단이나 고객집단의 이익과 관련된 가치 |
| 조직의 가치 | 자신이 속한 조직의 생존이나 이권의 유지를 위한 가치 |
| 개인적 가치 | 자신의 이익(복지)이나 명성을 고려한 가치 |
| 정책의 가치 | 공익이나 도덕적 신념, 윤리기준에 의한 가치 |
| 이념적 가치 | 신념체계, 이데올로기에 의한 가치 |

### 3. 보즈만(Bozeman)의 행정가치(정책철학으로서의 공익관)

| 정책철학 | 공익관 | 내 용 |
|---|---|---|
| 합리주의 | 형식적 공익관 | 과학적이고 체계적인 조사·분석을 통해 문제해결을 위한 합리적인 정책형성이 가능하다고 보는 입장 |
| 이기주의 | 공익 부재관 | 정책을 개인 또는 집단의 이기적 목적을 충족시키기 위해 존재하는 것으로 인식하는 입장 |
| 보호주의 | 절차적 공익관 | 정책을 특정한 사람들을 다른 사람들로부터 보호하기 위해 존재하는 것으로 인식하는 입장 |
| 이전주의 | 규범적 공익관 | 정책을 가진 자로부터 가지지 못한 자에게 재분배해 주는 것으로 인식하는 입장(복지국가의 정책철학) |
| 중개주의 | 합계적 공익관 | 정책은 이익집단 간의 조정의 산물이며, 보다 많은 사람들이 혜택을 볼 때 좋은 정책으로 인식하는 입장 |
| 실용주의 | 다원적 공익관 | 정책은 형식에 구애됨이 없이 상황에 따라 적절히 대처하는 것이 중요하다고 인식하는 입장 |

## 제 2 절 행정상 가치(행정이념)의 구체적 고찰

### 01 행정상 가치(행정이념) 일반론

### 1. 행정이념의 의의

(1) 개 념

행정이념이란 행정이 추구하는 궁극적 지향점으로 행정의 모든 과정에 기본적인 지침을 제공해 주는 역할을 수행하는 행정의 가치를 의미한다. 즉, '무엇을 위한 행정인가'를 논할 때 '무엇'에 해당되는 것이다.

(2) 기 능

① 모든 행정활동의 규범적 방향 및 평가 기준
② 행정활동의 의사결정 기준 및 행정활동 상호 간의 우선순위 정립 기준
③ 특정 시대의 지배적 가치관 및 행정문화 반영
④ 행정의 환경변동 대응능력과 문제해결능력 증진
⑤ 행정과 정책의 정당성 인정의 기초

### 2. 행정이념의 분류 − 도구성 기준

(1) 본질적 가치

행정을 통해 이룩하고자 하는 궁극적 가치, 가치 자체가 목적이 되는 가치, 결과와 상관없이 만족을 줄 수 있는 가치를 의미한다. 정의, 공익, 형평, 복지, 자유, 평등 등이 여기에 해당한다.

(2) 수단적 가치(도구적 가치, 비본질적 가치)

궁극적 목적(본질적 가치)을 실현하는 것을 가능케 하는 가치, 사회적 가치의 배분 절차나 실제적 행정과정에서 구체적 지침이 될 수 있는 가치를 의미한다. 민주성, 효과성, 능률성, 대응성, 합법성, 합리성, 책임성, 투명성, 중립성, 가외성 등이 여기에 해당한다.

### 3. 행정이념의 변천

| 연 대 | 19세기 초 | 19세기 말 | 1930년대 | 1960년대 | 1970년대 | 1980년대 | 1990년대 |
|---|---|---|---|---|---|---|---|
| 행정이론 | 법치국가 | 과학적 관리론 | 인간관계론 | 발전행정론 | 신행정론 | 신공공관리론 | 거버넌스론 |
| 행정이념 | 합법성 | 기계적 능률성 | 사회적 능률성 (민주성) | 효과성 | • 사회적 형평성 • 대응성 | • 효율성(경제성, 능률성, 효과성) • 대응성 | • 민주성 • 효율성 • 신뢰성 |

## **02** 행정의 본질적 가치

### 1. 공 익

(1) 공익의 의의

① 개념 : 공익이란 공공의 이익을 의미하며, 행정의 이념적 최고가치이다.

② 성 격

    ㉠ 규범성 : 모든 행정활동의 최고의 규범적 기준이다.

    ㉡ 모호성(불확정성, 상대성) : 주관적 관념으로 모호성(불확정성)을 띤다.

    ㉢ 역사성·동태성 : 시대마다 달라지는 역사성·동태성을 띤다.

    ㉣ 사회적 기본가치 반영 : 공익에는 인간의 존엄성, 정의, 형평, 평등 등 사회의 기본적 가치가 반영되어 있다.

(2) 공익개념에 대한 관심의 대두

① 이론적 측면 – 후기행태주의(정행일원론) : 행정의 가치(규범)지향성 및 행정인의 적극적 역할을 중시한 후기행태주의(정행일원론)에서 공익에 대한 관심이 증대되었다.

② 현실적 측면 – 행정국가화 현상 : 관료의 자원배분권 및 재량권이 확대되는 행정국가화 현상으로 인해 이들의 행위기준 및 윤리기준으로서 공익에 대한 관심이 증대되었다.

(3) 공익이론 – 공익과 사익과의 관계에 관한 이론

① 공익실체설(적극설, 규범설)

    ㉠ 의의 : 공익을 '사익을 초월하여 선험적·객관적으로 존재하는 규범적·도덕적 실체'로 인식하는 입장이다(Platon, Aristotle, Hegel, Rousseau, Rawls, Marx, Held 등).

    ㉡ 근 거

        ⓐ 도덕적·규범적·보편적 실체 : 플라톤(Platon), 아리스토텔레스(Aristotle), 루소 (Rousseau) 등의 정치철학자들은 최대다수의 최대행복(전체효용극대화), 정의, 형평, 자연법 등 개별 특수이익(사익)을 초월하여 존재하는 사회전체로서의 공동선(사회의 보편적 이익) 또는 국가이익을 공익으로 본다.

        ⓑ 사익의 합 이상의 공익 존재 : 공공재의 공급, 공유지 비극의 회피를 위한 규칙, 국민의 기본권, 부분들의 관계에 대한 구조적 특성 등 단순한 사익의 합으로 볼 수 없는 공공이익을 공익으로 보는 시각이다.

        ⓒ 전체(총)효용극대화설(공리주의적 공익관, 후생경제학)

          • 사회구성원의 개별적 이익을 모두 합한 전체의 이익(전체효용)을 최대화하는 것을 공익으로 보는 시각이다.

          • 이 시각은 특정 정책으로 인해 몇몇 개별 사익이 침해된다고 하더라도 이를 통해 전체 효용이 증대된다면 공익이 증대된 것으로 본다.

          • 이 시각은 행위의 결과만을 중시하는 목적론적 윤리론에 입각해 있으며, 효율성(총효용)을 윤리적 행정의 판단기준으로 삼는다.

        ⓓ 공동체실체설(신비주의적 형이상학적 공동체론)

          • 공동체를 하나의 살아있는 유기체로 인식하고(국가유기체론), 그 시대의 통치자에 의해 결정된 공동체 스스로의 의지와 욕구를 공익으로 보는 시각이다(엘리트주의).

---

**O·X 문제**

1. 공익은 모든 행정활동의 추구방향과 평가기준이지만 모호성과 불확정성을 띤다. ( )

2. 행정의 최고가치로서 공익개념은 공사행정일원론 시대에 강조되었다. ( )

**심화학습**

공익실체설에 따른 공익의 정의

| | |
|---|---|
| 규범설 | 공익이란 공공선 등과 같은 규범적 기준 |
| 공동체 이익설 | 공익이란 공동체 자체의 이익 |
| 공공재설 | 공익이란 공공재 공급 |
| 정의설 | 공익이란 사회적 약자의 이익 |
| 보편적 가치설 | 공익이란 보편적 가치 |
| 미래 이익설 | 공익이란 장래 이익이나 효용(교육 등) |

**O·X 문제**

3. 플라톤과 루소는 공익을 선험적으로 주어진 것으로 본다. ( )

4. 실체설은 사회공동체 내지 국가의 모든 가치를 포괄하는 절대적인 선의 가치가 있다고 보는 견해이다. ( )

5. 실체설은 사회 전 구성원의 총효용을 극대화함으로써 공익에 도달할 수 있다고 보는 견해이다. ( )

6. 공리주의적 공익관은 목적론적 윤리론을 따르고 있다. ( )

O·X 정답 **1.** ○ **2.** × **3.** ○ **4.** ○ **5.** ○ **6.** ○

• 과거 히틀러의 나치즘, 무솔리니의 파시즘, 일본의 군국주의 등 전체주의적 독재체제나 침략적 민족주의는 공익이라는 미명하에 사익을 침탈하는 도구로 이 이론을 활용해 왔다.

ⓒ 특 징

ⓐ 규범적·선험적 공익관 : 공익을 사익과 구별되어 선험적으로 존재하는 규범적(도덕적) 실체로 인식한다.

ⓑ 공익우선주의(집단주의 이론) : 공익과 사익 간에 궁극적인 갈등은 있을 수 없으며, 설혹 충돌한다 하더라도 반드시 공익이 우선한다는 전체주의적·집단주의적 입장이다.

ⓒ 국가주의적 관점 : 국가 우월적 관점에서 국가가 국민의 덕성을 함양해 나가는 목민적 관점을 강조한다.

ⓓ 엘리트론과 합리모형 : 공익은 엘리트에 의해 결정된다고 보며(엘리트론), 엘리트에 의한 의사결정방식인 합리모형과 관련된다.

ⓔ 사법부판례의 기준 : 판례는 지나친 집단이기주의를 극복하기 위해 실체설에 입각하여 공익과 사익을 구별하고 비교형량을 통해 판결한다.

ⓕ 관료의 역할(적극설) : 이 이론에 의할 때 관료들은 엘리트로서 공익결정에 적극적인 역할을 수행한다.

ⓐ 비 판

ⓐ 전체주의의 이론적 근거 : 개인의 인권을 유린했던 전체주의의 이론적 근거로 악용될 수 있다.

ⓑ 비민주적 공익관 : 소수 엘리트의 주관적 가치를 객관적 가치로 전환시켜주는 비민주적 공익관이다.

ⓒ 공익개념의 추상성 야기 : 공익으로 제시되는 자연법, 정의 등의 가치가 지나치게 추상적일 뿐만 아니라 이념적 경직성으로 인해 신축성과 융통성이 부족하다.

② 공익과정설(소극설 : 현대적·민주적 공익이론, 다원주의적 공익관)

㉠ 의의 : 사익을 초월한 별도의 공익이란 존재할 수 없으며, 공익을 '사익의 총합이거나 사익 간의 타협 또는 집단 간 상호작용의 산물'로 보는 입장이다(Hobbes, Bentham, Lindblom, Arrow, Sorauf, Schubert).

㉡ 근 거

ⓐ 다원주의(이익집단론) : 다양한 이익집단들 간의 정치적 상호작용(흥정, 타협)을 중시하는 다원주의적 시각을 이론적 근거로 삼는다.

ⓑ 슈버트(Schubert)의 공익관 : 공익과정설을 집대성한 슈버트는 공익은 사익의 합에 불과하며, 공익은 민주적인 정책과정에서 결정되며, 공익극대화를 위해서는 정책결정과정을 합리화해야 한다고 주장한다.

㉢ 특 징

ⓐ 현실적(경험적)·절차적(과정적) 공익관 : 공익은 객관적으로 존재하는 것이 아니라 현실의 정책과정에서 형성되는 것으로 본다. 따라서 이 견해는 공익의 내용을 찾기보다는 공익이 형성되는 과정을 합리화하는 데 초점을 둔다.

ⓑ **정책과정의 합리화**: 정책결정과정의 합리화를 위해 이익집단의 행동을 중시하는 한편, 강한 이익집단에 의해 희생되기 쉬운 약자·대중·미래의 이익의 보호를 위한 제도적 장치의 마련(적법절차의 도입, 대표관료제 등)을 강조한다.

ⓒ **민주적 공익관과 점증모형**: 공익과정설은 그 자체가 민주주의를 실현하는 방법과 과정에 관한 이론으로 자유주의·개인주의·국민주권주의에 근거하고 있으며, 다원주의적 의사결정 방식인 점증모형과 관련된다.

ⓓ **관료의 역할(소극설)**: 공익은 여러 이익집단들의 정치적 상호작용의 결과로 형성되므로, 공익결정에 있어서 관료의 역할은 소극적이다. 공익과정설에서 관료는 이익집단들 간의 갈등적 이익을 조정하는 중립적 조정자에 불과하다.

ⓛ **비 판**

ⓐ **행정의 기준 제시 곤란**: 공익이 형성되는 과정만을 중시하기 때문에 공익이 고정되지 않아 행정에 구체적인 기준을 제시해 주지 못한다.

ⓑ **잠재집단이나 사회적 약자의 이익 반영 곤란**: 정책과정이 합리화되지 못한 경우 다수파의 횡포와 집단이기주의의 폐단으로 조직화되지 못한 잠재집단(일반 시민)이나 사회적 약자의 이익 반영이 곤란하다.

ⓒ **집단이기주의(특수이익) 추구의 정당화**: 공익이라는 이름 아래 공익에 반하는 집단이기주의의 발현으로 특수이익을 추구하는 행정을 정당화할 수 있다(Sorauf).

ⓓ **비민주적 국가에 적용 곤란**: 민주적인 토의·협상·경쟁이 발달하지 못한 개발도상국에는 적용하기 곤란하다.

③ **절충설(중간설, 합의설)**: 공익은 사익의 단순한 집합체도 아니고 전혀 사익과 별개의 차원도 아니라고 보는 입장으로, 공익을 특수한 개별이익보다는 광범위한 이익으로 본다. 공익을 다수자(소비자 집단 또는 노동자 집단 등)의 이익으로 보는 합의설과 뷰케넌과 털럭(Buchanan & Tullock)의 공공선택론 등이 여기에 해당한다.

(4) **공익의 구성요소**

① **보편적 가치**: 사회생활을 영위하는 데 있어서 누구에게나 보편적으로 납득할만한 가치규범(예 살인하지 말라 등)

② **공동체 자체의 권익**: 공동체가 개인의 권익과 안전을 보호하기 위해 가지는 공동체 자체의 이익(예 국가의 생존권, 대외위신도, 이미지 등)

③ **재화와 용역의 외부경제성**: 외부경제성이 큰 재화나 서비스(예 교육, 국방, 도로 등)의 생산 활동

④ **미래의 이익**: 사회전체의 생존이나 발전에 요구되는 미래의 이익을 위한 활동(예 인기없는 기초과학을 육성하는 행위 등)

⑤ **다수의 이익**: 사회 내에 자유로운 토론이 보장된 상태에서의 다수의 이익

⑥ **사회적 약자의 이익**: 사회적 약자에 대한 윤리적 고려

(5) **공익의 기능**

① 행정이 추구해야 할 윤리적·규범적 기준 제시

② 정책평가 및 행정책임의 최상위의 기준 제시

③ 편협한 주관적 이익을 보편적인 객관적 이익으로 전환

④ 다원화된 세력들 간에 공존체제 구축

---

**심화학습**

**공익이론 정리**

| 구분 | 공익실체설 | 공익과정설 |
|---|---|---|
| 공익 개념 | 사익과 구별되는 실체 | 사익의 합 |
| 공익 형성 | • 선험적<br>• 규범적 | • 현실적<br>• 경험적 |
| 관료 역할 | 적극설 | 소극설 |
| 시각 | • 집단주의<br>• 전체주의<br>• 국가우월주의 | • 개인주의<br>• 다원주의<br>• 국민주권주의 |
| 결정 | 합리모형 | 점증모형 |
| 국가 | 개발도상국 | 서구 선진국 |

**심화학습**

**공익의 결정변수**

| 가치관 | 공익은 개인이나 집단의 가치관에 영향을 받는다. |
|---|---|
| 정치 이념 | 전체주의 국가는 실체설에 의해, 자유민주국가는 과정설에 의해 공익이 결정된다. |
| 정책 유형 | 국방·외교정책은 참여가 제약되지만, 교육·복지정책은 다수인의 참여를 통해 공익이 결정된다. |
| 정치 발전과 민주화 | 정치발전이나 민주화의 수준이 높으면 일반 시민이나 이익집단의 참여로 공익을 결정한다. |

⑤ 국가가 개인에 대해 행하는 요구의 정당화

⑥ 비조직화된 다수의 이익이 존재함을 인지시켜주는 역할

## 2. 사회적 형평성

(1) 의 의

① 사회적 형평성이란 사회적 가치(자유와 기회, 권력과 부, 명예와 특권 등)의 배분과 관련된 가치지향적 개념으로 동일한 것은 동일하게 취급하고, 서로 다른 것은 다르게 취급해야 한다는 정의(공정, 평등, 공평) 중심의 이념이다.

② 사회적 형평성의 개념 속에는 순수한 노력의 차이에 기인한 '정당한 불평등의 개념'과 운명이나 기회의 차이에서 발생한 '부당한 불평등의 시정에 대한 개념'이 모두 포함된다.

(2) 배 경

1960년대 이후 미국사회의 실업, 빈곤, 무지 등의 악순환이 관료제가 비민주적이고 공리주의적 총체적 효용에 사로잡혀 사회적 약자에 대해 무관심했기 때문이라고 주장한 후기행태주의(신행정학, 정치행정일원론)에서 강조되었다.

(3) 이론적 근거 – 롤스(J. Rawls)의 정의론

① 의의 – 공정성(fairness)으로서의 정의

㉠ 롤스는 "사회의 가치는 평등하게 배분되어야 하며, 가치의 불평등한 배분은 그것이 사회의 최소 약자에게 유리한 경우에만 정의롭다."고 주장하였다.

㉡ 따라서 롤스의 정의는 선(good)으로서의 정의가 아니라 공정성(fairness)으로서의 정의이다.

㉢ 롤스의 정의론은 결과보다는 과정(원리)의 옳음에 기초를 둔다는 점에서 가치에 대한 의무론적 시각에 입각해 있다.

② 가정 – 계약당사자들의 자격요건: 원초적 상태

㉠ 인지상의 조건 – 무지(無知)의 베일(veil of ignorance): 개인은 자신과 자신이 소속된 사회의 특수한 사정에 대하여 알지 못한다.

㉡ 동기상의 조건 – 상호무관심적 합리성: 개인은 타인의 이해관계를 고려하지 않고 오로지 자기 자신의 이해관계만을 고려하여 의사를 결정한다.

㉢ 의사결정 원칙 – 최소극대화 원리[최대최소(Maximin) 원리]: 불확실한 상황에서 개인의 의사결정은 최악의 상황을 염두해 두고 최선의 대안을 결정한다.

③ 정의의 원리: 롤스는 사회계약론의 입장에서 불확실한 원초적 상태에서 구성원들이 합의한 계약(원칙)은 공정할 것이라는 전제하에 정의의 원리를 제시하였다.

㉠ 정의의 제1원리(자유의 정의 – 기본적 자유의 평등원리): 각 개인은 다른 사람의 유사한 자유와 상충되지 않는 한도 내에서 최대한의 기본적 자유를 평등하게 누릴 수 있는 권리가 인정되어야 한다.

㉡ 정의의 제2원리(분배의 정의 – 차등조정의 원리)

ⓐ 기회균등의 원리(기회의 공평): 사회·경제적 불평등은 그 모체가 되는 모든 직무와 지위에 대한 기회균등이 공정하게 이루어진 조건하에서 직무나 지위에 부수하여 존재해야 한다.

**O·X 문제**

1. 형평성과 공정성은 엄격하게 구분하여 사용되고 있다. ( )

2. 사회적 형평의 개념 속에는 정당한 불평등의 개념이 내포되어 있다. ( )

3. 프레데릭슨과 왈도 등 신행정학의 학자들은 사회적 형평성이 행정가치로 주목받는 데 크게 기여하였다. ( )

**O·X 문제**

4. 롤스는 정의를 공평으로 풀이하면서 배분적 정의가 평등원칙에 입각해야 함을 강조한다. ( )

5. 롤스의 정의론은 이념적·가설적 상황으로서 원초적 상태를 설정하였고 사회계약론의 입장에서 정의의 원리를 도출한다. ( )

6. 롤스의 최소최대 원칙(minimax principle)은 사회에서 가장 취약한 집단에게 최대의 편익이 돌아가게 하는 정책이 바람직하다는 기준을 의미한다. ( )

7. 롤스는 순수한 절차적 정의가 보장되는 원초 상태(original position)에서 합의된 일련의 원칙이 곧 사회 정의의 원칙이 된다고 주장하였다. ( )

8. 롤스가 정의론에서 제시한 '기본적 자유의 평등원리'는 개인의 권리가 다른 사람의 유사한 자유와 상충되더라도 최대한의 기본적 자유가 인정되어야 한다는 것이다. ( )

O·X 정답 1. × 2. ○ 3. ○ 4. ○ 5. ○ 6. × 7. ○ 8. ×

  ⓑ 차등의 원리(결과의 공평) : 차등조정은 저축의 원리(사회협동의 모든 산물 중 미래세대를 위해 어느 정도 저축해야 적절한가를 규정한 원리)와 양립하는 범위 내에서 가장 불리한 입장에 있는 사람에게 최대한 이익이 되도록 조정되는 경우에만 정당화된다(Maximin 원리).

 ⓒ 정의의 원리 간의 우선순위 : 롤스는 원리 간에 충돌이 있을 경우, 제1원리가 제2원리에 우선하고, 제2원리 내에서 충돌이 있을 때에는 기회균등의 원리가 차등원리에 우선되어야 한다고 주장한다.

④ 평 가

 ㉠ 가정에 대한 비판 : 롤스는 원초적 상태에서 합리적 인간은 최소극대화(Maximin) 원리에 입각해 합리적인 규칙을 선택한다고 가정하지만, 현실의 의사결정에서 당사자들이 반드시 최소극대화의 원리에 따르리라는 보장은 없다.

 ㉡ 자유주의와 사회주의 모두의 비판 : 롤스의 정의관은 자유주의와 사회주의의 양극단을 지양하고 자유와 평등의 조화를 추구하는 중도적 입장을 취하고 있다. 그 결과 우파로부터는 '자유'의 제한을 초래한다는 점에서, 좌파로부터는 '완전한 평등'의 제한을 초래한다는 점에서 비판을 받는다.

 ㉢ 공리주의의 비판 : 총체적 효용을 중시하는 공리주의자(전체효용극대화 가설)들은 롤스의 정의관이 사회의 총효용을 희생하고 사회적 약자의 이익만을 배려하고 있다고 비판한다.

## (4) 사회적 형평의 의미에 대한 논란

| 구 분 | 실적이론(능력이론) | 평등이론(형평이론) | 욕구이론(필요이론) |
|---|---|---|---|
| 의 의 | • 인간은 사회에 공헌한 만큼 대우를 받는 것이 공평하다는 입장<br>• 인간의 능력과 공헌에 따른 차별적 배분을 강조하는 입장 | • 모든 인간은 특별한 경우를 제외하고는 평등하게 대우를 받아야 공평하다는 입장<br>• 인간의 능력에 따른 차별적 배분이란 있을 수 없다는 입장 | • 인간은 자기의 능력과 상관없이 기본적 욕구가 충족되어야 공평하다는 입장<br>• 평등이론(완전평등을 위한 첫 단계)과 실적이론(경쟁을 위한 전제) 모두의 실현을 위한 절충적 입장 |
| 주 장 | 자유주의자(개인주의) | 사회주의자(집단주의) | 사회주의자 또는 자유주의자 |
| 추구 가치 | • 기회의 공평(응분)<br>• 정당한 불평등의 확보<br>• 수평적 공평<br>• Aristotle의 배분적 정의 (상대적·비례적 평등) | • 결과의 공평(자격권)<br>• 부당한 불평등의 시정<br>• 수직적 공평<br>• Aristotle의 평균적 정의 (절대적·획일적 평등) | • 절충적 입장<br>• 정당한 불평등의 확보와 부당한 불평등의 시정<br>• 수직적 공평과 수평적 공평 모두 중시 |
| 실현 제도 | 독과점 규제, 비례세, 수익자 부담주의, 공개채용제도, 보통 선거 등 | 누진세, 임용할당제(대표관료제), 최저임금제, 최저생계비 지급, 평등선거, 국방의 의무 등 | 의무교육, 실업수당, 최저임금, 연금제도, 공적부조, 보험제도, 생활보호 등 |

📝 평등이론은 궁극적으로 절대적·획일적 평등을 추구하지만 이를 위한 첫 단계는 최소 약자 보호에 있다. 따라서 현실에서 평등이론의 실현제도는 인간의 기본적 욕구 충족을 강조하는 욕구이론의 실현제도와 유사하다. 즉, 의무교육, 최저임금제, 최저생계비 지급 등은 평등이론과 욕구이론 모두의 제도적 장치가 된다.

PART · 01

**O·X 문제**

1. 롤스는 불평등한 분배가 정당화되려면 최소 수혜자 집단에게 더 많은 혜택이 돌아가도록 해야 한다고 주장하였다. ( )

2. 롤스는 타고난 차이 때문에 사회적 가치의 획득에서 불평등이 생겨나는 것은 사회적 정의에 어긋난다고 주장한다. ( )

3. 롤스에 따르면 정의의 두 가지 기본 원리 중 제1원리가 제2원리에 우선하며, 제2원리 중에서도 기회균등의 원리가 차등조정의 원리에 우선한다. ( )

4. 롤스는 자유와 평등의 조화를 추구하는 중도적 입장보다는 자유방임주의에 의거한 전통적 자유주의 입장을 취하고 있다. ( )

5. 롤스는 현저한 불평등 위에서는 사회의 총체적 효용극대화를 추구하는 공리주의가 정당화될 수 없다고 본다. ( )

6. 롤스의 정의론에서 기회균등의 원리는 결과의 공평을 중시하며, 차등의 원리는 기회의 공평을 중시한다. ( )

O·X 정답 **1.** ○ **2.** ○ **3.** ○ **4.** ×<br>**5.** ○ **6.** ×

**심화학습**

사회적 형평의 주요 쟁점

| 구분 | 기회의 공평<br>(실적이론) | 결과의 공평<br>(평등이론) |
|---|---|---|
| 관련<br>개념 | **응분의 대가**: 개인의 업적·능력에 따른 보상(동일한 불법행위에 대한 동일한 처벌) | **자격권**: 개인이 사회적으로 부여받은 권한에 의한 보상(불법행위 시 정상참작) |
| 세금<br>제도 | 비례세(소득과 상관없이 동일한 세율 적용) | 누진세(소득의 크기에 따라 세율을 달리 적용) |
| 선거<br>제도 | 보통선거(누구에게나 투표의 기회 부여) | 평등선거(누구에게나 동등하게 1표의 투표권 인정) |

**심화학습**

수평적 형평과 수직적 형평의 개념 논란

| | |
|---|---|
| 개념 | • 수평적 형평과 수직적 형평은 공평의 대상을 '기회'로 보느냐, '결과'로 보느냐에 따라 정반대로 표현될 수 있다.<br>• 일반적으로는 공평의 대상을 '기회'로 보나, 그렇지 않은 경우도 있다. |
| 공평의<br>대상 | **기회**<br>• **수평적 형평**: 실적이론(기회를 같게)<br>• **수직적 형평**: 욕구이론과 평등이론(기회를 다르게) |
| | **결과**<br>• **수평적 형평**: 욕구이론과 평등이론(결과를 같게)<br>• **수직적 형평**: 실적이론(결과를 다르게) |

**O·X 문제**

1. 수익자 부담원칙은 수평적 형평성, 대표관료제는 수직적 형평성과 각각 관계가 깊다. ( )

**심화학습**

공채발행과 수직적·수평적 공평

수직적 공평을 빈자와 부자와의 공평뿐만 아니라 현세대와 차세대의 공평까지 포함하는 개념으로 보는 견해에 의하면 공채발행은 현세대와 후세대가 그 비용을 공동부담하므로 수직적 공평의 예가 된다. 다만, 공채발행은 수익자부담주의와 관련된다는 점에서 수평적 형평으로 보는 견해도 있다.

**✛ 철학적 개인주의와 경제적 개인주의**

| 철학적<br>개인주의 | 인간은 자신이 살아가는 정치체제로부터 독립된 실체라는 이념 |
|---|---|
| 경제적<br>개인주의 | 인간은 합리적 경제인으로서 개인의 선호를 자유롭게 표출하는 실체라는 이념 |

**O·X 정답** 1. ○

(5) 유 형

① 기회의 공평과 결과의 공평

㉠ 기회의 공평(equality of opportunity): 기회균등이 인간의 자유를 신장시키기 위한 필요조건이라는 자유주의자들이 강조하는 평등이다.

㉡ 결과의 공평(equality of outcome): 능력과 관계없이 누구나 동일한 생활수준이나 소득을 가져야 한다는 사회주의자들이 강조하는 평등이다.

② 수평적 공평과 수직적 공평

㉠ 수평적 공평(horizontal equality): 동등한 여건에 있는 사람들에게는 어떠한 차별을 두어서도 안 된다는 원리로 '정당한 불평등의 확보'에 초점이 있다[떼 동등한 것은 동등하게 − 비례세제(부가가치세), 수익자부담(응익주의), 공개경쟁채용(실적주의) 등].

㉡ 수직적 공평(vertical equality): 서로 다른 여건에 놓여있는 사람들을 동등하게 다루어서는 안 된다는 원리로 '부당한 불평등의 시정'에 초점이 있다[떼 다른 것은 다르게 − 누진세(응능주의, 소득세), 대표관료제(임용할당제), 공채발행 등].

## 3. 자유와 평등(복지)

(1) 자 유

① 개념: 일반적으로 자유는 제약과 간섭이 없는 상태로 자기중심적인 개념이다. 그러나 자유는 사회성이라는 제약이 있어 무제한의 것이 아니라 타인의 자유 및 사회의 일반적인 이익과 상충되지 않는 범위 내에서 행사되어야 한다. 이는 자유가 기본적으로 평등한 자유의 개념을 바탕에 깔고 있기 때문이다.

② 자유의 유형

㉠ 소극적 자유와 적극적 자유 − 베를린(Berlin)

ⓐ 소극적 자유: 개인에 대한 정치권력의 부당한 억압과 강제를 배제하여 간섭과 제약이 없는 상태의 자유를 말한다. 이를 위해서는 국가권력을 제한하는 법적·제도적 장치가 마련되어야 한다(국가로부터의 자유).

ⓑ 적극적 자유: 개인이 스스로의 결정에 따라 무엇을 할 수 있는 상태의 자유를 말한다. 이를 위해서는 정치권력의 적극적인 개입을 통해 자유권이 행사될 수 있는 여건이 마련되어야 한다(국가를 통한 자유).

㉡ 정치적 자유와 경제적 자유

ⓐ 정치적 자유: 철학적 개인주의✛에 입각한 자유로 개인 자신이 살아가는 정치체계의 강제와 억압으로부터의 자유를 말한다(사상의 자유 등).

ⓑ 경제적 자유: 경제적 개인주의✛에 입각한 자유로 개인의 경제적 선호가 자유롭게 표출될 수 있는 자유를 말한다(사경제활동의 자유 등).

(2) 평등(복지)

① 개념 : 일반적으로 같은 처지에 있는 사람을 똑같이 대접하는 것을 의미하며, 정치·행정과 관련해서는 사회적 가치 배분에서의 평등한 대우와 관련된다.

② 블래스토스(G. Blastors)의 정당한 분배의 원칙

　㉠ 의의 : 블래스토스는 각자의 필요(need)에 의한 분배, 각자의 가치(worth)에 따른 분배, 각자의 일(work)에 따른 분배, 각자의 능력과 업적(merit)에 따른 분배, 각자의 계약(contract)에 따른 분배가 정당한 분배의 원칙이라고 하였다.

　㉡ 평가 : 이 원칙은 다양한 분배의 원칙 중 평등의 기준이 되어야 할 원칙이 무엇인지에 대한 답을 주지 못한다는 비판을 받는다.

③ 평등의 유형

　㉠ 절대적 평등과 상대적 평등

　　ⓐ 절대적 평등 : 인간의 존엄성과 인간으로서의 가치에 바탕을 둔 평등으로 능력과 상관없이 누구나 동일한 소득을 가져야 함을 의미한다.

　　ⓑ 상대적 평등 : 각자의 능력과 기여도 및 필요에 바탕을 둔 평등으로 정당한 불평등을 내포하는 개념이다.

　㉡ 형식적 평등과 결과적 평등

　　ⓐ 형식적 평등(기회의 평등) : 사회적 가치를 취득할 수 있는 기회·자격·권리 등을 동등하게 부여하는 평등을 의미한다.

　　ⓑ 결과적 평등 : 형식적 평등이 보장된 상태에서 개인들 사이에 나타나는 부당한 불평등을 시정하려는 평등을 의미한다.

## 03 행정의 수단적 가치

### 1. 민주성

(1) 의 의

행정의 민주성이란 자유와 평등을 내용으로 하는 민주주의의 원리를 행정에 적용한 것으로 대내적으로는 조직관리의 민주화를, 대외적으로는 시민의 의사에 입각한 행정을 의미한다.

(2) 관련 이론

① 인간관계론·통치기능설 : '사회적 능률성' 개념을 통해 민주성을 확보하고자 하였다.

② 신행정론 : '사회적 형평성 및 대응성' 개념을 통해 민주성을 확보하고자 하였다.

③ 거버넌스론 : '참여주의에 입각한 행정'을 통해 민주성을 확보하고자 하였다.

(3) 유형 – 대내적 민주성과 대외적 민주성

① 대내적 민주성 : 조직 내에서 구성원들의 인간적 가치를 실현하기 위한 조직 관리의 민주화를 의미한다. 이를 위해서는 인간의 비합리적·감정적·사회심리적 요인을 고려해야 하며, Y이론적 관리가 필요하다.

② 대외적 민주성 : 시민과의 관계에서 시민의 의사를 존중하고 시민에게 책임을 지는 시민을 위한 행정을 의미한다. 이를 위해서는 행정에의 시민참여, 시민에게 행정정보의 공개, 책임행정 구현을 위한 효과적인 통제장치의 마련 및 행정윤리의 확립 등이 필요하다.

**심화학습**

**복지의 유형**

| 잔여적 복지 | 의의 | 시장의 효율성을 저해하지 않는 범위에서의 보충적·일시적·한정적 복지(소극적 복지) |
| | 예 | 노숙자에 대한 무료 급식 등 한시적인 생활 보장 정책 |
| 제도적 복지 | 의의 | 사회 구조적 문제로 인한 불공평을 국가가 개입하여 해결하는 항상적·계속적 복지(적극적 복지) |
| | 예 | 연금제도, 사회보험제도 등 |

**심화학습**

**평등과 사회보장제도**

| 사회 보험 | 개념 | 국민이 미래에 직면할 수 있는 사회적 위험을 '위험의 분산'이라는 보험기술을 통해 대처하고자 하는 제도 |
| | 특징 | 전 국민을 대상으로 하며, 국가와 국민이 공동으로 재원을 조성 |
| | 예 | 고용보험, 연금보험, 산재보험 등 |
| 공적 부조 | 개념 | 스스로 생활유지능력이 없는 사람들에게 국가가 인간다운 생활을 영위할 수 있도록 지원하는 제도 |
| | 특징 | 선별된 소수의 빈곤층을 대상으로 하며, 국가의 재원으로 지원 |
| | 예 | 의료보호, 생활보호, 원호보호 등 |

**심화학습**

**넓은 의미의 민주성**

| 민주성과 합법성 | 대의민주주의에서 법률은 대표가 국민의 의사에 입각하여 제정한 것이므로 법률에 입각한 행정(합법성)은 결국 국민의 의사에 입각한 행정(민주성)이 된다. |
| 민주성과 사회적 형평성 | 사회적 형평 중 '수평적 공평'은 모든 국민이 기본적 인권에 있어서 평등해야 함을 강조한다는 점에서, '수직적 공평'은 모든 국민의 인간다운 생활을 보장해야 함을 강조하는 점에서 사회적 형평성은 인간적 가치의 구현을 강조하는 민주성의 한 부분이 된다. |
| 민주성과 대응성 (반응성) | 대응성은 고객의 요구에 입각한 행정을 의미한다. 행정에서의 고객은 시민이므로 결국 대응성은 시민의 요구에 입각한 행정인 민주성을 의미하게 된다. |

③ 대내적 민주성과 대외적 민주성의 제도적 장치

| | | |
|---|---|---|
| 대내적 민주성 | 구조 측면 | • 민주적 조직설계(탈관료제 – 계층구조의 완화)<br>• 분권화(권한위임), 통솔범위의 확대, 직무확충 등 |
| | 관리 측면 | Y이론적 관리, MBO·OD·TQM 등 민주적 관리기법, 공무원노조, 참여관료제, 다면평가제, 능력발전기회의 제공 등 |
| | 행태 측면 | 하의상달, 민주적 리더십, 자유로운 의사전달, 자아실현 욕구의 충족, 자발적 의사결정기회의 부여 등 |
| 대외적 민주성 | 시민참여 | 위원회제도, 정책공동체, 시민공동생산(민·관 협조체제 구축), 선거제도, 각종 주민참여제도 등 |
| | 행정정보공개 | 행정PR, 「정보공개법」·「행정절차법」, 정책실명제, 민주적 전자정부 구축 등 |
| | 행정통제(책임)의 강화 | 행정구제제도, 행정윤리, 대표관료제, 옴부즈만제도, 내부고발자 보호제도, 엽관주의 등 |

(4) 민주성과 능률성의 관계

① 상충가능성 : 참여·공개·책임(통제)을 구성요소로 하는 민주성은 시간소모적 의사결정으로 비능률성을 야기할 수 있어 양 이념은 충돌가능성이 있다.

② 조화가능성 : 민주성과 능률성을 보완적 관계로 인식하여 민주적으로 설정된 목표를 능률적으로 달성하고자 한다면 또는 민주성을 능률성의 목표개념으로, 능률성을 민주성의 수단개념으로 파악한다면 양 이념은 조화가 가능하다.

## 2. 대응성(반응성)

(1) 의 의

대응성은 1970년대 이후 행정을 권력작용이 아닌 서비스 제공 기능으로 이해하면서 대두된 이념으로 민주성과 같은 맥락에서 시민의 요구에 입각한 행정을 의미한다(거버넌스적 관점).

(2) 행정이론과 대응성

대응성 개념은 신행정론, 신공공관리론, 거버넌스론, 신공공서비스론에서 강조된 행정이념이다. 다만, 각 개별 행정이론에 따라 그 내용에 차이가 있다.

① 신행정론과 대응성 : 신행정론은 그동안 정부로부터 소외받은 집단이나 국민의 요구를 정부가 적극적으로 충족해 줘야 한다는 점에서 대응성을 강조한다. 즉, 사회적 형평성과 관련하여 대응성 개념을 중시한다.

② 신공공관리론(기업가적 정부)과 대응성 : 신공공관리론은 정부를 생산자로, 국민을 소비자로 보고 정부가 각각 차별적이고 이질적인 고객의 요구를 충족해 줘야 한다는 점에서 대응성을 강조한다. 즉, 고객지향성과 관련하여 대응성 개념을 중시한다.

③ 뉴거버넌스론 및 신공공서비스론과 대응성 : 뉴거버넌스론은 주인인 시민의 요구가 정부·시장·시민사회의 협력적 네트워크를 통해 구현되어야 한다는 점에서 대응성을 강조한다. 즉, 민주성과 관련하여 대응성 개념을 중시한다.

## 3. 합법성

### (1) 의 의

합법성이란 행정이 법에 근거를 두고 법에 의하여 규제됨으로써 법을 떠난 자의적인 행정이 허용되어서는 안 된다는 이념을 말한다.

### (2) 대두배경

합법성은 시민권의 신장과 자유권의 옹호를 강조하였던 근대 입법국가시대(행정학 성립 이전)에서 강조되었다.

### (3) 효용과 한계

① 효용 : 행정의 자의성 및 행정에 의한 국민의 권리침해행위를 방지할 수 있다. 또한 행정의 통일성·일관성·안정성·객관성·예측가능성·공평성 등을 확보할 수 있다.

② 한계 : 동조과잉(목표와 수단이 대치되는 현상), 형식주의(법규와 실제가 달라지는 현상), 행정의 경직성, 행정편의주의 등의 문제를 야기할 수 있다.

③ 논의의 종합 : 행정의 기능변화와 함께 합법성의 지나친 강요가 수반하는 부작용 때문에 현대 행정이념으로서 합법성의 비중은 상대적으로 낮아졌으나, 비대해진 관료권의 횡포가 적지 않은 현실을 고려할 때 여전히 존중되어야 할 중요한 행정이념이다.

## 4. 능률성, 효과성, 생산성(효율성)

### 핵심정리 | 개념적 기초 – 산출(output)과 결과(outcome)

**1. 개 념**

행정활동이 창출한 직접적인 생산물을 산출(output)이라 하고, 산출이 창출한 행정활동의 궁극적 목적물을 결과(outcome)라 한다. 따라서 산출은 결과를 위한 중간단계에 해당하며, 성과에는 산출과 결과가 모두 포함된다.

**2. 예**

경찰의 치안활동은 범인을 체포하여 궁극적으로 국민들을 범죄로부터 해방시키기 위한 것이다. 따라서 '범인 체포 수'는 산출에 해당하며, '국민의 범죄로부터의 해방'은 결과에 해당한다.

| 활동(activities) | | 산출(output) | | 결과(outcome) |
|---|---|---|---|---|
| • 범인 체포 활동<br>• 경제성과 관련 | ⇨ | • 체포된 범인 수<br>• 능률성과 관련 | ⇨ | • 범죄로부터 해방<br>• 효과성과 관련 |

### (1) 능률성(efficiency)

① 의의 : 협의로는 최소의 비용으로 최대의 산출(output)을 얻는 것을, 광의로는 효율성 또는 생산성의 의미로 최소의 비용으로 최대의 결과(outcome : 효과)를 얻는 것을 말한다.

② 관련 이론

　㉠ 과학적 관리론 : 엽관주의 폐해로 인한 행정의 비능률을 제거하기 위해 등장한 과학적 관리론은 절약과 능률을 제1의 목표로 하였다.

　㉡ 신공공관리론 : 행정국가의 정부실패(재정난)를 극복하기 위해 등장한 신공공관리론은 제한된 자원을 효율적으로 이용하기 위하여 능률성을 중시하였다.

심화학습

'합법성 개념'의 구체적 고찰

| 소극적<br>의미의<br>합법성 | 개념 | 어떠한 경우라도 법을 위반해서는 아니 된다. |
|---|---|---|
| | 강조점 | 모든 상황에서 예외 없이 법이 적용되는 법의 안정성 강조 |
| 적극적<br>의미의<br>합법성 | 개념 | 입법의 의도나 목적에 맞게 상황에 따라 법을 적용해야 한다. |
| | 강조점 | 상황에 따라 법의 신축성을 부여하는 법의 적합성 강조 |

O·X 문제

1. 19세기 후반 현대 미국 행정학의 태동기에 강조되었던 행정이념은 민주성과 합법성이었다. (　)

2. 합법성은 정부 관료의 자의적인 행정활동을 막아주는 데 기여한다. (　)

3. 합법성을 지나치게 강조하는 경우 수단가치인 법의 준수가 강조되어 목표의 전환, 형식주의를 가져올 수 있다. (　)

심화학습

넓은 의미의 능률성

| 경제성 | 비용의 최소화(투입에 초점) |
|---|---|
| 능률성 | 산출/투입의 극대화<br>(좁은 의미의 능률성) |
| 효과성 | 목표달성도(결과에 초점) |
| 효율성 | 결과/투입의 극대화<br>(넓은 의미의 능률성) |
| 윤리적<br>능률성 | 정부자금의 횡령이나 착복 등의 부패 방지 |

O·X 정답 1. ✕　2. ◯　3. ◯

③ 능률의 유형 – 기계적 능률과 사회적 능률

　㉠ 기계적 능률 : 투입 대 산출의 비율로 표현되는 수치적·계량적 능률을 의미한다. 사이먼(Simon)은 기계적 능률을 '대차대조표적 능률'이라고 표현하고 성과를 계량화해 객관적인 기준에 따라 능률성을 평가해야 한다고 보았다.

　㉡ 사회적 능률 : 행정의 사회 목적 실현, 다원적인 이익들 간의 통합·조정 및 조직 내부 구성원의 인간적 가치 실현을 내용으로 하는 능률을 의미한다. 사회적 능률은 민주성의 개념으로 이해되기도 한다.

▷ **기계적 능률과 사회적 능률**

| 구 분 | 기계적 능률 | 사회적 능률 |
|---|---|---|
| 개 념 | 투입 대 산출의 비율로 표현되는 계량적 능률 | 행정의 사회 목적 실현과 다원적인 이익 간 통합·조정 및 행정조직 내부에서 구성원의 인간적 가치 실현을 중시하는 능률 |
| 관련 이론 | 과학적 관리론 | 인간관계론, 통치기능설 |
| 대두요인 | 행정의 비능률과 무능력을 극복하기 위한 수단으로 등장 | 과학적 관리론의 한계 및 인간의 기계화에 대한 반대 논리로 등장 |
| 유사개념 | 수치적·금전적·객관적·물리적·양적·단기적·몰가치적·사실적 능률 | 인간적·민주적·상대적·장기적·발전적·가치적·질적·합목적적 능률 |
| 평 가 | "무엇을 위한 능률인가?"에 대한 답을 줄 수 없는 목적의식과 방향감각이 결여된 능률 | 민주성과 능률성의 조화를 추구했지만, 오히려 능률의 개념을 모호하게 함. |
| 대표학자 | • 귤릭(Gulick) : 행정의 제1의 공리는 능률이라고 주장함.<br>• 사이먼(Simon) : 대차대조표적 능률 | 디목(Dimock) : 사회적 능률 개념을 제시함. |

(2) 효과성(effectiveness)

① 의의 : 결과(outcome)지향적 이념으로 산출이 목표를 달성하는 정도를 의미한다.

② 관련 이론 : 발전행정론에서 중시된 행정이념이다.

③ 한계 : 비용에 대한 고려가 없어 효과성을 추구하는 과정에서 능률성을 저해할 수 있다는 비판을 받는다.

④ 효과성과 목표의 타당성

　㉠ 적합성(appropriateness) : '행정이 우선적으로 해결해야 할 문제를 목표로 삼았는지'와 관련된 개념으로, 정책목표가 사회의 중요한 가치를 반영했다면 적합성 있는 목표라 할 수 있다.

　㉡ 적정(절)성(adequacy : 충분성) : '목표수준이 적정하게 설정되었는지'와 관련된 개념으로, 정책목표의 수준이 사회문제 해결에 기여할 수 있다면 적정성 있는 목표라 할 수 있다.

(3) 효율성(생산성)＝경제성＋능률성＋효과성

① 의의 : 최소의 투입(경제성)으로 최대의 산출을 기하되(능률성), 그 산출이 목표에 기여(효과성)하는 정도를 의미한다. 효율성은 3Es(economy, efficiency, effectiveness), 넓은 의미의 능률성, 성과 등으로 표현되기도 한다. 효율성은 능률성과 효과성이 대체로 병행하나 상충되는 경우도 있기 때문에 이를 조화시키고자 하는 이념이다.

② 관련 이론 – 신공공관리론 : 비효율성으로 인한 정부실패를 극복하기 위해 대두된 신공공관리론에서 중시된 행정이념이다.

③ 능률성 · 효과성 · 효율성(생산성)의 비교

| 능률성 | 효과성 | 효율성 |
|---|---|---|
| 투입 대비 산출(산출/투입) | 목표 대비 산출(산출/목표) | 산출/투입과 산출/목표 동시에 고려 |
| 수단 · 과정적 측면 중시 (조직 내적 조건) | 목표달성도 중시 (조직과 환경과의 관계) | 수단 · 과정적 측면과 목표달성도 모두 중시 |
| 하위목적적 성격 | 상위목적적 성격 | 종합적 성격 |
| 구조적 단일목표의 달성비율 | 기능적 전체목표의 달성비율 | 모두 고려 |
| 양적 · 단기적 | 질적 · 장기적 | 종합적 |

## 5. 합리성

(1) 의 의

합리성은 어떤 행위가 궁극적인 목표달성의 최적수단이 되느냐 여부를 가리는 개념이다. 합리성은 목표 · 수단의 계층제적 구조를 기준으로 목표달성을 위한 바람직한 수단의 선택과 관련된다(합목적성).

(2) 행정이론과 합리성

① 과학적 관리론 : 합리적인 조직구조의 설계를 강조하면서 완전한(고전적 · 절대적) 합리성을 추구하였다.

② 인간관리론 : 인간의 비합리적 측면을 강조하여 비합리성을 중시하였다.

③ 행정행태론 : 절대적 합리성은 비현실적이라고 비판하면서 인간을 인지능력상의 한계를 지닌 행정인으로 인식하고 제한된 합리성을 중시하였다.

(3) 합리성의 종류

| 학 자 | 종 류 | 내 용 |
|---|---|---|
| 만하임 (K. Mannheim)의 합리성 | 실질적(substantial) 합리성 | 이성적인 사고작용을 통해 여러 사건이나 구성요인 간의 상관관계를 밝히는 것(Simon의 절차적 합리성과 유사) |
| | 기능적(functional) 합리성 | • 목표달성을 위한 수단적 적합성(Simon의 내용적 합리성과 유사) <br> • 만하임에 의하면 관료제는 기능적 합리성을 띤 대표적인 조직구조이다. |
| 사이먼 (H. A. Simon)의 합리성 | 실질적(substantive) 합리성 | 목표달성을 위한 가장 효율적인 행위(내용적 합리성, 결과적 · 객관적 합리성) |
| | 절차적(procedural) 합리성 | • 의식적인 사유과정을 통해 보다 나은 수단을 찾는 것(선택의 결과보다 결정이 생성되는 과정에 초점이 있는 합리성 – 주관적 · 과정적 합리성) <br> • 사이먼에 의하면 인간은 제한된 합리성으로 인해 내용적 합리성이 제약을 받으므로 절차적 합리성이 중요하다. |

**심화학습**

**과정 중심의 합리성과 결과 중심의 합리성**

| | | |
|---|---|---|
| 과정 중심의 합리성 | 인지적 사고과정에 의한 주관적 합리성 – 점증모형과 관련 | 만하임의 실질적 합리성, 사이먼의 절차적 합리성, 베버의 실질적 합리성, 디징의 정치적 합리성·사회적 합리성 |
| 결과 중심의 합리성 | 목표달성에 순기능적 행위를 하는 수단적 합리성 – 합리모형과 관련 | 만하임의 기능적 합리성, 사이먼의 내용적 합리성, 베버의 형식적 합리성, 디징의 기술적 합리성·경제적 합리성·법적 합리성 |

**심화학습**

**합리적 결정의 저해요인**
① 사회의 구조적 왜곡(Habermas)
② 제한된 합리성으로 인한 인지능력 한계(Simon의 만족모형)
③ 정보의 불완전성과 미래예측능력의 한계
④ 다원주의하에서 대인간 조작 (Lindblom의 점증모형)
⑤ 현상의 유지성향이나 관성 등

| | | |
|---|---|---|
| 베버(M. Weber)의 합리성 | 이론적(theoretical) 합리성 | 인간의 사유과정을 통해 현실의 경험에 대한 지적 이해(이론적 귀납)나 인과관계(이론적 연역)를 규명해 가는 합리성 |
| | 실제적(practical) 합리성 | 사회생활에서 사람들이 개인 이익을 증진하기 위해 실용적·이기적 판단을 할 때 나타나는 합리성(현실적·실천적 합리성) |
| | 실질적(substantive) 합리성 | 자신의 직접적인 행동을 위한 최적의 포괄적인 주관적 가치(평등주의, 쾌락주의 등)를 찾고 이에 따라 행동하는 합리성 |
| | 형식적(fomal) 합리성 | • 목적을 달성하기 위한 법과 규정에 정당성을 부여하는 합리성<br>• 베버에 의하면 법의 보편적인 정신에 따라 그에 부합되는 행위를 중시하는 관료제가 가장 이상적이고 합리적인 조직이다. |
| 디징(P. Diesing)의 합리성 | 기술적(technical) 합리성 | • 목표와 수단의 연쇄관계 또는 계층제적 구조를 기준으로 목표성취에 적합한 수단들을 찾는 것<br>• 목표와 수단 간에 존재하는 인과관계의 적절성(본래적 의미의 합리성) |
| | 경제적(economic) 합리성 | • 비용·효과의 비교개념으로 목표를 선정하고 평가하는 과정에서 나타나는 합리성<br>• 비용(cost)에 비해서 효과(benefit)가 큰 목표를 선정하는 것(비용편익분석과 관련된 합리성) |
| | 사회적(social) 합리성 | • 사회체제의 구성요소 간에 조화 있는 통합성(integration)을 추구하는 합리성<br>• 사회 내의 여러 힘과 세력들이 질서 있는 방향으로 처리되고, 갈등이 해결될 수 있는 장치를 가질 때에 나타나는 합리성(가장 비합리적인 합리성) |
| | 정치적(political) 합리성 | 보다 나은 정책을 추진할 수 있도록 정책결정구조(decisionmaking structure)가 개선될 때 나타나는 합리성(가장 영향력이 크고 비중이 높은 합리성) |
| | 법적(legal) 합리성 | • 인간과 인간 간에 권리·의무관계가 성립할 때에 나타나는 합리성<br>• 인간행위를 법적으로 예측가능하게 하고 행정의 공식적 질서를 탄생시켜주는 합리성(대안들의 합법적인 정도) |
| 라인베리(Lineberry)의 합리성 | | 개인적 합리성, 집단적 합리성, 사회적 합리성으로 구분하고 개인적 합리성이 집단적 합리성이나 사회적 합리성을 보장하지 못한다고 주장하였다(시장실패의 이론적 근거인 죄수의 딜레마, 공유지의 비극, 구명보트 윤리배반모형과 동일한 결론). |

## 6. 가외성

(1) 의 의

① 개념: 행정체제가 기본 구성요소 외에 잉여요소(초과분, 여분)를 갖는 것을 말한다.

② 배경: 가외성은 1960년대 정보과학, 컴퓨터 기술, 사이버네틱스 이론의 발달과 함께 논의되고 란다우(M. Landau)에 의해 행정학에 도입되었다. 란다우는 가외적 장치의 산술적인 증가가 실패 확률을 기하급수적(지수적)으로 감소시킨다고 주장하였다.

(2) 내 용

① 중첩성(overlapping) – 오류발생 최소화: 동일 기능을 여러 기관이 협력적(상호의존적)으로 수행하는 것을 말한다(예 소화기관 간의 협력, 재난 발생 시 여러 기관들이 협력하여 처리하는 경우 등).

② 반복성(중복성 : duplication) : 동일 기능을 여러 기관이 독자적으로 수행하는 것을 말한다(예 자동차 이중브레이크, 다수의 정보기관을 두는 경우 등).

③ 동등잠재력(등전위현상 : eqipotentiality) : 주된 조직단위의 기능이 작동하지 않을 때 보조적 단위기관이 이를 대신 수행하도록 하는 것을 말한다(예 단전에 대비하기 위한 자가발전시설, 대통령 유고 시 국무총리의 권한대행 등).

> **핵심정리 | 가외적 장치**
>
> **1. 가외적 장치**
> 권력분립, 양원제, 거부권 행사, 위원회제도, 순차적 결재(品의제도), 삼심제도, 계선과 막료, 복수목표 추구, 분권화, 연방제도, 삼독회✛ 등
>
> **2. 가외적 장치가 아닌 것**
> 만장일치, 집권화, 계층제(일사분란한 명령체제)

**(3) 가외성이 정당화되는 행정체제의 조건**

① **정책결정의 불확실성** : 인간은 인지능력상의 한계로 지식과 정보가 불완전하기 때문에 정책결정 상황에서 불확실성에 직면하게 된다. 이에 대응하기 위해서는 다양한 정책대안을 마련하고 필요에 따라 선택할 수 있어야 한다.

② **조직의 신경구조성** : 조직은 아주 광범위하고 복잡한 통신망(신경구조)으로 엮어진 정보체계이다. 조직은 정보채널이 많을수록 보다 정확한 정보의 수집이 가능해져 정보체계의 미비점과 위험성을 보완할 수 있다.

③ **조직의 체제성** : 하나의 조직은 여러 하위체제로 구성되어 있다. 가외성은 어느 하나의 하위체제에서 기능상 장애가 발생하여도 중복장치의 발동을 통해 특정 하위체제의 불완전성이 조직 전체로 파급되는 것을 방지해준다.

④ **타협과 협상의 사회** : 대규모 조직사회에서는 타협과 절충이 불가피하며, 타협과 절충은 일반적으로 한 번의 접촉이나 의견교환에 의해 이루어지는 것이 아니라 반복의 과정을 통해 이루어진다.

**(4) 가외성의 기능과 한계**

① **기능(효용)**

㉠ **체제의 신뢰성과 안정성 증진** : 불확실한 상황에서 예측하지 못한 실수나 오류를 최소화하여 체제의 신뢰성과 안정성을 증진한다.

㉡ **정보의 정확성 증진** : 정보 경로 및 정보원의 다원화를 가져와 정보의 정확성을 증진한다.

㉢ **체제의 적응성(대응성) 증진** : 다양한 대응장치의 마련을 통해 환경 변화에 대한 체제의 적응성(대응성)을 증진한다.

㉣ **창조성과 다양성 증진** : 동일 기능을 수행하는 여러 기관 간 의사소통을 촉진하여 인식의 편협성을 극복하고 창의적인 아이디어를 개발케 한다.

㉤ **목표의 전환 방지** : 조직이 제 기능을 수행하지 못할 때 복수목표(가외적인 목표)는 목표와 수단이 뒤바뀌는 현상을 방지해준다.

㉥ **체제의 수용능력 확대** : 조직이 여유자원을 갖게 함으로써 조직의 수용능력을 확장시켜준다.

✛ 삼독회(the third reading)
의회가 법률 심의 과정에서 의안을 세 번 읽는 것을 의미한다. 의회는 법률 심의 시 1독은 소관 상임위원회에서, 2독은 법제사법위원회에서, 3독은 본회의에서 읽는다.

**O·X 문제**

1. 란다우는 권력분립, 계선과 참모, 양원제와 위원회제도를 가외성 현상이 반영된 제도로 본다. ( )
2. 환경의 불확실성이 커질수록 가외성은 행정의 안정성과 신뢰성 확보 측면에서 그 필요성이 높아진다. ( )
3. 가외성은 복잡한 조직 내에서 정보체제의 위험성과 미비점을 보완할 수 있다. ( )

**O·X 문제**

4. 가외성은 예측하지 못한 행정수요에 대응이 가능하게 함으로써 행정에 대한 신뢰성을 제고한다. ( )
5. 조직의 동질적인 기능들이 중복적으로 엮어질 때 신뢰성은 증진되지만 창의성은 떨어진다. ( )

O·X 정답 1. ○ 2. ○ 3. ○ 4. ○
5. ✕

② 한 계

　㉠ **능률성(감축관리)과 충돌가능성**: 조직의 비용을 증가시키는 원인이 될 수 있어 능률성(감축관리)과 충돌될 소지가 있다.

　㉡ **갈등의 증폭 및 책임한계의 모호성**: 하나의 기능을 여러 기관이 수행할 경우 갈등이 증폭되며 책임한계 설정이 곤란하다.

　㉢ **불확실성에 대한 소극적 대처**: 가외성은 불확실성을 적극적으로 극복하려 하기보다는 이를 인정하고 대처하려는 소극적 방안에 불과하다.

## 04 거버넌스에서의 행정가치

### 1. 사회적 자본(social capital)

(1) 의 의

① 개 념

　㉠ 푸트남(Putnam)에 의하면 사회적 자본은 사회구성원 간의 협력적 행위를 촉진시켜 사회적 효율성을 증진할 수 있는 상호신뢰, 호혜성의 규범, 시민참여 네트워크와 같은 사회조직의 속성을 말한다.

　㉡ 사회적 자본은 참여자들이 공동목적을 추구하기 위해 효율적으로 일을 함께 할 수 있도록 만드는 조건이라 할 수 있다.

　㉢ 이탈리아의 사례를 분석한 푸트남은 사회적 자본이 지방정부의 제도적 성과 차이를 잘 설명한다고 주장하였다.

② **이론적 기초 – 공동체주의와 거버넌스론**: 사회적 자본은 개인의 권리와 의무보다는 공동체적 덕목(정의, 연민 등)을 중시하는 공동체주의에 기반을 두고 있으며, 1990년대 행정학의 패러다임인 거버넌스론에서 강조되었다.

(2) 종 류

① **상호신뢰(믿음)**: 신뢰란 사람 간의 관계에서 위험을 전제로 자신을 취약한 상태에 두는 것을 자발적으로 수용하는 것을 말한다. 후쿠야마(Fukuyama)는 사회적 자본은 사회적 신뢰에서 생성된다고 하였다.

> **참고**  신뢰의 이해
>
> 1. **신뢰의 특징 – 신뢰와 통제의 상반성**
>    신뢰와 통제는 상반성을 지녀 신뢰가 끝나는 점에서 통제가 시작된다. 따라서 신뢰의 확립은 통제비용을 감소시키고, 불신은 통제비용을 증가시킨다.
> 2. **신뢰의 종류**
>    (1) **신탁적 신뢰**: 비대칭적 정보를 전제로 하는 주인 - 대리인 관계에서의 신뢰
>    (2) **상호 신뢰**: 반복적으로 교류하는 사람들 사이에서 생성되는 대인적인 신뢰(사회적 자본에서 강조하는 신뢰)

② **호혜성의 규범(친사회적 규범)**: 호혜성의 규범이란 사람들 간에 자발적인 상호교환을 촉진하는 규범을 말한다. 이때의 상호교환은 계약과 같은 즉각적이고 공식적으로 계산된 교환이 아니라 단기적 이타주의와 장기적 자기이익 간의 교환이다.

③ **수평적 네트워크**: 수평적 네트워크란 조직, 집단, 개인들 상호 간에 대등하고 수평적인 관계로 형성된 연결망을 말한다. 수평적 네트워크는 호혜성의 규범과 사회적 신뢰 형성의 기반이 된다.

**(3) 성 질**

① **사회적 관계를 강조하는 자본**: 물적 자본(생산설비), 인적 자본(개인의 지식)과 대비되는 개념으로 구성원을 연결시켜주는 규범과 관계를 강조하는 자본이다.

② **경제적 가치를 지닌 자본**: 최후의 국가 고정자산이자 국가경쟁력의 원천으로 지식기반사회에서 경제성과를 좌우하는 자본이다.

③ **공공재적 성격을 지닌 자본**: 한 개인이 배타적으로 소유하는 것이 불가능하며, 네트워크의 참여자들이 공동으로 소유(공공재적 성격)하는 자본이다.

④ **장기간에 걸친 형성과 자기강화성**: 장기간에 걸친 사회구성원 간의 상호작용이나 학습과정을 통해 형성되며, 사용할수록 증가하는 자기강화성을 지니므로 소유주체는 지속적으로 유지 또는 확대를 위한 노력을 투입해야 한다.

⑤ **비(非)등가적·비(非)동시적 교환관계**: 지속적인 교환관계를 통해 유지되고 재생산되는 자본이지만, 사용한 만큼 동등한 가치를 지불해야 하는 등가적 교환이나 시간적으로 동시적 교환이 이루어져야 하는 것은 아니다.

⑥ **상향적 형성**: 정부 주도의 국민운동에 의해 형성될 수 없으며, 시민사회에 의해 자발적이고 상향적으로 형성되는 자본이다.

**(4) 기 능**

① 순기능

  ㉠ **진정한 자치 및 담론적 민주주의 실현**: 주민참여를 촉진함으로써 진정한 자치 및 대화와 토론을 통한 정책형성을 가능케 한다.

  ㉡ **사회적 제재력을 통한 상호 소망스러운 행위 유도**: 참여자들 간에 효과적인 사회적 제재력을 제공하여 상호 간 소망스러운 행위를 유도함으로써 집단행동의 딜레마 및 공유지의 비극을 극복할 수 있게 해준다.

  ㉢ **거래비용 감소를 통한 경제발전**: 불필요한 사회적 분열 및 갈등을 해소하고 거래비용(감시·통제 비용)을 감소시켜 경제발전의 원동력이 된다.

  ㉣ **협력을 통한 사회적 효율성 제고**: 시민들 간의 협력적 행태를 촉진함으로써 사회적 효율성을 증진한다.

  ㉤ **가외적 장치의 필요성 감소**: 사회적 자본을 통한 불확실성 감소는 가외적 장치의 필요성을 약화시켜 사회적 효율성을 증진한다.

  ㉥ **지식의 공유 및 학습의 원천**: 공동체 의식의 강화를 통해 지식의 공유를 촉진한다. 특히, 사회적 자본이 형성된 사회에서의 다양성은 갈등과 대립이 아닌 창의성과 학습의 원천이 된다.

② 역기능

　㉠ **집단 간 갈등이나 균열 야기** : 사회적 자본은 집단 내부의 강력한 결속력을 촉진하는 반면, 타 집단에 대한 대외적 폐쇄성과 배타성을 야기할 위험성이 있다.

　㉡ **집단규범의 강요수단** : 특정 집단 내의 과도한 고신뢰는 집단규범을 강요하는 수단으로 전락하여 사적 선택을 제약할 수 있다.

　㉢ **정부정책 비판 결여** : 지나친 정부신뢰는 민간의 정부정책에 대한 비판능력을 상실케 하여 정부정책의 합리성을 약화시킬 수 있다.

　㉣ **형성과정의 불투명성** : 사회적 자본은 경제적 자본에 비해 형성과정이 불투명하고 불확실하다.

　㉤ **측정의 곤란성** : 사회적 자본은 개념적으로 추상적·무형적이기 때문에 계량화하기 곤란하며, 측정지표도 지역의 특성에 따라 달라지기 때문에 측정이 곤란하다.

(5) **형성 전략(정부 측면)**

① 정부와 시민 간 수평적 네트워크 및 파트너십 형성을 통한 협력체제 구축

② 자발적 결사체의 결성과 활동이 촉진될 수 있는 여건 마련

③ 각종 제도들의 투명성 및 공정성 확보

④ 불신을 초래하는 부패척결을 위한 정보공개 및 민주적 통제 장치 마련

## 2. 투명성

(1) **의 의**

투명성이란 정부의 제도·시스템·활동에 대한 가시성과 예측가능성의 정도를 의미한다. 투명성의 핵심은 정보공개에 있으나, 정보공개뿐만 아니라 정보에 대한 접근권까지 포함하는 개념이다.

(2) **효용과 한계**

| 투명성의 효과 | 투명성의 한계 |
|---|---|
| • 정부신뢰 확보를 통한 거버넌스 구축<br>• 행정통제비용 감소와 부패 통제<br>• 국민의 알권리 충족<br>• 지식공유의 활성화<br>• 장기적으로 효율성 증진(정부와 시민 간 협력적 행위 촉진) | • 갈등 촉진과 개혁에 대한 저항 강화<br>• 프라이버시 침해가능성<br>• 과다한 정보제공으로 정보의 과부하 야기<br>• 단기적으로 효율성 저하(정보공개를 위한 인력, 시간, 노력 필요) |

## 05 행정이념 상호 간의 관계와 상충 시 해결방안

### 1. 행정이념의 분류

**(1) 의 의**

행정이 추구하는 궁극적 지향점인 행정이념은 민주성과 능률성을 양대 이념으로 한다. 따라서 다양한 행정이념들은 민주성 가치와 능률성 가치로 구분해볼 수 있다.

**(2) 분 류**

① 민주성 가치: 합법성, 대응성, 책임성✛, 사회적 형평성, 공공성, 공익성 등
② 능률성 가치: 경제성, 효과성, 효율성(생산성), 중립성✛, 합리성 등
③ 가치 간 관계: 민주성 가치 상호 간이나 능률성 가치 상호 간에는 대체로 조화관계에 있고, 민주성 가치와 능률성 가치 간에는 대체로 갈등관계에 있다.

### 2. 조화관계와 상충관계

**(1) 조화관계**

민주성과 합법성, 민주성과 대응성, 민주성과 책임성, 민주성과 사회적 형평성, 민주성과 공공성·공익성, 능률성과 경제성, 능률성과 효과성, 능률성과 효율성, 능률성과 중립성, 능률성과 합리성 등

**(2) 상충관계**

민주성과 능률성, 민주성과 효과성, 민주성과 중립성, 합법성과 효과성, 합법성과 대응성, 능률성과 사회적 형평성, 능률성과 가외성 등

**(3) 쟁점사항**

① 민주성과 능률성: 민주성과 능률성은 대체적으로 상충관계에 있다. 다만, 민주적으로 설정된 목표를 능률적으로 달성하고자 한다면 조화관계를 형성할 수 있다.
② 합법성과 대응성(민주성): 원칙적으로 법률은 국민의 의사이므로 법률에 입각한 행정을 의미하는 합법성과 국민의 의사에 입각한 행정을 의미하는 대응성은 조화관계에 있다. 그러나 행정현실에서 형식주의, 의회의원의 이기적인 입법, 환경의 급격한 변화 등으로 법률이 국민의 의사를 적절히 반영하지 못하는 경우 합법성과 대응성은 상충관계를 형성하기도 한다.
③ 능률성과 효과성: 능률성과 효과성은 모두 경제적 가치를 중시한다는 점에서 조화관계에 있으나, 능률성은 양적 개념인 산출(output)을 중시하고 비용을 고려하지만, 효과성은 질적 개념인 결과(outcome)를 중시하고 비용을 고려하지 못한다는 점에서 상충관계를 형성하기도 한다.
④ 투명성과 신뢰성: 투명성과 신뢰성은 민주성과 능률성 모두에 긍정적 역할을 수행하므로 민주성뿐만 아니라 능률성과도 조화관계에 있다.

✛ **책임성**
행정관료가 공익, 국민의 여망, 도덕적·법률적 규범 등에 따라 행동해야 할 의무를 지는 것

✛ **중립성(불편부당)**
공무원이 어떤 정당이 집권하더라도 편당성을 떠나 공평무사하게 봉사하는 것

**O·X 문제**
1. 능률성과 민주성은 상호모순되는 경향이 있지만 조화가 가능하다. (  )
2. 효과성과 생산성은 서로 병행하는 경우도 있고 상충되는 경우도 있으나 효과성은 생산성의 한 측면이 된다. (  )
3. 행정환경이 급변하는 경우 주민이 원하는 서비스를 제공한다는 대응성은 합법성과 충돌할 가능성이 크다. (  )

O·X 정답 1. ○ 2. ○ 3. ○

(4) 주요 상충관계의 고찰

① **민주성과 능률성**: 민주성과 능률성은 행정의 양대 이념으로 많은 부분에서 상충관계가 발생한다.

| 구 분 | 민주성 | 능률성 |
|---|---|---|
| 행정이념 | 참여·공개·책임 | 전문·재량·성과 |
| 정 책 | 점증주의적 의사결정 | 합리주의적 의사결정 |
| 조 직 | 탈관료제(민주적 조직설계) | 관료제 |
| 인 사 | 엽관주의, 대표관료제 | 실적주의, 직업공무원제 |
| 재 무 | 정치원리 | 경제원리 |
| 행정통제 | 법규에 의한 통제 | 성과에 의한 통제 |

② **능률성과 합법성**: 법규 중심의 행정이 관료들의 무사안일과 형식주의를 야기하여 능률성을 저해할 때 합법성과 능률성은 대립한다. 특히, 신공공관리론은 능률성 향상을 위해 합법성을 극단적으로 비판한다.

③ **능률성과 형평성**: 능률성은 산출극대화를 위해 권한과 희소자원의 집중을 강조하나, 형평성은 자원의 공평한 배분을 중시하므로 양 이념은 충돌한다.

④ **능률성과 가외성**: 가외성은 초과분을 두는 것을 의미하지만, 능률성은 최소의 투입으로 최대의 산출을 추구하는 것이기 때문에 양 이념은 충돌한다.

⑤ **민주성과 중립성**: 민주성은 참여·공개·책임(통제)을 핵심요소로 하나, 중립성은 관료들의 정치적 참여를 제한한다는 점에서 양 이념은 충돌한다.

# CHAPTER 05 공공서비스론과 고객지향적 행정

---

## 제 1 절 공공서비스론

### 01 공공서비스의 의의

#### 1. 개 념

공공서비스란 정부가 공급 또는 생산하거나 분배하는 모든 서비스를 말한다. 여기에서 '공급'이란 의사결정 및 조정 등과 관련된 활동(정책결정 : 생산자 결정, 생산제도 및 재원조달방법 결정, 서비스에 대한 감독·규제 및 최종 책임)을, '생산'이란 실제 서비스 전달과 관련된 집행활동(정책집행 : 조작, 배달, 운영, 판매, 관리 등)을 의미한다.

#### 2. 유형 – 사바스(Savas)의 공공서비스의 분류

(1) 의 의

사바스는 경합성과 비경합성, 배제성과 비배제성을 기준으로 공공서비스를 4가지 형태(시장재, 요금재, 공유재, 공공재)로 분류한다. 다만, 각각의 공공서비스는 두 가지 성질 중 어느 하나의 성질을 완벽하게 지니는 것은 아니며, 한쪽 극단에서 다른 쪽 극단까지의 연속선상의 어디쯤에 위치하고 있다.

(2) 기 준

① 배제성과 비배제성 : 배제성이란 비용부담을 하지 않을 경우 서비스를 이용할 수 없는 성질을, 비배제성이란 비용부담을 하지 않더라도 서비스를 이용할 수 있는 성질을 의미한다. 특정 서비스가 비배제성을 지닐 경우 무임승차(free rider) 현상이 야기된다.

② 경합성과 비경합성 : 경합성이란 특정인의 소비가 다른 사람들의 소비를 방해하는 성질을, 비경합성이란 특정인의 소비가 있다 하더라도 다른 사람들의 소비를 방해하지 않는 성질을 의미한다. 특정 서비스가 비경합성을 지닐 경우 소비가 증대된다 하더라도 생산비용이 추가되지 않기 때문에 보다 많은 사람들이 소비할수록 바람직하다.

> **OX 문제**
> 1. 무임승차자 문제가 발생하는 근본 원인으로는 비배제성을 들 수 있다.
> ( )

(3) 구 별

| 구 분 | 배제성 | 비배제성 |
| --- | --- | --- |
| 경합성 | 사적재(시장재, 민간재) | 공유재 |
|  | 예 물건 구매, 택시, 전문교육, 의료, 음식점·호텔, 오물청소, 자동차, 냉장고 등 | 예 천연자원, 해저광물, 바다물고기, 지하수, 공기, 강·하천·호수, 연안어장, 관계시설, 국립도서관, 올림픽주경기장, 시내도로 등 |
| 비경합성 | 요금재 | 공공재(집합재) |
|  | 예 가스, 전기, 통신, 상하수도, 고속도로, 인터넷 서비스, 케이블 TV 등 | 예 국방, 외교, 치안, 소방, 보편적 복지, 무료 TV방송, 등대 등 |

> OX 정답 1. ○

⑷ 구체적 고찰

① 사적재

㉠ 의의: 경합성과 배제성을 동시에 지닌 재화나 서비스를 말한다.

㉡ 정부의 역할: 사적재는 시장에서 원활한 생산과 소비가 이루어지므로 정부의 개입이 최소화되는 부분이다. 다만, 소비자보호 측면에서 서비스의 안전과 규격 등을 규제하거나 기본적인 수요조차도 충족하기 어려운 저소득층을 배려하는 부분적인 정부 개입(가치재 공급)이 필요하다.

② 공유재

㉠ 의의: 경합성은 있지만 배제는 불가능한 재화나 서비스를 말한다.

㉡ 정부의 역할: 공유재는 과잉 소비와 비용 회피로 인해 '공유재의 비극' 문제를 초래할 위험성이 있다. 따라서 정부는 이를 막기 위해 공급비용부담과 무분별한 사용을 억제하기 위한 규칙(규제)을 설정해야 한다.

③ 요금재

㉠ 의의: 비경합성은 있지만 배제가 가능한 재화나 서비스를 말한다.

㉡ 정부의 역할: 요금재는 자연독점으로 인한 시장실패에 대응할 필요성으로 인하여 일반적으로 정부가 공급한다. 하지만, 최근 공기업의 비효율성이 정부실패의 원인으로 지적되고 있어 민영화·민간위탁 등을 통한 민간기업의 참여가 활성화되고 있다.

④ 공공재

㉠ 의의: 비경합성과 비배제성을 지닌 재화나 서비스를 말한다.

㉡ 정부의 역할: 공공재는 비경합성과 비배제성으로 인해 무임승차의 문제를 발생시킴으로써 항상 시장에서 과소공급과 과다소비의 쟁점을 야기하는 만큼 원칙적으로 정부가 공공재원을 동원해 보편적 서비스로 제공해야 한다.

**핵심정리 | 공공재의 성격**

1. **공동공급·공동소비**(집합생산·집합소비): 공공재는 개인별로 공급되지도 않고 개인별로 소비할 수도 없다.

2. **비분리성**: 공공재는 공동소비라는 특징으로 인해 비용을 지불한 자에 대해서만 분리하여 공급할 수 없다.

3. **등량소비성**: 공공재는 모든 사람들이 동일한 양의 재화를 동시에 소비한다. 그러나 모든 사람들이 동일한 효용(주관적인 만족)을 얻는 것은 아니다.

4. **선호표출 메커니즘 결여(무임승차)**: 공공재는 선호표출 메커니즘이 결여되어 있어 무임승차가 야기된다.

5. **비시장성**: 공공재를 시장에서 공급할 경우, 소비자들의 무임승차로 인하여 생산의 유인이 적어 과소생산으로 인한 시장실패가 발생하므로 원칙적으로 정부가 생산한다.

6. **무형성**: 공공재는 무형성으로 인해 성과를 계량화하기 곤란하다.

7. **비축적성**: 공공재는 생산과 소비가 동시에 이루어지므로 축적되지 않는다.

8. **외부성**: 공공재는 불특정 다수에게 효과가 확산되므로 외부성을 띤다.

9. **한계비용 ≒ 0**: 공공재는 비경합성으로 인해 소비가 증대한다 하더라도 생산비용이 추가되지 않기 때문에 한계비용(생산물 한 단위를 더 생산하는 데 추가되는 비용)이 0에 가깝다.

## 3. 사적재와 공공재의 운영방식의 비교

| 구 분 | 사적재 | 공공재 |
|---|---|---|
| 소비와 공급의 원리 | 개별소비와 개별공급 | 집합(공동)소비와 집합(공동)공급 |
| 경비부담 | 수익자부담주의✛(응익주의) | 조세부담주의(응능주의) |
| 지도원리 | 능률성 | 사회적 형평성 등 다양한 가치 |
| 의사결정 메커니즘 | 시장(수요와 공급의 원리) | 정부(민주적 결정에 의한 합의) |

## 4. 공공서비스의 과소공급설과 과다공급설

### (1) 의 의

공공서비스는 시장에 맡겨 둘 경우 시장실패로 인하여 효율적인 자원배분이 이루어지지 못하기 때문에 정부가 인위적으로 공급한다. 그러나 정부 역시 효율적인 자원배분을 가져오지 못하고 항상 사회에서 필요한 생산량보다 과소 또는 과다공급의 문제를 야기한다.

### (2) 과소공급설

① 갈브레이드(Galbraith)의 선전(의존)효과 : 사적재는 각종 선전을 통해 소비자의 욕구를 자극하여 과다소비가 발생하고, 과다생산이 촉진된다. 하지만 공공재는 선전이 없기 때문에 소비자의 욕구를 자극하지 못해 과소소비 및 과소생산이 야기된다.

② 듀젠베리(Duesenberry)의 과시(전시, 현시, 시위)효과 : 개별소비성을 지닌 사적재는 소비자들이 주위를 의식한 체면유지를 위해 과다소비가 발생하고, 과다생산이 촉진된다. 하지만, 집합소비성과 등량소비성을 지닌 공공재는 체면유지의 필요성이 없어 과소소비 및 과소생산이 야기된다.

③ 머스그레이브(Musgrave)의 조세저항 : 국민은 공공서비스 생산을 위해 자신이 부담하는 조세보다 이로부터 얻어지는 편익이 적다고 생각하는 재정착각✛ 상태에 처해 있다. 이로 인해 조세저항이 발생하고 공공재의 과소생산이 야기된다.

④ 다운스(Downs)의 합리적 무지 : 특정 공공서비스의 공급에 대하여 각각의 개별 행위자들은 아주 미미한 결정권만을 지니고 있다. 따라서 각각의 개별 행위자들은 합리적 선택을 위해 특정 공공서비스에 대하여 정보를 파악할 때 발생하는 비용이 이로부터 얻어지는 편익보다 크다고 인식하고 적극적으로 정보를 수집하려 하지 않는다. 결국 각각의 개별 행위자들은 공공서비스에 대해 정확하게 평가하지 못하고, 공공서비스의 확대에 무조건적인 저항을 함으로써 공공서비스의 과소생산을 야기한다.

### (3) 과다공급설

① 와그너(Wagner)의 경비팽창의 법칙 : 도시화의 진전・사회의존관계의 심화 등으로 인해 국민소득 증가보다 공공서비스에 대한 국민수요가 더 크게 증가하고(소득 탄력적✛인 수요), 증가된 국민수요에 대응하기 위해 정부팽창이 야기된다는 이론이다. 즉, 이론은 국민소득 증가보다 국민경제에서 차지하는 공공부문의 상대적 크기가 더 크게 증대되어 정부팽창이 야기된다고 본다.

---

✛ 수익자부담주의

| 의의 | 이익을 보는 자가 비용을 부담해야 한다는 원칙 |
|---|---|
| 장점 | • 공공서비스의 과다요구 방지<br>• 비용편익분석이 용이하여 경제적 효율성 증진<br>• 조세저항 방지<br>• 재정부담의 수평적 형평성 제고 |
| 단점 | 비용을 부담할 수 있는 능력이 있는 자만 서비스를 이용할 수 있어 수직적 형평성 저해 |

✛ 재정착각(fiscal illusion)

| 의의 | 시민 개개인이 자신의 부담과 편익을 정확하게 평가하지 못하는 현상 |
|---|---|
| 조세저항과 재정착각 | 조세저항은 시민들이 자신이 부담한 것에 비해 적은 편익을 누린다는 재정착각으로 발생한다. |
| 간접세와 재정착각 | 간접세는 시민들이 자신이 부담한 것에 비해 많은 편익을 누린다는 재정착각을 야기한다. |

✛ 탄력성

| 의의 | 한 변수가 다른 변수에 의해 변동되는 정도 |
|---|---|
| 가격 탄력성 | 가격의 변화에 따른 수요의 변화량 |
| 소득 탄력성 | 소득의 변화에 따른 수요의 변화량 |
| 표현 | 한 변수가 다른 변수에 의해 변동하는 정도가 클 경우 탄력적, 변동의 정도가 같을 경우 단위탄력적, 변동의 정도가 작을 경우 비탄력적이라 한다. |

✛ 노동집약적 산업과 자본집약적 산업

| 노동<br>집약적<br>산업 | 자본에 비해 노동의 투입<br>비율이 상대적으로 높은<br>산업 |
|---|---|
| 자본<br>집약적<br>산업 | 노동에 비해 자본의 투입<br>비율이 상대적으로 높은<br>산업 |

**O·X 문제**

1. 머스그레이브의 조세저항, 다운스의 합리적 무지, 보몰병, 갈브레이드의 의존효과는 과소공급설에 해당한다. ( )

2. 와그너의 국가활동 증대 법칙은 경제발전에 따른 국민의 다양한 욕구를 정부팽창의 원인으로 본다. ( )

3. 피콕과 와이즈만의 전위효과는 위기 시에 증가한 재정수준은 정상적으로 회복된 후에도 감소하지 않고 다른 사업에서 지속적으로 지출되는 것을 말한다. ( )

4. 리바이어던(Leviathan) 가설은 공공부문 서비스의 노동집약적 성격으로 인해 민간부문에 비해 생산비용이 빨리 증가하는 것을 설명한다. ( )

**심화학습**

로머와 로젠탈(Tomas Romer & Howard Rosenthal)의 회복수준이론

| 배경 | • 공공선택론 중 하나로 관료의 행태를 분석한 이론<br>• 중위자의 선호에 따라 행정업무수준이 정해진다는 중위투표자정리를 비판한 이론 |
|---|---|
| 내용 | 관료들이 제시한 예산수준이 국회에서 수용되지 않으면 회복수준이라는 아주 낮은 수준의 행정업무만을 제공할 수밖에 없다는 것을 관료가 국회에 강요하게 되고, 결국 국회는 낮은 복귀수준(nothing)을 감수하기보다는 관료가 요구하는 높은 수준(all)의 예산을 받아들이게 된다는 이론 |

② **피콕과 와이즈만(Peacock & Wiseman)의 전위효과(대체효과)**: 전쟁 등의 국가 위기(대규모 사회변동) 시에 국민의 조세부담 허용수준이 높아져 공공지출이 민간지출을 대체하게 되며(문지방효과: threshold effect), 이때 한번 늘어난 재정수준은 위기가 극복되어 지출원인이 사라진다 하더라도 다른 새로운 사업에 이용됨으로써 계속 유지된다.

③ **보몰병(Baumol's Disease)**: 기술이 발전하면 자본집약적 성격✛을 지닌 민간서비스는 생산비용이 빠르게 하락하지만, 노동집약적 성격✛을 지닌 공공서비스는 상대적으로 생산비용이 하락하지 않아 비용 절감이 곤란하고 정부지출이 증대된다.

④ **뷰케넌(Buchanan)의 리바이어던 가설**: 공공지출에 대한 통제 권한이 집권화될수록 로비로 인해 정치인·관료·이익집단들의 선호가 재정정책에 반영되고 정부의 재정지출이 팽창되어, 정부는 규모와 조세의 극대화를 추구하는 괴물인 리바이어던이 된다(공공부문의 총체적 규모는 분권화와 반비례).

⑤ **세입과 세출의 비연계성 – 양출제입**: 민간은 양입제출(量入制出)에 따라 수입의 범위 내에서 지출이 이루어진다. 그러나 정부는 양출제입(量出制入)에 따라 지출의 소요가 있으면 수입을 확대하므로 정부팽창이 야기된다.

⑥ **지출한도의 부재**: 정부의 지출은 경직성이 강해서 한번 지출이 이루어지고 나면 좀처럼 없어지지 않는 자생력을 갖기 때문에 팽창력을 통제할 수 있는 가시적인 길항력(countervailing force)이 없어 정부팽창이 야기된다.

⑦ **할거적 예산결정구조**: 예산이 총체적으로 통제되지 못하고 할거적으로 결정될 경우 중복사업이 발생하여 예산이 부풀려지고 정부팽창이 야기된다.

⑧ **간접세 중심의 재정구조**: 납세의무자와 실질적인 담세자가 다른 간접세의 경우 국민들은 자신이 부담하는 비용보다 편익이 크다고 생각하는 재정착각에 빠지게 된다. 이로 인해 조세저항이 회피되어 재정팽창이 야기된다.

⑨ **가격 비탄력적 수요**: 공공재는 필수재적 성격을 띠기 때문에 가격이 크게 상승하여도 수요는 작게 하락한다(가격 비탄력적 수요). 따라서 정부는 공공재 가격 상승을 통해 재정을 팽창하려 한다.

⑩ **기타**: ㉠ 파킨슨 법칙(인력팽창), ㉡ 니스카넨의 예산극대화이론(재정팽창), ㉢ 던리비의 관청형성모형(조직팽창), ㉣ 투표의 교환, ㉤ 다원주의적 사회구조(이익집단들의 공공서비스 과다요구), ㉥ 사회복지제도의 지속적인 확산, ㉦ 과학기술에 대한 지속적인 투자, ㉧ 국제시장에 대한 경제 개방(항만·공항 등 사회간접자본 확충을 위한 재정팽창), ㉨ 경쟁이 치열한 소선거구제(선심성 공약 남발) 등

## 02 공공서비스 생산방식

### 1. 공공서비스 생산방식의 변화

(1) 생산체제의 변화 – 직접생산체제에서 간접생산체제로(대리정부화)

복지를 행정의 우선적인 가치로 삼았던 행정국가는 정부가 공공서비스를 독점적으로 생산하였으나 정부실패를 야기하였다. 이에 대응하여 신행정국가는 공공서비스 생산방식을 다원화(간접생산)하고 있다.

(2) 공공서비스 생산지향의 변화

| 구 분 | 복지국가의 공공서비스 | 신공공관리론의 공공서비스 |
|---|---|---|
| 행정활동에 대한 관심 | • 민주 · 형평적 관리<br>• 공공서비스 자체 | • 경제적 효율성<br>• 공공서비스를 통한 일자리 창출 |
| 공공서비스의 배분 준거 | 형평적 배분(복지 시혜적) | 효율적 배분(재정 효율화) |
| 공공서비스의 기능 | 민간부문에 대한 조정 · 관리 · 통제 | 민간부문에 대한 경쟁력 지원 |
| 공공서비스의 형태 | 국가 최저 수준의 표준화된 공공서비스 | 다양한 선호 부응과 차별적으로 상품화된 서비스 |
| 성과관리 방식 | 시설 · 기관 중심의 공급자 관점(투입과 과정의 감독 중시) | 수요자 관점의 맞춤형 서비스(산출과 결과에 대한 품질 책임 중시) |

### 2. 공공서비스 생산방식

(1) 의 의

과거 행정국가는 조세 등 일반재원으로 공공서비스를 직접 공급 · 생산하였다. 그러나 최근에는 공공서비스 공급(정책결정)과 생산(정책집행)에 대한 책임을 분리하고, '공급'은 정부가 책임을 지고 '생산'은 민간부문을 포함한 가장 효율적인 주체에게 맡기게 되면서 다양한 형태의 공공서비스 생산방식이 나타나고 있다.

(2) 공공서비스 생산방식의 유형

| 구 분 | | 주 체 | |
|---|---|---|---|
| | | 공공부문 | 민간부문 |
| 수 단 | 권 력 | 일반행정 : 정부의 기본 업무 | 민간위탁 : 안정적 서비스 공급 |
| | 시 장 | 책임경영 : 공적 책임이 강한 경우 | 민영화 : 시장탄력적 공급 |

① 일반행정방식 : 민간의 참여를 배제하고 공공부문이 권력에 기반하여 서비스를 제공하는 방식이다. 법령상 규정 업무 등 기본 업무는 공익성이 우선되므로 일반행정방식에 의해 공급과 생산이 이루어진다.

② 책임경영방식 : 정부조직 내 혹은 정부산하의 독립조직(공기업, 책임운영기관 등)을 설치하여 시장수단에 의해 서비스를 제공하는 방식이다. 주로 서비스의 배제성은 있지만, 서비스의 공공성으로 인하여 정부의 직접적인 생산이 필요한 영역에서 활용된다.

③ **민간위탁방식** : 서비스 공급의 책임은 정부에 귀속되지만 생산은 민간에서 수행하는 것
이 효율적이라고 판단될 경우 계약이나 면허 방식 등을 통해 민간에 위탁하여 생산하
는 방식이다. 주로 서비스의 배제성이 있으며 공공성 기준이 상대적으로 완화될 수 있
는 공공서비스 영역에서 활용된다.

④ **민영화방식** : 민간부문에 서비스의 공급과 생산을 맡기는 방식이다. 민간부문이 해당
서비스를 생산할 역량이 있으며 공급이 시장탄력성이 있어 특별한 사회적 쟁점이 부각
되지 않을 경우에 활용된다.

⑤ **공동생산방식** : 공공부문과 민간부문이 협력적 분업 관계를 형성해 공공서비스를 생산
하는 방식이다.

### 3. 공공서비스 생산방식의 구체적 고찰 1 - 공기업 민영화

(1) 의 의

① 개 념

　㉠ **협의(일반적 의미)** : 공기업의 소유 및 경영통제 권한을 정부에서 민간으로 이전하는
　　것을 말한다.

　㉡ **광의(민간화)** : 협의의 민영화뿐만 아니라 공공서비스의 제공이나 이를 위한 재산의
　　소유에서 정부의 영역을 줄이고 민간의 영역을 늘리는 민간화를 의미한다. 민간화
　　는 공기업 민영화(협의의 민영화), 민간위탁(계약·허가·보조금 지급·증서교부·
　　자원봉사·자조 방식 등), 공동생산, 규제완화, 경쟁 촉진, 정부조직 내부에 자율성
　　증진 및 경영관리기법의 도입 등을 포함한다.

② **방식** : 민영화는 정부보유주식이나 자산을 민간에 매각하는 방식으로 이루어진다. 구
체적으로 완전 민영화(정부보유주식의 전부 매각), 부분 민영화(정부보유주식의 일부
매각), 자회사 매각 등이 있다.

③ **대두배경 – 정부실패** : 공기업은 시장실패를 극복하기 위한 행정국가의 주요한 제도적
장치였다. 그러나 1980년대 정부실패로 신자유주의 이념에 기반한 신공공관리론이 등
장하면서 공기업 민영화가 적극적으로 추진되었다.

(2) 이론적 근거 – 대리인이론

① **공기업** : 공기업은 국민 – 국회 – 행정부 – 공기업의 장에 이르기까지 복잡하고 다단
한 복대리인 구조를 띠고 있어 궁극적인 주인인 국민이 대리인인 공기업을 통제하기
곤란하다. 때문에 공기업은 주인 없는 기업이 되어 방만한 경영이 초래됨으로써 민간
기업에 비해 훨씬 큰 대리손실을 야기한다.

② **공기업 민영화** : 공기업 민영화는 공기업의 복잡다단한 복대리인 구조를 경영자와 주주
간의 단순한 대리인 구조로 전환시켜준다. 단순한 대리인 구조에서는 주인의 대리인에
대한 통제가 직접적이어서 효율적인 운영이 가능하다.

### (3) 공기업 민영화의 찬반 논쟁

| | |
|---|---|
| 찬성론 | • 경쟁 확보를 통한 생산의 효율성 제고(X-비효율성 타파)<br>• 생산체제의 다원화를 통한 소비자 선택권 보장(대응성 증진)<br>• 작은 정부 실현을 통한 정부 규모의 적정화<br>• 민간의 전문성 활용을 통한 행정서비스의 질 향상<br>• 적자 공기업 매각을 통한 세입증대로 정부재정의 건전화 촉진<br>• 주식의 광범위한 분산을 통한 민간 자본시장 활성화<br>• 노조의 보수인상 요구 억제 |
| 반대론 | • 민간에서도 주주와 경영자 간에 대리손실 존재<br>• 서비스 가격 상승 및 서비스 공급 중단으로 인한 사회적 형평성 저해<br>• 공공서비스의 안정적 공급 곤란<br>• 공공서비스에 대한 정부의 보편적 · 일반적 공급의무 불이행(정부의 공공서비스 공급 및 생산에 대한 책임 의무를 회피하기 위한 수단)<br>• 잘못된 공공서비스 제공 시 정부와 민간기업 간 책임 떠넘기기 현상<br>• 역대리인 현상(생산자 선정에서 역선택과 생산자의 도덕적 해이)으로 인한 공공서비스의 질 저하 및 감시 · 통제비용 증가<br>• 자연독점산업은 민영화하더라도 여전히 독점성을 지녀 X-비효율성뿐만 아니라 독점기업의 횡포 야기<br>• 크림탈취(cream skimming) 현상(민간 기업이 적자 공기업은 인수하지 않고, 흑자 공기업만을 인수하려는 현상)으로 정부의 재정적자 심화 |

## 4. 공공서비스 공급방식의 구체적 고찰 2 - 민간위탁

### (1) 의 의

국가 또는 자치단체가 공공서비스의 생산(정책집행 : 서비스의 생산, 전달 등)을 민간의 기업이나 비영리조직에게 맡겨 그의 명의와 책임하에 수행케 하는 것을 말한다.

### (2) 민간위탁의 대상 - 「행정권한의 위임 및 위탁에 관한 규정」 제11조

행정기관은 법령으로 정하는 바에 따라 그 소관 사무 중 조사 · 검사 · 검정 · 관리 사무 등 국민의 권리 · 의무와 직접 관계되지 아니하는 ① 단순 사실행위인 행정작용, ② 공익성보다 능률성이 현저히 요청되는 사무, ③ 특수한 전문지식 및 기술이 필요한 사무, ④ 그 밖에 국민 생활과 직결된 단순 행정사무를 민간위탁할 수 있다.

### (3) 민간위탁의 유형 - 사바스(Savas)

① **구별기준** : 사바스는 공공서비스의 생산자, 소비자, 공급결정자(정책결정 : 생산자 결정, 서비스에 대한 감독 및 최종 책임 등)의 3가지 기준에 의해 열 가지의 공공서비스 공급 방식을 유형화하였다. 이 중 민간이 생산자의 역할을 수행하는 방식이 민간위탁이다.

② 공급과 생산 주체에 따른 구분

| 구 분 | | 공급(provide) | |
|---|---|---|---|
| | | 정 부 | 민 간 |
| 생산<br>(produce) | 정부 | • 정부 서비스<br>• 정부 간 협약 | 정부 판매 |
| | 민 간 | • 민간과의 계약<br>• 허가 · 면허 방식<br>• 보조금 지급 방식 | • 증서지급 방식<br>• 시장 기구<br>• 자조 방식<br>• 자원봉사 방식 |

(4) 민간위탁 방식의 구체적 고찰

① 민간과의 계약(좁은 의미의 민간위탁 : contracting-out)

㉠ 의의 : 주민이 정부에게 사용료를 지불하면 정부가 민간조직과 계약을 통해 경비를 지불하는 대신 민간조직이 국민에게 서비스를 제공하는 방식이다.

㉡ 방식 : 민간조직은 생산자로서 이용자에게 서비스를 제공하며, 정부는 공급자로서 생산자 결정 및 비용을 지불하고, 이용자는 정부에게 서비스에 대한 비용을 지불한다.

㉢ 절 차

ⓐ 경쟁입찰을 통한 민간사업자 선정

ⓑ 정부와 민간사업자 간 구체적인 계약 체결

ⓒ 정부는 계약내용이 준수되도록 민간사업자를 감시·관리

ⓓ 정부는 평가체제를 확립하여 성과가 낮은 실망스러운 계약자 교체

㉣ 민간위탁(민간과의 계약)의 장·단점

| | |
|---|---|
| 장 점 | • 경쟁입찰을 통한 생산자 결정으로 정부의 재정부담 경감<br>• 인력운영의 유연성을 제고하여 관료조직의 팽창 억제(작은 정부 구현)<br>• 신속한 업무처리 및 업무량 변화에 따른 탄력적 대응<br>• 특정 공공서비스 해당 분야에 필요한 전문인력 상시 확보<br>• 민간전문가 활용을 통한 기술개발 및 서비스 개선<br>• 경쟁을 통한 서비스의 품질 개선 |
| 단 점 | • 생산자 선정과정에서의 부정부패(지대추구 및 포획 현상) 가능성<br>• 역대리인 현상으로 인한 공공서비스의 질 저하 및 감시·통제비용 증가<br>• 감시와 통제로 인한 민간조직의 자율성 상실 가능성<br>• 책임소재 불분명으로 인한 책임회피 현상 야기<br>• 서비스 가격 상승으로 사회적 형평성 저해<br>• 관료제 조직의 이익추구 목적으로 악용(던리비의 관청형성모형) |

㉤ 적용영역 : 공공사업 및 교통사업, 건강 및 대민 서비스, 일부 공공 안전서비스 등

② 면허(허가 : franchises)

㉠ 의의 : 정부가 특정 민간조직에게 일정한 구역 내에서 특정 공공서비스를 제공하는 권리를 인정하는 협정을 체결하는 방식이다.

㉡ 방식 : 민간조직은 생산자로서 이용자에게 서비스를 제공하며, 정부는 공급자로서 생산자 결정 및 서비스의 수준과 질을 규제하고, 이용자는 서비스를 제공한 민간조직에게 직접 비용을 지불한다.

㉢ 특징 : 이 방식은 요금재 공급에 적합하며 규모의 경제를 실현하기 용이하다. 또한 정부가 서비스 수준을 통제하면서도 생산을 민간부문에 이양하는 장점이 있다. 그러나 서비스 제공자들 사이에 경쟁이 미약하면 이용자의 비용부담이 가중될 우려가 있다.

㉣ 적용영역 : 폐기물 수거·처리, 공공시설 관리, 자동차 견인 및 보관, 구급차 서비스 및 긴급 의료서비스 등

③ 보조금 지급(grants)

  ㉠ 의의 : 정부가 민간조직 또는 개인의 서비스 제공 활동에 대한 재정 또는 현물을 지원하는 방식이다.

  ㉡ 적용 : 공공서비스에 대한 요건을 구체적으로 명시하기 곤란하거나, 서비스가 기술적으로 복잡하고 서비스의 목표를 어떻게 달성할 것인지가 불확실한 경우에 활용되나 자율적인 시장가격을 왜곡할 위험성이 있다.

④ 증서교부(vouchers)

  ㉠ 의의 : 정부가 행정서비스 생산을 민간에게 위탁하되 시민들의 서비스 구입부담을 완화하기 위해 수요자들에게 금전적 가치가 있는 구입증서를 제공하여 수요자들의 선택권을 확보하는 방식이다.

  ㉡ 배경 : 증서교부방식은 정부가 표준화된 방식으로 직접 서비스를 생산하는 전통적 방식에서 벗어나 수요자에게 선택권을 부여하고자 하는 수요자 중심의 생산방식으로 1980년대 이후에 각광을 받고 있다.

  ㉢ 성격 : 정부가 일정한 자격에 해당하는 개인에게 '특정 서비스'에 대한 '현금적 가치'가 있는 구입증서를 제공한다는 점에서 현금보조와 현물보조의 중간적 성격을 지닌다.

  ㉣ 적용영역 : 소비자 중심의 맞춤형 사회서비스 등에서 주로 활용되고 있다.

  ㉤ 장·단점

| 장 점 | • 공급(생산자 결정)과 생산(서비스 생산)을 모두 민간에게 맡겨 맞춤형 서비스 제공<br>• 소비자의 생산자 선택권 보장을 통한 지대추구와 포획 등 부패 방지<br>• 생산자 간의 경쟁 유도를 통한 공공서비스의 질 제고<br>• 생산자의 감시·통제비용(행정관리비용) 경감<br>• 취약계층 보조를 위한 정책수단으로 활용되어 사회적 형평성 제고<br>• 진보주의(사회적 형평성 제고)와 보수주의(가치재에 대한 시장 형성 및 소비자의 선택권 보장) 모두의 지지 획득 |
|---|---|
| 단 점 | • 바우처의 전매로 인한 서비스 누출 가능성(암시장 형성)<br>• 생산자가 소수인 경우 이용자의 선택 폭이 제한되어 비효율적<br>• 이용자에 대한 사회적 낙인효과가 발생할 위험성 |

⑤ 자원봉사(volunteer)

  ㉠ 의의 : 서비스의 생산과 관련된 현금 지출에 대해서만 보상받고 직접적인 보수를 받지 않으면서 정부를 위해 봉사하는 사람들을 활용하는 방식이다.

  ㉡ 특징 : 서비스 생산과 관련해 신축적인 인력운영이 가능하며, 예산 삭감 시 서비스 수준에 대한 영향을 최소화할 수 있다.

  ㉢ 적용영역 : 레크리에이션, 안전 모니터링, 복지사업 등

⑥ 자조(self-help)

  ㉠ 의의 : 공공서비스의 수혜자와 제공자가 같은 집단에 소속되어 서로 돕는 방식이다 (예 이웃사람이 이웃사람을 돕는 경우, 고령자가 고령자를 돕는 경우).

  ㉡ 성격 : 정부의 서비스 생산 업무를 대체하기보다는 보조하는 성격을 지닌다.

  ㉢ 적용영역 : 이웃감시, 주민순찰, 보육사업, 고령자 대책, 문화예술 사업 등

---

**O·X 문제**

1. 바우처는 역사가 길고 가장 광범위하게 사용되는 수단이다. (  )

2. 바우처제도는 소비자가 아닌 공급자에게 서비스의 선택권을 부여한다. (  )

3. 바우처제도는 소수의 공급자가 있는 경우에 유용하게 활용될 수 있다. (  )

4. 바우처제도는 소비자들이 특정 재화나 서비스의 공급자를 자유롭게 선택할 수 있다는 장점이 있지만, 서비스가 타(他) 용도로 누출된다는 단점도 있다. (  )

**O·X 문제**

5. 자조활동 방식은 서비스의 생산과 관련된 현금지출에 대해서만 보상받고 직접적인 보수는 받지 않으면서 공익을 위해 봉사하는 사람들을 활용하는 것이다. (  )

O·X 정답 **1.** × **2.** × **3.** × **4.** ○ **5.** ×

⑦ 규제 및 조세유인 방식

　　㉠ 의의: 민간조직 또는 개인의 서비스 제공 활동을 촉진하기 위하여 규제완화나 조세 감면을 해주는 방식이다.

　　㉡ 특징: 보조금 지급과 동일한 효과를 창출하면서도 비용은 상대적으로 적게 소요된다.

---

**참고 | 영국의 지방공공서비스 성과관리 혁신**

1. **의 의**
영국은 중앙정부가 지방정부의 공공서비스 생산 활동을 수직적·하향적으로 관리·감독하는 독특한 정부 간 관계를 형성하고 있으며, 그 중심제도가 의무경쟁입찰제도(CCT)와 최고가치제도(BV)이다.

2. **의무경쟁입찰제도**(CCT : Compulsory Competitive Tendering)
　(1) **의의**: 준시장정책(quasi-market)의 일환으로, 특정 공공서비스 생산에 대하여 지방정부(공무원 팀)와 민간기업들이 경쟁입찰을 통해 경쟁토록 하고 그중에서 보다 저렴한 비용으로 생산할 수 있는 기관이 생산을 담당하도록 하는 제도이다.
　(2) **도입 및 목적**: 영국의 대처 정부에서 공공서비스 생산의 효율성을 높이고 국민의 세금가치(money value)를 제고할 목적으로 도입하였다.
　(3) **특징 - 민간위탁과의 구별**: 지방정부가 독점적으로 생산하던 공공서비스를 단순히 민간에게 위탁한 것이 아니라 공무원 팀을 민간부문과 경쟁토록 하였다. 따라서 지방정부가 직접 생산하는 것이 보다 효율적이라는 사실이 입증된다면 지방정부의 직영사업으로 특정 서비스를 생산할 수 있다.

3. **최고가치제도**(BV : Best Value)
　(1) **의의**: 지방정부의 모든 공공서비스에 대해 중앙정부가 매년 성과평가를 실시하여 일정 수준에 미달한 지방정부는 서비스 생산권한을 축소하고, 우수 지방정부는 재정 지원 및 서비스 생산에 대한 책임 권한을 이양해 주는 제도이다.
　(2) **도입 및 목적**: 영국의 블레어 정부는 의무경쟁입찰제도(CCT)를 공공 - 민간 파트너십 체제로 전환하고 서비스의 품질에서 최고가치를 지향하였다.
　(3) **특징**: 지방정부는 서비스 생산방식에 대한 자율적 선택권이 부여되어 있다. 다만, 매년 성과평가를 실시하여 일정 기준에 미달한 지방정부는 서비스 생산권한을 우수 지방정부에 이양해야 한다(우수한 성과를 다른 지방정부에 전파하는 모범지방정부계획의 제도화).

---

## 5. 공공서비스 공급방식의 구체적 고찰 3 - 민간투자(민자유치)사업

(1) 의 의

공공부문의 재정위기(정부실패)로 인한 사회기반시설 공급 부족의 문제를 해결하기 위해 공공부문이 주체가 되어 공공사업에 민간자본을 끌어들이는 대신 소유권 및 운영권이나 임대료를 민간에게 보장해 주는 제도를 말한다.

(2) 방 식

민간투자사업의 추진방식은 시행권, 소유권, 운영권을 민간부문과 공공부문 중에서 누가 보유할 것인가에 따라 다양한 방식이 있다.

① BTO(Build-Transfer-Operate): 민간투자기관이 민간자본으로 공공시설을 건설(Build)하고, 시설의 완공과 동시에 소유권을 정부에 이전(Transfer)하는 대신, 민간투자기관이 일정 기간 시설을 운영(Operate)하여 투자비를 회수하는 방식

② BOT(Build-Own-Transfer) : 민간투자기관이 민간자본으로 공공시설을 건설(Build)하고, 시설 완공 후 일정 기간 동안 민간투자기관이 소유권(Own)을 가지고 직접 운영하여 투자비를 회수한 다음, 기간 만료 시 시설 소유권을 정부에 이전(Transfer)하는 방식

③ BOO(Build-Own-Operate) : 민간투자기관이 민간자본으로 공공시설을 건설(Build)하고, 시설 완공 후 민간투자기관이 소유권(Own)을 가지고, 직접 운영(Operate)하여 투자비를 회수하는 방식

④ BTL(Build-Transfer-Lease) : 민간투자기관이 민간자본으로 공공시설을 건설(Build)하고, 완공 시 소유권을 정부에게 이전(Transfer)하는 대신, 정부는 민간투자기관에게 임대료를 지급(Lease)하는 방식

⑤ BLT(Build-Lease-Transfer) : 민간투자기관이 민간자본으로 공공시설을 건설(Build)하고, 시설 완공 후 민간투자기관이 소유권을 가지고 정부에게 임대하여 정부가 운영하고 대신 임대료를 지불(Lease)하도록 하며, 운영 종료 시점에 정부가 소유권을 이전(Transfer)받는 방식

(3) BTO(수익형 민자유치) 방식과 BTL(임대형 민자유치) 방식의 비교

| 구 분 | BTO(수익형 민자유치) | BTL(임대형 민자유치) |
|---|---|---|
| 대상시설 성격 | 최종 수요자에게 사용료 부과로 투자비 회수가 가능한 시설 | 최종 수요자에게 사용료 부과로 투자비 회수가 어려운 시설도 가능 |
| 사용수익권 및 서비스 제공 | • 민간사업자에게 사용수익권 부여<br>• 민간사업자가 서비스를 제공하고, 이용자는 민간사업자에게 이용요금을 납부 | • 정부에게 사용수익권 부여<br>• 정부가 서비스를 제공하고, 이용자는 정부에게 이용요금을 납부 |
| 투자비 회수 | 최종 사용자의 사용료 | 정부의 시설 임대료 |
| 사업 리스크 | 민간사업자가 수요 부족 위험 부담 | 정부가 수요 부족 위험 부담 |
| 목표 수익률 실현 방법 | 사용료 수입이 부족할 경우 최소운영수입 보장제도(MRG)나 적자보전협약에 의해 사후적으로 정부재정에서 보조금을 지급해 적정 수익률 보장 | 정부가 적정 수익률을 반영하여 임대료를 산정·지급하므로 사전적으로 목표 수익률 보장 |
| 운영방식 | | |

✎ 우리나라의 경우 최소운영수입보장제도는 2009년에 폐지되었으며, 최근에는 적자보전협약에 의한 최소비용지원방식이 활용되고 있다.

(4) 장·단점

| 장 점 | • 현세대와 미래세대 간의 공평한 비용부담<br>• 민간기업의 참여를 통한 민간의 창의성과 전문성 활용<br>• 민간의 유휴자금을 공공투자로 유인함으로써 재정운영의 탄력성 제고 |
|---|---|
| 단 점 | • 외상공사 남발로 정부의 재정적자 심화<br>• 미래세대에게 가중한 부담 부과 |

**O·X 문제**

1. BOT방식은 사업시행자가 사회기반시설을 준공한 후 국가 또는 지방자치단체로 소유권을 이전하고, 그 시설을 임대하여 투자비를 회수하는 방식이다. ( )

2. 민간투자사업자가 사회기반시설 준공과 동시에 해당 시설 소유권을 정부로 이전하는 대신 시설관리운영권을 획득하고, 정부는 해당 시설을 임차 사용하여 약정기간 임대료를 민간에게 지급하는 방식은 BTL이다. ( )

**O·X 문제**

3. BTO의 경우 시설에 대한 수요변동 위험은 정부에서 부담하며, 정부는 사전에 약정한 수익률을 포함한 리스료를 민간사업자에게 지출한다. ( )

4. BTO는 최종 수요자에게 사용료를 부가하여 투자비의 회수가 어려운 시설에 적용된다. ( )

5. BTL방식은 최소운영수입보장제도가 적용되고 있다. ( )

6. BTO는 일반적으로 임대형 민자사업(BTL)에 비해 사업리스크와 수익률이 상대적으로 더 높고, 사업기간도 상대적으로 더 길다. ( )

**O·X 문제**

7. BTL은 재정부담의 세대 간 이전을 통해 미래세대가 금전적 부담 없이 시설에 대한 혜택을 볼 수 있다. ( )

**O·X 정답** 1. × 2. ○ 3. × 4. × 5. × 6. ○ 7. ×

## 제 2 절　고객지향적 행정과 구현수단

### 01 고객지향적 행정

#### 1. 의 의

**(1) 개 념**

고객지향적 행정이란 시민을 고객으로 규정하여 선택권을 부여함으로써 고객에 대한 대응성을 증진하고자 하는 행정을 말한다.

**(2) 대두배경 – 포스트모더니즘 사회**

시민선호의 다양성을 특징으로 하는 포스트모더니즘 사회에서는 획일화·표준화된 서비스를 제공하는 공급자 중심의 행정이 아닌, 다품종소량체제를 통해 고객에게 선택권을 부여하는 수요자 중심의 고객지향적 행정이 요구된다.

#### 2. 추진전략 및 구축과정

**(1) 기본전략 – 공급자 중심의 행정에서 수요자 중심의 행정으로**

① **고객(주민)만족경영(CSM : Customer Satisfaction Management)**: 주민수요조사를 통해 주민의 선호를 반영한 서비스를 제공하고, 제공된 서비스에 대한 주민의 의견을 끊임없이 조사하여 환류하는 주민만족경영을 추구해야 한다.

② **경쟁체제의 확립을 통한 고객에게 선택권 부여**: 서비스의 공급자를 늘려 서로 경쟁케 함으로써 고객에게 선택권을 부여해야 한다.

**(2) 구체적 전략**

① **고객접점으로의 권한위임(empowerment)**: 정부와 국민이 접촉하는 고객접점인 일선관료에게로 권한위임이 전제되어야 한다.

② **고객지향적 정부부처화**: 정부조직을 정책대상자(고객)별로 설치하여 해당 부처 업무의 고객 집중도를 극대화해야 한다(🌑 여성가족부, 고용노동부 등).

③ **고품격 행정서비스✛ 구축**: 행정서비스 제공의 다양화(variety)·즉시화(instant)·안정화(peace)를 통한 고품격 행정서비스 제공을 추구해야 한다.

④ **이음매 없는 행정**: 부처의 경계선을 뛰어넘는 서비스를 제공하는 이음매 없는 행정을 구현하여 고객의 편의성을 도모해야 한다.

⑤ **가외성과 학습조직의 운영**: 고객의 다양한 요구에 신속하게 응답할 수 있도록 기존의 서비스 체계 외에 가외적 장치를 마련해야 하며, 변화에 유연하게 대처할 수 있도록 조직능력을 배양하는 학습조직을 구축해야 한다.

⑥ **고객지향적 관리기법의 활용**: 고객만족을 위해 업무수행 과정과 절차 등을 끊임없이 개선하고자 하는 TQM(총체적 품질관리 : ISO 9000), 일하는 방법의 개선을 추구하는 PAPR(리엔지니어링), 행정서비스의 개선을 위한 행정서비스헌장제 등 고객지향적 관리기법을 활용해야 한다.

⑦ **전자정부의 구축**: IT 기술의 활용을 통해 국민이 어떤 기관을 통해서든 특정 공공서비스를 한 번에 일괄적으로 받을 수 있도록 하는 One-Stop 서비스와 24시간 열린 서비스를 제공하는 Non-Stop 서비스를 실현해야 한다.

---

**심화학습**

**포스트모더니즘 사회(성숙시대)에서의 행정**
① 공급자보다는 수요자 중심
② 서비스의 양보다는 질 중심
③ 기능 조직보다는 프로세스(절차) 조직 중심
④ 보호·통제보다는 경쟁 중심

**O·X 문제**

1. 고객지향적 행정은 표준화된 행정서비스 제공을 지향한다. (　)

2. 고객지향적 행정은 관리주의 철학에 기초하여 시민을 수동적인 고객으로 전락시키는 단점이 있다. (　)

**✛ 고품격 행정서비스(VIP)**

| 다양화 | 행정서비스 제공 경로의 다변화 |
|---|---|
| 즉시화 | 행정서비스의 신속한 제공 |
| 안정화 | 고객에게 공공서비스에 대한 심리적 안정감과 신뢰감 부여 |

**O·X 정답** 1. × 2. ○

## 3. 민원행정

### (1) 의 의

민원행정이란 고객(민원인)의 특정한 요구에 대응하여 정부가 제공하는 서비스 행정을 말한다.

### (2) 특 징

① **고객관점의 행정**: 민원행정은 불특정 다수의 국민을 대상으로 하는 행정이 아니라 국민 개개인의 개별적인 요구에 대응하는 행정이라는 점에서 고객의 관점에 부합하는 행정이다.

② **서비스 전달적 행정**: 민원행정은 정책결정이나 기획이 아니라 행정체제의 경계를 넘나드는 교호작용을 통하여 규정에 따라 규제와 급부 등 행정산출을 전달하는 행정이다.

③ **정치적 관심의 영역**: 민원행정은 국민들의 일상생활과 직결되어 있으면서 고객과 행정이 만나는 경계영역이기 때문에 정치인의 주요 관심대상이 된다.

### (3) 기 능

① **행정통제 수단**: 불법 또는 부당한 행정에 대한 시정요구를 통해 행정을 통제할 수 있다.

② **권리구제 수단**: 국민의 권리침해에 대한 시정요구를 통해 간편하게 권리구제를 받을 수 있다.

③ **주민참여 수단**: 국민과 행정 간의 대화창구라는 점에서 주민참여의 통로로 기능한다.

④ **행정의 신뢰성 확보 수단**: 민원인들이 민원처리과정에서 겪은 경험이 행정 전반에 대한 인상을 좌우한다는 점에서 행정의 신뢰성을 확보할 수 있는 수단이 된다.

### (4) 우리나라의 민원행정 ─「민원 처리에 관한 법률」

① **민원과 민원인의 의의**

㉠ 민원: 민원인이 행정기관에 대해 처분 등 특정 행위를 요구하는 것을 말한다.

㉡ 민원인: 행정기관에 민원을 제기하는 개인·법인·단체를 말한다. 다만, 행정기관(사경제의 주체로서 제기하는 경우는 제외), 행정기관과 사법(私法)상 계약관계(민원과 직접 관련된 계약관계만 해당)에 있는 자, 성명·주소 등이 불명확한 자 등 대통령령으로 정하는 자는 제외한다.

② **민원의 종류**

| | | |
|---|---|---|
| 일반 민원 | 법정민원 | 관계 법령 등이 정한 요건에 따라 인가·허가·승인·특허·면허 등을 신청하거나, 장부·대장 등에 등록·등재를 신청하거나, 특정한 사실 또는 법률관계에 관한 확인·증명을 신청하는 민원 |
| | 질의민원 | 법령·제도·절차 등 행정업무에 관하여 행정기관의 설명이나 해석을 요구하는 민원 |
| | 건의민원 | 행정제도 및 운영의 개선을 요구하는 민원 |
| | 기타민원 | 법정민원·질의민원·건의민원·고충민원 외에 행정기관에 단순한 행정절차나 형식요건 등에 대한 상담·설명을 요구하거나 일상생활에서 발생하는 불편사항에 대하여 알리는 등 행정기관에 특정한 행위를 요구하는 민원 |
| 고충민원 | | 행정기관 등의 위법·부당하거나 소극적인 처분 및 불합리한 행정제도로 인하여 국민의 권리를 침해하거나 국민에게 불편 또는 부담을 주는 사항에 관한 민원(「부패방지 및 국민권익위원회의 설치와 운영에 관한 법률」) |
| 복합민원 | | 하나의 민원 목적을 실현하기 위해 관계 법령 등에 따라 여러 관계 기관 또는 관계 부서의 인가·허가·승인·추천·협의·확인 등을 거쳐 처리되는 법정민원 |
| 다수인 관련 민원 | | 5세대(世帶) 이상의 공동이해와 관련되어 5명 이상이 연명으로 제출하는 민원 |

③ 민원 처리의 원칙

    ⊙ 민원사무 지연처리 금지: 행정기관의 장은 관계 법령 등에서 정한 처리기간이 남아 있다거나 그 민원과 관련없는 공과금 등을 미납하였다는 이유로 민원 처리를 지연해서는 아니 된다.

    ⓒ 민원사무 처리절차 강화 금지: 행정기관의 장은 법령의 규정 또는 위임이 있는 경우를 제외하고는 민원 처리의 절차 등을 강화해서는 아니 된다.

④ 민원의 날: 민원에 대한 이해와 인식 및 민원 처리 담당자의 자긍심을 높이기 위하여 매년 11월 24일을 민원의 날로 정한다.

⑤ 민원의 처리

    ⊙ 민원의 신청: 문서(전자문서 포함)로 해야 한다(기타민원은 구술, 전화 가능).

    ⓒ 증명서류 또는 구비서류의 전자적 제출: 민원인은 민원의 처리에 필요한 증명서류나 구비서류를 전자문서나 전자화문서⁺로 제출할 수 있다.

    ⓒ 민원의 접수: 행정기관의 장은 민원신청을 받은 경우 접수를 보류하거나 거부할 수 없으며, 접수된 민원문서를 부당하게 되돌려 보내서는 아니 된다.

    ⓔ 불필요한 서류 요구의 금지: 행정기관의 장은 민원을 접수·처리할 때 민원인에게 관계법령 등에서 정한 구비서류 외의 서류를 추가로 요구해서는 아니 된다.

    ⓜ 민원인의 요구에 의한 본인정보 공동이용: 민원인은 행정기관이 컴퓨터 등 정보처리 능력을 지닌 장치에 의하여 처리가 가능한 형태로 본인에 관한 행정정보를 보유하고 있는 경우 민원을 접수·처리하는 기관을 통하여 행정정보 보유기관의 장에게 본인에 관한 증명서류 또는 구비서류 등의 행정정보를 본인의 민원 처리에 이용되도록 제공할 것을 요구할 수 있다.

    ⓗ 전자민원창구 및 통합전자민원창구의 운영 등: 행정기관의 장은 민원인이 해당 기관을 직접 방문하지 아니하고도 민원을 처리할 수 있도록 관계법령 등을 개선하고 민원의 전자적 처리를 위한 시설과 정보시스템을 구축하는 등 필요한 조치를 하여야 한다.

    ⓢ 다른 행정기관 등을 이용한 민원의 접수·교부: 행정기관의 장은 민원인의 편의를 위해 다른 행정기관이나 전국적 조직을 가진 법인으로 하여금 당해 기관의 민원을 접수·교부하게 할 수 있다.

    ⓞ 다른 행정기관 소관 민원의 접수·교부: 행정기관의 장은 정보통신망을 이용해 다른 행정기관 소관의 민원을 접수·교부할 수 있다.

    ⓩ 법정민원의 처리기간 설정·공표: 행정기관의 장은 법정민원을 신속히 처리하기 위해 처리기간을 법정민원의 종류별로 미리 정하여 공표해야 한다.

    ⓒ 처리결과의 통지: 행정기관의 장은 처리결과를 문서로 통지해야 한다(기타민원 등은 구술, 전화도 가능).

    ⓚ 복합민원의 일괄처리: 행정기관의 장은 복합민원을 처리할 주무부서를 지정하고 그 부서로 하여금 관계 기관·부서 간의 협조를 통해 민원을 한꺼번에 처리하게 할 수 있다.

    ⓣ 민원 1회방문 처리제: 행정기관의 장은 복합민원을 처리할 때에 모든 절차를 담당 직원이 직접 진행하도록 하는 민원 1회방문 처리제를 확립함으로써 불필요한 사유로 민원인이 행정기관을 다시 방문하지 아니하도록 해야 한다.

---

**⁺ 전자화문서**
종이문서와 그 밖에 전자적 형태로 작성되지 아니한 문서를 정보시스템이 처리할 수 있는 형태로 변환한 문서

**O·X 문제**
1. 「민원 처리에 관한 법률」에 의하면 복합민원은 분리 처리되어야 한다.
( )

**심화학습**
기타 「민원 처리에 관한 법률」 내용

| | |
|---|---|
| 민원 후견인의 지정·운영 | 행정기관장은 민원 1회방문 처리제의 원활한 운영을 위해 민원 처리에 경험이 많은 소속 직원을 민원 후견인으로 지정하여 민원인을 안내하거나 민원인과 상담하게 할 수 있다. |
| 민원 심사관의 지정 | 행정기관장은 민원 처리 상황의 확인·점검을 위해 소속 직원 중에서 민원 심사관을 지정해야 한다. |
| 민원 조정 위원회의 설치·운영 | 행정기관의 장은 장기 미해결 민원, 반복 민원 및 다수인 관련 민원에 대한 해소·방지 대책, 거부처분에 대한 이의신청 등을 심의하기 위해 민원조정위원회를 설치·운영해야 한다. |

**O·X 정답** 1. ×

⑥ 민원제도의 개선 등

　　㉠ **민원처리기준표의 고시**: 행정안전부장관은 민원인의 편의를 위해 민원처리기준표를 작성하여 관보에 고시하고 통합전자민원창구에 게시해야 한다.

　　㉡ **민원행정 및 제도개선**: 행정안전부장관은 매년 민원행정 및 제도개선에 관한 기본 지침을 작성하여 행정기관의 장에게 통보해야 하며, 행정기관에 대해 민원의 개선 상황과 운영 실태를 확인·점검·평가할 수 있다.

　　㉢ **민원제도개선조정회의**: 여러 부처와 관련된 민원제도 개선사항을 심의·조정하기 위해 국무총리 소속으로 민원제도개선조정회의를 둔다.

## 02 행정서비스헌장(시민헌장)

### 1. 의 의

**(1) 개 념**

행정기관이 제공하는 행정서비스의 내용과 수준, 제공 방법, 이를 이행하지 못한 경우 시정 및 보상조치 등을 구체적으로 정하여 공표하고 이의 실현을 시민에게 약속하는 제도이다.

**(2) 성질 – 민간의 계약방식을 행정서비스에 적용**

시장의 계약관계에서 소비자가 자신이 구입한 제품의 결함에 대해 보상 및 환불에 대한 권리를 행사하는 것과 마찬가지로 시민도 정부기관의 공공서비스에 대한 소비자로서 동일한 권리를 행사할 수 있다는 논리에 입각한 제도이다.

**(3) 도입배경**

① **이론적 배경 – 신공공관리론**: 시민헌장은 경쟁원리, 고객주의, 기업가적 정부운영 등을 강조하는 신공공관리론에 이론적 근거를 두고 있다.

② **역사적 배경**: 영국의 메이저(Major)정부에서 최초로 도입하였으며, 이후 블레어(Blair) 정부가 '헌장마크제(Charter Mark)✛'를 도입하여 시민헌장을 보다 체계화하였다. 현재 미국과 캐나다 역시 이와 유사한 '서비스기준제도(Service Standard)✛'를 운영하고 있다.

### 2. 특징 및 기능과 한계

**(1) 특 징**

① **목표 – 고객만족**: 고객의사에 입각하여 이행기준을 설정하고 계약을 통하여 이의 준수를 강제한다는 점에서 고객만족을 궁극적 목적으로 한다.

② **공급 – 계약개념의 도입**: 행정서비스의 구체적인 조건과 내용(이행기준) 및 불이행 시 제재조치를 명문화한 계약에 의해 행정서비스를 공급한다.

③ **관리 – 성과평가와 연계**: 이행기준과 연계된 성과지표를 개발하고, 이에 의한 성과평가를 실시함으로써 목표달성 여부를 중점적으로 관리한다.

**(2) 기 능**

① **시민에게 법적 권리 부여**: 정부와 시민과의 관계를 암묵적·추상적 관계에서 구체적·법적 계약 관계로 전환하여 시민에게 공공서비스에 대한 법적 권리를 부여한다.

② **시민의 공공서비스 선택권 확보**: 다양한 공공기관에서 공공서비스를 처리하도록 하고 고객이 시민헌장에서 제공된 정보를 통해 공급기관을 선택케 함으로써 행정기관 간 경쟁 촉진 및 고객만족 증진을 가져온다.

③ **시민 중심의 성과평가 기준 제시**: 성과평가의 기준이 되는 이행기준에 시민의 의사가 반영되어 있다는 점에서 시민 중심의 행정이 이루어질 수 있다.

✛ **헌장마크제**
각 기관의 시민헌장 제정 내용, 운영 현황 등을 평가하여 일정 기준에 도달하면 마크를 수여하는 시상제도

✛ **서비스기준(스탠다드)제도**
영국의 시민헌장제에 영향을 받아 미국과 캐나다에서 도입한 제도로 기존의 시민헌장제에 서비스 이행기준을 보다 명확히 하여 성과평가의 기준으로 삼는 제도

④ **행정서비스 제공의 투명성·책임성 제고**: 시민헌장은 공개를 전제로 한다는 점에서 행정의 투명성을 제고하며, 공무원의 서비스에 대한 의무를 구체적·법적 의무로 전환시킨다는 점에서 행정의 책임성을 제고한다.

(3) **한 계**

① **이행기준 설정 곤란**: 공공서비스의 무형성으로 인해 구체적이고 명시적인 이행기준을 설정하기 곤란하다.

② **편협한 경제논리**: 모든 행정오류를 금전적 보상으로 연계하고 있다는 점에서 편협한 경제논리에 입각해 있다.

③ **관료의 자율성과 창의성 위축**: 서비스의 내용 및 제공방식 등의 표준화로 인하여 공무원의 자율성과 창의성이 위축된다.

## 3. 우리나라의 행정서비스헌장제

(1) **도입 및 운영과정**

1998년 국민의 정부(김대중 정부)에서 처음 도입된 후 지속적으로 확대되어 현재 국방 및 경찰분야까지 포함한 행정의 거의 모든 부분에 도입되어 있다.

(2) **우리나라 행정서비스헌장제의 7대 기본원칙**

① **고객 중심의 원칙**: 서비스는 고객의 입장과 편의를 최우선으로 고려해야 한다.

② **서비스 구체성의 원칙**: 고객에게 제공되는 서비스의 내용은 고객이 쉽게 알 수 있도록 구체적이고 명확하게 제시되어야 한다.

③ **최고수준의 서비스 제공 원칙**: 행정기관이 제시할 수 있는 가장 높은 수준의 서비스를 제공해야 한다.

④ **비용편익형량의 원칙**: 서비스 제공에 소요되는 비용과 고객의 편익이 합리적으로 고려된 서비스 기준을 설정해야 한다.

⑤ **체계적 정보제공의 원칙**: 서비스와 관련된 정보와 자료를 쉽고 신속하게 얻을 수 있도록 해야 한다.

⑥ **시정 및 보상조치 명확화의 원칙**: 잘못된 서비스에 대한 시정 및 보상조치를 명확히 해야 한다.

⑦ **고객참여의 원칙**: 제공된 서비스에 대한 고객의 여론을 수렴하여 이를 서비스 개선에 반영해야 한다.

(3) **평가지표**

행정서비스헌장제에 대한 총괄부서는 행정안전부이다. 행정안전부는 제정지표(30%), 실천지표(45%), 사후관리지표(25%)를 평가하고 우수한 헌장에 마크를 부여하는 헌장인증제(Charter Mark)를 실시하고 있다.

| 구 분 | 내 용 | 평가요소 |
|---|---|---|
| 제·개정부문 | 제정한 헌장내용이 7대 기본원칙을 충실히 반영하고 있는지 여부 | • 고객 및 관련 공무원의 참여<br>• 헌장의 구체성 |
| 실천부문 | 헌장내용을 충실히 이행했는지 여부 | • 헌장에 대한 홍보<br>• 헌장에 대한 공무원 교육 |
| 사후관리부문 | 고객만족도 측정 및 잘못된 행정서비스에 대한 보상 및 시정조치 이행 여부 | • 고객만족도 측정·활용<br>• 우수 공무원에게 인센티브 제공<br>• 불만족사항 시정·보상조치 |

---

O·X 문제

1. 행정서비스 헌장과 그 이행 표준의 제정은 조직구성원의 자율과 재량권을 확대시킨다. ( )

O·X 문제

2. 행정서비스헌장제는 우리나라의 경우 경찰과 같은 순수공공재 영역에는 적용되지 않는다. ( )

**심화학습**

영국의 시민헌장 기본원칙

| | |
|---|---|
| 서비스 기준 설정 | 서비스 기준을 분명히 정하고 그것을 공표해야 한다(서비스의 표준화). |
| 정보 및 공개 | 공공서비스의 운영현황, 업무책임자, 소요경비 등에 관한 정보를 공개해야 한다. |
| 선택 및 상담 | 고객에게 선택의 기회를 넓혀주고, 서비스 이용자와 공식적인 대화 창구를 마련해야 한다. |
| 예의 및 친절 | 공공서비스 종사자는 항상 명찰을 달고 예의를 갖추면서 주민들에게 도움이 되는 서비스를 제공해야 한다. |
| 사과 및 시정 | 공공서비스가 정해진 기준에 미달하여 문제가 발생한 경우 그에 대한 사과와 충분한 해명이 있어야 하며, 곧바로 적절한 시정조치가 뒤따라야 한다. |
| 공공예산의 사용가치 제고 | 공공서비스를 최대한 효율적이고 경제적으로 제공함으로써 납세자들이 납부한 돈의 사용가치를 극대화해야 한다. |

O·X 정답 1. × 2. ×

CHAPTER
# 06 미래정부

## 제 1 절 | 지식정보화 사회와 행정

### 01 지식정보화 사회

#### 1. 의 의

지식정보화 사회란 노동방식·생활방식·가치체계·관습·사회제도 등이 정보와 지식 및 고도로 발달된 IT 기술에 의해 새롭게 형성된 사회로 이전의 농경사회·산업사회와 대비되는 개념이다. 지식정보화 사회는 기존 사회의 패러다임 변화를 의미한다는 점에서 벨(D. Bell)은 '후기산업사회', 토플러(A. Toffler)는 '제3의 물결(The Third Wave)', 나이스비츠(J. Naisbitt)는 '거대한 조류(Megatrend)'라고 하였다.

#### 2. 지식정보화 사회의 특징

| 구 분 | 긍정적 측면 | 부정적 측면 |
|---|---|---|
| 정치·행정 측면 | • 전자적 시민참여를 통한 대의민주주의의 한계 극복<br>• 국민의 알권리 증대 및 행정의 투명성·책임성 제고<br>• 신속하고 종합적인 서비스로 행정의 효율성 증진<br>• 의사결정체제의 간소화 및 탈관료제 조직의 확산 | • 정치·행정 권력의 정보독점 및 전자감시 체제 구축으로 프라이버시 침해가능성 (빅브라더: Big Brother)✛<br>• 대고객관계의 비인간화(기계화)<br>• 디지털 디바이드(정보격차: Digital Divide)로 인한 행정서비스의 의도하지 않은 배제<br>• 인포데믹스(infordemics)✛ 현상 |
| 경제 측면 | • 다품종소량생산체제의 구축으로 다양한 수요에 대응<br>• 연결의 경제로 소비자 후생 증대 | • 디지털 디바이드(Digital Divide)로 인한 경제적 불균형 심화<br>• 세계화로 초경쟁사회의 출현 |
| 사회 측면 | • 시민들의 자발적 네트워크 확대<br>• 개인과 조직의 자율성 증진<br>• 집단행동의 딜레마가 감소하여 정책 투입기능 강화 | • 정보범람으로 인한 정보무기력증<br>• 익명성으로 인한 비윤리성<br>• 개인의 고립화로 인한 인간소외 현상<br>• 순간적 쾌락을 중시하는 소모적 찰나주의<br>• 선택적 정보접촉✛<br>• 집단극화✛ |

---

**심화학습**

**지식정보화 사회의 대두배경 및 전망**

| 기술 결정론 | • IT 기술의 발전이 지식정보화 사회로의 전환을 가져왔다고 보는 시각<br>• 기술은 퇴보하지 않기 때문에 기술의 발전으로 미래사회는 무한히 발전(낙관론적 전망) |
|---|---|
| 사회 결정론 | • IT 기술의 발전에 앞선 사회적 요구가 지식정보화 사회로의 전환을 가져왔다고 보는 시각<br>• 어떤 사회적 요구에 의해 기술이 발전하는가에 따라 미래사회는 낙관적일 수도 있고 비관적일 수도 있음 |

✛ **빅브라더**
정보의 독점과 일상적인 감시를 통해 사람들을 통제하는 감시 권력(조지 오웰의 소설 「1984년」)

✛ **인포데믹스(infordemics)**
정보(information)와 전염병(epidemics)의 합성어로 추측이나 루머가 결합된 부정확한 정보가 인터넷이나 스마트폰을 통해 전염병과 같이 빠르게 전파되어 사회에 악영향을 미치는 현상

✛ **선택적 정보접촉(selective exposure to information)**
지식정보화 시대의 정보폭증 속에서 자신에게 유리한 정보만을 선별적으로 취함으로써 편견이 강화되는 현상

✛ **집단극화(group polarization)**
① 집단의 결정이 개인의 결정보다 더 극단적인 결론에 도달하는 경향
② 지식정보화 사회에서는 가상공간에 이념, 가치, 사상을 공유하는 다양한 사이버 공동체가 형성되며, 각각의 사이버 공동체는 집단극화의 경향을 보일 수 있음.

## 02 행정정보체계

### 1. 정보와 행정정보

(1) 개 념

① 정보 : 자료(data)는 단순한 사실의 기록으로 사물이나 사실을 기호·문자·이미지로 표시한 것이며, 정보(information)는 자료에 일정한 질서나 맥락을 부여하여 사용자에게 의미 있는 형태로 가공된 결과이다.

② 행정정보 : 행정정보란 행정자료에 일정한 질서가 부여되어 행정의 주체 및 객체의 의사결정이나 행동에 사용할 수 있는 의미 있는 내용을 말한다.

(2) 특 징

① 정보의 특징 : 정보는 ㉠ 비이전성·비소멸성·무한재생산성, ㉡ 누적효과성, ㉢ 사회성·교류성, ㉣ 무형성·매체의존성, ㉤ 적시성·적실성, ㉥ 자산성·시장성, ㉦ 동태성 등의 특징을 지닌다.

② 행정정보의 특징 : 행정정보는 일반적인 정보의 특징 외에도 ㉠ 공공성, ㉡ 독점성, ㉢ 다양성, ㉣ 비시장성, ㉤ 법적 제약성, ㉥ 정치적 함축성, ㉦ 상대적 광역성, ㉧ 탈능률성, ㉨ 비배제성 등의 특징을 지닌다.

### 2. 행정정보시스템(체계)

(1) 의 의

컴퓨터(hardware)·소프트웨어·네트워크 등의 요소가 조합되어 행정정보를 처리하고 행정업무를 지원하는 시스템을 말한다.

(2) 구성요소

정보시스템은 ① 시스템자원[하드웨어(컴퓨터), 소프트웨어], ② 자료자원(데이터베이스), ③ 정보시스템을 개발하고 운용할 조직·인력·예산 자원, ④ 네트워크, ⑤ 기술보안 등을 구성요소로 한다.

(3) 특 징

① 인간과 기계가 상호 유기적으로 결합된 시스템

② 개별적 단위시스템을 상위시스템으로 통합하는 시스템

③ 문제해결을 위한 데이터베이스의 구축과 공유가 이루어지는 시스템

**심화학습**

계층에 따른 정보시스템

| 구분 | EDPS | MIS | DSS |
|---|---|---|---|
| 조직 계층 | 운영 계층 | 중간 관리 계층 | 최고 관리 계층 |
| 대상 업무 | 일상 운영 업무 | 관리 통제 업무 | 예측/ 결정 업무 |
| 처리 특성 | 능률적 처리 | 자료 종합 | 신속 대응 |
| 중점 사항 | 자료 저장/ 처리 | 정형 정보 제공 | 의사 결정 지원 |

## 제 2 절　전자정부와 지식관리

### 01　전자정부(e-Governance)

#### 1. 의 의

(1) 개 념

전자정부란 정보통신기술(ICT)을 이용하여 행정업무를 효율적으로 재설계(전자관리 : e-management)하고, 대국민서비스를 증진(전자서비스 공급 : e-service delivery)함으로써 국민의 삶의 질을 향상시키며, 민주주의 행정이념을 구현(전자정책결정 : e-policy making)하려는 고객감성적인 열린 정부이다.

(2) 등장배경

① 이론적 측면

㉠ 기술결정론적 시각 : IT 기술의 발달이 지식정보화 사회 및 전자정부 구축을 가져왔다고 보는 시각이다(효율성 모델로 발전).

㉡ 사회결정론적 시각 : 행정서비스 개선 및 시민참여 증진 등에 대한 사회적 요구가 지식정보화 사회 및 전자정부 구축을 가져왔다고 보는 시각이다(민주성 모델로 발전).

② 역사적 측면 : 전자정부는 전자은행(Electronic Banking) 업무에서 처음 대두된 구상을 확장한 것으로, 미국 클린턴 정부의 국정성과평가팀(NPR)에 의한 '미국으로의 접근(Access America)'에서 시작되었다.

#### 2. 전자정부의 지향

(1) 효율적인 전자정부 : Back Office(효율성 모델)

① 의의 : 전자정부는 정부 내 자료나 정보가 전자적으로 생산되는 종이 없는 행정을 구현하고, 전자화된 행정정보가 각 행정기관 간에 물 흐르듯이 유통됨으로써 신속·정확한 행정을 실현하는 효율적인 정부를 지향한다.

② 구현수단

㉠ 전자문서교환(EDI : Electronic Data Interchange) : 서로 다른 조직의 컴퓨터 간에 정형화된 표준양식의 문서(약속된 포맷)를 교환하는 시스템

㉡ 인트라넷(Intranet) : 인터넷을 기반으로 조직 내부의 정보를 통합하여 구성원 간 자유로운 정보유통을 가능케 하는 시스템으로 기업 내의 인사관리·재무관리 등에 가장 많이 활용되는 조직 내부의 정보공유수단

㉢ 익스트라넷(Extranet) : 인터넷을 기반으로 특정 조직의 인트라넷을 다른 조직의 인트라넷과 연계하여 정보를 공유토록 하는 시스템

㉣ 업무과정재설계(BPR : Business Process Reengineering) : IT 기술의 도입으로 불필요해지거나 중복된 업무 제거

**심화학습**

조직관리 차원에서 전자정부의 이해

| | |
|---|---|
| 신포디즘 관점(Neo-Fordism) | 포디즘의 실패를 통제의 실패로 인식하고 전자정부를 통제의 가속화로 이해하는 관점 |
| 후포디즘 관점(Post-Fordism) | 포디즘의 실패를 유연성의 실패로 인식하고 전자정부를 환경변화에 대한 적응성 제고 수단으로 이해하는 관점 |

**심화학습**

기타 효율성 모델 구현수단

| | |
|---|---|
| 전자우편(E-Mail) | 인터넷을 통한 데이터의 전송 |
| 근거리 통신망(LAN) | 지리적으로 한정된 구역 내에서 정보의 자유로운 교환을 가능케 하는 네트워크 |
| 그룹웨어(group-ware) | 기관 내의 의사소통을 지원하는 시스템 |
| 통합DB 시스템 | 기관들이 보유하고 있는 데이터를 통합적으로 관리하고 공동이용을 가능케 하는 시스템 |
| 사무 자동화(OA) | 일상적 사무처리를 자동화주는 정보 시스템 |

(2) 서비스의 고도화를 추구하는 전자정부 : Front Office(민주성 모델)

① 의의 : 전자정부는 고객이 다양한 수단에 의해 단일접점(정부포털)을 통과하면 누구나, 언제나, 어디에서나, 한 번에 서비스가 제공되는 서비스 고도화를 지향한다.

② 구현수단

　㉠ 정부포털(portal) 서비스 : 정부와 국민 간의 단일접점인 포털을 구축하여 국민에게 서비스를 빠르고, 정확하고, 통합적으로 전달하는 서비스

　㉡ One-Stop 서비스 : 행정기관의 기능을 네트워크를 통해 횡적으로 연계해 고객이 어떤 행정기관을 통해서든 표준화된 행정서비스를 한 번에 일괄적으로 받을 수 있도록 하는 서비스

　㉢ Non-Stop(Zero-Stop) 서비스 : 행정서비스 이용 시간대를 확대해 고객이 시간에 구애받지 않고 편리한 시간대에, 편리한 장소에서 서비스를 제공받을 수 있도록 하는 서비스(24시간 열린 행정, 안방민원)

③ 우리나라 전자행정서비스

| 유 형 | 내 용 | 구체적인 예 |
|---|---|---|
| G2C (GNC) (G4C) | 일반국민을 위한 전자서비스 | • 정부24(www.gov.kr) : '민원 24'를 개편하여 대한민국의 모든 수혜서비스, 민원업무(민원24), 정책·정보 등을 24시간 365일 온라인에서 한 번의 방문으로 안내받고 열람·신청·발급할 수 있는 통합된 정부서비스<br>• 국민신문고(www.epeople.go.kr) : 정부에 대한 민원·제안·참여, 부패·공익신고, 행정심판 등을 인터넷으로 간편하게 신청하고 처리하는 범정부 대표 온라인 소통 창구<br>• 서울시 '상상대로 서울(idea.seoul.go.kr)' : 시민이 정책을 제안하고 시행 여부도 직접 결정할 수 있도록 한 온라인 플랫폼(전자투표를 통한 디지털 직접민주주의 실현) |
| G2B | 기업활동을 위한 전자서비스 | • 나라장터(국가종합전자조달시스템, KONEPS) : 조달업무 전 과정을 온라인으로 처리하는 전자조달시스템<br>• 기타 : 전자통관시스템(UNI-PASS) 등 |
| G2G | 부처 내, 부처 간 전자서비스 | • 온-나라(범정부표준업무관리시스템) : 정부 내부 행정업무처리의 모든 과정(계획수립, 일정관리, 실적관리, 의사결정 등)을 표준화·시스템화하여 기록·저장·보존·공유하는 정부표준 업무관리시스템<br>• 기타 : 디지털예산회계시스템(dBrain), 전자인사관리시스템(e-사람), 정부통합전산센터 등 |

(3) 민주적인 전자정부(e-governance) : Front Office(민주성 모델)

① 의의 : 전자정부는 시민들이 IT 기술을 통해 정부정보에 쉽게 접근할 수 있도록 하고, 전자적 시민참여를 촉진하는 투명한 열린 정부를 지향한다.

② 구현수단 - 온라인(전자적) 시민참여(e-거버넌스) : 온라인 시민참여는 전자정보화(정보제공형 : e-information) ⇨ 전자자문(협의형 : e-consultation) ⇨ 전자결정(정책결정형 : e-decision making)으로 진화되어 오고 있다.

**O·X 문제**

1. 'G2G'는 정부 내 업무처리의 전자화를 내용으로 하고 있으며 대표적 사례로는 '온-나라시스템'이 있다. (　)

2. 'G4C'는 단일창구를 통한 민원업무혁신사업으로 데이터베이스공동활용시스템 구축을 내용으로 한다. (　)

3. 한국의 대민 전자정부(G2C 또는 G2B)의 사례로는 민원24, 국민신문고, 전자조달 나라장터, 온-나라 시스템 등이 있다. (　)

4. 'G2C'는 조달 관련 온라인 서비스를 통합적으로 제공하는 것이다. (　)

5. 온라인 참여포털 국민신문고는 국민의 고충 민원과 제안을 원스톱으로 접수 및 처리하는 것을 목적으로 한다. (　)

6. 우리나라는 공공기관의 공사, 용역, 물품 등의 발주정보를 공개하고 조달절차를 인터넷으로 처리하도록 '온-나라시스템'을 도입하였다. (　)

O·X 정답 1. ○ 2. ○ 3. × 4. × 5. ○ 6. ×

📁 **전자적(온라인) 시민참여의 유형**

| 구 분 | 전자정보화(정보제공형) | 전자자문(협의형) | 전자결정(정책결정형) |
|---|---|---|---|
| 의 의 | 정부가 생산한 정보를 전자적 채널을 통해 일방적으로 제공하는 단계 | 가상공간에서 공무원과 시민 간에 소통과 청원 및 정책토론과 토론에 대한 환류가 일어나는 단계 | 정부가 중요쟁점을 공론화하고 시민들이 정책과정에 참여하여 토론을 거쳐 합의를 도출하는 단계 |
| 특 징 | 관심이 없거나 수동적인 시민은 혜택을 보지 못함. | 쌍방향적 의사소통이나 정부 주도의 의사소통으로 시민의 정책순응을 확보하기 위해 활용(공공정책에 대한 온라인 토론 등) | 특정 정책 이슈나 선택에 대한 시민 토론·평가 및 정책결정과정에서 정보제공과 정책 추진 결과의 환류 |
| 주요 도구 | 전자정부 포털 사이트 구축(메일링 리스트, 온라인 포럼, 뉴스그룹, 채팅 등), 인터넷 방송 등 | 자료분석 S/W, 메일링 리스트, 온라인 여론조사, 온라인 공청회, 온라인 시민패널, 포커스 그룹 등 | 독립적 웹사이트, 온라인 채팅 그룹, 메일링 리스트 등 |
| 관련 제도 | 「정보공개법」 등 | 「행정절차법」, 옴부즈만제도, 민원 관련 법 등 | 「전자국민투표법」, 국민의 입법 제안 등 |

(4) **전자정부의 지향 변화**

| 구 분 | 협의(초기)의 전자정부 | 광의(최근)의 전자정부 |
|---|---|---|
| 모 델 | 효율성 모델 | 민주성 모델 |
| 초 점 | 조직 내부(Back Office)에 초점 | 시민과의 관계(Front Office)에 초점 |
| 시 각 | 기술 결정론 | 사회 결정론 |
| 내 용 | • 종이 없는 사무실 구현<br>• 자유로운 정보유통 및 공유 | • 고객지향적 행정<br>• 전자정보제공 및 전자시민참여 |
| 기 술 | 전자문서교환(EDI), 전자우편(E-Mail), 인트라넷과 익스트라넷, BPR 등 | 전자민원(One-Stop, Non-Stop 등), 온라인 시민참여, 보편적 서비스 등 |

## 3. 전자정부의 특징과 구성요소

(1) **특 징**

① **탈관료제적 정부**: 가상 조직 및 네트워크 조직을 활용하는 정부

② **통합지향적 정부**: 경계를 타파한 이음매 없는 정부

③ **열린 정부**: 개방성과 투명성이 높은 정부

④ **쇄신적 정부**: 문제해결 중심의 창의성과 학습을 중시하는 정부

⑤ **효율적 정부**: 생산성은 높이고 낭비는 최소화된 정부

⑥ **민주적 정부**: 국민에 대한 봉사를 중시하는 정부

(2) **구성요소**

① **관리적 측면**

　㉠ **행정업무과정재설계(BPR)**: 불필요하거나 중복된 업무를 제거하고, 보고 및 결제 과정의 전자화(종이 없는 사무실 구현)

---

**O·X 문제**

1. UN은 전자 거버넌스로서 전자적 참여가 전자자문 ⇨ 전자정보화 ⇨ 전자결정순으로 진화되고 있다고 보았다. ( )

2. 온라인 시민참여의 유형 중 정부가 국민의 의견을 수렴하고 또 정부의 입장을 전달하는 쌍방향 의사소통 유형은 전자결정이다. ( )

3. 온라인 시민참여 유형과 관련하여 국민의 입법 제안과 옴부즈만제도는 협의형과 관련된다. ( )

4. 온라인 시민참여 유형과 관련하여 「정보공개법」과 「행정절차법」은 정보제공형과 관련된다. ( )

---

**심화학습**

**UN의 전자정부 발전 단계**

| 구분 | 부문 | 구성요소 |
|---|---|---|
| 1단계 | 착수 | 국가 공식 웹사이트 설치 |
| 2단계 | 발전 | 공공정책에 대한 온라인 정보 제공 |
| 3단계 | 상호 작용 | 메시지 송수신 등 쌍방향성 온라인 서비스 제공 |
| 4단계 | 전자 거래 | 온라인 민원신청, 결제 등 온라인 서비스 제공 |
| 5단계 | 통합 처리 | 공식 웹사이트와 모든 국가기관 링크, 온라인 국민참여 기능 제공 |

---

**O·X 문제**

5. 전자정부는 부처 간의 관할권이 분명하다는 특징이 있다. ( )

6. 전자정부로 인하여 직무 간 경계와 기능 간 경계가 점점 명확해진다. ( )

---

**O·X 정답** 1. × 2. × 3. × 4. ×
5. × 6. ×

**통합전산환경 구축방안**

| 통합 대상에 따른 유형 | 위치 통합 | 자원들의 공간적 집중(물리적 통합) |
|---|---|---|
| | 하드웨어 통합 | 서버, 디스크, 백업 장비 등 통합 |
| | 데이터 통합 | 동일한 포맷의 자료 통합 |
| | 애플리케이션 통합 | 각종 업무지원 애플리케이션 또는 서비스 통합 |
| 통합 방법에 따른 유형 | 논리적 통합 | 표준화된 운영방식 적용 |
| | 물리적 통합 | 자원들의 공간적 집중 |
| | 합리적 통합 | 복수 자원을 성능이 뛰어난 소수 자원으로 대체 |

**O·X 문제**

1. 중앙행정기관의 장과 지방자치단체의 장은 해당기관의 지능정보사회 시책의 효율적 수립·시행과 대통령이 정하는 업무를 총괄하는 '지능정보화책임관'을 임명하여야 한다. ( )

**✛ 블록체인(Blockchain)**
분산 컴퓨팅 기술 기반의 데이터 위·변조 방지 기술로, 거래정보의 기록을 중앙집중화된 서버나 관리 기능에 의존하지 않고, 분산원장을 기반으로 모든 참여자에게 분산된 형태로 배분하여 데이터 관리의 탈집중화된 환경을 제공하는 기술

**✛ 공공 아이핀(i-PIN)**
Internet Personal Identification Number(인터넷 개인 식별 번호)의 약자로 인터넷상에서 주민번호를 대신하여 아이디와 패스워드를 이용해 본인을 확인하는 수단

**정보격차와 정보화 마을**
도·농 간 정보격차를 해소하기 위해 정보화에 소외된 지역에 초고속 정보통신망 설치 등을 통해 인터넷 사용 환경을 제공하고, 지역주민의 정보화 교육을 통해 전자상거래·정보 콘텐츠 등을 구축해 지역경제를 활성화하고자 하는 사업(2001년부터 행정안전부에서 추진)

**O·X 문제**

2. 웹 접근성이란 장애인 등 정보소외계층이 웹사이트에 있는 정보에 접근할 수 있도록 편의를 제공하는 것을 말한다. ( )

**O·X 정답** 1. ◯ 2. ◯

---

ⓛ 통합전산환경(클라우드 컴퓨팅) 구축: 정보자원관리의 효율성을 제고하기 위해 하드웨어·데이터·애플리케이션·서비스 등의 정보자원을 데이터센터에 통합적으로 저장하고 IT 기술을 통해 필요할 때마다 꺼내 쓸 수 있도록 하는 통합전산환경(클라우드 컴퓨팅) 구축 − 정보의 공유를 통한 행정의 분권화 촉진

② 인적·조직적 측면

ⓛ 지능정보화책임관(CIO: Chief Information Officer) 제도(「지능정보화 기본법」)

ⓐ 개념: 지능정보사회 시책의 효율적인 수립·시행과 지능정보화 사업의 조정 등 대통령령으로 정하는 업무를 총괄하는 책임관

ⓑ 임명: 중앙행정기관의 장과 자치단체의 장은 지능정보화책임관을 임명해야 한다.

ⓛ 정보리터러시 제고: 공무원의 정보통신기술 해독력 제고

③ 기술 및 기술환경적 측면

ⓛ 인트라넷·익스트라넷 구축: 조직 내부의 원활한 정보 교류를 위해 인트라넷을 구축하고 이를 다른 조직망과 연계(익스트라넷)

ⓛ 정보시스템의 표준 정립: 부처별로 구축된 인트라넷의 범정부적 연계성을 강화하기 위해 데이터·정보시스템·네트워크·전자문서 등의 표준 정립

ⓒ 보안시스템의 확립: 블록체인(Blockchain)✛ 등의 활용을 통한 정보 보안 확립

ⓛ 정보시스템 개발 및 운영관리의 아웃소싱(outsourcing: 외주): 전문적 지식의 활용을 통한 정보시스템 품질 개선을 위해 아웃소싱 활용

④ 환경(기업·시민사회)과의 관계 측면

ⓛ 행정서비스의 고도화 및 온라인 시민참여의 활성화

ⓛ 개인정보보호: 공공 아이핀(i-PIN)✛의 보급 확대

ⓒ 정보격차(Digital Divide)의 해소

**핵심정리 | 정보격차**(정보불균형: Digital Divide)

1. **의 의**
   (1) **OECD의 정의**: 개인·가정·기업 및 지역 간 상이한 사회경제적 여건에서 비롯된 정보통신기술에 대한 접근기회의 불평등 및 다양한 활동을 위한 인터넷 이용에서의 불평등
   (2) **「지능정보화 기본법」의 정의**: 사회적·경제적·지역적 또는 신체적 여건 등으로 인하여 지능정보서비스, 그와 관련된 기기·소프트웨어에 접근하거나 이용할 수 있는 기회에 차이가 생기는 것

2. **원 인**
   (1) **접근기회의 격차**: 사회경제적 여건에 기인한 정보격차
   (2) **이용능력의 격차**: 활용능력에 기인한 정보격차(최근 중시)

3. **극복방안**
   (1) **정보기회의 제공**: 정보소외계층이 정보기술에 대한 지식을 얻어 사회 내의 다른 계층과 평등하게 될 수 있는 기회 제공
   (2) **웹 접근성 강화**: 정보소외계층이 웹사이트에 있는 모든 정보에 쉽게 접근할 수 있도록 웹 접근성 강화(시각 장애인을 위한 음성서비스 등)
   (3) **웹 사용성 강화**: 정보소외계층이 웹사이트에 있는 모든 정보를 편리하고 만족스럽게 활용할 수 있도록 웹 사용성 강화(웹 접근성에서 확대된 개념)

4. **우리나라**
   「지능정보화 기본법」 제45조에 의하면 국가기관과 지방자치단체는 모든 국민이 지능정보서비스에 원활하게 접근하고 이를 유익하게 활용할 기본적 권리를 누구나 격차 없이 실질적으로 누릴 수 있도록 필요한 시책을 마련하여야 한다.

## 4. 정보통신기술의 발전과 전자정부의 진화

### (1) 인터넷 진화에 따른 정부서비스의 패러다임 변화

| 구 분 | 웹(Web) 1.0 | 웹(Web) 2.0 | 웹(Web) 3.0 |
|---|---|---|---|
| 시 기 | 과거 | 현재 | 미래 |
| 기술 기반 | 하이퍼링크✦ 기반 | 플랫폼✦ 기반 | 유비쿼터스 컴퓨팅 기반 |
| | World Wide Web, 브라우저, 웹 저장 | Rich, Link/Content Models | Real-World Web, 브로드밴드, 시맨틱웹✦, 사물인터넷✦ |
| 특 징 | 하이퍼텍스트 위주의 웹 환경으로 운영자가 일방적으로 보여 주는 텍스트 링크 위주의 웹사이트 연결 | 참여·공유·개방의 플랫폼 기반으로 구성원 간의 상호작용을 통해 정보(콘텐츠)를 함께 제작하고 공유하여 부가가치 창출 | 시맨틱웹과 센서 네트워크에 기반한 사물인터넷을 활용하여 이용자에게 선제적·맞춤형 서비스 제공 |
| 접근성 | 정부 중심 | 시민 중심 | 개인 중심 |
| | 단일접속창구(포털) | 중개기관을 통해서도 접속 | 개인별 정부서비스 포털 |
| 채 널 | 유선 인터넷 | 무선 인터넷 | 유·무선 모바일 기기 통합 |
| 업 무 | 단위업무별 처리 | 프로세스 통합 | 서비스 통합 |
| 서비스 | • 일방향 정보 제공<br>• 제한적 정보 공개<br>• 서비스의 시·공간적 제약<br>• 공급 위주 서비스<br>• 서비스의 전자화 | • 양방향 정보 제공<br>• 정보 공개 확대<br>• 모바일 서비스<br>• 정부·민간 융합서비스 및 신규 서비스 가치 창출 | • 개인별 맞춤 정보 제공<br>• 실시간 정보 공개<br>• 중단 없는 서비스<br>• 개인별 맞춤형 서비스<br>• 서비스의 지능화 |

### (2) 빅데이터를 활용한 스마트 전자정부

① 빅데이터(3V - Volume, Velocity, Variety)

　㉠ 의의 : 빅데이터란 방대한 규모, 짧은 생성주기, 다양한 형태(수치화된 데이터뿐만 아니라 문자·사진·영상 등 비정형적 데이터)를 지닌 대규모 데이터를 말한다. 빅데이터는 데이터의 양(Volume), 데이터 생성 속도(Velocity), 데이터의 다양한 형태(Variety) 측면에서 과거 아날로그 환경에서 생성되던 데이터와 큰 차이가 있다.

　㉡ 우리나라의 데이터기반행정 : 데이터기반행정이란 미국의 증거기반정책(evidence-based policy)✦과 유사한 개념으로 우리나라는 현재 국가 차원에서 빅데이터 활성화를 목표로 한 기본법(「데이터기반행정 활성화에 관한 법률」)이 시행되고 있다. 또한 많은 지방자치단체에서 빅데이터 활용에 관한 조례를 제정·시행하고 있다(부산광역시, 광주광역시, 경기도, 전라북도, 경상남도 등).

② 스마트 전자정부 : 공공부문에서 빅데이터 활용은 사회현상에 관한 새로운 법칙의 발견을 통해 미래예측·변화추이·위험징후 등에 선제적으로 대응하며(재난의 사전예방), 다양한 매체(스마트폰, 태블릿 PC, 스마트 TV 등)의 활용을 통해 각각의 개별적인 시민 요구에 선제적으로 맞춤형 서비스를 제공하는 스마트 전자정부를 구축할 수 있게 한다.

**✦ 하이퍼링크(웹 1.0)**
인터넷에서 특정 문자나 그림을 클릭하면 이와 관련된 다른 문서나 화면으로 이동할 수 있게 문서 간에 연결하는 기술

**✦ 플랫폼(웹 2.0)**
정보를 개방하여 사용자에게 도구를 제공하고, 사용자가 그 도구를 이용하여 새로운 콘텐츠를 제작하고 공유하여 부가가치를 창출하는 기술(주체가 소비자이면서 생산자가 되는 상호작용을 통해 새로운 콘텐츠 재생산)

**✦ 시맨틱웹(웹 3.0)**
차세대 인공지능 웹으로 웹상의 데이터가 의미를 지니는 지식정보가 되는 기술(의미론적 웹 - 인간만이 이해하는 웹이 아니라 기계가 서로 의사소통하는 웹)

**✦ 사물인터넷(웹 3.0)**
모든 사물에 센서나 탭, 통신기능을 넣어 현실 세계와 가상 세계의 사물들이 모두 상호작용하는 차세대 네트워크 기술

**심화학습**

**정부 3.0**
정부가 보유한 정보를 적극적으로 개방·공유하고, 부처 간 칸막이를 없애 소통·협력하여 국민 맞춤형 서비스를 제공하고, 일자리 창출을 지원하고자 했던 박근혜 정부의 정부운영 패러다임

**O·X 문제**

1. 전자정부는 맞춤형서비스에서 쌍방향서비스로의 변화를 통한 정부혁신을 추구한다. (　)
2. 빅데이터의 3대 특징은 크기, 정형성, 임시성이다. (　)

**✦ 증거기반(evidence-based)정책**
'의견에 기초한(opinion-based) 정책'과 대비되는 개념으로 타당성과 신뢰성을 확보한 데이터를 바탕으로 적절한 분석기법과의 조합을 통하여 획득한 지식을 기초로 형성된 정책

**심화학습**

**빅데이터와 데이터마이닝(data mining)**
인공지능기법의 활용을 통해 방대한 양의 데이터(빅데이터)로부터 유용한 정보를 추출해내는 지식발견기법

**O·X 문제**

3. 스마트 사회의 전자정부는 국민들이 민원서비스를 신청하지 않더라도 정부가 국민의 요구들을 미리 파악해서 행정서비스를 선제적으로 제공한다. (　)
4. 스마트 정부는 재난 발생 후 최대한 빠른 시간 내에 복구하는 것을 정책목표로 추구한다. (　)

O·X 정답 1. × 2. × 3. ○ 4. ×

**심화학습**

**유비쿼터스와 스마트워크(원격근무)**

| 의의 | 원격근무의 발전된 형태로 유비쿼터스 기술을 활용하여 시간과 장소의 제약 없이 업무를 수행하는 유연한 근무형태 | |
|---|---|---|
| 유형 | 이동 근무 | 스마트폰 등을 활용해 현장에서 업무수행 |
| | 재택 근무 | 자택에서 ICT를 통해 업무수행 |
| | 스마트 워크 센터 근무 | 자택 인근 원격사무실에 출근해 업무수행(현재 서울, 경기, 세종시에 설치운영) |

**심화학습**

**유비쿼터스와 CRM**

① CRM(Customer Relationship Management) : 각각의 시민이 원하는 맞춤형 행정서비스를 제공하는 시민 중심의 행정관리기법
② 유비쿼터스와 CRM : 유비쿼터스 전자정부는 CRM의 기술적 기반

**심화학습**

**기타 전자정부**

| 모바일 전자 정부 | 무선 인터넷을 기반으로 한 휴대 단말기를 통하여 정부와 관련된 각종 업무 및 정보를 처리하는 전자정부 |
|---|---|
| 플랫폼 전자 정부 | 기업과 국민에게 '참여형 오픈 플랫폼'을 제공하여 새로운 서비스와 부가가치를 창출할 수 있도록 촉진·지원하는 전자정부 |

---

(3) 유비쿼터스(Ubiquitous) 전자정부 – 웹 3.0 시대의 미래형 전자정부

① 유비쿼터스 정보기술

㉠ 개념 : 컴퓨터·전자장비·센서·칩 등의 전자공간(기술)이 종이·사람·집 및 자동차 등의 물리공간(생활)의 모든 곳에 스며들어 모든 사물과 대상이 지능화되고 전자공간에 연결되어 사용자는 그 기술의 존재를 의식할 필요 없이 언제, 어디서나, 어느 기기로도 눈에 보이지 않는 네트워크에 접속되어 어떤 서비스든 제공받을 수 있게 하는 기술을 의미한다. 유비쿼터스 정보기술은 5C(Computing, Communication, Connectivity, Contents, Calm)의 5Any(Anytime, Anywhere, Anydevice, Anynetwork, Anyservice)를 지향한다.

㉡ 인터넷 정보기술과 유비쿼터스 정보기술의 비교

| 구 분 | 인터넷 기반 정보기술 | 유비쿼터스 정보기술 |
|---|---|---|
| 개 념 | 현실 세계를 전자공간에 내재 | 전자공간을 현실 세계에 내재 |
| 공 간 | 물리공간과 전자공간의 분리 | 물리공간과 전자공간의 통합 |
| 이 용 | 시·공간적 제약 존재 | 시·공간적 제약 부존재 |
| 망 | 유선망(인터넷 망) | 무선 모바일 망 |
| 기 술 | 초고속 정보통신망과 네트워크 인터넷 기술(협대역 네트워크) | 무선모바일·네트워크·센서·칩·브로드밴드(광대역 네트워크) |

② 유비쿼터스 전자정부

㉠ 의의 : 유비쿼터스 기술을 활용하여 편재화·상시화된 서비스, 개인별 고객 맞춤형 서비스, 지능화된 서비스를 제공하는 정부를 말한다.

㉡ 인터넷 기반 전자정부와 비교

| 구 분 | 인터넷 기반 전자정부(e-Gov) | 유비쿼터스 기반 전자정부(u-Gov) |
|---|---|---|
| 웹 | Web 1.0, 유선인터넷 망 기반 전자정부 | Web 2.0 기반(무선망)을 넘어선 Web 3.0 전자정부(센서·칩·태그 등) |
| 접속성 | 사용자 확인이 가능한 고정된 장소에서 이용(유선망 중심) | 편재성·상시성(Ubiquity) : 유·무선·모바일기기 통합으로 언제, 어디서나 중단 없는 서비스 제공 |
| 서비스 수준 | 공급자 위주의 일률적 서비스 제공 | 고객맞춤화(Uniqueness) : 개인별 요구사항·특성·선호도를 사전에 파악하여 맞춤형 서비스 제공 |
| 상호작용 | 웹사이트를 통한 사람과 컴퓨터 간 인터페이스 | 지능화(Intelligence) : 센서나 태그가 공간 환경·사물·사람에 관한 상황 인식 정보를 감지해 직접 지능화된 서비스 제공(재난의 사전예방) |
| 추구 가치 | 민주성, 효율성, 투명성, 신속성 등 | 개인별 고객지향성, 형평성, 지능성, 실시간성 등 |

③ 유비쿼터스 전자정부의 한계

㉠ 프라이버시 침해가능성 증대

㉡ 전자감시의 시대 도래 가능성 : 오웰의 「1984년」, 푸코의 「파놉티콘」

㉢ 기타 : 바이러스·해킹·스팸·음란물·사이버 중독·지적재산권 침해 등

📝 **핵심정리 | 4차 산업혁명**

### 1. 의의 – 융합기술
디지털 혁명(제3차 산업혁명, 정보·지식 혁명)✛에 기반하여 물리적 공간, 디지털 공간 및 생물학적 공간의 경계가 희석되는 기술융합혁명을 의미한다. 4차 산업혁명은 세계경제포럼(WEF) 회장 슈밥(K. Schwab)에 의해 주창되었다.

### 2. 특징 – 초연결성(Hyper-Connected)과 초지능화(Hyper-Intelligent)
4차 산업혁명은 사물인터넷(IoT), 클라우드, 플랫폼 등 정보통신기술(ICT)을 통해 인간과 인간, 사물과 사물, 인간과 사물이 상호연결되고 빅데이터와 인공지능(AI) 등으로 보다 지능화된 사회로의 전환을 특징으로 한다.

### 3. 적용 – 스마트 팩토리(Smart Factory)
4차 산업혁명 기술이 제조업 현장에 적용되면 사이버물리시스템(CPS : Cyber-Physical System — 컴퓨터와 네트워크상의 가상세계와 현실의 다양한 물리, 화학 및 기계공학적 시스템을 결합시킨 시스템)으로 운영되는 스마트 팩토리가 형성된다. 스마트 팩토리는 인간의 개입이 없어도 자체적으로 정보를 교환하고, 독립적으로 작동할 수 있다.

### 4. 4차 산업혁명 시대의 사회와 정부
4차 산업혁명의 사회는 변동성(Volatility), 불확실성(Uncertainty), 복잡성(Complexity), 모호성(Ambiguity)의 특징을 지닌다. 세계경제포럼은 이에 대응하기 위한 4차 산업혁명 시대의 정부모형으로 FAST정부를 제시하였다. FAST정부란 유연성(Flatter), 민첩성(Agile), 슬림화(Streamlined), 기술역량(Tech-savvy)을 지향하는 정부를 말한다.

### 5. 평 가
슈밥(K. Schwab)은 4차 산업혁명을 지금까지의 삶의 방식을 근본적으로 바꿀 기술혁명이며, 그 변화의 규모와 범위, 복잡성 등은 이전에 인류가 경험했던 것과는 전혀 다를 것으로 보았다. 즉, 4차 산업혁명은 3차 산업혁명의 연장선상에 있으나 사회의 근본적 변화를 가져올 것이라고 주장한다. 다만, 3차 산업혁명을 제시했던 리프킨(J. Rifkin)은 "4차 산업혁명은 3차 산업혁명(디지털 혁명, 정보·지식 혁명)의 연장선에 불과하다."고 비판하였다.

## 5. 우리나라의 정보화와 전자정부

### (1) 추진주체
국가정보화 기획·정보보호·정보문화, 정보통신산업의 육성 등은 과학기술정보통신부가 담당하나, 전자정부는 행정안전부가 담당한다.

### (2) 「지능정보화 기본법」의 주요 내용
① 지능정보사회 종합계획의 수립
  ㉠ 정부는 지능정보사회 정책의 효율적·체계적 추진을 위하여 지능정보사회 종합계획을 3년 단위로 수립하여야 한다.
  ㉡ 지능정보사회 종합계획은 과학기술정보통신부장관이 관계 중앙행정기관의 장 및 자치단체의 장의 의견을 들어 수립하며, 정보통신전략위원회의 심의를 거쳐 수립·확정한다.
  ㉢ 중앙행정기관의 장과 자치단체의 장은 지능정보사회 종합계획에 따라 매년 지능정보사회 실행계획을 수립·시행하여야 한다.
② 지능정보사회 역기능 해소 및 예방 : 정보격차 해소 시책의 마련, 장애인·고령자 등의 지능정보서비스 접근 및 이용 보장, 지능정보서비스 과의존의 예방 및 해소, 지능정보서비스 등의 사회적 영향평가, 정보보호 시책의 마련, 지능정보사회윤리 등

---

✛ 제1차, 제2차, 제3차 산업혁명
① **제1차 산업혁명**(1760~1840) : 철도·증기기관의 발명 이후의 기계에 의한 생산 시대
② **제2차 산업혁명**(19세기 말~20세기 초) : 전기와 생산 조립라인 등 대량 생산체계 구축 시대
③ **제3차 산업혁명** : 반도체와 메인프레임 컴퓨팅(1960년대), PC(1970~1980년대), 인터넷(1990년대)의 발달을 통한 정보기술 시대

**O·X 문제**

1. 제4차 산업혁명은 산업과 산업 간의 초연결성을 바탕으로 초지능성을 창출한다. ( )

2. 제4차 산업혁명은 사이버물리시스템(Cyber-Physical System) 혁명이라고 할 수 있다. ( )

3. 제4차 산업혁명은 IoT, 인공지능, 빅데이터 등의 신기술을 기존 제조업과 융합해 생산능력과 효율을 극대화시킨다. ( )

4. 4차 산업혁명은 대량생산 및 규모의 경제 확산이 핵심이다. ( )

5. 제4차 산업혁명은 행정측면에서 정보의 공개와 유통으로 간접민주주의가 활성화되고 시민중심의 서비스가 제공된다. ( )

6. 4차 산업혁명으로 빅데이터를 활용한 맞춤형 공공서비스 제공이 가능하다. ( )

**O·X 문제**

7. 정부는 '지능정보사회 종합계획'을 3년 단위로 수립하여야 한다. ( )

O·X 정답  1. ○  2. ○  3. ○  4. ×
5. ×  6. ○  7. ○

**O·X 문제**

1. 전자정부란 정보기술을 활용하여 행정기관 상호 간 행정업무 및 국민에 대한 행정업무를 효율적으로 수행하는 정부이다. (　)

2. 전자정부는 행정이념 중에서 효율성과 민주성을 중요시한다. (　)

3. 전자정부의 경계는 국가기관, 지방자치단체, 공공기관으로 한정된다. (　)

4. 「고등교육법」상 사립대학은 「전자정부법」의 적용을 받지 않는다. (　)

5. 행정기관 등은 전자정부의 구현을 위해 중복투자의 방지 및 상호운용성 증진 등을 우선적으로 고려하여야 한다. (　)

6. 과학기술정보통신부장관은 5년마다 행정기관등의 기관별 계획을 종합하여 '전자정부기본계획'을 수립하여야 한다. (　)

7. 전자정부 2020 기본계획은 「전자정부법」에 따라 2016년부터 2020년까지 5개년 계획으로 수립되었다. (　)

8. 행정기관 등의 장은 5년마다 해당 기관의 전자정부의 구현·운영 및 발전을 위한 기본계획을 수립하여 중앙사무관장기관의 장에게 제출하여야 한다. (　)

O·X 정답 　1. ○　2. ○　3. ×　4. ×
　　　　　5. ○　6. ×　7. ○　8. ○

(3) 「전자정부법」의 주요 내용

① 목적: 전자정부를 효율적으로 구현하고, 행정의 생산성, 투명성 및 민주성을 높여 국민의 삶의 질을 향상시키는 것을 목적으로 한다.

② 전자정부의 의의: 정보기술을 활용하여 행정기관 및 공공기관의 업무를 전자화하여 행정기관 등의 상호 간의 행정업무 및 국민에 대한 행정업무를 효율적으로 수행하는 정부를 말한다.

③ 전자정부의 대상 – 행정기관 및 공공기관: 국회·법원·헌법재판소·중앙선거관리위원회의 행정사무를 처리하는 기관, 중앙행정기관 및 그 소속기관, 지방자치단체 등의 행정기관뿐만 아니라 공공기관[지방공사 및 지방공단, 특수법인, 각급 학교(사립학교 포함), 그 밖에 대통령령으로 정하는 법인·단체 또는 기관 등을 포함]을 대상으로 한다.

④ 전자정부의 원칙
　㉠ 대민 서비스의 전자화 및 국민편익 증진의 원칙
　㉡ 행정업무 혁신 및 생산성·효율성 향상의 원칙
　㉢ 정보시스템의 안전성·신뢰성 확보의 원칙
　㉣ 개인정보 및 사생활 보호의 원칙
　㉤ 행정정보공개 및 공동이용 확대의 원칙
　㉥ 중복투자 방지 및 상호운용성 증진의 원칙
　㉦ 정보기술아키텍처 기반의 전자정부 구현·운영의 원칙
　㉧ **행정기관 확인의 원칙**: 행정기관 등은 상호 간에 행정정보의 공동이용을 통하여 전자적으로 확인할 수 있는 사항을 민원인에게 제출하도록 요구해서는 아니 된다.
　㉨ 당사자의 의사에 반한 개인정보 사용 금지의 원칙

⑤ 전자정부기본계획 및 기관별 계획과 전자정부의 날
　㉠ 중앙사무관장기관의 장(행정안전부장관)은 전자정부의 구현·운영 및 발전을 위해 5년마다 행정기관 등의 기관별 계획을 종합하여 전자정부기본계획을 수립해야 한다.
　㉡ 행정기관 등의 장은 5년마다 해당 기관의 전자정부의 구현·운영 및 발전을 위한 기본계획을 수립하여 중앙사무관장기관의 장(행정안전부장관)에게 제출해야 한다.
　㉢ 전자정부의 발전을 촉진하기 위해 매년 6월 24일을 전자정부의 날로 한다.

⑥ 전자정부서비스의 제공 및 활용 – 전자적 민원처리
　㉠ **전자적 민원처리 신청 등**: 행정기관 등의 장은 해당 기관에서 제공하는 전자정부서비스에 대하여 관계 법령에서 종이문서로 신청하도록 규정하고 있는 경우에도 전자문서로 신청하게 할 수 있으며, 관계 법령에서 종이문서로 통지하도록 규정하고 있는 경우에도 이용자가 원하거나 전자문서로 신청하였을 때에는 이를 전자문서로 통지할 수 있다.
　㉡ **구비서류의 전자적 확인 등**: 행정기관 등의 장은 민원인이 첨부·제출해야 하는 구비서류가 전자문서로 발급할 수 있는 문서인 경우에는 직접 그 구비서류를 발급하는 기관으로부터 발급받아 업무를 처리해야 한다(행정기관 확인의 원칙).
　㉢ **기타**: 방문에 의하지 아니하는 민원처리(통합전자민원창구 설치·운영), 행정정보의 전자적 제공, 통합전자민원창구를 통한 생활정보의 제공, 전자적 고지·통지 등

⑦ 전자정부서비스의 제공 및 활용 - 전자정부서비스의 제공과 이용촉진

　㉠ **유비쿼터스 기반의 전자정부서비스 도입·활용**: 행정기관 등의 장은 첨단 정보통신기술을 활용하여 국민·기업 등이 언제 어디서나 활용할 수 있는 행정·교통·복지·환경·재난안전 등의 서비스를 제공하고, 이에 필요한 시책을 마련해야 한다.

　㉡ **전자정부서비스의 보편적 활용을 위한 대책**: 행정기관 등의 장은 국민이 경제적·지역적·신체적 또는 사회적 여건 등으로 인해 전자정부서비스에 접근하거나 이를 활용하는 데 어려움이 발생하지 않도록 필요한 대책을 마련해야 한다.

　㉢ **전자적 대민서비스 보안대책**: 행정안전부장관은 전자적 대민서비스와 관련된 보안대책을 국가정보원장과 사전 협의를 거쳐 마련하여야 한다.

　㉣ **기타**: 전자정부서비스의 개발·제공, 전자정부 포털 운영, 이용자의 참여 확대, 전자정부서비스의 이용실태 조사·분석, 전자정부서비스의 민간참여 및 활용, 전자정부서비스의 효율적 관리 등

⑧ 전자적 행정관리

　㉠ **전자문서의 작성 및 효력**: 행정기관 등의 문서는 전자문서를 기본으로 하여 작성·발송·접수·보관·보존·활용되어야 한다. 전자문서는 종이문서와 동일한 효력을 갖는다.

　㉡ **기타**: 전자적 업무수행(온라인 영상회의, 온라인 원격근무 등), 전자적 시스템의 상호연계 및 통합, 종이문서의 감축, 행정지식의 전자적 관리 등

⑨ 행정정보의 공동이용

　㉠ **행정정보의 효율적 관리 및 이용**: 행정기관 등의 장은 수집·보유하고 있는 행정정보를 다른 행정기관 등과 공동으로 이용해야 하며, 다른 행정기관 등으로부터 신뢰할 수 있는 행정정보를 제공받을 수 있는 경우에는 같은 내용의 정보를 따로 수집해서는 아니 된다.

　㉡ **행정정보 공동이용센터 및 행정정보 공동이용의 신청·승인**

　　ⓐ 행정안전부장관은 행정정보의 원활한 공동이용을 위해 행정안전부장관 소속으로 행정정보 공동이용센터를 둔다.

　　ⓑ 공동이용센터를 통하여 행정정보를 이용하려는 기관은 공동이용 대상 행정정보와 그 범위 등을 특정하여 행정안전부장관에게 공동이용을 신청해야 한다.

　　ⓒ 행정안전부장관은 공동이용 신청을 받으면 행정정보 공동이용을 승인할 수 있다. 다만, 비공개대상 정보 등의 경우에는 공동이용을 승인하여서는 아니 된다.

　㉢ **기타**: 개인정보가 포함된 행정정보 공동이용 시 정보주체의 사전 동의 및 열람청구권 보장 등

⑩ 전자정부 운영기반의 강화

　㉠ **정보기술아키텍처 기본계획의 수립**

　　ⓐ **정보기술아키텍처의 의의**: 일정한 기준과 절차에 따라 업무, 응용, 데이터, 기술, 보안 등 조직 전체의 구성요소들을 통합적으로 분석한 뒤 이들 간의 관계를 구조적으로 정리한 체제 및 이를 바탕으로 정보화 등을 통하여 구성요소들을 최적화하기 위한 방법을 말한다.

ⓑ 정보기술아키텍처 기본계획의 수립: 행정안전부장관은 관계 행정기관 등의 장과 협의하여 정보기술아키텍처를 체계적으로 도입하고 확산시키기 위한 기본계획을 수립해야 하며, 기본계획에 따라 범정부 정보기술아키텍처를 수립해야 한다. 또한 행정안전부장관은 행정기관 등이 공동으로 활용할 수 있는 정보기술아키텍처의 참조모형을 개발하여 보급할 수 있다.

ⓒ 지역정보통합센터 설립·운영: 지방자치단체는 정보자원을 효율적으로 관리하고 지역정보화를 통합적으로 추진하기 위하여 지역정보통합센터를 설립·운영할 수 있고, 필요한 경우 국가와 지방자치단체 또는 둘 이상의 지방자치단체가 공동으로 지역정보통합센터를 설립·운영할 수 있다.

ⓒ 기타: 정보통신기술에 적합한 업무 재설계, 상호운용성 확보 등을 위한 기술평가, 표준화, 공유서비스의 지정 및 활용, 정보통신망의 구축, 정보자원의 통합관리 등

⑪ 정보시스템의 안정성·신뢰성 제고

ⓒ 정보통신망 등의 보안대책 수립·시행: 국회, 법원, 헌법재판소, 중앙선거관리위원회 및 행정부는 전자정부의 구현에 필요한 정보통신망과 행정정보 등의 안전성 및 신뢰성 확보를 위한 보안대책을 마련하여야 한다.

ⓒ 기타: 정보시스템 장애 예방·대응, 행정기관 등의 정보시스템 감리 등

⑫ 전자정부 구현을 위한 시책 등의 추진

ⓒ 전자정부사업 및 지역정보화사업의 추진: 행정기관 등의 장은 전자정부사업을 적극적으로 추진해야 하며, 국가 및 자치단체는 지역의 경쟁력 강화 및 지역주민의 삶의 질 향상을 위하여 지역정보화사업을 추진할 수 있다.

ⓒ 성과분석 및 진단: 중앙사무관장기관의 장(행정안전부장관)은 전자정부사업, 지역정보화사업, 행정정보 공동이용에 대해 추진실적 및 성과를 종합적으로 분석·진단하여 그 결과를 국회에 제출하고, 이를 다음 해의 사업계획 등에 반영되도록 해야 한다.

ⓒ 기타: 전자정부사업관리의 위탁, 전자정부의 국제협력 등

## 02 지식관리

### 1. 지식의 의의

#### (1) 지식의 개념

자료(data), 정보(information), 지식(knowledge)을 계층제적으로 인식할 때 자료는 단순한 사실의 기록으로 사물이나 사실을 기호·문자·이미지로 표시한 것을, 정보는 자료에 일정한 질서나 맥락을 부여하여 사용자에게 의미 있는 형태로 가공된 결과를, 지식은 정보 중에서 가치 있는 정보를 의미한다.

#### (2) 지식화의 과정

지식은 자료와 정보의 단계를 거쳐 창출된다. 현실세계에서 생성·제공된 수많은 자료가 분석 과정과 의미 파악을 통해 정보로 산출된다. 정보는 가치평가를 통해 가치 있다고 판단된 경우에는 지식의 단계로, 그렇지 못한 경우에는 정보쓰레기로 버려진다. 즉, 정보는 인지적 처리경로에 의한 전략적 가치분석을 통해 지식으로 생성된다.

(3) 정보와 지식의 차이

| 구 분 | 정 보 | 지 식 |
|---|---|---|
| 개 념 | 유량개념 : 잦은 이동이 있는 흐름의 개념 | 저량개념 : 지(知)의 축적된 형태 |
| 수 명 | 지식보다는 정보가 수명이 짧음. | |
| 특 성 | 정보는 정보인 상태로 가치를 가지지 못하나, 지식으로 승화되어야 가치를 가짐. | |

(4) 종 류

① 형태별 분류(Nonaka)

　　㉠ 암묵지(잠재지식) : 개인의 내면화된 지식(지식의 원천)

　　㉡ 형식지(표출지식) : 성문화·언어화되어 있는 지식(암묵지를 공유하기 위한 수단적 지식)

　🗂 암묵지와 형식지의 비교

| 구 분 | 암묵지 | 형식지 |
|---|---|---|
| 의 의 | 개인의 내면화된 지식 | 언어화·성문화된 지식 |
| 획 득 | 경험을 통한 지식(노하우) | 언어를 통한 학습 |
| 전 달 | 은유를 통한 전달 | 언어를 통한 전달 |
| 형 태 | 개인이나 조직의 경험, 이미지, 숙련된 기능, 조직문화, 고객 접대 방법, 보고요령 등 | 문서, 규정, 매뉴얼, 공식, 컴퓨터 프로그램, 인터넷 사이트, 보고서, 혁신사례 등 |

　📝 지식관리(지식행정)는 암묵지의 기능과 활용을 강조한다.

② 보유주체에 따른 분류

　　㉠ 개인지 : 개인이 보유한 지식

　　㉡ 조직지 : 조직이 보유한 지식

　📝 지식관리는 개인지의 조직지화를 추구한다.

## 2. 지식관리

(1) 개 념

지식관리란 조직의 문제해결 및 가치창출을 위해 조직이 지니는 지적 자산뿐 아니라 구성원의 지식과 노하우를 발굴·창출하여 조직 전체의 보편적인 지식으로 공유하고 활용하는 연속적 활동을 의미한다.

(2) 필요성 − GIGO·정보의 그레샴 법칙

정보화 사회에서는 정보의 과도한 축적으로 정보쓰레기가 범람할 뿐만 아니라 질 좋은 정보는 개인이 보유하고 질 나쁜 정보만 범람하는 '정보의 그레샴 법칙'이 만연한다. 따라서 정보폭증현상을 막고 의사결정에 도움이 되는 정보를 획득하기 위해서는 지식관리가 필요하다.

O·X 문제

1. 개인적 노하우, 업무 매뉴얼, 숙련된 기술 등은 암묵지에 해당한다.
　　　　　　　　　　( 　 )

심화학습

지식관리와 BPR의 비교

| 지식관리 | 장래의 기회와 위협요소에 대응하기 위해 행정활동의 프로세스를 지속적으로 개선하는 점증주의적 성격 |
|---|---|
| BPR | 조직 프로세스를 급격하게 변화시키는 총체주의적이고 급진적 성격 |

**O·X 문제**

1. 지식관리행정은 개인의 전문성 증진, 지식의 조직 공동재산화, 정보와 지식의 중복 활용의 효과를 기대할 수 있다. ( )

2. 지식관리에서는 암묵적 지식(tacit knowledge)을 명시적 지식(explicit knowledge)으로 전환시켜 조직의 지식을 증폭시키는 것이 중요하다. ( )

**O·X 정답** 1. × 2. ○

(3) 지식관리의 과정(지식관리의 가치사슬) – 노나카(Nonaka)의 지식변환과정

① **사회화(공동화: socialization) – 암묵지에서 암묵지로**: 관찰·모방·연습 등 공동 체험을 통해 개인 간의 암묵지식을 이전하는 단계이다.

② **외재화(표출화: externalization) – 암묵지에서 형식지로**: 암묵지를 문서와 절차로 바꾸기 위해 비유적이거나 은유적인 것으로 표현하는 단계이다.

③ **조합화(연결화: combination) – 형식지에서 형식지로**: 집단토론 등 집단학습 과정을 통하여 형식화된 지식을 모아 결합하는 단계이다.

④ **내재화(내면화: internalization) – 형식지에서 암묵지로**: 형식지를 개인적인 암묵지로 체화 및 학습하는 단계이다.

(4) 지식관리시스템(KMS: Knowledge Management System)

① **의의**: 조직 내 지식 자원의 가치를 극대화하기 위해 통합적인 지식관리 프로세스(창출·저장·공유·활용 등)를 지원하는 정보기술시스템을 말한다.

② **구성**: 지식관리시스템은 네트워크·하드웨어·소프트웨어 등의 기술적 측면, 지식에 대한 평가 및 보상체계 등의 제도적 측면, 구성원의 태도와 신뢰 등의 문화적 측면으로 구성되어 있다.

(5) 기존의 행정관리와 지식행정관리

| 구 분 | 기존의 행정관리 | 지식행정관리 |
|---|---|---|
| 조직구성원의 능력 | 조직원의 기량과 경험이 일과성으로 소모됨. | 개인의 전문적 자질 향상 |
| 지식공유 | 조직 내 정보 및 지식의 분절·파편화 | 공유를 통한 지식가치 향상 및 확대 재생산 |
| 지식소유 | 지식의 개인 사유화 | 지식의 조직 공동재산화 |
| 지식활용 | 정보·지식의 중복 활용 | 조직의 업무능력 향상 |
| 조직성격 | 계층제적 조직 | 학습조직 기반 구축 |

(6) 행정에서의 지식관리 방안

① **지식관리 측면 – 암묵지의 활성화**: 개인이 경험을 통해 암묵지를 형성토록 하고 이를 적극적으로 형식지화하여 구성원 모두가 학습을 통해 공유할 수 있도록 해야 한다.

② **인적 측면 – 최고지식담당관(CKO: Chief Knowledge Officer) 임명**: 구성원의 지식과 조직의 지식을 발굴하고, 지식과정의 활동이 효과적으로 이루어질 수 있는 여건과 장치를 만들어주는 CKO를 임명해야 한다.

③ **구조적 측면 – 탈관료제화**: 관료제에서는 지식의 창출·확산·공유와 같은 지식활동이 곤란하므로 조직을 개방화·네트워크화(탈관료제화)하여, 지식의 제 활동과정이 순조롭게 이루어질 수 있도록 해야 한다.

④ **문화적 측면 – 지식 중심의 조직문화 형성**: 창조적인 지식을 중시하는 문화, 구성원 간 지식 공유가 활성화될 수 있는 신뢰와 협력의 문화, 실수권을 인정하고 실패로부터 학습하고자 하는 문화를 형성해 나가야 한다.

⑤ **기술적 측면 – 호환성과 연계성의 확보**: 정보시스템의 호환성과 연계성(네트워크화)을 확보하여 지식의 자유로운 이동과 공유가 가능해져야 한다.

## 03 정보화 사회의 주요 정책과제

### 1. 정보공개제도

(1) 의 의

공공기관이 직무상 작성 또는 취득하여 관리하고 있는 정보를 수요자인 국민의 청구에 의해 공개하거나, 국민의 청구가 없더라도 공공기관이 자발적으로 또는 법령 등에 의해 의무적으로 국민들에게 정보를 제공하는 것을 말한다.

(2) 우리나라의 도입 배경

① 현황 : 우리나라의 경우 「공공기관의 정보공개에 관한 법률」은 주로 청구에 의한 정보 공개(의무적인 정보제공 규정도 있음)를, 「행정절차법」은 주로 의무적인 정보제공을 규정하고 있다.

② 도입과정

　㉠ 청주시 행정정보 공개 조례 : 청주시에서 최초로 「행정정보 공개 조례」(1992)를 시행함에 따라 다른 자치단체들도 이에 자극되어 정보공개 조례의 제정이 확산되었다.

　㉡ 사법부의 판례 : 대법원에 소가 제기되었으며, 사법부는 행정정보공개청구권을 「헌법」 제21조 언론·출판의 자유에 근거한 청구권적 기본권으로 인정하였다.

　㉢ 정부 : 1994년부터 국무총리 훈령으로 정보공개를 실시하다가 1996년 「공공기관의 정보공개에 관한 법률」을 제정하여 정보공개제도를 국가적 차원에서 도입하였다.

(3) 각국의 정보공개제도

① 미국 : 「정보자유법」, 「회의공개법」, 「정부윤리법」 등 제정

② 스웨덴 : 세계 최초로 정보공개에 대한 법률인 「출판의 자유법」(1766) 제정

③ 독일과 일본 : 과거 중앙정부 차원에서 정보공개에 관한 통합된 일반법 없이 자치단체 별 조례나 개별적인 행정조치에 의해 정보공개를 보호했으나 일본은 1999년, 독일은 2006년에 「정보공개법」을 제정

(4) 「공공기관의 정보공개에 관한 법률」

① 목적 : 공공기관의 정보공개는 국민의 알권리를 보장하고 국정에 대한 국민의 참여와 국정운영의 투명성을 확보함을 목적으로 한다.

② 청구권자·청구대상·청구방법

　㉠ 청구권자 : 모든 국민은 정보공개를 청구할 권리를 가진다. 외국인의 정보공개 청구에 관하여는 대통령령으로 정한다(일정한 요건에 해당하는 외국인도 정보공개 청구권 인정).

　㉡ 정보공개기관 - 공공기관의 범위 : 국가기관(국회·법원·헌법재판소·중앙선관위, 중앙행정기관 및 그 소속 기관, 행정기관 소속 위원회 등), 지방자치단체, 공공기관, 지방공사 및 지방공단, 그 밖에 대통령령으로 정하는 기관을 대상으로 한다.

　㉢ 청구대상 - 정보 : 공공기관이 직무상 작성 또는 취득하여 관리하고 있는 문서(전자문서 포함) 및 전자매체를 비롯한 모든 형태의 매체 등에 기록된 사항을 말한다.

　㉣ 청구방법 : 청구인은 공공기관에 정보공개 청구서를 제출하거나 말로써 정보공개 청구를 할 수 있다.

**심화학습**

「행정절차법」

| 목적 | 행정절차에 관한 공통적인 사항을 규정하여 국민의 행정참여를 도모함으로써 행정의 공정성·투명성 및 신뢰성을 확보하고 국민의 권익을 보호함을 목적으로 함. |
| 적용 범위 | 처분(의견제출, 청문, 공청 등)·신고·행정상 입법예고·행정예고·행정지도 등의 절차 |
| 원칙 | 신의성실의 원칙, 신뢰보호의 원칙, 투명성의 원칙 등 |

**O·X 문제**

1. 「공공기관의 정보공개에 관한 법률」은 공공기관에 의한 자발적, 능동적인 정보제공을 주된 내용으로 하고 있다. (　)

2. 우리나라 일부 지방자치단체의 정보공개제도는 국가의 정보공개제도보다 앞서 도입되었다. (　)

3. 당시 법률의 구체적 위임은 없었으나 청주시에서 우리나라 최초로 행정정보공개조례가 제정되었다. (　)

**O·X 문제**

4. 모든 국민은 정보의 공개를 청구할 권리를 가지며, 외국인의 정보공개 청구에 관하여는 법률로 정한다. (　)

5. 정보공개 청구는 말로써도 할 수 있으나 외국인은 청구할 수 없다. (　)

6. 정보공개의 대상이 되는 공공기관에 국회, 법원, 헌법재판소, 중앙선거관리위원회는 포함되지 않는다. (　)

O·X 정답 1. × 2. ○ 3. ○ 4. × 5. × 6. ×

③ **비공개대상정보**

    ㉠ **정보공개의 원칙**: 공공기관이 보유·관리하는 정보는 공개 대상이 된다.

    ㉡ **비공개대상정보**: 이 법에 비공개대상정보로 열거된 정보는 공개하지 아니할 수 있다(한정적 열거주의).

        ⓐ 다른 법률 또는 법률에서 위임한 명령에 따라 비밀이나 비공개 사항으로 규정된 정보

        ⓑ 국가안전보장·국방·통일·외교관계 등에 관한 사항으로서 공개될 경우 국가의 중대한 이익을 현저히 해칠 우려가 있다고 인정되는 정보

        ⓒ 공개될 경우 국민의 생명·신체 및 재산의 보호에 현저한 지장을 초래할 우려가 있다고 인정되는 정보

        ⓓ 진행 중인 재판에 관련된 정보와 범죄의 예방, 수사, 공소의 제기 및 유지, 형의 집행, 교정, 보안처분에 관한 사항으로서 공개될 경우 그 직무수행을 현저히 곤란하게 하거나 형사피고인의 공정한 재판을 받을 권리를 침해한다고 인정할 만한 상당한 이유가 있는 정보

        ⓔ 감사·감독·검사·시험·규제·입찰계약·기술개발·인사관리에 관한 사항이나 의사결정 과정 또는 내부검토 과정에 있는 사항 등으로서 공개될 경우 업무의 공정한 수행이나 연구·개발에 현저한 지장을 초래한다고 인정할 만한 상당한 이유가 있는 정보

        ⓕ 해당 정보에 포함되어 있는 성명·주민등록번호 등 개인정보로서 공개될 경우 사생활의 비밀 또는 자유를 침해할 우려가 있다고 인정되는 정보

        ⓖ 법인·단체 또는 개인의 경영상·영업상 비밀에 관한 사항으로서 공개될 경우 법인 등의 정당한 이익을 현저히 해칠 우려가 있다고 인정되는 정보

        ⓗ 공개될 경우 부동산 투기, 매점매석 등으로 특정인에게 이익 또는 불이익을 줄 우려가 있다고 인정되는 정보

④ **부분공개**: 비공개대상 부분과 공개 가능한 부분이 혼합되어 있는 경우에는 분리 가능한 경우 비공개대상 부분을 제외하고 공개해야 한다.

⑤ **정보의 전자적 공개**: 공공기관은 전자적 형태로 보유·관리하는 정보뿐만 아니라 그렇지 않는 정보도 청구인이 전자적 형태로 공개해 줄 것을 요청한 경우에는 현저히 곤란한 경우를 제외하고는 청구인의 요청에 따라야 한다.

⑥ **정보공개 여부의 결정**: 공공기관은 정보공개 청구를 받은 날부터 10일 이내에 공개 여부를 결정해야 한다(부득이한 사유가 있는 경우 10일 범위에서 연장 가능).

⑦ **비용부담**: 정보의 공개 및 우송 등에 드는 비용은 실비의 범위에서 청구인이 부담한다.

⑧ **불복 구제 절차**: 청구인이 공공기관의 비공개 결정 또는 부분공개 결정에 대하여 불복이 있거나 정보공개 청구 후 20일이 경과하도록 정보공개 결정이 없는 때에는 이의신청·행정심판·행정소송을 제기할 수 있다.

⑨ 정보공개위원회 및 정보공개심의회

　㉠ **정보공개위원회**: 정보공개에 관한 정책 수립 및 제도 개선에 관한 사항 등을 심의·조정하기 위해 행정안전부장관 소속으로 정보공개위원회를 둔다.

　㉡ **정보공개심의회**: 국가기관, 지방자치단체, 공기업 및 준정부기관, 지방공사 및 지방공단 등은 정보공개 여부 등을 심의하기 위하여 정보공개심의회를 설치·운영한다.

⑩ 공공기관의 의무 등

　㉠ **정보공개시스템 구축**

　　ⓐ 공공기관은 정보통신망을 활용한 정보공개시스템 등을 구축하도록 노력해야 하며, 행정안전부장관은 공공기관의 정보공개에 관한 업무를 종합적·체계적·효율적으로 지원하기 위하여 통합정보공개시스템을 구축·운영해야 한다.

　　ⓑ 공공기관이 정보공개시스템을 구축하지 아니한 경우에는 행정안전부장관이 구축·운영하는 통합정보공개시스템을 통하여 정보공개 청구 등을 처리하여야 한다.

　㉡ **정보의 사전적 공개 등**: 공공기관은 ⓐ 국민생활에 큰 영향을 미치는 정책에 관한 정보, ⓑ 국가의 시책으로 시행하는 공사 등 대규모 예산이 투입되는 사업에 관한 정보, ⓒ 예산집행의 내용과 사업평가 결과 등 행정 감시를 위해 필요한 정보, ⓓ 그 밖에 공공기관의 장이 정하는 정보에 대해서는 공개의 구체적 범위, 주기, 시기 및 방법 등을 미리 정하여 정보통신망 등을 통하여 알리고, 이에 따라 정기적으로 공개하여야 한다. 다만, 비공개대상정보에 대해서는 그러하지 아니하다.

　㉢ **정보목록의 작성·비치**: 공공기관은 그 기관이 보유·관리하는 정보목록을 작성하여 정보공개시스템 등을 통해 공개해야 하며, 정보공개 장소를 확보하고 공개에 필요한 시설을 갖추어야 한다. 다만, 정보목록 중 비공개대상정보가 포함되어 있는 경우에는 해당 부분을 갖추어 두지 아니하거나 공개하지 아니할 수 있다.

　㉣ **공개대상정보의 원문공개**: 공공기관 중 중앙행정기관 및 대통령령으로 정하는 기관은 전자적 형태로 보유·관리하는 정보 중 공개대상으로 분류된 정보를 국민의 정보공개 청구가 없더라도 정보통신망을 활용한 정보공개시스템 등을 통하여 공개하여야 한다.

⑪ **지방자치단체**: 지방자치단체는 그 소관사무에 관하여 법령의 범위에서 정보공개에 관한 조례를 정할 수 있다.

## (5) 정보공개의 효용과 폐단

| 효용(필요성) | 폐단(한계) |
|---|---|
| • 장기적으로 국민의 신뢰성 확보로 효율성 개선<br>• 국민의 알권리 보장(정보민주주의 실현)<br>• 국민과 관료 간 정보격차 해소<br>• 행정의 투명성과 신뢰성 증진<br>• 시민통제 및 시민참여 촉진 | • 단기적으로 비용과 업무량 증가<br>• 공무원의 소극적 업무행태 조장<br>• 공무원의 유연성·창의성 저해<br>• 공무원의 중요문서 작성 회피 및 조작된 정보의 제공가능성 증진<br>• 공개된 정보의 남용가능성<br>• 정보공개 혜택의 불공평성 초래가능성 |

「개인정보 보호법」의 주요 내용
① 개인정보 보호위원회(국무총리 소속) 설치
② 개인정보의 수집·이용·제공·파기 등 단계별 보호기준 마련
③ 개인식별정보 및 주민등록번호의 처리제한
④ 영상정보처리기기의 설치제한(폐쇄회로 등의 무분별한 설치 방지)
⑤ 개인정보영향평가제도
⑥ 개인정보 유출사실의 통지·신고 제도
⑦ 개인정보 자기 통제권 확립(개인정보 열람청구권, 정정·삭제 청구권 등)
⑧ **집단분쟁조정제도(개인정보 분쟁조정위원회) 도입**: 개인정보단체소송의 전심절차
⑨ 개인정보단체소송 도입
⑩ **개인정보 침해사실의 신고**: 개인정보처리자로부터 권익을 침해받은 자는 행정안전부장관에게 신고할 수 있음.

## 2. 개인정보 보호제도

### (1) 정보공개제도와 개인정보 보호제도

정보화가 진전되고 행정정보공개제도가 활성화될수록 시스템 보안과 개인정보 보호 및 프라이버시권은 침해될 소지가 크다. 따라서 알권리를 보장하기 위한 정보공개제도와 프라이버시권을 보장하기 위한 개인정보 보호제도는 절대적으로 충족될 수 있는 관계가 아니며 조화를 위해 상대적으로 충족될 수밖에 없다.

### (2) 「개인정보 보호법」의 내용

① **목적**: 개인의 자유와 권리를 보호하고, 나아가 개인의 존엄과 가치를 구현함을 목적으로 한다.

② **개인정보보호의 범위**: 공공기관뿐만 아니라 법인·단체·개인 등 업무상 개인정보파일을 운용하기 위하여 개인정보를 처리하는 자는 모두 개인정보 보호규정을 준수해야 하며, 전자적으로 처리되는 개인정보 외에 수기(手記) 문서까지 개인정보의 보호범위에 포함된다.

MEMO

이명훈 하이패스 행정학

# 행정환류론

# CHAPTER 01 행정책임과 통제

## 제 1 절 관료부패

### 01 관료부패의 의의와 유형

#### 1. 의 의

(1) 개 념

① 협의: 공직자가 자신의 직무와 관련하여 위법·부당하게 사적 이익을 추구하거나 공익을 침해하는 행위를 말한다.

② 광의(일반적 의미): 협의의 공직부패뿐만 아니라 행정권의 오·남용으로 인한 비윤리적 일탈행위를 포함한다.

(2) 광의의 관료부패 - 행정권의 오용(Nigro)

① 개념: 공무원의 비윤리적 일탈행위를 말한다.

② 유 형

ㄱ 부정행위: 공무원의 고속도로 통행료 착복, 영수증 허위작성, 공금횡령 등의 행위

ㄴ 비윤리적 행위: 공무원이 특혜의 대가로 금전을 수수하지 않았더라도 친구 또는 특정 집단을 후원하거나 이득을 주기 위한 행위

ㄷ 법규의 경시: 공무원이 법규를 무시하거나 자신의 행위를 정당화하기 위한 방향으로 법규를 해석하는 경우

ㄹ 입법의도의 편향된 해석: 공무원이 법규를 위반하지 않는 합법적 테두리 안에서 특정 이익을 옹호하는 경우

ㅁ 불공정한 인사: 공무원이 행정기관에서 업무수행능력과 무관한 이유로 해임이나 징계를 받는 경우

ㅂ 무능력과 무소신: 공무원이 맡은 업무를 적절히 수행할 전문지식이나 능력이 부족한 경우

ㅅ 실책의 은폐: 공무원이 정보의 선별적 배포나 비공개를 통하여 자신들의 실책을 은폐하는 경우

ㅇ 무사안일과 직무유기: 공무원이 명백히 어떤 조치를 취해야 함에도 불구하고 사후 책임을 두려워하여 아무런 조치도 취하지 않는 경우

③ 쟁점: 법규의 엄격한 적용(법규 중심의 융통성 없는 인사)이나 재량권의 행사 등은 행정권의 오용에 해당하지 아니한다.

---

**심화학습**

**다산 정약용의 4외(四畏), 4지(四知), 4형(四形)**

| | |
|---|---|
| 4외 (四畏) | 공직자는 감독관청, 정부, 백성, 하늘을 두려워해야 한다. |
| 4지 (四知) | 공직비리는 내가 알고, 네가 알며, 하늘이 알고, 귀신이 안다. |
| 4형 (四形) | 징계권자가 관료를 징계할 때 백성의 이해에 관한 일(民事)에는 상형(上刑)을, 공사(公事)에는 중형(中刑)을, 관사(官事)에는 하형(下刑)을, 징계권자에 대한 잘못(私事)에는 징계를 하지 말아야 한다. |

---

**O·X 문제**

1. '비윤리적 행위'란 공무원들이 고속도로 통행료를 착복하고 영수증을 허위 작성한다든가 또는 공공기금을 횡령하고 계약의 대가로 지불금의 일부를 가로채는 등의 행위를 말한다. ( )

2. '입법의도의 편향된 해석'이란 정부가 환경보호 의견을 무시한 채 관련 법규에서 개발업자나 목재 회사 측의 편을 들어 벌목을 허용하는 등의 행위를 말한다. ( )

3. '부정행위'란 공무원들이 친구 또는 특정 정파에 호의를 베풀거나 자신의 경제적 이익을 위해 어떤 결정을 내리는 행위를 말한다. ( )

O·X 정답 1. × 2. ○ 3. ×

## 2. 유형

(1) **부패 발생수준**: 개인부패와 조직부패

　① 개인부패: 개인적인 일탈행위에 의한 부패를 말한다. 대부분의 부패는 개인부패에 속한다.

　② 조직부패: 조직에 의해 조장 또는 요구된 부패를 말한다. 조직부패는 조직적 은폐로 외부로 잘 드러나지 않는 특징을 지닌다.

(2) **부패의 제도화 정도**: 일탈형 부패와 제도화된 부패

　① 일탈형(우발적) 부패: 개인의 윤리적 일탈에 의한 부패로 사건 자체의 연속성이 없는 부패를 말한다(예 무허가업소 단속 시 금품제공업소 단속면제).

　② 제도화(구조화·체제화)된 부패

　　㉠ 개념: 잘못된 관행이 일종의 제도처럼 고착화되어 공무원이든 일반국민이든 이러한 관행을 부패로 인식조차 하지 못하는 부패를 말한다(예 인·허가 시 '급행료' 지불이나 은행에서 자금대출 시 '커미션' 지불을 당연시하는 것).

　　㉡ 상황적 조건(G. Caiden)

　　　ⓐ 부패가 실질적인 행동규범이 되고 조직의 임무수행에 필요한 공식적 행동규범이 예외로 전락된다.

　　　ⓑ 부패한 구성원은 조직의 보호를 받는 반면, 공식적인 행동규범을 준수하려는 구성원은 처벌을 받는다.

　　　ⓒ 부패 저항자나 폭로자들은 제재와 보복을 당한다.

　　　ⓓ 조직은 지켜지지 않는 공식적 행동규범을 대외적으로 표방하나 실제로는 이러한 공식적 행동규범의 위반을 조장·방조·은폐하려 한다.

(3) **부패의 용인 정도**: 백색부패, 흑색부패, 회색부패

　① 백색부패: 선의의 목적으로 행해지는 부패로, 사회구성원 다수가 어느 정도 용인하는 관례화된 부패를 말한다. 백색부패는 주로 의사결정이나 발언의 형태로 나타나며, 부패의 범주에 포함되므로 반드시 용인되어야 하는 것은 아니다(예 금융위기가 심각함에도 국민이나 기업의 동요를 막기 위해 관료가 금융위기가 없다고 거짓말을 하는 경우).

　② 흑색부패: 부당하게 사익을 추구함으로써 사회체제에 명백하고 심각한 해를 끼치는 부패로, 사회구성원 대부분이 처벌을 원하는 부패를 말한다.

　③ 회색부패: 백색부패와 흑색부패의 중간 점이지대에서 발생하는 부패로, 사회구성원 중 일부는 처벌을 원하지만 다른 일부는 처벌을 원치 않는 부패를 말한다. 회색부패는 사회체제에 파괴적인 영향을 미칠 수 있는 잠재성을 지닌 부패로, 지속적으로 반복되거나 이해 충돌 등을 야기하는 경우에는 흑색부패로 악화될 수 있다(예 과도한 선물수수는 「윤리강령」에 규정할 수는 있지만 「부패방지법」 등에 규정하는 것에는 반론이 있는 경우).

---

**심화학습**

부패에 대한 인식

| 구분 | 기능주의시각 (수정주의) | 후기기능주의 시각 |
|---|---|---|
| 시기 | 1950년대까지 주류 시각 | 1970년대 이후 주류 시각 |
| 부패 인식 | 부패는 근대화 초기 긍정적 기능 수행(제한적 순기능론, 맥락적 분석) | 부패는 언제, 어디서나 사회적 해악(절대적 부정론) |
| 부패에 대한 시각 | **부패의 자기파괴적 속성 강조**: 부패는 사회가 발전하면 저절로 소멸하는 존재 | **부패의 확산효과 강조**: 부패는 자기 영속적이며 다양한 원인을 먹고 사는 하나의 괴물 |
| 인식 | 무능이 부패보다 나쁘다. | 부패가 무능보다 나쁘다. |

**O·X 문제**

1. 제도화된 부패의 특징 중에 하나는 공식적인 행동규범을 준수하려는 성향의 일상화이다.　(　)

2. 제도화된 부패는 인·허가와 관련된 업무를 처리할 때 소위 '급행료'를 지불하는 것이다.　(　)

3. 무허가업소를 단속하던 공무원이 정상적인 단속활동을 수행하다가 금품을 제공하는 특정 업소에 대해서는 단속을 하지 않는 것은 일탈형 부패이다.　(　)

4. 백색부패는 사회에 심각한 해가 없거나 관료사익을 추구하려는 기도가 없는 선의의 부패로서 구성원들이 어느 정도 용인할 수 있는 관례화된 부패의 유형이다.　(　)

5. 회색부패는 사회체제에 파괴적인 영향을 미칠 수 있는 잠재성을 지닌 부패로서 사회구성원 가운데 일부집단은 처벌을 원하지만 다른 일부집단은 처벌을 원하지 않는 부패의 유형이다.　(　)

6. 과도한 선물의 수수와 같이 공무원 윤리강령에 규정될 수는 있지만, 법률로 규정하는 것에 대하여 논란이 있는 경우는 회색부패에 해당된다.　(　)

**O·X 정답** 1. × 2. ○ 3. ○ 4. ○ 5. ○ 6. ○

**심화학습**

기타 부패의 유형

| 후원형 부패와 직무 유기형 부패 | 후원형 부패 | 관료가 정실이나 학연 등에 의해 불법적으로 특정 단체나 개인을 후원하는 부패 |
|---|---|---|
| | 직무 유기형 부패 | 관료가 자신의 직무를 게을리함으로써 발생하는 부패 |
| 외부 부패와 내부 부패 | 외부 부패 | 공무원과 국민 간에 형성되는 부패 |
| | 내부 부패 | 관료제 조직 내부에서 공무원들 간에 형성되는 부패 |

(4) 거래의 여부 : 거래형 부패와 사기형 부패

① **거래형 부패(외부부패)** : 뇌물을 주고받아 금전적 이익을 보는 사람과 이를 대가로 특혜를 제공받는 사람 간에 거래가 성립되어 발생하는 일반적이고 전형적인 부패를 말한다.

② **사기형 부패(내부부패, 비거래형 부패)** : 공금횡령, 개인적인 이익의 편취, 회계부정 등 거래를 하는 당사자 없이 공무원에 의해 일방적으로 발생하는 부패를 말한다.

(5) 부패의 원인 : 생계형 부패와 권력형 부패

① **생계형(행정적) 부패** : 하급 관료들이 낮은 보수를 보충하여 생계를 유지하기 위해 발생하는 부패를 말한다(예 민원부서 하급 공직자들의 '작은 부패').

② **권력형(정치적) 부패** : 정치인들이나 고위직들이 권력을 이용하여 '초과적인 막대한 이익'을 부당하게 얻기 위해 행해지는 부패를 말한다.

## 02 관료부패의 접근방법과 대책

**1. 관료부패의 접근방법** : 부패의 원인 규명(부패를 종속변수로 인식)

(1) 일반적 접근방법

① **도덕적 접근법(자질론·특성론)** : 부패는 개인적 특성(개인의 비윤리성과 비도덕성)에 기인한다고 보는 시각이다.

② **사회문화적 접근법(사회문화의 환경적 분석)** : 부패는 특정한 지배적 관습이나 경험적 습성 등과 같은 사회·문화적 환경(선물관행, 보은의식, 인사문화)에 기인한다고 보는 시각이다.

③ **제도적 접근법(거시적 분석)** : 부패는 법과 제도상의 결함(법규의 비현실성·불분명성, 행정규제의 만연성·복잡성), 법과 제도에 대한 관리기구나 운영상의 문제(적절한 통제장치의 미비)로 인한 예기치 못한 부작용 등에 기인한다고 보는 시각이다.

④ **체제론적 접근법** : 부패는 어느 하나의 변수에 의한 것이 아니라 문화적 특성, 제도상 결함, 구조상 모순, 공무원의 부정적 행태 등 다양한 요인에 기인한다고 보는 시각이다.

(2) 기타 접근방법

① **구조적 분석** : 부패는 공직자들의 잘못된 의식구조(권위주의 의식, 공직사유관 등)에 기인한다고 보는 시각이다.

② **정치경제학적 분석(시장엘리트 접근)** : 부패는 정치엘리트와 경제엘리트 간의 야합(정경유착)에 기인한다고 보는 시각이다.

③ **권력문화적 분석** : 부패는 공직자들의 공직사유행태, 권력의 남용 등 잘못된 권력문화에 기인하다고 보는 시각이다.

④ **군사문화적 분석** : 부패는 건전한 정치문화의 미성숙과 군사문화(권위주의, 수직적 지배 등)의 구조화에 기인한다고 보는 시각이다.

## 2. 부패의 원인과 방지대책

### (1) 일반적 논의

| 부패의 원인 | 대 책 |
|---|---|
| • 낮은 급여와 연금제도의 파행적 운영<br>• 신분과 미래에 대한 불안 | • 보수와 연금의 적정화<br>• 실적주의 및 직업공무원제의 확립 |
| 행정절차의 복잡성과 불필요한 규제 | 행정절차의 간소화와 규제완화 |
| 후진적 행정문화 | 잘못된 관행 제거 |
| 법적 기준의 모호성과 비현실성 | 법과 제도의 현실화 |
| 과도한 권력의 집중 | 분권화 |
| 법적용의 형평성 결여 | 법의 공평한 적용 |
| 지나친 정부 개입(정부주도의 경제발전) | 관 주도의 발전 지양 |
| 통제장치의 미비 | 통제장치의 정비(내부고발자보호제도 등) |
| 공직윤리의 파괴(공직사유관, 권력지향적·물질만능<br>주의적 가치관 등) | • 공직윤리의 확립(청렴계약제+ 등의 활용)<br>• 행정의 투명성 확보 : 정보공개의 활성화<br>• 뜨거운 난로의 법칙(신상필벌) |

### (2) 부패방지 거버넌스

① **부패에 대한 시각** : 최근 UN, OECD 등 국제기구에서 반부패정책 추진의 중요한 개념적 틀로 활용하고 있는 부패방지 거버넌스는 부패의 원인을 정부주도적인 독점적 통치체제에서 비롯된 것으로 보고 국가·시장·시민사회의 협력을 통한 부패통제를 지향한다.

② **부패에 대한 접근** : 부패방지 거버넌스는 내부통제와 외부통제의 동시 제고를 통한 부패통제를 강조한다는 점에서 다차원적·종합적 접근에 입각해 있다.

## 03 우리나라의 부패방지제도

### 1. 주관기구 - 국민권익위원회

### (1) 목적 및 소속

① 고충민원의 처리와 이에 관련된 불합리한 행정제도를 개선하고, 부패의 발생을 예방하며, 부패행위를 효율적으로 규제하도록 하기 위해 국무총리 소속으로 국민권익위원회를 둔다.

② 국민권익위원회는 「정부조직법」상 중앙행정기관으로서 그 권한에 속하는 사무를 독립적으로 수행한다.

③ 국민권익위원회는 고충민원처리기능, 부패방지기능, 행정심판기능을 통합 처리함으로써 국민의 권익구제에 대한 원스톱 서비스를 제공한다.

### (2) 기 능

① **고충민원처리기능** : 고충민원의 조사·처리 및 이와 관련된 시정권고·의견표명 등

② **부패방지기능** : 공공기관의 부패방지시책 추진상황 조사·평가, 부패방지 교육 계획의 수립·시행, 부패행위 신고 접수 및 신고자의 보호 등

③ **행정심판기능** : 「행정심판법」에 따른 중앙행정심판위원회의 운영

---

**심화학습**

**클리트가드(Klitgaard)의 부패 공식과 대책**

| 공식 | 부패(C) = 관료의 독점(M) + 재량권(D) − 책임성(A) |
|---|---|
| 부패<br>방지<br>대책 | 부패는 관료의 독점권과 재량권에 비례하며, 관료의 책임성에 반비례하므로 관료의 독점성과 재량권을 축소하고 관료의 책임성을 강화해야 한다. |

**+ 청렴계약제**
부패를 제도적으로 근절하기 위해 정부와 민간 간 청렴을 다짐하는 서약서를 체결하여 교환하는 제도

**O·X 문제**
1. 관료부패를 방지하기 위해서는 정부의 사회적 규제를 강화하여 사회통제 수준을 높여야 한다. ( )

**심화학습**

**우리나라 부패방지제도의 법적 근거**
우리나라의 부패방지제도는 「부패방지 및 국민권익위원회 설치와 운영에 관한 법률」에 근거를 두고 있다.

O·X 정답 1. ×

(3) 구 성

① 위원회는 위원장 1명을 포함한 15명의 위원(부위원장 3명, 상임위원 3명 포함)으로 구성하고, 부위원장은 각각 고충민원, 부패방지 업무, 중앙행정심판위원회의 운영업무로 분장하여 위원장을 보좌하도록 하되, 국민권익위원회 행정심판 담당 부위원장이 중앙행정심판위원회 위원장이 된다.

② 위원장 및 부위원장은 국무총리의 제청으로 대통령이 임명하고, 상임위원은 위원장의 제청으로 대통령이 임명하며, 상임이 아닌 위원은 대통령이 임명 또는 위촉한다(상임위원이 아닌 위원 중 3인은 국회가, 3인은 대법원장이 각각 추천하는 자를 임명 또는 위촉함).

③ 위원장과 위원의 임기는 각각 3년으로 하되 1차에 한하여 연임할 수 있다.

④ 대한민국 국민이 아닌 자, 「국가공무원법」상 공무원 결격사유에 해당하는 자, 정당의 당원, 대통령선거·국회의원선거·지방의회의원 및 지방자치단체의 장의 선거에 후보로 등록한 자는 위원이 될 수 없다.

2. **부패방지 제도**(「부패방지 및 국민권익위원회 설치와 운영에 관한 법률」)

(1) 부패행위의 신고 및 보호제도(내부고발자 보호)

(2) 비위공직자 취업제한 제도

(3) 국민감사청구

① 18세 이상의 국민은 공공기관의 사무처리가 법령위반 또는 부패행위로 인하여 공익을 현저히 해하는 경우 대통령령이 정하는 일정한 수(300명) 이상의 국민의 연서로 감사원에 감사를 청구할 수 있다.

② 다만, 지방자치단체와 그 장의 권한에 속하는 사무의 처리에 대한 감사청구는 「지방자치법」상 제21조(주민감사청구)에 따른다.

## 제 2 절 　행정책임과 통제

### 01 행정책임

#### 1. 의 의

**(1) 개 념**

① 행정책임이란 공무원이 도덕적·법률적 규범에 따라 행동해야 할 의무(과정책임)이자 그 결과에 대하여 통제자의 비판에 대응해야 할 의무(결과책임)이다.

② 행정책임은 개인적 차원에서 공무원 개개인의 의무임과 동시에 국가적 차원에서 국민 전체에 대한 국가 역할의 정당성을 확인하는 것이다.

**(2) 중요성 – 행정국가화 현상**

행정책임은 관료의 권한이 확대되는 행정국가화 현상이 진행되면서 행정권한의 남용가능성이 커지자 강조되었다. 구체적으로 ① 국가권력의 우위와 사회·경제적 영향력 증대(정부주도의 경제개발 추진 등), ② 행정의 전문성 증대로 인한 공무원의 재량권 및 자원배분권 확대, ③ 입법통제, 사법통제, 시민통제 등 외부통제의 상대적 취약화 등이 행정책임을 중시해야 할 행정국가의 여러 현상적 요인이다.

#### 2. 행정책임의 기준과 특징

**(1) 기 준**

관료가 책임 있는 행정을 수행하기 위하여 준수해야 할 기준으로는 명문규정이 있는 경우에는 관계 법령에 의하며, 명문규정이 없는 경우에는 ① 공익과 행정이념(공익성, 민주성, 능률성, 형평성 등), ② 관료의 양심과 직업윤리, ③ 국민의 여망과 기대, ④ 고객이나 이익집단의 요구, ⑤ 행정조직의 목표나 정책달성도, ⑥ 상관의 명령 등이 있다.

**(2) 특 징**

① **전제 – 관료의 자유재량권에 기인** : 관료에게 재량권이 없다면 남용의 위험도, 책임을 물을 이유도 없다. 즉, 행정책임은 관료의 재량권 행사에 따른 책임이기 때문에 이를 향상시키기 위해서는 권한(재량권)과 이에 따른 책임의 명확화가 전제되어야 한다.

② **성질 – 권리가 아닌 의무** : 행정책임은 관계 법령·공익·직업윤리 등의 기준에 따라 행동해야 할 관료의 의무에 근거하여 발생한다.

③ **궁극적 기준 – 공익적 요구(공익기준의 외연성)** : 행정책임의 가장 궁극적 기준은 개인적 욕구가 아닌 국민의 여망 등 외부기준에 의한 보다 상위차원의 공익적 요구이다.

④ **대상 – 동기가 아닌 과정과 결과** : 관료는 행정행위의 과정(과정책임)과 결과(결과책임)에 대하여 책임을 질 뿐 동기는 책임의 대상이 아니다.

⑤ **현상 – 대인적 성격** : 행정책임은 궁극적으로 주인인 국민과 대리인인 관료와의 관계에서 발생한다는 점에서 대물적 성격이 아닌 대인적 성격을 지닌다.

⑥ **기준의 성격 – 유동성** : 행정책임의 기준 중 어떤 기준을 보다 중시할 것인가는 시대에 따라 달라진다. 과거 입법국가 시대에는 입법 의도의 구현이, 최근에는 관료의 양심이나 직업윤리가 보다 중요한 행정책임의 기준이 되고 있다.

⑦ 행정통제와의 관계 – 표리의 관계: 행정통제는 행정책임을 확보하기 위한 활동이므로 행정책임과 행정통제는 동전의 양면과 같은 표리의 관계에 있다.

## 3. 행정책임의 유형

(1) 내재적(주관적) 책임과 외재적(객관적) 책임 – 관료 개인을 기준으로

① 내재적 책임(주관적 책임): 관료 내부의 양심(자율적·재량적·심리적 책임)이나 직업윤리(직업적·기능적 책임)에 기반한 책임으로, 관료가 스스로 책임이 있다고 느끼는 심리적이고 자각적인 책임이다.

② 외재적 책임(객관적 책임): 관료 자신 외부의 통제에 기반한 책임으로, 입법부·사법부·국민(응답적 책임)에 대하여 지는 책임뿐만 아니라 공익, 법령(제도적·합법적 책임), 정책, 계서제적 구조(상급자에 대한 부하의 책임) 등에 따른 책임도 이에 해당한다.

(2) 자율적 책임과 제도적 책임

| 자율적 책임성(적극적 책임) | 제도적 책임성(소극적 책임) |
| --- | --- |
| 공무원이 전문가로서 직업윤리와 책임감에 기초해 자발적인 재량을 발휘하여 국민 요구에 부응하는 자율적·능동적 책임 | 공무원이 공식적인 각종 제도적 통제로 인하여 국민 요구에 부응하는 타율적·수동적 책임 |
| 대응성 개념에 입각한 행정책임 | 파이너(Finer)의 행정책임과 연계 |
| 문책자의 부재 및 내재화 | 문책자의 존재 및 외재화 |
| 절차의 준수와 책임 완수는 별개 | 절차의 준수 중시 |
| 공식적 제도에 의해 달성할 수 없음. | 공식적·제도적 통제 |
| 객관적으로 확정할 수 있는 기준 없음. | 판단기준과 절차의 객관화 |
| 제재수단의 부재 | 제재수단의 존재 |

(3) 도의적(도덕적, 윤리적) 책임과 법적 책임

① 도의적(도덕적) 책임(responsibility): 공무원이 공복으로서의 관료의 직책과 관련된 올바른 행위규범을 실행할 의무를 지는 책임을 말한다. 도덕적 책임은 주관적이고 내재적인 개인의 양심과 관련된 책임으로 법적 책임보다 광범위하고 포괄적이며, 타인과의 분담이 가능하다(에 부하의 책임을 상관이 공유하는 경우).

② 법적 책임(accountability): 공무원이 지켜야 할 행동기준으로 정해진 법규를 지킬 의무를 지는 책임을 말한다. 법적 책임은 공식적·객관적 책임으로 성실히 이행하지 않을 경우에는 법률상의 제재를 수반하게 되며, 결코 타인과 분담(공유)할 수 없다.

(4) 정치적(응답적) 책임과 직업적(기능적) 책임

① 정치적(응답적, 대응적) 책임(responsiveness): 행정서비스의 이용자를 고객으로 간주하고 관료가 고객의 요구, 이념, 가치에 대해 신속하고 만족스럽게 대응해야 하는 외재적 책임을 말한다(에 대형사고가 발생했을 때 특정 관료가 국민의 정서를 고려해서 물러나는 것).

② 직업적(기능적) 책임: 관료가 전문직업인으로서 직업윤리(공무원 개인의 내면적 가치와 기준)나 전문적·기술적 기준에 따라 직책을 잘 수행해야 하는 자율적·내재적 책임을 말한다.

(5) 시장책임

신공공관리론에서 중시하는 책임으로, 경제적 능률성(비용효과성)에 입각한 책임을 말한다. 시장책임은 결과와 성과에 대한 책임, 고객만족을 위한 책임을 중시한다.

(6) 통제의 소재 및 강도에 따른 구분(Dubnick & Romzek)

① 구 분

| 구 분 | | 통제의 소재(통제의 원천) | |
|---|---|---|---|
| | | 외 부 | 내 부 |
| 통제의 강도 | 낮 음 | 정치적 책임성 | 전문가적 책임성 |
| | 높 음 | 법적 책임성 | 계층적(위계적) 책임성 |

| 책임성의 유형 | 추구가치 | 행태적 기대 | 통 제 |
|---|---|---|---|
| 계층적 책임성 | 효율성 | 조직의 지침과 감독에 복종 | 조직 내 상명하복에 의한 통제 |
| 법적 책임성 | 합법성 | 외부로부터의 위임과 순응 | 국회가 제정한 법률에 의한 통제 |
| 전문가적 책임성 | 전문성 | 개인의 판단과 전문성 존중 | 전문직업적 규범에 의한 통제 |
| 정치적 책임성 | 반응성 | 외부의 시민에 대한 대응 | 고객 등의 요구에 의한 통제 |

② 전개 : 듐닉과 롬젝(Dubnick & Romzek)은 행정국가로 이행하면서 행정통제의 중점이 외부통제에서 내부통제로, 강도가 높은 통제에서 강도가 낮은 통제로 변화해 왔다고 주장하였다(법적 책임성에서 전문가적 책임성으로 전환).

## 4. 행정책임에 대한 논쟁

(1) 프리드리히(C. J. Friedrich) - 내재적 책임 강조

① 프리드리히는 「공공정책과 행정책임의 성질」이라는 논문에서 책임 있는 행위는 기술적 지식과 대중의 감정에 스스로 응답하는 것이라고 정의하고 자율적·내재적 책임을 중시하였다.

② 프리드리히가 중시하는 행정책임은 두 가지가 있다. 하나는 관료가 국민에 대한 책임의식에 입각하여 국민정서에 스스로 응답해야 하는 정치적 책임이며, 다른 하나는 관료가 전문직업적 기준에 입각하여 업무를 수행해야 하는 기능적 책임이다.

(2) 파이너(H. Finer) - 외재적 책임 강조

① 파이너는 「민주정부에 있어서의 행정책임」이라는 글에서 전통적인 민주적 통제 논리에 따라 프리드리히의 새로운 책임론에 반론을 제기하였다.

② 그의 반론의 핵심은 어떠한 조직이나 개인들도 자기 스스로의 행동에 대한 심판관이 될 수 없다는 '자기심판금지의 원칙'에 있다. 즉, 그는 자율적·내재적 통제는 근본적인 한계가 있으며 진정한 행정책임은 입법·사법·정당 등의 외부적인 힘에 의한 통제인 객관적·외재적 통제에 의하여 확보될 수 있음을 강조하였다.

---

**O·X 문제**

1. 듐닉(Dubnick)과 롬젝(Romzek)의 행정책임성 유형 중 내부지향적이고 통제의 강도가 높은 책임성은 법적 책임성이다. ( )

2. 듀브닉과 롬젝의 행정책임성 유형 중 외부지향적이고 통제의 강도가 높은 책임성은 전문가적 책임성이다. ( )

3. 롬젝의 법적 책임은 표준운영절차(SOP)나 내부 규칙(규정)에 따라 통제된다. ( )

4. 롬젝의 정치적 책임은 민간 고객, 이익집단 등 외부 이해관계자의 기대에 부응하는가를 중시한다. ( )

**O·X 문제**

5. 프리드리히(Friedrich)는 관료들이 책임있게 행동하기 위해서는 심리적 요소보다 제도적 장치가 더 중요하다고 주장하였다. ( )

6. 프리드리히(Friedrich)의 현대적 책임론은 외부적 힘이 아닌, 관료의 내면적 기준에 의한 책임, 전문기술적·과학적 기준에 따라야 할 기능적 책임과 국민의 요구에 의한 공무원 스스로의 자발적 책임을 강조하였다. ( )

7. 파이너(Finer)는 행정의 적극적 이미지를 전제로 전문가로서의 관료의 기능적 책임을 강조하는 책임론을 제시하였다. ( )

8. 파이너(Finer)는 법적·제도적 외부통제를 강조한다. ( )

O·X 정답 1. × 2. × 3. × 4. ○
5. × 6. ○ 7. × 8. ○

**(3) 논의의 종합**

과거 근대입법국가 시대(19세기)에는 민주주의의 원리에 따라 의회의 관료에 대한 통제(외재적 책임)가 중시되었으나, 행정이 전문화·복잡화되고 행정인의 자유재량권과 자원배분권이 확대된 행정국가시대(20세기) 이후에는 정보 및 전문성 부족으로 인한 외부통제의 한계로 말미암아 내재적 책임이 중시되고 있다.

## 02 행정통제

### 1. 의 의

**(1) 개 념**

행정통제란 행정이 행정목표(공익, 국민의 여망, 법령 등)의 행동기준에 따라 이루어지고 있는가를 평가하고 필요한 시정조치를 취하는 계속적 환류과정이다. 따라서 행정통제는 ① 행정계획 및 행정목표 달성수단, ② 행정책임을 확보하기 위한 사후적 제어수단, ③ 시정조치를 수반한 계속적 환류기제, ④ 강제성을 수반하는 활동이라는 특징을 지닌다.

**(2) 필요성**

① **행정책임의 확보**: 행정국가화 현상으로 관료에게로 권한과 책임이 집중됨에 따라 관료의 책임성을 확보할 목적으로 행정통제가 중시되었다.
② **행정의 민주성과 능률성 제고**: 행정통제는 행정목표인 민주성과 능률성을 제고하기 위한 것이다. 일반적으로 내부통제는 행정의 능률성을, 외부통제는 행정의 민주성을 목적으로 한다.
③ **행정계획의 효과적 집행 및 성과평가**: 행정통제는 행정계획이 효과적으로 집행되었는지에 대한 행정의 성과를 종합적으로 분석·평가하기 위한 것이다.

### 2. 원칙과 과정

**(1) 원 칙**

① **예외성의 원칙**: 모든 행정 활동을 통제하는 것은 불가능할 뿐만 아니라 비효율적이므로 통제의 효율성을 위해 일상적·반복적 업무보다는 전략적 통제점(예외적인 사항)을 선정하여 통제해야 한다.
② **지속성의 원칙**: 일회성 통제(강조'주간'적 통제)는 통제에 대한 면역성과 불감증만 높이므로 지속적인 통제가 이루어져야 한다.
③ **즉시성의 원칙**: 통제는 계획의 실천단계에서 신속히 시행되어야 한다.
④ **적량성의 원칙**: 과다통제나 과소통제는 통제의 비효율성을 야기하므로 통제비용과 효과를 비교형량한 적정 수준의 통제가 이루어져야 한다.
⑤ **적응성(신축성)의 원칙**: 예측하지 못한 사태에 대응하여 신축적인 통제가 이루어져야 한다.
⑥ **일치성의 원칙**: 피통제자의 권한과 책임이 일치되게 통제해야 한다.
⑦ **비교성의 원칙**: 통제과정에서 이루어지는 평가는 객관적으로 설정된 본래의 명확한 목표기준과 비교에 의해 이루어져야 한다.
⑧ **명확성(이해가능성)의 원칙**: 통제의 목적이나 기준을 명확하게 인식하고 통제해야 한다.

## (2) 행정통제의 과정

① **목표에 따른 통제기준의 설정**: 목표에 따른 통제기준인 전략적 통제점은 단기간에 전체 상황을 파악할 수 있는 표본을 선정해야 하며, 이를 위해서는 적시성·포괄성·사회적 가치성·균형성·경제성 등의 5가지 요소가 고려되어야 한다.

② **정보수집 및 성과평가**: 업무진행 이후 업무진행 성과에 대한 정보를 수집하여 이미 설정된 통제기준과 비교를 통해 평가해야 한다.

③ **시정조치**: 업무진행과정 중 잘못이 발견되거나 실적이 기준에 미달될 때 계획한 목표와 기준에 맞도록 편차를 조정하거나 제거하기 위한 조치를 취해야 한다(소극적 환류). 또한 평가의 결과, 목표 자체가 잘못 설정된 경우에는 목표 자체의 수정이 이루어져야 한다(적극적 환류).

## 3. 행정통제의 유형

### (1) 통제의 시점에 따른 분류

① **사전적 통제**: 조직원의 목표수행 활동이 목표기준에서 이탈될 수 있는 가능성을 미리 예측하고 그러한 가능성을 제거하기 위한 예방적 통제

② **동시적 통제**: 조직원의 목표수행 활동이 목표기준에서 이탈되는 결과를 발생시킬 때까지 기다리지 않고 활동이 진행되는 동안 그러한 결과의 발생을 유발할 수 있는 행동이 나타날 때마다 목표기준에 부합되도록 교정해 나가는 통제

③ **사후적 통제**: 조직원의 목표수행 활동의 결과가 목표기준에 부합하는가를 평가하여 필요한 시정조치를 취하는 통제(본래적 의미의 통제)

### (2) 시정조치에 따른 분류

① **부정적 환류통제**: 실적이 목표에서 이탈된 것을 발견하고 후속되는 행동이 동일한 전철을 밟지 않도록 시정하는 통제(본래적 의미의 통제)

② **긍정적 환류통제**: 실적이 목표에 부합되는 것을 발견하고 후속되는 행동이 동일한 방향으로 나아가도록 정보를 환류하는 통제

### (3) 통제주체에 따른 분류

① **외부적 통제**: 정부관료제 외부의 사람이나 기관에 의한 통제
② **내부적 통제**: 정부관료제 내부의 사람이나 기관에 의한 통제

### (4) 통제의 구조와 방식에 따른 분류(Gilbert)

길버트는 '통제의 구조'를 통제자가 정부관료제 내부에 위치하는지 그렇지 않은지에 따라 내부통제와 외부통제로, '통제의 방식'을 통제방법이 법령으로 제도화되어 있는지 그렇지 않은지에 따라 공식통제와 비공식통제로 구분하고 행정통제를 4가지 차원에서 분류하였다.

PART · 02

**심화학습**

**통제기준 선정 시 고려사항**

| | |
|---|---|
| 적시성 | 책임을 규명해야 할 시점을 놓쳐서는 안 된다. |
| 경제성 | 통제비용을 고려하여 통제점을 선정해야 한다. |
| 균형성 | 특정 부분만을 한정한 통제가 아닌 균형잡힌 통제가 이루어져야 한다. |
| 포괄성 | 전반적인 사업의 성과를 파악할 수 있어야 한다. |
| 사회적 가치성 | 사회적으로 의미 있고 중요한 부분을 통제점으로 선정해야 한다. |

📂 **행정통제의 구조와 방식에 따른 분류**(Gilbert)

| 구분 | | 통제의 방식 | |
|---|---|---|---|
| | | 공식통제 | 비공식통제 |
| 통제의 구조 | 내부통제 | • 행정수반 및 국무총리에 의한 통제<br>• 계층제(상관)에 의한 통제<br>• 독립통제기관+(감사원, 국민권익위원회)에 의한 통제<br>• 교차기능조직에 의한 통제<br>• 정부업무평가에 의한 통제<br>• 행정심판에 의한 통제<br>• 근평제도에 의한 통제<br>• 감찰통제, 예산통제, 정원통제 등 | • 행정윤리에 의한 통제<br>• 기능적 책임에 의한 통제<br>• 대표관료제에 의한 통제<br>• 공무원노조에 의한 통제<br>• 행정문화에 의한 통제<br>• 비공식집단에 의한 통제<br>• 공익에 의한 통제 |
| | 외부통제 | • 입법부에 의한 통제<br>• 사법부에 의한 통제<br>• 옴부즈만에 의한 통제 | • 민중통제 및 NGO에 의한 통제<br>• 언론통제<br>• 정당에 의한 통제<br>• 이익집단 및 고객에 의한 통제 |

### 4. 행정통제제도의 구체적 고찰

**(1) 외부통제**

① 의의 : 관료제 외부에서 행정의 어떤 행위를 문책하고 잘못이 있는 경우 시정조치를 촉구하는 것을 말한다.

② 특징 : 외부통제는 주로 행정의 민주성을 확보할 목적으로 시행되며, 근대입법국가 시대(정치행정이원론적 시각)에 중시되었다.

③ 주요 외부통제 제도

㉠ 입법부에 의한 통제

ⓐ 의의 : 국민의 대표기관인 의회가 입법기능을 통하여 행정부를 감독·통제하는 것을 말한다.

ⓑ 방식 : 입법활동에 의한 통제(법률에 의한 통제), 재정에 의한 통제(예산 및 결산의 심의·의결 등), 정책에 대한 통제(행정에 대한 비판·감시·조사 : 국정감사, 국정조사 등), 인사권에 의한 통제(해임건의, 탄핵소추, 고위공직자 임명동의) 등이 있다.

ⓒ 장점 : 가장 민주적이고 객관적인 통제방식이며, 통제의 제도화를 통해 민중통제의 한계를 보완하는 장점이 있다.

ⓓ 단점 : 의회의원들이 특수이익을 추구하는 경우나 대통령 소속정당과 국회 다수파의 소속정당이 동일한 단점정부인 경우 적극적 통제가 곤란하다.

ⓔ 입법통제의 약화 현상 : 행정이 전문화·복잡화되는 행정국가화 현상 이후 행정 재량권의 확대(막대한 예산권 행사, 준입법권·준사법권의 증대), 입법부의 행정에 대한 정보 및 전문성 부족, 행정수반의 정치적 장악력 증대 등으로 입법통제가 약화되고 있다.

㉡ 사법부에 의한 통제

ⓐ 의의 : 사법부는 사법심사(행정소송, 명령·규칙에 대한 위헌·위법심사 등)를 통해 행정부의 위법한 행정작용이나 지체에 대해 통제하고 국민의 권리를 구제한다.

ⓑ **한계** : 이미 이루어진 행정행위에 대한 소극적·사후적 통제수단이며, 법적 통제만 가능할 뿐 정치적·정책적 통제는 불가능하다. 또한 통제 주체인 판사의 행정에 대한 전문성 부족, 소송상 시간과 비용의 과다 발생, 공무원의 재량행위나 부작위에 대한 통제 곤란 등이 문제로 지적된다.

ⓒ **민중에 의한 통제**

ⓐ **의의** : 국민이 직접 행정부를 통제하는 것으로 최근 대의민주주의의 한계를 보완하는 측면에서 중시되고 있다.

ⓑ **한계** : 과거에는 국민의 민주주의에 대한 훈련부족과 낮은 시민의식, 국민의 소극성과 피동성이 문제였으나, 최근에는 행정에 대한 참여와 비판이 활발해지면서 통제방법의 왜곡이나 집단이기주의로 인한 공익 저해 등이 심각한 문제로 부각되고 있다.

ⓓ **옴부즈만(ombudsman)에 의한 통제** : 국회를 통해 임명된 조사관(옴부즈만)이 공무원의 권력남용 등을 조사·감시하는 행정통제제도이다.

**(2) 내부통제**

① **의의** : 관료제 내부에서 행정활동이 본래의 목표나 기준에 따라 수행되고 있는지를 평가하고 시정조치하는 활동을 말한다.

② **특징** : 내부통제는 주로 행정의 능률성을 확보할 목적으로 시행되며, 행정이 전문화·복잡화되어 외부통제가 무력화된 행정국가시대(정치행정일원론적 시각) 이후 중시되고 있다.

③ **주요 내부통제 제도**

㉠ **감사원**

ⓐ **지위** : 대통령 직속의 합의제 의사결정기구로, 직무·인사·예산·규칙제정 등의 독립성이 인정되는 헌법기관이다.

ⓑ **권한** : 감사원은 모든 국가기관의 회계검사 및 결산 확인, 성과감사, 행정부 소속 공무원들의 직무감찰 등을 통해 행정을 통제한다.

ⓒ **한계** : 사후적 통제수단이며, 대통령 소속 기관이기 때문에 독립성이 미약하다.

㉡ **국민권익위원회** : 국무총리 산하의 국민권익위원회는 고충민원처리기능, 부패방지기능, 행정심판기능 등을 통해 행정을 통제한다.

㉢ **교차기능조직에 의한 통제** : 행정체제 전반에 걸쳐 관리작용을 분담·수행하는 참모적 조직단위들이 서로 자신이 담당하는 관리기능을 통해 타 조직들을 통제하는 것을 말한다(행정안전부의 조직 및 정원통제, 인사혁신처의 인사통제, 기획재정부의 예산통제, 조달청의 물자통제, 법제처의 법제통제, 국무조정실의 정부업무평가 등).

④ **내부통제의 발전방향** : 내부통제가 효과적으로 활용되기 위해서는 소극적 통제에서 적극적 통제로, 사후적 통제에서 사전적 통제로, 일시적 통제에서 지속적 통제로, 양적·수단적 통제에서 질적·가치적 통제로 나아가는 것이 바람직하다.

**(3) 논의의 종합**

행정이 전문화·복잡화되고 관료의 권한이 확대되고 있는 현대행정국가에서 궁극적이고 실질적인 행정통제가 이루어지기 위해서는 외부통제보다는 내부통제를 효과적으로 활용해야 한다.

---

## 5. 행정통제의 어려움과 향상방안

(1) 행정통제의 어려움

① 피통제자의 문제

| 정부관료제 측면 | • 행정부의 우월적 지위와 과다팽창<br>• 행정의 전문화와 행정부의 정보독점<br>• 행정의 분절화와 기능중복으로 인한 책임성 확보 곤란<br>• 공무원의 신분보장과 처벌의 복잡성 등으로 인한 통제 곤란<br>• 통제의 사각지대 존재(준정부영역의 확대) |
|---|---|
| 공무원 측면 | • 공직윤리의 타락 및 권위주의·형식주의적 행정문화<br>• 통제에 대한 관료의 저항<br>• 의사소통의 장애 |

② 통제자의 문제

| 통제자의 능력부족 | • 내부통제 : 통제의 엄정성 확보 곤란으로 인한 한계<br>• 입법통제 : 전문성 부족과 대표의 자기이익추구로 인한 한계<br>• 사법통제 : 소극성과 전문성 부족으로 인한 한계<br>• 민중통제 : 낮은 시민의식과 집단 이기주의로 인한 한계 |
|---|---|
| 통제작용의 실책 | • 소극성 : 행정목적의 적극적 성취보다는 절차의 규칙성 확보와 부정방지에 치중한 통제로 공무원의 피동화와 소극화 야기<br>• 조정실패 : 통제우선순위 결정의 부적절성과 통제자 간 조정실패로 인한 과소통제와 과잉통제 야기<br>• 목표의 왜곡 : 단기적인 관점에 의한 통제와 측정이 용이한 것에 치중한 통제로 행정목표의 왜곡 야기<br>• 일관성·지속성 결여 : 일관성과 지속성이 결여된 '강조주간적 통제운동'으로 공무원들의 통제면역증 야기<br>• 정파적 오염 : 행정통제의 정치적 의도로의 악용<br>• 부패 : 행정통제자들의 부패로 인한 실책 |

(2) 행정통제력 향상방안

① **통제대상 영역의 확대** : 숨어있는 정부로서 공공기관, 기금 등에 대한 강력한 통제장치를 마련해야 한다.

② **행정정보공개제도의 활성화** : 행정정보의 공개는 열린 행정과 투명 행정을 통해 행정책임을 확보하고 통제비용을 감소시킨다.

③ **「행정절차법」의 활용** : 「행정절차법」은 행정절차의 명확화를 가져와 행정책임을 확보하고 행정기관과 시민 간의 분쟁을 방지할 수 있다.

④ **기타** : 정책과정에의 시민참여 확대, 행정윤리의 확립, 통제장치의 다원화 등은 투명하고 열린 행정을 가능케 하여 행정책임을 향상시킨다.

## 03 중요 행정통제 수단

### 1. 옴부즈만제도 − 외부통제 · 공식통제

**(1) 의 의**

① **개념**: 옴부즈만(호민관 · 민정관 · 행정감찰관)은 입법부에 의해 임명된 조사관을 의미하며, 옴부즈만제도는 입법부에 의해 임명된 조사관이 공무원의 권력남용 등을 조사 · 감시하는 행정통제제도이다.

② **등장배경**: 옴부즈만제도는 행정기능의 확대 · 강화로 행정에 대한 입법통제 및 사법통제가 실효를 거둘 수 없게 되자 이에 대한 보완책으로 등장하였다.

③ **기원과 발전**: 옴부즈만제도의 발상지는 스웨덴이다. 1809년 스웨덴 헌법에 '사법민정관제도'가 규정된 이후 이 제도는 현재 미국, 영국 등 선진민주국가에서 대부분 채택하고 있다. 다만, 설치주체에 따라 의회 소속형, 행정기관 소속형 등 그 형태는 각 나라마다 다양하게 발전되고 있다.

**(2) 기능과 특징**

① **기 능**

㉠ **국민의 권리구제기능**: 행정기관의 위법 · 부당한 처분이나 부작위, 불합리한 제도 등에 의해 침해된 국민의 권익을 구제하는 기능을 수행한다.

㉡ **행정통제 및 개혁기능**: 행정기관의 위법 · 부당한 처분 등을 통제하고, 유사 사안에 대한 개선방안을 제시해 행정개혁을 촉진한다.

㉢ **행정정보공개 및 이슈제기 기능**: 조사과정에서 행정정보를 적극 공개하고, 제반 사회문제에 대한 이슈를 제기하는 기능을 수행한다.

㉣ **갈등해결(완화)기능**: 국민과 행정기관 사이에서 갈등을 조정 · 해결하여 행정에 대한 국민의 이해와 신뢰성을 높이는 기능을 수행한다.

㉤ **민원안내 및 민원종결기능**: 민원의 처리기관과 구제절차 등을 친절히 안내해 주고, 신중하고 적절한 결정방법을 통하여 민원인을 이해 · 승복시켜 고질적이고 반복적인 민원에 대한 종결기능을 수행한다.

② **특 징**

㉠ **구성 – 직무수행의 독립과 정치적 중립성**: 의회 소속이지만, 의회로부터 정치상 · 기능상 독립성과 자율성을 지닌 불편부당의 기관이다.

㉡ **영역 – 고발대상의 다양성**: 명백한 불법행위뿐만 아니라 부당행위, 태만, 불응답, 지연, 결정의 편파성 등 공직의 요구에서 일탈된 모든 행위에 대해 통제한다. 따라서 합법성 통제뿐만 아니라 합목적성 통제까지 가능하다.

㉢ **통제 – 간접적 통제**: 행정작용을 직접 취소하거나 변경할 수 없으며, 하자 있는 행정작용의 취소 및 변경을 관계기관에 요청 또는 권고할 수 있을 뿐이다. 따라서 문제의 근본적인 원인에 대한 대책을 강구하는 것은 곤란하다.

㉣ **절차와 비용 – 접근의 용이성 및 비용의 저렴성**: 업무처리과정에 대한 공식적인 절차가 없고 융통성이 높아 접근이 용이하기 때문에 행정소송에 비해 신속하고 저렴하게 민원을 처리할 수 있다. 이 제도는 비공식적이고 융통성 있는 절차를 주로 하지만 조사는 공개적 · 직접적으로 이루어진다.

**O · X 문제**

1. 옴부즈만제도는 공무원에 대한 국민의 책임 추궁의 창구 역할을 하며 입법 · 사법통제의 한계를 보완하는 제도이다. ( )

2. 옴부즈만제도는 정부 행정활동의 비약적인 증대에 따른 시민의 권리 침해가능성에 대해 충분한 구제제도를 두기 위하여 핀란드에서 최초로 도입되었다. ( )

**심화학습**

**옴부즈만의 권한**
옴부즈만의 권한은 각 나라마다 다르지만 일반적으로 조사권, 시찰권, 소추권 등이 논의된다. 대부분의 나라에서 조사권, 시찰권 등은 인정하고 있지만 소추권을 인정하는 나라는 드물다. 따라서 옴부즈만의 기본성격은 청원이나 진정과 유사하다.

**O · X 문제**

3. 1809년 스웨덴에서 처음 채택된 옴부즈만은 입법부 소속으로, 직무수행상 의회의 간섭과 통제를 받았다. ( )

4. 옴부즈만은 행정행위의 합법성뿐만 아니라 합목적성 여부도 다룰 수 있다. ( )

5. 옴부즈만은 행정기관의 결정에 대해 직접 취소 · 변경할 수 있는 권한을 갖지 않는다. ( )

6. 옴부즈만은 그가 요구하는 시정조치를 법적으로 강제하거나 이를 대행하는 권한을 함께 갖는 것이 원칙이다. ( )

**O · X 정답** 1. ○ 2. × 3. × 4. ○ 5. ○ 6. ×

ⓜ **조사권한 – 신청조사와 직권조사**: 신청조사가 원칙이나 시민의 민원제기가 없는 경우에도 신문기사 등을 토대로 직권으로 조사할 수 있다.

ⓗ **위상 – 헌법상 독립기관**: 헌법에 근거를 둔 독립기관이므로 조직적 안정성이 높으며, 행정부뿐만 아니라 입법부나 사법부도 통제한다.

ⓢ **성격 – 사회적·정치적 성격**: 법적으로 확립된 공식적 통제기관이지만 기능상 자율성을 지니며, 옴부즈만 개인의 신망과 영향력에 의존하는 제도라는 점에서 법적이라기보다는 사회적·정치적 성격이 강하다.

ⓞ **임기 등 – 긴 임기와 임기보장**: 효과적인 통제를 위하여 옴부즈만의 임기는 일반적으로 대통령보다 길며, 강력한 임기보장을 받는다.

**(3) 장·단점**

| 장 점 | 단 점 |
|---|---|
| • 정부와 국민 간의 완충역할<br>• 국민의 행정에 대한 책임 추궁을 위한 창구<br>• 입법·사법통제의 한계 보완 | • 시정조치의 강제권이 없어 실효성 확보 곤란<br>• 행정기관과의 마찰로 인한 행정비용 발생 |

**(4) 우리나라의 옴부즈만제도(국민권익위원회)**

① **연혁**: 우리나라는 1994년(김영삼 정부)에 제정된 「행정규제 및 민원사무기본법」에 의해 출범한 '국민고충처리위원회'가 옴부즈만제도의 시초이다.

② **현재**

ⓣ 「부패방지 및 국민권익위원회 설치와 운영에 관한 법률」에 의해 설치된 국무총리 소속의 '국민권익위원회'가 중앙정부 차원에서 옴부즈만 기능을 수행하고 있다.

ⓛ 동법은 각 지방자치단체에 '시민고충처리위원회'를 설치할 수 있는 근거를 두고 있는데, 이는 지방자치단체 차원의 옴부즈만제도이다.

③ **옴부즈만의 기능 – 고충민원의 처리**

ⓣ **고충민원의 개념**: 행정기관 등의 위법·부당하거나 소극적인 처분(사실행위 및 부작위를 포함) 및 불합리한 행정제도로 인하여 국민의 권리를 침해하거나 국민에게 불편 또는 부담을 주는 사항에 관한 민원을 말한다.

ⓛ **고충민원의 신청**: 누구든지(국내에 거주하는 외국인 포함) 국민권익위원회 또는 시민고충심사위원회에 고충민원을 문서(전자문서 포함)로 신청할 수 있다.

ⓒ **고충민원의 조사**: 위원회는 고충민원을 접수한 경우에는 지체 없이 그 내용에 관하여 필요한 조사를 하여야 한다.

ⓔ **고충민원에 대한 조치**: 위원회는 고충민원과 관련하여 ⓐ 당사자에게 합의의 권고, ⓑ 당사자의 신청 또는 직권에 의한 조정, ⓒ 처분 등에 대한 시정 권고 및 의견의 표명, ⓓ 제도개선의 권고 및 의견의 표명, ⓔ 감사의 의뢰 등을 할 수 있다.

ⓜ **처리 및 통지**: 위원회는 고충민원을 접수일로부터 60일 이내에 처리하고, 결정내용을 신청인 및 관계 행정기관에게 지체 없이 통지해야 한다.

④ 주요 특징

　　㉠ 국무총리 소속 기관이지만 직무상으로는 독립성과 자율성이 보장된다(독립통제기관). 그러나 행정부 내부에 설치되어 있어 독립성이 미흡하다.

　　㉡ 신청에 의한 조사만 가능하며, 직권조사기능을 보유하지 못하고 있다.

　　㉢ 법률기관이므로 법률개정만으로도 옴부즈만제도를 개폐할 수 있다.

　　㉣ 신중한 결정과 판단을 위하여 독임형이 아닌 합의제 형태를 띠고 있다.

　　㉤ 행정부에 소속된 기관이므로 행정부 내부의 통제만 가능할 뿐 국회, 법원, 헌법재판소, 선거관리위원회, 감사원, 지방의회에 관한 사항은 통제할 수 없다.

　　㉥ 사전심사권이 없어 사전예방제도가 아니라 사후통제제도이다.

　　㉦ 위법·부당한 행정처분은 물론 접수거부·처리지연 등 소극적인 행정행위 및 불합리한 제도나 시책 등도 관할한다.

⑤ 스웨덴의 옴부즈만제도와 우리나라 옴부즈만제도의 비교

| 차이점 | | 공통점 |
|---|---|---|
| 스웨덴의 옴부즈만제도 | 우리나라의 옴부즈만제도 | |
| 헌법상 독립기관 | 법률기관(직무상 독립) | •합법적·합목적적 통제 •간접적 통제(처분 등을 무효나 취소할 수 있는 권한 없음.) •사후적 통제장치 |
| 입법부에 설치 − 의회형 (공식통제·외부통제) | 행정부 내부에 설치 − 행정부형 (공식통제·내부통제) | |
| 독임형 | 위원회형 | |
| 신청에 의한 조사와 직권에 의한 조사 모두 가능 | 신청에 의한 조사만 가능하며, 직권조사는 불가 | |
| 행정부 외에 입법부·사법부에 대한 통제도 가능 | 행정부 내부의 통제만 가능 | |

　📝 **주의사항** : 스웨덴의 옴부즈만은 입법부에 의해 임명된 조사관이므로 외부통제 방식이지만, 우리나라의 옴부즈만인 국민권익위원회는 행정부 내부의 국무총리 소속기관이므로 내부통제 수단이다.

## 2. 내부고발자보호제도 − 내부통제·공식통제

(1) 의 의

① 내부고발 : 조직원이 근무 중 또는 퇴직 후 자신의 조직 내에서 발견되는 불법·부당·부도덕한 행위를 대외적으로 폭로하는 행위를 말한다.

② 내부고발자보호제도 : 내부고발자를 보호하여 만연된 내부비리를 척결하려는 내부통제수단을 말한다.

(2) 내부고발의 특징

① 대상 − 조직 내의 모든 부정행위 : 조직 내의 모든 부정행위가 내부고발의 대상이 되며, 퇴직 후의 고발도 내부고발에 포함된다.

② 동기와 외형 − 동기의 다양성과 이타주의적 외형 : 내부고발은 공익 추구라는 이타주의적 외형을 지니지만, 고발자의 동기는 윤리의식에 기인한 것일 수도 있고 개인의 이익추구적 동기에 기인한 것일 수도 있어 다양하다.

③ 절차 – 비공식적 경로 : 고발자들은 조직내부의 비리를 공정하게 심사해 줄 공식적이고 중립적 기관이 존재하지 않는다고 생각하기 때문에 공식적인 이의제기나 사법기관이 아닌 언론 등 비공식적인 경로를 통해 비리를 폭로한다.

④ 양태 – 조직 전체와의 싸움 : 내부고발은 보통 상관의 부당한 행위에 의해 촉발되지만, 고발자들은 조직으로부터 무수한 보복을 받기 때문에 결국 조직 전체와의 싸움이 전개된다.

(3) 내부고발자보호제도

① 핵심요소 : 내부고발자보호제도는 고발자의 신변보호 및 신분보장, 고발자에 대한 보상 및 포상, 고발자가 범죄와 관련된 경우 책임과 형의 감면 등을 핵심요소로 한다.

② 논쟁 – 찬성론과 반대론

| 찬성론 | • 공무원의 부정적인 행태와 제도화된 부패를 척결하기 위한 주요 기제<br>• 외부통제의 한계 극복 : 내부통제를 통해 외부통제의 한계 보완 |
|---|---|
| 반대론 | • 조직원들 간의 신뢰와 응집성 저하(만인의 만인에 대한 감시체제 야기)<br>• 감시·통제 중심의 비민주적 조직관리 야기<br>• 공무상 기밀 누설가능성, 명령불복종 조장, 소극적인 업무행태 조장, 상관의 리더십 손상 등으로 인한 조직의 운영질서 교란 등 |

③ 논의의 종합 : 행정의 양적 확대와 질적 심화로 인하여 외부통제가 무력화된 현대 행정에서 행정의 투명성을 제고하고 윤리적 행정을 확보하기 위하여 내부고발자보호제도를 장려할 필요가 있다(다수 의견).

(4) 우리나라의 내부고발자보호제도

① 법적 근거 : 우리나라는 「부패방지 및 국민권익위원회 설치와 운영에 관한 법률」에 근거를 두고 있다. 다만, 이 법에서 부패행위의 범위는 공직부패만을 의미하며, 민간부패는 포함되지 아니한다.

② 부패행위의 신고 등

㉠ 부패행위의 신고 : 누구든지 부패행위를 알게 된 때에는 위원회에 신고할 수 있다.

㉡ 공직자의 부패행위 신고의무 : 공직자는 그 직무를 행함에 있어 다른 공직자가 부패행위를 한 사실을 알게 되었거나 부패행위를 강요 또는 제의받은 경우에는 지체 없이 이를 수사기관·감사원 또는 위원회에 신고하여야 한다.

㉢ 신고의 방법 : 신고를 하려는 자는 본인의 인적사항과 신고취지 및 이유를 기재한 기명의 문서로써 하여야 하며, 신고대상과 부패행위의 증거 등을 함께 제시하여야 한다.

③ 신고의 처리

㉠ 조사기관에 이첩 : 위원회는 접수된 신고사항을 확인하고, 감사·수사 또는 조사가 필요한 경우 이를 조사기관(감사원, 수사기관, 해당 공공기관의 감독기관)에 이첩하여야 한다(국민권익위원회는 부패행위에 대한 조사권 없음).

㉡ 관할 수사기관에 고발 : 위원회에 신고가 접수된 부패행위의 혐의대상자가 고위공직자(국회의원, 광역자치단체장, 법관, 검사, 차관급 이상의 공직자 등)로서 부패혐의의 내용이 형사처벌을 위한 수사 및 공소제기의 필요성이 있는 경우에는 위원회의 명의로 검찰, 고위공직자범죄수사처, 경찰 등 관할 수사기관에 고발을 하여야 한다.

**심화학습**

**「공익신고자 보호법」**
이 법은 공직자의 부패행위가 아닌 공익을 침해하는 행위(국민의 건강과 안전, 환경, 소비자의 이익 및 공정한 경쟁을 침해하는 행위)를 조사기관·수사기관·국민권익위 등에 신고한 사람(내부공익신고자 포함) 등을 보호하고 지원함으로써 국민생활의 안정과 투명하고 깨끗한 사회풍토의 확립에 이바지함을 목적으로 한다.

㉢ **재정신청**: 위원회가 관할 수사기관에 고발한 경우, 위원회가 그 사건 또는 그 사건과 관련된 사건에 대하여 검사로부터 공소를 제기하지 아니한다는 통보를 받았을 때에는 그 검사 소속의 고등검찰청에 대응하는 고등법원에 그 당부에 관한 재정을 신청할 수 있다.

㉣ **위원회 및 조사기관의 처리**: 위원회는 접수된 신고사항을 그 접수일부터 60일 이내에 처리해야 하며, 조사기관은 신고를 이첩 또는 송부받은 날부터 60일 이내에 감사·수사 또는 조사를 종결하여야 한다.

④ 신고자 보호(내부고발자 보호)

㉠ **불이익조치 등의 금지**: 누구든지 신고자에게 신고 등(신고나 이와 관련한 진술, 자료 제출 등)을 한 이유로 불이익조치를 하여서는 아니 된다.

㉡ **신분보장 등의 조치 신청**: 신고자는 신고 등을 이유로 불이익조치를 받았거나 받을 것으로 예상되는 경우에는 대통령령으로 정하는 바에 따라 위원회에 신분보장등 조치(해당 불이익조치에 대한 원상회복이나 그 밖에 필요한 조치)를 신청할 수 있다.

㉢ **신분보장 등의 조치 결정**: 위원회는 조사 결과 신분보장신청인이 신고 등을 이유로 불이익조치를 받았거나 받을 것으로 예상되는 경우에는 소속기관장 등에게 30일 이내의 기간을 정하여 신분보장등조치결정(신분보장 등 조치를 취하도록 요구하는 결정)을 하여야 하며, 소속기관장 등은 정당한 사유가 없으면 이에 따라야 한다.

㉣ **불이익 추정**: 신고자가 신고한 뒤 위원회에 신분보장등조치를 신청하거나 법원에 원상회복 등에 관한 소를 제기하는 경우 해당 신고와 관련하여 불이익을 당한 것으로 추정한다(입증책임 전환).

㉤ **기타 신고자 보호 규정**: 위원장의 불이익조치 절차의 일시정지 요구, 신고자의 비밀보장, 신고자(친족, 동거인 포함)의 신변보호, 협조자 보호, 신고자의 책임의 감경, 신고자의 포상 및 보상 등이 있다.

㉥ **불이익조치 및 신분보장등조치결정 불이행의 죄**: 불이익조치를 한 자, 신분보장등조치 결정을 이행하지 아니한 자, 신고 등을 방해하거나 신고 등을 취소하도록 강요한 자, 잠정적인 중지 조치 요구를 정당한 사유 없이 이행하지 아니한 자, 신고자의 인적사항 공개 등 금지 위반자는 징역 또는 벌금의 형벌이 부과된다.



**O·X 문제**

1. 국민권익위원회는 부패행위에 대해 검찰에 고발할 수 있고, 이에 검찰이 공소제기하지 않을 경우 고등법원에 재정신청을 할 수 있다. ( )

2. 부패신고자가 국민권익위원회에 원상회복 등을 요구하거나 법원에 원상회복 등에 관한 소를 제기하는 경우 해당 신고와 관련하여 불이익을 당한 것으로 추정한다. ( )

3. 내부고발자에 대하여 신분상 불이익이나 근무조건상의 차별을 한 자가 국민권익위원회의 적절한 조치 요구를 이행하지 아니한 때에는 형사처벌을 받는다. ( )

**심화학습**

**불이익조치 및 신분보장등조치결정 불이행의 죄**

① **5년 이하의 징역 또는 5천만원 이하의 벌금**: 신고자의 인적사항 공개 등 금지 위반
② **3년 이하의 징역 또는 3천만원 이하의 벌금**: 파면, 해임, 해고, 그 밖에 신분상실에 해당하는 불이익조치를 한 자, 신분보장등조치결정을 이행하지 아니한 자
③ **2년 이하의 징역 또는 2천만원 이하의 벌금**: ② 외의 불이익조치를 한 자, 신고 등을 방해하거나 신고 등을 취소하도록 강요한 자
④ **6개월 이하의 징역 또는 500만원 이하의 벌금**: 잠정적인 중지 조치 요구를 정당한 사유 없이 이행하지 아니한 자

O·X 정답 1. ○ 2. ○ 3. ○

## 04 공직(행정)윤리

### 1. 의 의

#### (1) 개 념

① 공직윤리란 공무원이 국민에 대한 봉사자로서 행정이 추구하는 공공목적을 달성하기 위해 준수해야 할 행동규범 또는 바람직한 행위의 준칙이다.

② 공직윤리는 소극적(협의)으로는 부정부패 등 부정적인 행위를 하지 않아야 한다는 것을, 적극적(광의)으로는 청렴성·성실성·봉사성·책무성·투명성 등 긍정적 가치에 입각한 능동적인 행정을 수행해야 한다는 것을 의미한다.

#### (2) 특 징

① **가치함축적·규범적 개념**: 공직윤리는 공무원이 공적인 행정업무와 관련하여 지켜야 할 가치함축적·규범적 기준이다.

② **구체적·실질적 행위기준**: 공직윤리는 추상적이고 가치내재적인 것에 머무는 것이 아니라 특정 시기에 특정 사람들의 의식과 행태를 결정하는 구체적·실질적·현실지향적 행위기준이다.

③ **제도로서 윤리**: 공직윤리는 법령만이 아니라 사회적 생활양식(문화)의 한 부분이라는 점에서 공식적 구조와 비공식적 구조의 결합체인 제도로 존재한다. 이에 셀즈닉 (Selznick)은 윤리를 '두터운 제도화(thick insitutionalization)'라 하였다.

④ **정책내용의 윤리성까지 내포**: 공직윤리는 공무원이 지켜야 할 직업윤리는 물론 공무원이 입안하여 집행하는 정책의 내용도 윤리적이어야 함을 내포하는 개념이다.

⑤ **민간수준보다 높은 수준의 윤리**: 관료에게 요구되는 공직윤리는 '다른 것은 다르게'라는 형평성 이념이 적용되어 민간조직의 구성원보다 높은 수준의 윤리규범이 요구된다.

⑥ **공공신탁의 원리(public trust)**: 공직윤리는 '행정권은 국민으로부터 수임받은 것이므로 그 행사는 국민의 의사에 따라야 한다'는 공공신탁의 원리에서 비롯된 것이다.

⑦ **내재적·비공식적 통제**: 공직윤리는 상황의 발생 전까지는 관료들의 의식세계에 잠복되어 있는 가치체계로 법령으로 공식화되어 있지 않는 경우가 많아 내재적·비공식적 통제에 해당한다.

#### (3) 공직윤리의 중요성

① **행정국가와 공직윤리**: 관료의 재량권과 자원배분권이 확대되는 행정국가화 현상으로 외부통제가 무력화됨에 따라 내부통제인 공직윤리의 중요성이 강조되었다.

② **신공공관리론과 공직윤리**: 자율지향적 결과에 기초한 신공공관리론은 행정의 자율성은 증진시키는 반면, 행정통제에는 취약한 관리방법이다. 이로 인해 서구 선진국은 신공공관리론의 문제를 공직윤리로 해결하고자 하면서 행정의 가치를 3E's(Economy, Efficiency, Effectiveness)에서 4E's(Ethics 추가)로 확장시켜 나가고 있다.

③ **신뢰적자와 공직윤리** : OECD는 전 세계 국가들이 직면하고 있는 신뢰적자의 위기를 극복하기 위한 방안으로 공직윤리를 중시하고 있다. OECD는 신뢰성과 윤리문제가 국정운영의 핵심쟁점으로 부각되는 이유를 다음과 같이 제시하였다.

⊙ 전통적 관리방식(규칙과 법규 중심)과 신공공관리론적 관리방식(결과 및 성과 중심) 간의 갈등과 충돌이 야기되었기 때문이다.

⊙ 신공공관리 방식이 타율적·수동적으로 활용되고 있어 윤리의 핵심가치인 자율성을 크게 침해했기 때문이다.

⊙ 정부의 재정적 압박으로 인해 효율성 가치가 중시되면서 규범적 문제나 윤리적 문제에 대한 인식이 부족해졌기 때문이다.

⊙ 경제 논리 중심의 민간부문 관리기법의 유입으로 효율성 가치가 중시되면서 공공성이나 공익성이 훼손되었기 때문이다.

⊙ 정치·경제·사회적 환경이 직접적 산출과 성과를 기대하는 결정론 지향적 환경으로 변화되면서 자율성의 지속적 상실을 초래했기 때문이다.

⊙ 공직의 위신 저하로 공직이 바람직한 직업으로 인정받지 못하게 되었고 이로 인해 공직과 정부에 대한 신뢰성의 상실이 초래되었기 때문이다.

⊙ 정치와 행정 간의 상호작용 증대는 정치적 후원 증대를 야기하여 공직자의 정치화와 부패의 가능성을 증대시켰기 때문이다.

## 2. 공직윤리의 철학적 기초

### (1) 근원주의적 시각

다양한 윤리기준들에 대한 비판적 검토를 통해 인류보편적인 윤리기준을 찾고자 하는 시각이다.

① **결과주의(목적론)** : 윤리성의 기준을 공무원의 행위에 대한 평가에 두는 시각이다. 결과주의적 윤리관은 문제의 해결보다는 행위 또는 그 결과에 대한 적발과 처벌 중심의 사후통제수단을 강조한다(예 「부패방지법」, 「부정청탁 및 금품수수 금지법」 등).

② **의무론** : 윤리성의 기준을 공무원의 동기에 대한 평가에 두는 시각이다. 의무론적 윤리관은 부도덕한 동기실현의 사전 제어를 위한 도덕적 원칙의 준수를 강조한다(예 「공직자윤리법」, 이해충돌회피제도 등).

③ **논의의 종합** : 양자는 모두 불완전하므로 공직윤리의 확보를 위해서는 결과주의와 의무론이 균형 있게 결합되어야 한다. 다만, 현실에서 다수의 정책은 결과주의 입장에서 행위 중심으로 이루어져 있기 때문에 의무론에 입각한 대응체계의 보완을 통해 균형을 맞춰 나가야 할 필요가 있다.

### (2) 반근원주의적 시각

인류보편적 윤리기준은 존재하지 않는다고 보거나, 윤리를 오히려 사회적 해악으로 인식하는 시각이다. 반근원주의적 시각에는 사회문화적 맥락이나 공동체마다 윤리기준이 달라진다고 보는 문화상대주의 및 공동체주의 윤리론, 윤리를 강자에 의한 약자의 지배를 정당화시키는 규범과 절차로 인식하고 윤리방임주의를 주장하는 탈모더니즘 윤리론 등이 있다.

PART · 02

**O·X 문제**

1. OECD는 정부의 '신뢰적자'의 문제를 해결하기 위한 방안으로 윤리의 확보를 제시하고 있다. ( )

**심화학습**

**OECD의 윤리기반**

| | | |
|---|---|---|
| 의의 | OECD가 회원국의 윤리관리 실태를 조사하기 위해 개발한 분석도구로 '잘못된 행동을 억제하고 바람직한 행동을 고양하기 위한 일련의 수단과 과정(3대 기능과 8대 구성요소로 구성)' | |
| 기능과 구성 요소 | 통제 | ① 효과적인 통제 메커니즘 |
| | | ② 공공의 참여·감시 |
| | | ③ 독립적인 조사와 기소를 위한 법 |
| | 안내 | ④ 행동강령 |
| | | ⑤ 교육·훈련 등 전문적 사회화 |
| | | ⑥ 정치지도자의 강한 헌신 |
| | 관리 | ⑦ 공직 조건, 관리정책과 실천 |
| | | ⑧ 특별기구 또는 기존의 중앙관리부서를 통한 조정 |

**O·X 문제**

2. 공직자의 윤리기준은 행위의 이유에 따라 판단하는 목적론적 접근방법과 그 행위의 결과나 성과에 따라 판단하는 의무론적 접근방법으로 구분된다. ( )

3. 결과주의에 근거한 윤리평가는 사후적인 것이며 문제의 해결보다는 행위 혹은 그 결과에 대한 처벌에 중점을 둔다. ( )

**O·X 정답** 1. ○ 2. × 3. ○

## 3. 공직윤리의 관리 - 의무론적 시각

(1) 행동강령(광의)

① 의의: 정부조직이나 관료가 지향해야 할 바람직스러운 가치를 명문화한 행동방향에 대한 안내의 집합체이다.

② 특성
  ㉠ 규범성: 공무원에게 기대되는 바람직한 가치판단(의사결정)을 담고 있다.
  ㉡ 실천성: 공무원이 실천할 때 강령의 궁극적인 의미를 달성할 수 있다.
  ㉢ 자율성: 공무원 스스로의 자발적 수용과 자율적 실천에 기초한다.
  ㉣ 포괄성: 어느 정도 포괄적이고 보편적인 내용을 담고 있다.
  ㉤ 사전예방: 사후처벌이 아닌 사전예방을 주된 목적으로 한다.

③ 유형
  ㉠ 윤리강령: 구성원들이 기본적으로 지향해야 할 가치를 담은 윤리지침으로 규범성이 강하다(例「국가공무원법」상 공무원 선서, 대통령훈령인 「공무원 헌장」 등).
  ㉡ 행동강령(협의): 윤리강령을 구체화한 것으로, 가치별로 구체화·세분화된 내용과 절차를 담고 있어 구체적인 행동의 표준으로 작용하는 지침이다. 행동강령은 규범성과 실천성을 모두 지닌다(例 대통령령인 「공무원 행동강령」 등).
  ㉢ 실천강령: 각 중앙행정기관별로 행동강령을 구체화한 것으로, 구성원들이 따라야 하는 표준화된 구체적 기준과 절차 등을 명확하게 규정한 지침이다. 실천강령은 실천성이 강하다(例 각 중앙행정기관별로 제정하는 행동강령).

④ 주요 내용
  ㉠ OECD 국가: 1990년대부터 집중적으로 제정되었으며, 현재 OECD 국가의 3분의 2 이상이 공무원의 행위기준을 법률적 형식으로 규정하고 있다.
  ㉡ 우리나라: 「부패방지 및 국민권익위원회의 설치와 운영에 관한 법률」 제8조에 근거해 대통령령으로 「공무원 행동강령」을 제정하였다. 「공무원 행동강령」은 국가와 지방정부에 공통적으로 적용될 수 있는 표준 가이드라인으로 제정되었으며, 각 중앙행정기관에서는 표준강령(행동강령)에 기초해 자율적으로 기관의 실정을 반영한 좀 더 구체적인 실천강령을 제정·활용하고 있다.

> 📝 **핵심정리 | 「공무원 행동강령」의 근거 법규**
> 1. **「부패방지 및 국민권익위원회의 설치와 운영에 관한 법률」 제8조**: 공직자가 준수하여야 할 행동강령은 대통령령 등으로 정한다.
> 2. **「공무원 행동강령」(대통령령) 제3조**: 이 영은 국가공무원과 지방공무원에게 적용된다.
> 3. **「공무원 행동강령」 제24조**: 중앙행정기관의 장 등은 해당기관의 특성에 적합한 세부적인 기관별 공무원 행동강령을 제정하여야 한다.

(2) 윤리법

공직자들의 윤리적 행동을 위한 구체적인 기준을 세밀한 법의 형태로 규정한 것으로, 우리나라의 경우 「공직자윤리법」이 대표적이다.

(3) **이해충돌 회피제도**

① **개념** : 공무원들이 공적으로 부여된 직무수행상의 의무와 사인으로서의 개인의 이익 간에 충돌관계로부터 벗어나게 하는 것을 의미한다.

② **근거 – 자기심판금지의 원칙** : 누구도 자신의 사건에 대해 판결할 수 없다는 '자기심판금지의 원칙'에 입각해 있다.

③ **특 징**

  ㉠ **사전적·예방적 제도** : 공무원의 부정행위를 사전에 예방하는 제도이다.

  ㉡ **대리인의 신뢰성 확보장치** : 주인인 '국민'이 대리인인 '공무원'의 성실한 신탁업무 수행을 담보하기 위한 제도적 장치이다.

④ **우리나라의 이해충돌 회피제도**

  ㉠ **인사청문회** : 고위 공직 후보의 자격과 능력을 검증할 뿐만 아니라 직무수행 시 이해충돌의 가능성을 사전에 확인하고 제거하는 장치이다.

  ㉡ **백지신탁제도** : 이해충돌이 존재하는 주식을 독립적인 위치에 있는 신탁기관에 위탁하여 신탁기관이 신탁된 재산의 관리에 대한 모든 권한을 행사하도록 하는 제도이다.

  ㉢ **기타** : 직무배제, 제척·기피·회피, 퇴직공무원의 취업제한, 외국정부로부터 선물신고 등이 있다.

## 4. 우리나라 공직윤리 1 – **자율적 규제윤리**(적극적·추상적 윤리규범)

(1) **개 념**

공무원이 지향해야 할 이념과 가치를 적극적으로 제시하고 공무원이 이를 도덕적이고 양심적으로 준수케 하는 것으로 강제력이 없어 실효성이 낮다.

(2) **「공무원 헌장」**

우리는 자랑스러운 대한민국의 공무원이다. 우리는 헌법이 지향하는 가치를 실현하며 국가에 헌신하고 국민에게 봉사한다. 우리는 국민의 안녕과 행복을 추구하고 조국의 평화통일과 지속 가능한 발전에 기여한다. 이에 굳은 각오와 다짐으로 다음을 실천한다.

① 공익을 우선시하며 투명하고 공정하게 맡은 바 책임을 다한다.

② 창의성과 전문성을 바탕으로 업무를 적극적으로 수행한다.

③ 우리 사회의 다양성을 존중하고 국민과 함께 하는 민주 행정을 구현한다.

④ 청렴을 생활화하고 규범과 건전한 상식에 따라 행동한다.

## 5. 우리나라 공직윤리 2 – **법령상 규제윤리**(소극적·구체적 윤리규범)

(1) **개 념**

공무원의 행동규범을 법령에 규정하고 이를 위반할 경우 제재를 가하여 윤리를 확보하는 것으로 타율적이지만 구속력과 실효성이 높다.

(2) **「헌법」의 의무(「헌법」 제7조)**

① 공무원은 국민에 대한 봉사자이며 국민에 대해 책임을 진다.

② 공무원의 정치적 중립과 신분은 법률로 보장된다.

**O·X 문제**

1. 이해충돌 회피에 있어서는 '어느 누구도 자신이 연루된 사건의 재판관이 되어서는 안 된다'라는 원칙이 적용된다. (　)

**심화학습**

**이해충돌의 유형**

| 실제적 이해충돌 | 현재 직접적인 이해충돌이 있는 경우 |
| --- | --- |
| 외견적 이해충돌 | 이해충돌이 있는 것처럼 보이지만 현재 이해충돌이 없는 경우 |
| 잠재적 이해충돌 | 앞으로 이해충돌이 발생할 가능성이 있는 경우 |

**심화학습**

**이해충돌 회피의 제도화 방식**

| 적극적 회피 | 주인의 입장에서 대리인 관계를 철회하거나 또는 대리인의 직무를 변경하여 이해충돌을 해소하는 것 |
| --- | --- |
| 소극적 회피 | 대리인의 입장에서 관련된 주식이나 재산을 이익의 충돌이 발생하지 않도록 처분하는 것 |

**O·X 문제**

2. 「공무원 헌장」은 공무원이 실천해야 하는 가치로 공익을 명시하고 있다. (　)

3. 「공무원 헌장」은 전문성, 다양성, 효율성 가치를 직접 언급하고 있다. (　)

**심화학습**

**윤리규범의 법제화**

| 의의 | 추상적인 공직윤리를 법규범으로 규정하는 것 |
| --- | --- |
| 효용 | ① 정부의 신뢰성 향상 ② 정부활동의 평가기준 및 관료의 행동 준칙과 제재 기준 제시 ③ 관료의 윤리적 감수성 향상 ④ 공직의 윤리적 불확실성 감소 |
| 한계 | ① 형식주의의 폐단 야기 ② 윤리내용의 추상성으로 인한 법제화 곤란 ③ 통일적 윤리장전 제정 곤란 ④ 개인적 권리나 프라이버시 침해가능성 |

O·X 정답 ] **1.** ○ **2.** ○ **3.** ×

(3) 「국가공무원법」의 의무(공무원의 13대 의무)

① **성실의무**: 모든 공무원은 법령을 준수하며 성실히 직무를 수행해야 한다.

② **선서의무**: 공무원은 취임할 때에 소속 기관장 앞에서 대통령령 등으로 정하는 바에 따라 선서해야 한다.

③ **복종의무**: 공무원은 직무를 수행할 때 소속 상관의 직무상 명령에 복종해야 한다.

④ **직장이탈금지의무**: 공무원은 소속 상관의 허가 또는 정당한 사유가 없으면 직장을 이탈하지 못한다. 수사기관이 공무원을 구속하려면 그 소속 기관의 장에게 미리 통보하여야 한다. 다만, 현행범은 그러하지 아니하다.

⑤ **친절·공정의무**: 공무원은 국민 전체의 봉사자로서 친절하고 공정하게 직무를 수행해야 한다.

⑥ **영리·겸직금지의무**: 공무원은 공무 외에 영리를 목적으로 하는 업무에 종사하지 못하며, 소속 기관장의 허가 없이 다른 직무를 겸할 수 없다.

⑦ **종교중립의무**: 공무원은 종교에 따른 차별 없이 직무를 수행해야 한다. 공무원은 소속 상관이 이에 위배되는 직무상 명령을 한 경우에는 이에 따르지 아니할 수 있다.

⑧ **비밀엄수의무**: 공무원은 재직 중은 물론 퇴직 후에도 직무상 알게 된 비밀을 엄수해야 한다.

⑨ **청렴의무**: 공무원은 직무와 관련하여 직접적이든 간접적이든 사례·증여·향응을 주거나 받을 수 없다. 공무원은 직무상의 관계가 있든 없든 그 소속 상관에게 증여하거나 소속 공무원으로부터 증여를 받아서는 아니 된다.

⑩ **품위유지의무**: 공무원은 직무의 내외를 불문하고 그 품위가 손상되는 행위를 해서는 아니 된다.

⑪ **영예 등 제한**: 공무원이 외국 정부로부터 영예나 증여를 받을 경우에는 대통령의 허가를 받아야 한다.

⑫ **정치적 중립의무**: 공무원은 정당이나 그 밖의 정치단체의 결성에 관여하거나 이에 가입할 수 없으며, 선거에서 특정 정당 또는 특정인의 지지나 반대를 하기 위한 행위를 하여서는 아니 된다.

⑬ **집단활동금지의무**: 공무원은 노동운동이나 그 밖에 공무 외의 일을 위한 집단 행위를 하여서는 아니 된다. 다만, 사실상 노무에 종사하는 공무원은 예외로 한다.

(4) 「공직자윤리법」

① 고위공직자의 재산등록 및 공개의무

　㉠ 재산등록의무: 국가 및 자치단체의 정무직 공무원, 4급 이상 국가공무원 및 지방공무원(고위공무원단 포함), 비리의 소지가 높은 업무를 수행하는 7급 이상 5급 이하 공무원, 공기업 및 공직유관단체 임직원 등은 본인·배우자(사실상의 혼인관계에 있는 사람 포함)·직계존비속(혼인한 직계비속인 여성 및 외가는 제외)의 보유재산을 다음 해 2월 말일까지(등록의무자가 된 자는 등록의무자가 된 날부터 2개월이 되는 날이 속하는 달의 말일까지, 퇴직한 등록의무자는 퇴직일로부터 2개월이 되는 날이 속하는 달의 말일까지) 등록하고 변동사항을 신고해야 한다(등록하여야 할 재산이 국채, 공채, 회사채인 경우에는 액면가로 등록해야 함).

ⓛ **재산공개의무**: 공직자윤리위원회는 국가 및 자치단체의 정무직 공무원, 1급(가급 고위공무원 포함) 국가공무원 및 지방공무원, 공기업 및 공직유관단체 임원 등의 본인·배우자·직계존비속의 재산에 관한 등록사항과 변동사항 신고내용을 관보 및 인사혁신처장이 지정하는 정보통신망을 통하여 공개하여야 한다.

ⓒ **재산등록대상자와 재산공개대상자**

| 구 분 | 등록대상자 | 공개대상자 |
|---|---|---|
| 정무직 | 국가 및 자치단체의 정무직 전원 | 국가 및 자치단체의 정무직 전원 |
| 일반직·특정직·별정직 | • 4급 이상 일반직·특정직 국가 및 지방 공무원(임기제 공무원 포함)<br>• 4급 상당 외무공무원, 국정원 직원, 대통령경호처 경호공무원<br>• 법관, 검사, 헌재연구관 | • 1급 이상 일반직·특정직 국가 및 지방 공무원(임기제 공무원 포함)<br>• 1급 상당 외무공무원<br>• 고법 부장판사급 이상, 대검 검사급 이상 |
| 군 인 | 대령 이상 | 중장 이상 |
| 경 찰 | 총경 이상 | 치안감 이상, 시·도경찰청장 |
| 소 방 | 소방정 이상 | 소방정감 이상 |
| 세 무 | 4급 이상 | 지방국세청장, 3급 이상, 세관장 |
| 교 육 | 총장, 부총장, 대학원장, 학장, 교육감, 교육장 등 | 총장, 부총장, 학장, 교육감 등 |
| 공기업 | 장, 부기관장, 상임이사 및 상임감사 등 | 장, 부기관장, 상임감사 등 |
| 공직유관단체 | 임직원 | 임원 |

② 외국 정부 등으로부터 받은 선물의 신고
  ㉠ **선물신고**: 공무원 또는 공직유관단체의 임직원(가족 포함)은 외국으로부터 선물(대가 없이 제공되는 물품 및 그 밖에 이에 준하는 것을 말하되, 현금은 제외)을 받거나 그 직무와 관련하여 외국인(외국단체 포함)에게 선물을 받으면 지체 없이 소속 기관·단체의 장에게 신고하고 그 선물을 인도하여야 한다.
  ㉡ **신고할 선물 가액**: 신고할 선물의 가액은 대통령령으로 정한다(시행령: 미국화폐 100달러 이상이거나 국내 시가로 10만원 이상인 선물).
  ㉢ **선물의 국고 귀속 등**: 신고된 선물은 신고 즉시 국가 또는 지방자치단체에 귀속되며, 신고된 선물의 관리·유지 등에 관한 사항은 대통령령 또는 조례로 정한다.
③ 직무관련성 있는 주식의 매각 또는 신탁
  ㉠ **주식의 매각 또는 신탁**: 공개대상자 등은 본인 및 그 이해관계자 모두가 보유한 주식의 총 가액이 1천만원 이상 5천만원 이하의 범위에서 대통령령으로 정하는 금액(시행령: 3천만원)을 초과할 때에는 초과하게 된 날부터 2개월 이내에 해당 주식의 매각 또는 주식백지신탁을 하고 그 행위를 한 사실을 등록기관에 신고하여야 한다. 다만, 주식백지신탁 심사위원회로부터 직무관련성이 없다는 결정을 통지받은 경우에는 그러하지 아니하다.

**심화학습**

**공직자윤리위원회**

| 설치 | 헌법상 독립기관(국회·대법원·헌법재판소·중앙선거관리위원회·정부), 지방자치단체, 광역자치단체의 교육청 별로 각각 공직자윤리위원회를 둠. |
|---|---|
| 기능 | ① 재산등록사항의 심사와 그 결과의 처리<br>② 취업제한 여부의 확인 및 취업승인과 업무취급의 승인 등 |

**O·X 문제**

1. 「공직자윤리법」에 의하면 정무직 공무원, 4급 이상 일반직 고위공무원은 재산등록대상이지만 정부출연기관의 임원은 제외된다. (  )

2. 「공직자윤리법」에 따르면 총경 이상의 경찰공무원과 대령 이상의 군인은 재산등록의무가 있다. (  )

3. 「공직자윤리법」에 따르면 혼인한 직계비속인 여성이 소유한 재산은 재산등록 의무자가 등록할 재산에 포함된다. (  )

4. 「공직자윤리법」에 따르면 등록하여야 할 재산이 국채, 공채, 회사채인 경우는 액면가로 등록하여야 한다. (  )

5. 「공직자윤리법」에 따르면 공직자는 등록의무자가 된 날부터 3개월이 되는 날이 속하는 달의 말일까지 재산등록을 해야 한다. (  )

**O·X 문제**

6. 「공직자윤리법」에 의하면 공무원의 가족이 외국 혹은 외국인으로부터 받은 선물은 신고 절차를 거친 후 지체 없이 당사자에게 반환하여야 한다. (  )

7. 「공직자윤리법」상 지방의회 의원은 외국 정부 등으로부터 받은 선물의 신고 의무가 없다. (  )

8. 「공직자윤리법」에 의하면 공무원은 그 직무와 관련하여 외국인으로부터 수령 당시 국내 시가 10만 원 이상의 선물을 받으면 지체 없이 신고하고 인도하여야 한다. (  )

O·X 정답 1. × 2. ○ 3. × 4. ○
           5. × 6. × 7. × 8. ○

ⓒ **주식백지신탁 심사위원회**: 공개대상자 및 그 이해관계인이 보유하고 있는 주식의 직무관련성을 심사·결정하기 위해 인사혁신처에 주식백지신탁 심사위원회를 둔다.

ⓒ **주식취득의 제한**: 주식백지신탁계약이 체결된 경우 그 신탁계약이 해지될 때까지는 공개대상자 등과 이해관계자 중 어느 누구도 새로 주식을 취득해서는 아니 된다.

ⓒ **주식과 직무관련성 없는 직위로의 변경 신청 등**: 주식 매각의무 또는 주식백지신탁 의무가 발생한 공개대상자 등은 그 의무가 발생한 날부터 2개월 이내에 소속 기관의 장 등에게 직위 변경을 신청할 수 있고, 신청을 받은 소속 기관의 장 등은 신청일부터 2개월 이내에 해당 직무사항과 무관한 직위로 변경할 수 있다.

ⓒ **기관별 주식취득의 제한**: 국가기관의 장 및 자치단체의 장은 기업 등에 대한 정보를 획득하거나 영향력을 행사하는 등 공익과 사익의 이해충돌이 발생할 우려가 있는 업무를 수행한다고 인정되는 부서의 재산등록의무자인 공무원이 관련 분야의 주식을 새로 취득하는 것을 제한할 수 있다.

ⓒ **기관별 부동산취득의 제한**: 국가기관의 장, 자치단체의 장 및 공직유관단체의 장은 부동산에 대한 정보를 획득하거나 이와 관련된 업무를 수행한다고 인정되는 부서의 공직자 본인 및 그 이해관계자가 관련 업무 분야 및 관할의 부동산을 새로 취득하는 것을 제한할 수 있다.

ⓒ **기관별 가상자산 보유의 제한**: 국가기관의 장 및 자치단체의 장은 가상자산에 대한 정보를 획득하거나 영향력을 행사하는 업무를 수행한다고 인정되는 부서 또는 직위의 공직자 본인 및 그 이해관계자가 가상자산을 보유하는 것을 제한할 수 있다.

④ **퇴직공직자의 취업제한 등**

ⓒ **퇴직공직자의 취업제한**: 취업심사대상자(등록의무자 등)는 퇴직일부터 3년간 취업심사대상기관에 취업할 수 없다. 다만, 관할 공직자윤리위원회로부터 취업심사대상자가 퇴직 전 5년 동안 소속하였던 부서 또는 기관의 업무와 취업심사대상기관 간에 밀접한 관련성이 없다는 확인을 받거나 취업승인을 받은 때에는 취업할 수 있다.

ⓒ **퇴직공직자 등에 대한 행위제한**: 퇴직공직자는 본인 또는 제3자의 이익을 위하여 퇴직 전 소속 기관의 재직자에게 법령을 위반하게 하거나 지위 또는 권한을 남용하게 하는 등 공정한 직무수행을 저해하는 부정한 청탁 또는 알선을 해서는 아니 된다.

ⓒ **퇴직공직자의 재산변동사항 신고**: 퇴직한 등록의무자는 퇴직일부터 2개월이 되는 날이 속하는 달의 말일까지 그 해 1월 1일부터 퇴직일까지의 재산변동사항을 퇴직 당시의 등록기관에 신고하여야 한다.

⑤ **이해충돌 방지의무**

ⓒ **국가 및 지방자치단체**: 국가 또는 지방자치단체는 공직자가 수행하는 직무가 공직자의 재산상 이해와 관련되어 공정한 직무수행이 어려운 상황이 일어나지 아니하도록 노력하여야 한다.

ⓒ **공직자**: 공직자는 자신이 수행하는 직무가 자신의 재산상 이해와 관련되어 공정한 직무수행이 어려운 상황이 일어나지 아니하도록 직무수행의 적정성을 확보하여 공익을 우선으로 성실하게 직무를 수행하여야 한다.

ⓒ **퇴직공직자**: 퇴직공직자는 재직 중인 공직자의 공정한 직무수행을 해치는 상황이 일어나지 아니하도록 노력하여야 한다.

(5) 「부패방지 및 국민권익위원회의 설치와 운영에 관한 법률」

① **공직자의 부패행위신고의무**: 공직자는 그 직무를 행함에 있어 다른 공직자가 부패행위를 한 사실을 알게 되었거나 부패행위를 강요 또는 제의받은 경우에는 지체 없이 이를 수사기관·감사원·위원회에 신고해야 한다.

② **국민감사청구**: 18세 이상의 국민은 공공기관의 사무처리가 법령위반 또는 부패행위로 인하여 공익을 현저히 해하는 경우 대통령령으로 정하는 일정한 수 이상의 국민의 연서로 감사원에 감사를 청구할 수 있다.

③ **내부고발자보호제도**: 누구든지 부패행위 등의 신고자에게 신고나 이와 관련한 진술, 자료 제출 등을 한 이유로 불이익조치를 하여서는 아니 된다.

④ **비위면직자 등의 취업제한**: 비위면직자 등(재직 중 직무와 관련된 부패행위로 당연퇴직·파면·해임된 자 또는 직무와 관련된 부패행위로 벌금 300만원 이상의 형의 선고를 받은 자 등)은 퇴직일, 판결이 확정된 날 또는 형의 집행이 종료되거나 집행을 받지 아니하기로 확정된 날 등으로부터 5년 동안 취업제한기관(공공기관, 대통령령으로 정하는 부패행위 관련 기관, 퇴직 전 5년간 소속하였던 부서 또는 기관의 업무와 밀접한 관련이 있는 영리사기업체 등)에 취업할 수 없다.

(6) 「부정청탁 및 금품등 수수의 금지에 관한 법률」

① **목적**: 이 법은 공직자에 대한 부정청탁 및 공직자의 금품등의 수수를 금지함으로써 공정한 직무수행을 보장하고 공공기관에 대한 국민의 신뢰를 확보하는 것을 목적으로 한다.

② **적용대상 공공기관 및 공직자**

㉠ 국회, 법원, 헌법재판소, 선거관리위원회, 감사원, 국가인권위원회, 고위공직자범죄수사처, 중앙행정기관과 그 소속 기관 및 지방자치단체(「국가공무원법」 및 「지방공무원법」에 따른 공무원과 그 밖의 다른 법률에 따라 공무원으로 인정된 사람)

㉡ 「공직자윤리법」에 따른 공직유관단체 및 「공공기관의 운영에 관한 법률」에 따른 기관(공직유관단체 및 기관의 장과 그 임직원)

㉢ 「초·중등교육법」, 「고등교육법」, 「유아교육법」 및 그 밖의 다른 법령에 따라 설치된 각급 학교 및 「사립학교법」에 따른 학교법인(각급 학교의 장과 교직원 및 학교법인의 임직원)

㉣ 「언론중재 및 피해구제 등에 관한 법률」에 따른 언론사(언론사의 대표자와 임직원)

③ **부정청탁의 금지**

㉠ 누구든지 직접 또는 제3자를 통하여 직무를 수행하는 공직자 등에게 다음의 어느 하나에 해당하는 부정청탁을 해서는 아니 된다.

ⓐ 인가·허가·면허·특허·승인·검사·검정·시험·인증·확인 등 법령에서 일정한 요건을 정하여 놓고 직무관련자로부터 신청을 받아 처리하는 직무에 대하여 법령을 위반하여 처리하도록 하는 행위

ⓑ 인가 또는 허가의 취소, 조세, 부담금, 과태료, 과징금, 이행강제금, 범칙금, 징계 등 각종 행정처분 또는 형벌부과에 관하여 법령을 위반하여 감경·면제하도록 하는 행위

ⓒ 모집·선발·채용·승진·전보 등 공직자 등의 인사에 관하여 법령을 위반하여 개입하거나 영향을 미치도록 하는 행위

ⓓ 법령을 위반하여 각종 심의·의결·조정 위원회의 위원, 공공기관이 주관하는 시험·선발 위원 등 공공기관의 의사결정에 관여하는 직위에 선정 또는 탈락되도록 하는 행위

ⓔ 공공기관이 주관하는 각종 수상, 포상, 우수기관 선정 또는 우수자·장학생 선발에 관하여 법령을 위반하여 특정 개인·단체·법인이 선정 또는 탈락되도록 하는 행위

ⓕ 입찰·경매·개발·시험·특허·군사·과세 등에 관한 직무상 비밀을 법령을 위반하여 누설하도록 하는 행위

ⓖ 계약 관련 법령을 위반하여 특정 개인·단체·법인이 계약의 당사자로 선정 또는 는 탈락되도록 하는 행위

ⓗ 보조금·장려금·출연금·출자금·교부금·기금 등의 업무에 관하여 법령을 위반하여 특정 개인·단체·법인에 배정·지원하거나 투자·예치·대여·출연·출자하도록 개입하거나 영향을 미치도록 하는 행위

ⓘ 공공기관이 생산·공급·관리하는 재화 및 용역을 특정 개인·단체·법인에게 법령에서 정하는 가격 또는 정상적인 거래관행에서 벗어나 매각·교환·사용·수익·점유하도록 하는 행위

ⓙ 각급 학교의 입학·성적·수행평가·논문심사·학위수여 등의 업무에 관하여 법령을 위반하여 처리·조작하도록 하는 행위

ⓚ 병역판정검사, 부대 배속, 보직 부여 등 병역 관련 업무에 관하여 법령을 위반하여 처리하도록 하는 행위

ⓛ 공공기관이 실시하는 각종 평가·판정·인정 업무에 관하여 법령을 위반하여 평가, 판정 또는 인정하게 하거나 결과를 조작하도록 하는 행위

ⓜ 법령을 위반하여 행정지도·단속·감사·조사 대상에서 특정 개인·단체·법인이 선정·배제되도록 하거나 행정지도·단속·감사·조사의 결과를 조작하거나 또는 그 위법사항을 묵인하게 하는 행위

ⓝ 사건의 수사·재판·심판·결정·조정·중재·화해, 형의 집행, 수형자의 지도·처우·계호 또는 이에 준하는 업무를 법령을 위반하여 처리하도록 하는 행위

ⓞ 위의 부정청탁의 대상이 되는 업무에 관하여 공직자 등이 법령에 따라 부여받은 지위·권한을 벗어나 행사하거나 권한에 속하지 아니한 사항을 행사하도록 하는 행위

ⓛ 제1항(ⓘ)에도 불구하고 다음의 어느 하나에 해당하는 경우에는 이 법을 적용하지 아니한다.

ⓐ 「청원법」, 「민원사무 처리에 관한 법률」, 「행정절차법」, 「국회법」 및 그 밖의 다른 법령·기준에서 정하는 절차·방법에 따라 권리침해의 구제·해결을 요구하거나 그와 관련된 법령·기준의 제정·개정·폐지를 제안·건의하는 등 특정한 행위를 요구하는 행위

ⓑ 공개적으로 공직자 등에게 특정한 행위를 요구하는 행위

ⓒ 선출직 공직자, 정당, 시민단체 등이 공익적인 목적으로 제3자의 고충민원을 전달하거나 법령·기준의 제정·개정·폐지 또는 정책·사업·제도 및 그 운영 등의 개선에 관하여 제안·건의하는 행위

ⓓ 공공기관에 직무를 법정기한 안에 처리하여 줄 것을 신청·요구하거나 그 진행 상황·조치결과 등에 대하여 확인·문의 등을 하는 행위

ⓔ 직무 또는 법률관계에 관한 확인·증명 등을 신청·요구하는 행위

ⓕ 질의 또는 상담형식을 통하여 직무에 관한 법령·제도·절차 등에 대하여 설명 이나 해석을 요구하는 행위

ⓖ 그 밖에 사회상규(社會常規)에 위배되지 아니하는 것으로 인정되는 행위

④ 금품등의 수수 금지

㉠ 공직자 등은 직무 관련 여부 및 기부·후원·증여 등 그 명목에 관계없이 동일인으로부터 1회에 100만원 또는 매 회계연도에 300만원을 초과하는 금품등을 받거나 요구 또는 약속해서는 아니 된다. 이를 위반한 공직자 등에 대하여 3년 이하의 징역 또는 3천만원 이하의 벌금에 처한다(형사처벌).

㉡ 공직자 등은 직무와 관련하여 대가성 여부를 불문하고 제1항(㉠)에서 정한 금액 이하의 금품등을 받거나 요구 또는 약속해서는 아니 된다. 이를 위반한 공직자 등에 대하여 3천만원 이하의 과태료를 부과한다(행정처분).

㉢ 외부강의 등에 관한 사례금 또는 다음의 어느 하나에 해당하는 금품등의 경우에는 수수를 금지하는 금품등에 해당하지 아니한다.

ⓐ 공공기관이 소속 공직자 등이나 파견 공직자 등에게 지급하거나 상급 공직자 등이 위로·격려·포상 등의 목적으로 하급 공직자 등에게 제공하는 금품등

ⓑ 원활한 직무수행 또는 사교·의례 또는 부조의 목적으로 제공되는 음식물·경조사비·선물 등으로서 대통령령으로 정하는 가액 범위 안의 금품등. 다만, 선물 중 농수산물 및 농수산가공품은 대통령령으로 정하는 설날·추석을 포함한 기간에 한정하여 그 가액 범위를 두배로 한다.

> **핵심정리 | 대통령령이 정하는 가액 범위 안의 금품등**(청탁금지법 시행령)
>
> 1. **음식물** : 3만원
> 2. **경조사비** : 축의금·조의금은 5만원(이를 대신하는 화환·조화는 10만원)
> 3. **선물** : 금전, 유가증권(상품권은 제외), 음식물, 경조사비를 제외한 일체의 물품, 상품권 (물품상품권 및 용역상품권만 해당) 및 그 밖에 이에 준하는 것은 5만원(농수산물이나 농수산가공품은 15만원. 다만, 설날·추석을 포함한 기간 중에는 30만원)

ⓒ 사적 거래(증여 제외)로 인한 채무의 이행 등 정당한 권원(權原)에 의하여 제공되는 금품등

ⓓ 공직자 등의 친족이 제공하는 금품등

ⓔ 공직자 등과 관련된 직원상조회·동호인회·동창회·향우회·친목회·종교단체·사회단체 등이 정하는 기준에 따라 구성원에게 제공하는 금품등 및 그 소속 구성원 등 공직자 등과 특별히 장기적·지속적인 친분관계를 맺고 있는 자가 질병·재난 등으로 어려운 처지에 있는 공직자 등에게 제공하는 금품등

PART · 02

**O·X 문제**

1. 「부정청탁 및 금품등 수수의 금지에 관한 법률」상 공개적으로 공직자 등에게 특정한 행위를 요구하는 행위는 부정청탁에 해당하지 않는다. (  )

**O·X 문제**

2. 현행 「부정청탁 및 금품등 수수의 금지에 관한 법률」에 의하면 공직자는 직무 관련 여부와 관계없이 동일인으로부터 1회에 100만원 또는 매 회계연도에 300만원을 초과하는 금품등을 받을 수 없다. (  )

3. 「부정청탁 및 금품등 수수의 금지에 관한 법률」에 의하면 공직자 등이 직무와 관련하여 1회 100만원 이하의 금품을 수수하는 경우 형사처벌할 수 있다. (  )

**O·X 문제**

4. 경조사비는 축의금, 조의금은 5만원까지 가능하고, 축의금과 조의금을 대신하는 화환이나 조화는 10만원까지 가능하다. (  )

5. 「부정청탁 및 금품등 수수의 금지에 관련 법률 시행령」에 의하면 유가증권은 5만원, 음식물은 3만원을 가액범위로 하고 있다. (  )

6. 특정인에게 배포하기 위한 기념품 또는 홍보용품 등이나 경연·추첨을 통하여 받는 보상 또는 상품 등은 현행 「부정청탁 및 금품등 수수의 금지에 관한 법률」상 수수를 금지하는 금품등에 해당하지 아니한다. (  )

**O·X 정답** 1. ○ 2. ○ 3. × 4. ○ 5. × 6. ×

ⓕ 공직자 등의 직무와 관련된 공식적인 행사에서 주최자가 참석자에게 통상적인 범위에서 일률적으로 제공하는 교통, 숙박, 음식물 등의 금품등

ⓖ 불특정 다수인에게 배포하기 위한 기념품 또는 홍보용품 등이나 경연·추첨을 통하여 받는 보상 또는 상품 등

ⓗ 그 밖에 다른 법령·기준 또는 사회상규에 따라 허용되는 금품등

(7) 「공직자의 이해충돌 방지법」[제정(21. 5. 18.), 시행(22. 5. 19.)]

① 목적 : 공직자의 직무수행과 관련한 사적 이익추구를 금지함으로써 공직자의 직무수행 중 발생할 수 있는 이해충돌을 방지하여 공정한 직무수행을 보장하고 공공기관에 대한 국민의 신뢰를 확보하는 것을 목적으로 한다.

② 적용범위

㉠ 공공기관 : ⓐ 국회, 법원, 헌법재판소, 선거관리위원회, 감사원, 고위공직자범죄수사처, 국가인권위원회, 중앙행정기관(대통령과 국무총리 소속기관 포함)과 그 소속기관, ⓑ 자치단체의 집행기관 및 지방의회, ⓒ 교육행정기관, ⓓ 공직유관단체, ⓔ 공공기관, ⓕ 각급 국·공립 학교

㉡ 공직자 : ⓐ 「국가공무원법」 또는 「지방공무원법」에 따른 공무원과 그 밖에 다른 법률에 따라 공무원으로 인정된 사람, ⓑ 공공기관의 장과 그 임직원, ⓒ 각급 국·공립 학교의 장과 교직원

㉢ 직무관련자 : ⓐ 공직자의 직무수행과 관련하여 일정한 행위나 조치를 요구하는 개인이나 법인 또는 단체, ⓑ 공직자의 직무수행과 관련하여 이익 또는 불이익을 직접적으로 받는 개인이나 법인 또는 단체, ⓒ 공직자가 소속된 공공기관과 계약을 체결하거나 체결하려는 것이 명백한 개인이나 법인 또는 단체, ⓓ 공직자의 직무수행과 관련하여 이익 또는 불이익을 직접적으로 받는 다른 공직자

㉣ 사적이해관계자 : ⓐ 공직자 자신 또는 그 가족, ⓑ 공직자 자신 또는 그 가족이 임원·대표자·관리자 또는 사외이사로 재직하고 있는 법인 또는 단체, ⓒ 공직자 자신이나 그 가족이 대리하거나 고문·자문 등을 제공하는 개인이나 법인 또는 단체, ⓓ 공직자로 채용·임용되기 전 2년 이내에 공직자 자신이 재직하였던 법인 또는 단체, ⓔ 공직자로 채용·임용되기 전 2년 이내에 공직자 자신이 대리하거나 고문·자문 등을 제공하였던 개인이나 법인 또는 단체, ⓕ 공직자 자신 또는 그 가족이 대통령령으로 정하는 일정 비율 이상의 주식·지분 또는 자본금 등을 소유하고 있는 법인 또는 단체, ⓖ 최근 2년 이내에 퇴직한 공직자로서 퇴직일 전 2년 이내에 직무를 수행하는 공직자와 대통령령으로 정하는 범위의 부서에서 같이 근무하였던 사람, ⓗ 그 밖에 공직자의 사적 이해관계와 관련되는 자로서 대통령령으로 정하는 자

③ 이해충돌방지의무

㉠ 이해충돌 : 공직자가 직무를 수행할 때에 자신의 사적 이해관계가 관련되어 공정하고 청렴한 직무수행이 저해되거나 저해될 우려가 있는 상황을 말한다.

㉡ 국가 등의 책무

ⓐ 국가는 공직자가 공정하고 청렴하게 직무를 수행할 수 있는 근무 여건을 조성하기 위하여 노력하여야 한다.

ⓑ 공공기관은 공직자가 사적 이해관계로 인하여 공정하고 청렴한 직무수행에 지장을 주지 아니하도록 이해충돌을 효과적으로 확인·관리하기 위한 조치를 하여야 한다.

ⓒ 공공기관은 공직자가 위반행위 신고 등 이 법에 따른 조치를 함으로써 불이익을 당하지 아니하도록 적절한 보호조치를 하여야 한다.

ⓒ 공직자의 의무

ⓐ 공직자는 사적 이해관계에 영향을 받지 아니하고 직무를 공정하고 청렴하게 수행하여야 한다.

ⓑ 공직자는 직무수행과 관련하여 공평무사하게 처신하고 직무관련자를 우대하거나 차별하여서는 아니 된다.

ⓒ 공직자는 사적 이해관계로 인하여 공정하고 청렴한 직무수행이 곤란하다고 판단하는 경우에는 직무수행을 회피하는 등 이해충돌을 방지하여야 한다.

④ 공직자의 이해충돌 방지 및 관리

㉠ 사적이해관계자의 신고 및 회피·기피 신청 : 인·허가 등 특정직무를 수행하는 공직자는 직무관련자가 사적이해관계자임을 안 경우 안 날부터 14일 이내에 소속기관장에게 그 사실을 서면으로 신고하고 회피를 신청하여야 한다.

㉡ 공공기관 직무 관련 부동산 보유·매수 신고 : 부동산을 직접적으로 취급하는 공공기관의 공직자는 소속 공공기관의 업무와 관련된 부동산을 보유하고 있거나 매수하는 경우 소속기관장에게 그 사실을 서면으로 신고하여야 한다.

㉢ 사적이해관계자의 신고 등에 대한 조치 : 신고·회피신청이나 기피신청 또는 부동산 보유·매수 신고를 받은 소속기관장은 해당 공직자의 직무수행에 지장이 있다고 인정하는 경우에는 ⓐ 직무수행의 일시 중지 명령, ⓑ 직무 대리자 또는 직무 공동수행자의 지정, ⓒ 직무 재배정, ⓓ 전보조치 중 어느 하나에 해당하는 행위를 하여야 한다.

㉣ 고위공직자의 민간 부문 업무활동 내역 제출 및 공개 : 고위공직자는 그 직위에 임용되거나 임기를 개시하기 전 3년 이내에 민간부문에서 업무활동을 한 경우, 그 활동 내역을 그 직위에 임용되거나 임기를 개시한 날부터 30일 이내에 소속기관장에게 제출하여야 한다.

㉤ 직무관련자와의 거래 신고 : 공직자는 자신, 배우자 또는 직계존·비속 또는 특수관계사업자가 공직자 자신의 직무관련자와 금전 거래, 부동산 거래, 계약 체결에 해당하는 행위를 한다는 것을 사전에 안 경우에는 안 날부터 14일 이내에 소속기관장에게 그 사실을 서면으로 신고하여야 한다.

㉥ 직무 관련 외부활동의 제한 : 공직자는 직무관련자에게 사적으로 노무 또는 조언·자문 등을 제공하고 대가를 받는 행위, 소속 공공기관의 소관 직무와 관련된 지식이나 정보를 타인에게 제공하고 대가를 받는 행위 등을 하여서는 아니 된다.

㉦ 가족 채용 제한 : 공공기관은 소속 고위공직자, 채용업무를 담당하는 공직자, 해당 산하 공공기관의 감독기관인 공공기관 소속 고위공직자, 해당 자회사의 모회사인 공공기관 소속 고위공직자에 해당하는 공직자의 가족을 채용할 수 없다.

O·X 문제

1. 「공직자의 이해충돌 방지법」에 의하면 인·허가를 담당하는 공직자는 자신의 직무관련자가 사적이해관계자임을 안 경우 안 날로부터 14일 이내에 소속기관장에게 그 사실을 서면으로 신고하고 회피를 신청하여야 한다. (  )

2. 「공직자의 이해충돌 방지법」에 의하면 고위공직자는 그 직위에 임용되거나 임기를 개시하기 전 3년 이내에 민간 부문에서 업무활동을 한 경우, 그 활동 내역을 그 직위에 임용되거나 임기를 개시한 날부터 30일 이내에 소속기관장에게 제출하여야 한다. (  )

3. 우리나라의 「공직자의 이해충돌 방지법」에는 백지신탁제도가 규정되어 있지 않다. (  )

O·X 정답 1. ○  2. ○  3. ○

◎ 수의계약 체결 제한: 공공기관은 소속 고위공직자, 해당 계약업무를 법령상·사실상 담당하는 소속 공직자, 해당 산하 공공기관의 감독기관 소속 고위공직자, 해당 자회사의 모회사인 공공기관 소속 고위공직자, 해당 상임위원회 위원으로서 직무를 담당하는 국회의원, 공공기관을 감사 또는 조사하는 지방의원 등(배우자, 직계존·비속 포함)과 물품·용역·공사 등의 수의계약을 체결할 수 없다.

ⓩ 공공기관 물품 등의 사적 사용·수익 금지: 공직자는 공공기관이 소유하거나 임차한 물품·차량·선박·항공기·건물·토지·시설 등을 사적인 용도로 사용·수익하거나 제3자로 하여금 사용·수익하게 하여서는 아니 된다.

ⓩ 직무상 비밀 등 이용 금지: 공직자는 직무수행 중 알게 된 비밀 또는 소속 공공기관의 미공개정보를 이용하여 재물 또는 재산상의 이익을 취득하거나 제3자로 하여금 재물 또는 재산상의 이익을 취득하게 하여서는 아니 된다.

㉣ 퇴직자 사적 접촉 신고: 공직자는 직무관련자인 소속기관의 퇴직자와 사적 접촉을 하는 경우 소속기관장에게 신고하여야 한다.

⑤ 이해충돌 방지에 관한 업무의 총괄 등
㉠ 업무총괄: 국민권익위원회는 공직자의 이해충돌 방지에 관한 업무를 관장한다.
㉡ 위반행위의 신고 등: 누구든지 이 법의 위반행위가 발생하였거나 발생하고 있다는 사실을 알게 된 경우에는 이 법의 위반행위가 발생한 공공기관 또는 그 감독기관, 감사원 또는 수사기관, 국민권익위원회에 신고할 수 있다.
㉢ 기타: 위반행위 신고자 등의 보호·보상, 위반행위 신고의 처리, 위법한 직무처리에 대한 조치(공직자의 직무중지나 취소), 부당이득의 환수, 비밀누설 금지, 교육 및 홍보, 이해충돌방지담당관의 지정 등

⑥ 징계 및 벌칙
㉠ 징계: 공공기관의 장은 소속 공직자가 이 법 또는 이 법에 따른 명령을 위반한 경우에는 징계처분을 하여야 한다.
㉡ 벌칙 및 과태료: 이 법의 위반행위에 대하여서는 위반행위의 경중에 따라 징역이나 벌금을 부과하거나, 과태료를 부과한다.

(8) 「공직자 등의 병역사항 신고 및 공개에 관한 법률」
정무직 국가 및 지방공무원, 4급 이상 일반직 국가 및 지방공무원과 이에 상당하는 별정직 공무원 등은 본인과 18세 이상인 직계비속의 병역처분, 군복무사실, 병역면제 등에 관한 사항을 소속기관에 신고하여야 한다.

**핵심정리 | 공직윤리 관련 법률 정리**

| | | |
|---|---|---|
| 「국가공무원법」<br>(공무원의 13대 의무) | • 성실의무<br>• 복종의무<br>• 친절 · 공정의무<br>• 종교중립의무<br>• 청렴의무<br>• 영리 · 겸직금지의무<br>• 비밀준수의무 | • 영예 등 제한<br>• 집단활동금지의무<br>• 선서의무<br>• 직장이탈금지의무<br>• 품위유지의무<br>• 정치적 중립의무 |
| 「공직자윤리법」 | • 재산등록 및 공개의무<br>• 퇴직공직자의 취업제한<br>• 직무관련성 있는 주식의 매각 또는 신탁 | • 이해충돌 방지의무<br>• 외국인 또는 외국 정부로부터 받은 선물신고 |
| 「부패방지 및 국민권익위원회 설치 · 운영법」 | • 부패신고 의무<br>• 비위면직자 취업제한<br>• 공무원 행동강령 | • 국민감사청구<br>• 내부고발자 보호 |
| 「부정청탁 및 금품등 수수의 금지 법률」 | • 부정청탁 금지 | • 금품수수 금지 |
| 「공직자의 이해충돌 방지법」 | 이해충돌 방지의무 | |

# CHAPTER 02 행정개혁

## 제 1 절 행정개혁 일반론

### 01 행정개혁(정부혁신)의 의의

#### 1. 의 의

**(1) 개 념**

행정개혁이란 행정을 현재보다 더 나은 상태로 개선하기 위해 새로운 방법을 고안하여 적용하려는 의식적·인위적 노력을 의미한다. 행정개혁은 조직개편이나 관리기술의 개선뿐만 아니라 시장과의 관계에서 정부의 역할, 조직운영방식, 행정인의 가치관 및 신념·태도 등의 변화를 포함한다.

**(2) 특 징**

① **목표(가치)지향성·변동지향성**: 행정개혁은 의도적으로 설정된 목표와 가치를 계획적으로 추진하여 현 상태를 타파하고 바람직한 미래상태를 지향하는 변화과정이다. 행정개혁은 변화를 추구한다는 점에서 사회의 안정과는 구별된다.

② **의식성·인위성·계획성·행동지향성**: 행정개혁은 성공 여부에 대한 불확실성 속에서 새로운 방법을 고안하여 실천하려는 인위적·의식적·계획적·행동지향적 과정이다. 행정개혁은 인위적·의식적 노력이라는 점에서 수동적·소극적인 환경적응과는 구별된다.

③ **저항성**: 행정개혁이 지향하는 의도적인 변화는 현상을 유지하려는 세력들에 의하여 필연적으로 저항을 수반하게 된다.

④ **지속성·계속성·동태성**: 행정개혁은 일시적·즉흥적·단절적·단선적 과정이 아니라 그 결과에 대하여 끊임없이 평가와 환류가 진행되는 지속적·계속적·동태적·다선형적 변화 과정이다.

⑤ **정치성(정치적·사회심리적 과정)**: 행정개혁은 정치적 환경과 정치적 지지에 의존하며, 정치·경제적 권력 투쟁과 타협, 설득과 양보 등의 정치적 요소를 수반하는 정치적·사회심리적 과정이다.

⑥ **개방성·생태성**: 행정개혁은 환경으로부터 영향을 받으며, 환경을 변화시키기도 하는 개방적·능동적·생태적 과정이다.

⑦ **포괄적 관련성**: 행정개혁은 내재적 요인(조직원의 가치관과 행태)뿐만 아니라 외재적 요인(국민의 지지) 등과도 관련된 포괄적 활동이다.

### (3) 촉진요인

① **정치적 변혁 및 새로운 행정이념의 추구**: 정치적 변혁(집권당 교체, 새로운 정치세력의 등장 등) 또는 최고지도자의 정치이념의 변화로 행정이 기존의 가치와 다른 가치를 지향하게 되는 경우 행정개혁이 촉발된다.

② **새로운 기술의 등장**: 과학기술의 발달로 인한 새로운 기술의 등장은 공무원들의 일하는 방식의 변화를 요구하기 때문에 행정개혁이 촉발된다.

③ **비능률의 제거**: 불필요한 행정기능의 중복, 과다 팽창된 조직·예산 등을 정비하여 행정의 능률성을 제고할 목적으로 행정개혁이 촉발된다.

④ **국제적 환경 변화**: 세계화로 인하여 글로벌 표준이 중시되면서 국제규범을 준수할 목적으로 행정개혁이 촉발된다.

⑤ **새로운 행정수요에 대응**: 행정환경의 변화는 새로운 행정수요를 발생시키며, 이에 대한 대응을 위해 행정개혁이 촉발된다.

⑥ **기타**: 행정의 낙후성 및 폐단 극복, 권력투쟁의 산물, 관료의 이익 추구, 정치적 상징 등의 이유로 행정개혁이 촉발되기도 한다.

## 2. 행정개혁의 접근방법

### (1) 구조적 접근방법

① **의의**: 조직구조의 합리적 설계를 통해 행정개혁의 목표를 달성하려는 접근방법이다. 이 접근방법은 행정학 성립 초기 전통적 조직이론에 근거를 둔 미국의 행정개혁(과학적 관리론, 관료제론, 원리주의 등) 과정에서 강조되었다.

② **주요 전략**

⑴ **원리전략**: 최적의 조직구조를 형성하기 위해 ⓐ 기구·직제의 간소화와 기능중복의 제거(공무원 수의 감축), ⓑ 책임의 재규정, ⓒ 조정 및 통제절차의 개선, ⓓ 표준적 절차의 간소화, ⓔ 의사소통체제의 개선, ⓕ 통솔범위의 수정 등을 추진하는 전략이다. 원리전략은 조직의 원리(명령통일·계층제·조정의 원리)의 변화와 리스트럭처링(restructuring)을 중시한다.

⑵ **분권화전략(의사결정 권한의 수정)**: 조직의 분권화를 통해 계층수를 줄이고, 명령과 책임계통을 명확히 하며, 막료서비스의 확립을 추구하는 전략이다. 분권화전략은 공식적인 조직구조뿐만 아니라 관리자의 행태와 의사결정의 변화까지도 포함하는 종합적 성격을 띠고 있다.

③ **평가**: 조직 내부의 구조개선에는 유리하지만 조직 내의 인간적 요소, 조직의 동태적 성격, 조직과 환경과의 관계 등에 대한 충분한 고려가 없다.

### (2) 관리·기술적(과정적) 접근방법

① **의의**: 행정이 수행되는 절차나 과정·기술·장비의 개혁을 통해 행정성과의 향상을 도모하려는 전략이다. 이 전략은 조직 내의 운영과정 또는 일의 흐름 개선 등을 중시하며, 관리혁신을 추구하는 신공공관리론에서 강조되었다.

PART · 02

**O·X 문제**

1. 행정개혁의 구조적 접근법은 기능 중복의 제거, 의사전달체계의 수정 등을 통해 조직을 개선하려는 전략이다. (  )

2. 구조적 접근은 OD(조직발전)나 TQM(총체적 품질관리) 등의 기법을 활용한다. (  )

O·X 정답 1. ○ 2. ×

② **특징**: ㉠ 관리과학(OR)·체제분석(B/C분석) 등의 새로운 분석기법의 도입, ㉡ 컴퓨터의 활용(EDPS, PMIS)·사무자동화(OA) 등의 새로운 기술의 도입, ㉢ BPR(리엔지니어링)·TQM(총체적 품질관리)·BSC(균형성과표) 등을 통한 행정조직 내의 운영(관리)과정 및 일의 흐름 개선 등이 이에 속한다.

③ **평 가**

㉠ 장점: 기술적 혁신은 업무수행절차뿐만 아니라 조직의 구조와 인간의 행태에까지 영향을 미쳐 행정개혁의 성공가능성이 높다.

㉡ 단점: 기술을 독립변수로, 조직의 구조와 인간을 종속변수로 파악함으로써 현실세계를 지나치게 단순화(기계적 모형)할 뿐만 아니라 기술과 인간의 갈등관계를 과소평가하고 있다.

(3) **인간관계적(행태적) 접근방법**

① 의의: 개혁의 초점을 인간행태의 변화에 두고 행정인의 가치관과 행태를 의도적으로 변화시켜 행정체제 전체의 바람직한 변화를 유도하려는 접근방법이다. 이 접근방법은 인간관계론과 행정행태론에서 강조되었다.

② 특징: 감수성훈련, 태도조사, 집단토론 등 조직발전(OD)전략 및 목표에 의한 관리(MBO)에 의해 구성원의 심리적 욕구를 충족시켜 조직과 개인의 목표를 조화시키고자 하는 민주적·분권적·상향적·참여적 접근방법이다.

③ **평 가**

㉠ 장점: 개혁의 지속성을 보장할 수 있고, 조직의 활력을 제고할 수 있다.

㉡ 단점: 행태 변화를 추구하므로 장기간이 소요되며, 구성원의 참여를 전제로 하므로 권위주의 문화가 지배하는 사회에서는 적용하기 곤란하다.

(4) **종합적(체제적) 접근방법**

① 의의: 특정한 하나의 방법으로 행정개혁 전반을 다루기 곤란하므로 개방체제의 관점에서 개혁대상의 구성요소(구조, 인간, 과정, 환경)들을 포괄적으로 관찰하고 여러 가지 접근방법을 통합해 해결방안을 탐색하는 접근방법이다.

② 평가: 개혁추진자들의 실천적인 작업에 큰 부담을 주어 널리 활용되지 못한다.

(5) **기타 접근방법**

① **사업(산출, 정책) 중심적 접근방법**: 행정활동의 목표를 개선하고, 행정서비스의 양과 질을 개선하려는 접근방법이다. 이 접근방법은 각종 정책분석과 평가, 생산성 측정, 직무검사와 행정책임 평가 등을 중시한다.

② **문화론적 접근방법**: 행정문화를 개혁함으로써 행정체제의 보다 근본적이고 장기적인 개혁을 성취하려는 접근방법이다. 이 접근방법은 행정체제의 근본적이고 심층적인 개혁과 개혁의 지속적 정착에 초점이 있다.

## 3. 행정개혁의 추진전략

### (1) 행정개혁의 과정 – 케이든(Caiden) 모형

케이든에 의하면 행정개혁의 과정은 ① 개혁의 필요성을 인지하는 '인지단계', ② 개혁 방안을 모색하는 '입안단계', ③ 입안된 개혁을 실행에 옮기는 '시행단계', ④ 행정개혁의 전체적인 진행상태와 사안별 성과분석 및 환류상태를 점검하는 '평가단계'로 구성된다.

### (2) 행정개혁의 추진체계 – 내부자 주도형과 외부자 주도형

| 구 분 | 내부자 주도형 | 외부자 주도형 |
|---|---|---|
| 장 점 | • 현실성 및 실현가능성 높은 개혁안 마련<br>• 시간과 경비 절감<br>• 기관 내부의 이익 고려 가능 | • 객관적·종합적 개혁안의 마련으로 국민의 광범위한 지지 확보<br>• 권력구조의 근본적인 재편성 가능<br>• 개혁의 전문성 확보 |
| 단 점 | • 객관성과 종합성이 결여된 보수적인 개혁(사소한 사무관리)에 치중<br>• 광범위한 지지 확보 곤란<br>• 권력구조의 근본적 재편성 곤란 | • 실현가능성 낮은 개혁안 제시<br>• 시간과 비용의 과다 소모<br>• 기관 내부 이익이나 현실여건을 무시함으로써 관료들의 저항 유발 |

### (3) 행정개혁의 속도와 범위 – 포괄적·급진적 전략과 점진적·부분적 전략

| 구 분 | 포괄적·급진적 전략 | 점진적·부분적 전략 |
|---|---|---|
| 의 의 | 일시에 근본적으로 변화를 달성하려는 전략 | 점진적이고 완만하게 변화를 달성하려는 전략 |
| 장 점 | • 유능한 개혁지도자가 존재할 때 유리<br>• 신속한 변화 도입 가능<br>• 개발도상국에서 유리 | • 사회와 조직의 안정성 확보<br>• 복잡하고 불확실한 행정환경에 적합<br>• 고통과 저항의 완만한 상승 |
| 단 점 | • 전방위적 저항을 유발하여 사회의 안정성 저해<br>• 고통과 저항의 급격화 | • 지속적 개혁으로 개혁의 피로감과 싫증 유발<br>• 개혁의 방향과 목표 상실 야기 |

### (4) 개혁의 추진방향 – 명령적·하향적 전략과 참여적·상향적 전략

| 구 분 | 명령적·하향적 전략<br>(top-down 방식) | 참여적·상향적 전략<br>(bottom-up 방식) |
|---|---|---|
| 의 의 | 구성원의 참여 없이 상층부에서 일방적으로 추진하는 전략 | 구성원의 참여를 통해 그들의 의견을 반영하여 추진하는 전략 |
| 장 점 | • 신속한 변화가 필요할 때 유리<br>• 리더의 권위가 존재할 때 유리 | • 구성원의 사기와 책임감 제고<br>• 저항의 최소화 및 개혁효과의 지속성 확보 |
| 단 점 | 저항 발생 가능성 높음. | 신속한 변화 추구 곤란 |

### (5) 개혁의 추진전략과 성공가능성

내부주도형, 점진적·부분적 전략, 참여적·상향적 전략이 외부주도형, 포괄적·급진적 전략, 명령적·하향적 전략보다 저항이 약하고 성공가능성이 높다.

---

**심화학습**

**행정개혁과정**

| 단계 | 내용 |
|---|---|
| 인지 단계 | 현실수준(실적)이 기대수준(기준)에 미달되는 차이를 발견하고 개혁의 필요성을 확인한 뒤 그에 관한 합의를 형성하는 단계 |
| 입안 단계 | 작성자(외부자 주도형과 내부자 주도형), 개혁범위와 수준(전방위적 개혁과 부분적 개혁), 개혁전략(점진적 전략과 급진적 전략), 개혁안의 수 등을 고려하는 단계 |
| 시행 단계 | 개혁안을 집행할 행동주체를 선정하고 개혁의 실천에 필요한 법안의 정비, 예산의 마련, 이를 집행하는 공무원의 훈련 등의 조치를 취하는 단계 |
| 평가 단계 | 행정개혁의 시행과정과 결과를 검토하여 개혁이 원래의 의도대로 실천되고, 기대한 효과를 성취했는지를 확인하고 발견된 문제점을 개선하는 단계 |

**O·X 문제**

1. 행정개혁의 저항을 줄이기 위해서는 외부집단에 의한 개혁추진이 바람직하다. ( )

2. 행정개혁의 추진전략과 성패와 관련하여 보다 저항이 약하고 성공가능성이 높은 전략으로는 포괄적·급진적 개혁, 내부주도형 개혁, 참여적·상향적 개혁 등이 있다. ( )

O·X 정답 1. × 2. ×

## 02 행정개혁의 저항 및 극복방안

### 1. 행정개혁의 저항

(1) 의의

행정개혁은 인위적으로 현상을 타파하고 새로운 상태를 조성하려는 것으로 필연적으로 저항을 수반한다. 특히, 행정은 보수적이고 경직적인 성향을 지녀 저항이 보다 크게 발생할 수 있다.

(2) 저항의 발생원인

① 개혁의 목표와 내용에 기인한 저항 : ㉠ 이익과 권한 상실 등 이해관계가 상충될 때, ㉡ 개혁내용이 불명확하여 개혁을 위한 행동기준을 알지 못할 때, ㉢ 개혁추진자 및 개혁성과에 대하여 불신할 때, ㉣ 자신의 과거 행동의 정통성이 상실될 때, ㉤ 개혁 이전에 투자된 비용인 매몰비용이 클 때, ㉥ 비공식적 인간관계와 부조화를 이룰 때 저항이 발생한다.

② 개혁의 추진방법과 절차에 기인한 저항 : ㉠ 개혁목표를 달성하기 위한 추진전략이 제대로 수립되지 못했을 때, ㉡ 개혁과정에 참여가 배제되었을 때, ㉢ 의사전달의 장애로 개혁내용을 이해하지 못했을 때 저항이 발생한다.

③ 행태적·심리적 요인에 기인한 저항 : ㉠ 기득권 침해에 대한 우려, ㉡ 미지의 상황에 대한 불안감으로 인한 위험회피 성향, ㉢ 관습과 타성으로 인한 현상유지 편향, ㉣ 개혁대상자의 능력부족 및 재적응에 대한 부담감 등으로 저항이 발생한다.

### 2. 저항의 극복방안(저항관리 전략)

(1) 규범적·사회적 전략

① 의의 : 상징조작과 설득을 통해 대상집단의 심리적 저항요인을 약화시켜 나가는 전략으로, 외부 지지 세력과 연합하여 개혁을 추진할 때 효과적이다.

② 방법 : ㉠ 개혁지도자의 신망(카리스마) 제고와 솔선수범, ㉡ 의사소통의 개선 및 참여의 확대, ㉢ 사명감의 고취 및 역할 인식의 강화, ㉣ 시간적 여유 제공 등 적응 지원, ㉤ 가치갈등 해소, ㉥ 개혁의 당위성과 성과에 대한 정보제공 및 설득, ㉦ 교육훈련을 통한 자기계발 촉진, ㉧ 개혁안에 대한 집단토론 및 태도·가치관 변화를 위한 훈련 실시, ㉨ 자존적 욕구의 충족 및 불만해소 기회의 제공 등이 있다.

③ 평가 : 가장 이상적이고 근본적인 해결전략이나 시간과 비용이 많이 든다.

(2) 기술적·공리적 전략

① 의의 : 이익침해상황을 기술적으로 조정하거나 보상을 통해 저항을 회피하는 전략이다.

② 방법 : ㉠ 개인적으로 입게 되는 손해에 대한 적절한 보상, ㉡ 신분이나 보수의 유지, 임용상 불이익 방지, 일자리 알선 등을 약속하거나 지원하는 호혜적 방법, ㉢ 개혁에 유리한 시기 선택, ㉣ 개혁의 방법 및 기술의 융통성 있는 수정, ㉤ 신축성 있는 인사배치를 통한 불만 해소, ㉥ 개혁안의 명확화와 공공성 강조, ㉦ 개혁의 편익에 대한 홍보, ㉧ 개혁의 점진적 추진을 통한 적응성 제고 등이 있다.

③ 평가 : 비용을 수반하며, 개혁안의 수정으로 개혁의 의미가 퇴색될 위험성이 있다.

### (3) 강제적·억압적 전략

① 의의: 저항자에게 물리적 제재나 불이익의 위협을 가하는 전략이다.

② 방법: ㉠ 계층제(상·하 서열관계)상의 권한 사용, ㉡ 의식적인 긴장 조성, ㉢ 제재나 불이익의 위협 등 압력의 행사, ㉣ 권력구조의 개편 등이 있다.

③ 평가: 일방적이고 강압적인 비민주적 방법이다.

> **참고** | **개혁 실패 요인 – 개혁추진자의 포획**
>
> **1. 의 의**
>
> 개혁추진조직에 참여하는 사람들이 개혁대상조직의 영향하에 들어가 개혁대상조직의 이익을 옹호하는 현상
>
> **2. 원 인**
>
> | 개혁대상조직 측면 | 개혁추진조직 측면 |
> |---|---|
> | • 거대관료제(개혁대상조직)의 압도적 세력<br>• 개혁대상조직의 광범위한 행정적 폐단<br>• 개혁대상조직의 자원독점 및 정보통제<br>• 개혁대상조직의 강한 응집력 등 | • 개혁추진조직의 취약성(비전문성, 인력·자원의 부족 등)<br>• 개혁추진조직의 목표대치<br>• 개혁대상조직에의 동화(의존)<br>• 개혁대상조직과의 마찰회피<br>• 부패(corruption)의 영향 등 |

---

## 제 2 절 ┃ 선진국의 행정개혁(정부혁신)

### 01 배경과 방향

#### 1. 정부혁신의 배경 – 정부실패와 행정환경의 변화

공공부문의 비효율성에 따른 심각한 재정적자(정부실패), 경제의 광역화와 국가 간 경쟁의 심화(세계화), IT 기술의 출현(지식정보화) 등 행정환경의 변화로 인하여 최근 전 세계적으로 정부혁신이 추구되고 있다.

#### 2. 정부혁신의 기본방향

정부혁신의 방법과 전략은 나라마다 차이가 있지만 기본방향은 공통적으로 (1) 성과지향적 정부, (2) 고객지향적 정부, (3) 전문성을 갖춘 정부, (4) 전자정부와 지식정부, (5) 투명한 정부 등이라고 할 수 있다.

**PART · 02**

**O·X 문제**

1. 강제적 전략은 개혁 시기를 조절하고 상급자가 권력을 행사하는 것이다. ( )

**O·X 문제**

2. 강압적인 개혁의 추진이 포획현상을 야기한다. ( )

**O·X 정답** 1. × 2. ×

## 02 구체적 고찰

### 1. 미국

(1) 의의

1970년대 후반 재정적자 심화로 본격화된 미국의 정부혁신은 레이건(Reagan) 정부를 시작으로 클린턴(Clinton) 정부를 거쳐 현재에도 지속되고 있다.

(2) 레이건(Reagan)

영국의 대처리즘(Thatcherism)에 영향을 받아 신연방주의(지방분권화 정책)와 레이거노믹스(Reaganomics)에 의한 정부혁신을 주창하였다.

(3) 클린턴(Clinton) – '정부재창조'에 의한 기업가적 정부 구축

① 개혁기구 – 국정성과평가팀(NPR : National Performance Review) 창설

클린턴 정부는 문제와 해결책을 잘 아는 직업관료들로 국정성과평가팀(NPR)을 구성하였다. 그리고 이 기구를 통해 연방정부의 조직·기능·사업 전반을 재검토하고 ㉠ 관료적 문서주의(red tape) 제거, ㉡ 고객우선주의, ㉢ 성과창출을 위한 권한위임, ㉣ 채권회수·기술개발·감축관리 등 기본원칙으로의 복귀 등의 개혁방안을 제시하였고, 이 틀 속에서 조직·인사·예산·정책관리가 연계되는 통합성과관리체계(GPAR)를 정립하였다.

② 개혁내용

㉠ 성과관리체제의 확립 : 대통령과 장관 간 성과계약서 작성

㉡ 성과중심조직체 도입 : 영국 Next Steps의 Agency와 유사한 조직 설계

㉢ 전자정부의 확립 : 최초의 전자정부 프로그램인 'Access America' 구축

㉣ 탄력적 관리체제 구축 : 인사관리 권한의 대폭적 위임, 조달구매절차의 간소화 등 연방정부 내부의 관리규정 제거

㉤ 조직 및 사업개편 : 대폭적인 중앙부처의 통폐합이 아닌 지방사무소 통폐합을 통한 기구와 인력 축소, 불필요한 사업 폐지

㉥ 규제완화 및 규제대안 마련

㉦ 서비스 기준(스탠다드) 제도의 확립

③ 개혁입법

㉠ 정부 성과 및 결과에 관한 법률 : 성과와 예산 연계

㉡ 연방인력재편법 : 연방인력의 12% 감축

㉢ 정부관리개혁법 : 부처별로 재정책임관을 임명하고 기업회계 및 검사 실시

### 2. 영국

(1) 의의

1979년 재정위기를 계기로 본격화된 영국의 정부혁신은 보수당의 대처(Thatcher) 정부를 시작으로 노동당의 블레어(Blair) 정부를 거쳐 현재에도 지속적으로 추진되고 있다.

**심화학습**

**미국의 행정개혁사**

① **태프트위원회**(클리브랜드위원회, 능률과 절약에 관한 대통령위원회, 1910) : 품목별 예산제도의 법적 기초인 예산회계법 제안, 직위분류법 제정 건의

② **브라운로위원회**(행정관리에 관한 대통령위원회, 1936) : 대통령의 권한 확대를 뒷받침할 수 있는 제도와 기구 제안(대통령 참모·보좌관리 기구 확장)

③ **제1차 후버위원회**(1947) : 정부기능 중복 제거, 성과주의 예산 건의

④ **제2차 후버위원회**(정부행정위원회, 1953) : 정부활동의 민간이양 건의

⑤ **애쉬위원회**(행정부조직에 관한 대통령 자문위원회, 1971) : 독립규제위원회의 단독제로 전환 건의

### (2) 대처(Thatcher)

① **능률성 진단**(effciency scrutiny, 1979) : 내각사무처 내에 민·관이 혼합된 소수의 능률팀(efficiency unit)을 구성하여 주요 업무에 대한 능률성 진단 작업(시장성 테스트)을 수행케 하고 그 결과를 통해 불필요한 직무의 폐지·축소·민간이양, 절차 및 서식의 개선·간소화 등을 추진하였다.

② **재무관리개혁**(financial management initiative, 1982) : 중앙의 강력한 예산통제를 완화하여 정원 상한 및 총괄운영예산의 한도 내에서 관리자들에게 예산을 자율적으로 운영해 나가도록 하되, 성과평가를 통해 책임을 지도록 하였다(총괄경상비제도).

③ **Next Steps**(1988) : 중앙부처에서 담당하고 있는 집행 및 서비스 전달기능을 정책기능으로부터 분리하여 독립적인 책임운영기관(Executive Agency)에 의해 수행되도록 하였다.

### (3) 메이저(Major)

① **시민헌장제**(Citizen's Charter, 1991) : 행정의 궁극적 목표인 고객서비스의 질 향상을 목적으로 시민헌장제를 도입하였다.

② **공무원제도의 개혁** : 공무원의 계급구조를 폐지하고 고위공무원과 비고위공무원으로 구분하였으며, 고위공무원을 공개모집을 통하여 선발하는 계약제 임용방식을 도입하였다.

### (4) 블레어(Blair)

① **제3의 길 주창** : 보수주의와 진보주의를 결합한 제3의 길을 주창하였다.

② **제도전환** : 의무경쟁입찰(CCT)을 최고가치(Best Value)로 전환하였으며, 시민헌장제도를 개선하고 헌장마크제를 도입하였다.

## 3. 뉴질랜드

### (1) 의 의

1984년 집권한 노동당 정부(Lange 수상)에 의해 추진된 뉴질랜드의 정부혁신은 OECD 국가 중 가장 광범위하고 급진적인 정부혁신을 추진하였다.

### (2) 개혁내용

① **구조** : 상업적 성격의 정부기능을 공기업으로 대폭 전환하였으며, 공공기관의 3분의 2 정도(약 400여 개)를 책임운영기관으로 전환하였다.

② **인사** : 정부 전체의 인력규모를 1980년대 초반 약 8만 명에서 2001년 약 3만 명 수준으로 감축하였고 고위공무원단제를 도입하였다.

③ **예산** : 기존의 현금주의·단식부기 회계방식을 발생주의·복식부기 방식으로 전면 개편하였다.

④ **성과관리 – 사무차관제**(chief executive) **도입** : 공공관리위원회와 고용계약을 맺어 임용되고, 해당 장관과 매년 성과계약을 체결하여 업무를 수행하고 엄격한 성과평가를 받는 사무차관제를 도입하였다.

---

**심화학습**

**영국의 행정개혁사**

① **노스코트 & 트레빌리언 위원회**(1853) : 실적주의 제창

② **홀데인 위원회**(1917) : 정부기능 재분류 등 기능주의 원칙 제의

③ **폴턴 위원회**(1966) : 영국의 인사제도 개혁에 영향

④ **레이너 보고서**(1979) : 대처의 행정개혁에 영향

## 03 우리나라의 정부혁신

### 1. 정부혁신의 전개과정

| 구 분 | 개혁 동향 |
|---|---|
| 김대중 정부 | • 조직개혁 : 18부 4처 16청, 부총리제, 책임운영기관제 도입, 중앙인사위원회(대통령 소속)와 국정홍보처(국무총리 소속) 신설 등<br>• 인사개혁 : 정원 동결(총정원령), 개방형 직위 및 공모직위, 성과급제 도입 등<br>• 지방분권 : 주민감사청구, 주민조례개폐청구 도입 등<br>• 기타 : 행정서비스헌장제 도입 등 |
| 노무현 정부 | • 조직개혁 : 18부 4처 18청, 부총리제 유지, 철도청 공사화, 소방방재청(행정안전부 산하) 신설 등<br>• 인사개혁 : 고위공무원단, 직무성과계약제, 총액인건비제, 공무원 노조 도입 등<br>• 재정개혁 : 국가재정운용계획, 성과관리예산, 총액배분자율편성예산, 프로그램예산, 복식부기·발생주의, 디지털예산회계시스템(dBrain) 도입 등<br>• 지방분권 : 주민투표, 주민소환, 주민소송 도입 등 |
| 이명박 정부 | • 조직개혁 : 15부 2처 18청(중앙부처 통폐합), 부총리제 폐지, 민영화·민간위탁 중시 등<br>• 재정개혁 : 성인지예결산제도, 조세지출예산제도 도입 등 |
| 박근혜 정부 | • 개혁방향 : 정부 3.0(국민 개개인 중심의 맞춤형 서비스 제공)<br>• 조직개혁 : 17부 5처 16청, 보건복지부 소속의 식품의약품안전청을 국무총리 소속의 식품의약품안전처로 격상, 행정안전부를 안전행정부로 개편(1차), 국민안전처 신설(2차), 부총리제 부활 등<br>• 인사개혁 : 공무원 연금 개혁 등 |
| 문재인 정부 | • 조직개혁 : 18부 5처 18청, 중소벤처기업부 신설, 질병관리청 신설, 해양경찰청과 소방청 부활, 환경부로 물(水)관리 일원화, 국가보훈처장을 차관급에서 장관급으로 격상 등<br>• 재정개혁 : 국민참여예산제 도입, 온실가스감축인지예·결산제 도입 등<br>• 지방분권 : 자치경찰제 실시, 주민참여제도의 참여연령 18세로 하향조정 등<br>• 인사개혁 : 적극행정면책제도 도입 등 |

### 2. 윤석열 정부의 국정비전과 국정과제

| 국정비전 | | 다시 도약하는 대한민국, 함께 잘 사는 국민의 나라 |
|---|---|---|
| 국정운영원칙 | | 국익, 실용, 공정, 상식 |
| 국정목표(6대) | | 20대 국정전략과 110개 국정과제 |
| 정치행정 | 상식이 회복된 반듯한 나라 | 3대 전략, 15개 과제 |
| 경 제 | 민간이 끌고 정부가 미는 역동적인 경제 | 5대 전략, 26개 과제 |
| 사 회 | 따뜻한 동행 모두가 행복한 나라 | 5대 전략, 32개 과제 |
| 미 래 | 자율과 창의로 만드는 담대한 미래 | 4대 전략, 19개 과제 |
| 외교안보 | 자유, 평화, 번영에 기여하는 글로벌 중추국가 | 3대 전략, 18개 과제 |
| 지방시대 | 대한민국 어디서나 살기 좋은 지방시대 | ― |

## 제 3 절 | 정부규제 및 규제개혁

### 01 정부규제의 의의와 유형

#### 1. 정부규제의 의의

(1) 개 념

규제란 정부가 바람직한 경제·사회 질서를 구현하기 위해 민간의 의사결정과 행위를 강제로 제약하는 통제적 성격의 정책수단이다.

(2) 규제를 바라보는 두 가지 관점

① 정부 입장: 규제는 정부 입장에서 '공익 목적'을 달성하기 위해 다양한 사회문제의 해결을 도모하는 핵심적인 정책수단이다. 이 입장에서는 규제의 목적인 공익이 부각되며 규제는 정당성을 갖는다.

② 국민 입장: 규제는 국민 입장에서 의사결정과 행위를 제약하는 게임의 규칙이다. 이 입장에서는 규제의 사익적 측면(특정 규제가 어떤 집단에게 이익이 되고 손해가 되는지 등)이 부각되며, 규제의 형성 및 집행은 사익 추구의 장이 된다.

(3) 필요성과 한계

① 필요성 – 시장실패의 시정: 시장이 그 본래의 목적을 달성하기 위해서는 완전경쟁시장 조건이 갖춰져야 한다. 그러나 현실에서는 완전경쟁시장 조건의 비현실성과 불완전성으로 인해 시장실패가 발생한다. 규제는 이러한 시장실패(외부효과, 분배의 불형평, 정보비대칭, 경기변동 등)를 극복하는 과정에서 등장하였다.

② 한계 – 정부실패 야기: 규제를 통한 정부의 시장개입은 관료제 팽창, 파생적 외부효과, 특정 기업의 독과점적 지위 보장, 특혜와 권력의 남용 등으로 인한 정부실패를 야기하였으며, 이로 인해 최근 개혁의 대상이 되고 있다.

(4) 속 성

① 강제성: 규제는 피규제자의 행위를 강제적으로 제약하는 것이다.

② 공식성: 규제는 원칙적으로 정부의 법령에 근거를 두고 있으나 정부의 비공식적인 규범이나 관행(행정지도 등)으로도 존재한다.

③ 동태성: 새로운 규제의 형성 및 적용은 이해당사자들의 행위와 의사결정을 변동하게 하는 동태성을 갖는다.

#### 2. 정부규제의 유형

(1) 규제의 영역: 경제적 규제와 사회적 규제

① 경제적 규제

㉠ 의의: 정부가 기업의 본원적 활동(시장가격과 경쟁 메커니즘 등)에 개입해 시장행위자 사이의 교환 과정과 결과에 영향을 미치는 규제를 말한다.

㉡ 목적: 주로 시장 가격의 오작동, 독과점 및 시장 경쟁에 대한 불신 등 시장의 불완전성으로 인한 경제적 비효율성을 치유할 목적으로 도입되었다.

㉢ 예: 가격규제(최저·최고 가격제), 진입규제(특허, 인가, 면허, 허가, 신고, 등록 등), 생산량 규제(물량규제), 퇴거규제, 품질규제, 독과점 규제(담합규제), 수출입 규제 등이 있다.

**심화학습**

규제의 목적과 폐단

| | |
|---|---|
| 규제의 목적 | • 경쟁의 적정화 및 기업의 육성<br>• 불공정한 소득분배 시정 및 공정성 확보<br>• 공공서비스의 원활한 공급<br>• 부정적 외부효과 해소<br>• 정보 제공 및 안전 확보 |
| 규제의 폐단 | • 경쟁결여 및 경제적 비효율성<br>• 기회의 불공평 야기<br>• 정부팽창 및 관료부패<br>• 규제의 악순환 및 규제의 역설 야기 |

**O·X 문제**

1. 시장실패가 발생할 때 주로 정부가 규제한다. ( )

2. 정부규제는 파생적 외부효과를 해결한다는 장점이 있다. ( )

**심화학습**

규제와 재정

| | |
|---|---|
| 관계 | 규제와 재정은 상호대체성이 높은 정부의 정책수단[노동자의 소득 보장을 위한 최저임금제(임금규제)와 소득보조(재정지원)] |
| 효과 | 재정이 규제보다 경제적 효율성 측면(비용)과 피규제자의 재량권 보장 측면에 유리 |

**O·X 문제**

3. 경제규제는 주로 시장의 가격 기능에 개입하고 특정 기업의 시장 진입을 배제하거나 억압하는 방식으로 작동된다. ( )

O·X 정답 **1.** ○ **2.** × **3.** ○

② 사회적 규제

　㉠ 의의 : 정부가 민간경제 주체의 사회적 역할을 중시해 이와 관련된 책임과 부담을 가하는 규제를 말한다.

　㉡ 목적 : 기업 활동의 해로운 부산물로부터 시민을 보호하고 시민의 삶의 질을 제고할 목적으로 도입되었다. 사회적 규제는 최근 사회적 위험이 증가하면서 대상과 범위가 보다 확대되는 등 중요성이 강조되고 있다.

　㉢ 예 : 환경규제(「환경보전법」), 산업안전규제(「산업안전법」), 작업안전규제(「근로기준법」), 식품규제(「식품위생법」), 소비자보호규제(「소비자보호법」), 허위과장광고규제, 사회적 차별에 대한 규제 등이 있다.

③ 경제적 규제와 사회적 규제의 비교

| 구 분 | 경제적 규제 | 사회적 규제 |
|---|---|---|
| 대 상 | 생산자 보호 (예외적으로 소비자 보호) | 생산자에 대한 규제 (예외적으로 소비자에 대한 규제) |
| 형성시기 | 1930년대 이후 | 1960년대 이후 |
| 규제범위 | 좁음(특정 기업군 대상). | 넓음(전 산업 대상). |
| 파급효과 | 경제적 파급효과 적음. | 경제적 파급효과 큼. |
| 포획가능성 | 지대추구 및 포획현상 발생 | 지대추구 및 포획현상과 대립 |
| 규제효과 | 대상기업이 적고 목적이 일원론적이므로 비교적 효과 높음. | 대상이 비교적 넓고 여러 가치 간 충돌이 많아 비교적 효과 낮음. |

④ 규제의 합리화 : 경제적 규제는 편익이 특정 사업군에 귀속되며 시장의 자유로운 경쟁을 왜곡하는 반면, 사회적 규제는 편익이 국민에게 귀속되며 공익을 증진하는 데 기여한다. 따라서 규제의 합리화 측면에서 경제적 규제는 완화하고 사회적 규제는 강화하는 것이 바람직하다. 다만, 독과점 규제는 경제적 규제에 속하지만 경쟁 촉진을 위한 것으로 강화하는 것이 바람직하다.

**핵심정리 | 독과점 규제**

1. **의의** : 경쟁을 촉진할 목적으로 독과점 기업의 시장지배적 지위의 남용 및 불공정 거래행위 등을 규제하는 것을 말한다(「공정거래법」).

2. **유형과 속성** : 독과점 규제는 기업의 본원적 활동에 대한 규제이므로 경제적 규제에 해당하지만, 그 성질은 사회적 규제의 속성을 지닌다.

3. **경제적 규제ㆍ사회적 규제ㆍ독과점 규제의 비교**

| 구 분 | 경제적 규제(광의) | | 사회적 규제 |
|---|---|---|---|
| | 경제적 규제(협의) | 독과점 규제 | |
| 의 의 | 기업의 본원적 활동에 대한 규제 | | 기업의 사회적 책임 강조 |
| 규제대상 | 개별 산업에 대한 차별적 규제 | 모든 산업에 대한 비차별적 규제 | 모든 산업에 대한 비차별적 규제 |
| 시장경쟁 | 경쟁 제한 | 경쟁 촉진 | 직접적 관련 없음. |
| 정치경제적 속성 | 포획과 지대추구 현상 | 포획 및 지대추구와 대립 현상 | 포획 및 지대추구와 대립현상 |
| 규제개혁 | 규제완화의 대상 | 유지 및 강화의 대상 | 유지 및 강화의 대상 |

(2) 규제의 수단: 직접규제(명령지시적 규제)와 간접규제(시장유인적 규제)

① 직접규제: 정부가 개인이나 기업이 지켜야 할 기준이나 규칙을 정해주고 위반 시 강력한 처벌을 가하는 규제를 말한다.

② 간접규제: 정부가 개인이나 기업에게 일정한 기준을 부과하되 그것을 달성할지 여부를 개인이나 기업의 경제적 판단에 맡기는 규제를 말한다.

③ 직접규제와 간접규제의 비교

| 구 분 | 명령지시적 규제(직접규제) | 시장유인적 규제(간접규제) |
|---|---|---|
| 수 단 | 법령에 의한 기준설정(환경기준, 안전기준, 성과기준 등), 규칙제정, 직접명령, 행정처분(인·허가 등에 의한 진입규제) 등 | 보조금·금융지원·세제지원 등의 각종 지원 정책 또는 부과금·부담금[배출권(공해권) 거래, 오염허가서] 등의 제재조치 |
| 성 격 | 통제지향적·경직적 | 유도적·신축적 |
| 효 과 | 직접적 효과 | 간접적 효과 |
| 재 량 | 규제기관에게 재량 인정 | 규제대상자에게 재량 인정 |
| 경제적 효율성 (비용) | 내재적 경직성과 무차별성(일일이 감시·통제)으로 인하여 경제적 효율성이 낮음. | 자율적 선택에 의하므로 경제적 효율성이 높음. |
| 효과성 | 강력한 처벌 규정으로 인해 목표달성도 높음. | 개인의 자율적 선택에 기인하므로 목표달성도 낮음. |
| 정치적 수용성 | 호소력과 직관적 설득력을 지니므로 정치적 수용성 높음. | 처벌이 약하므로 정치적 수용성 낮음. |

(3) 규제의 대상: 수단규제, 성과규제, 관리규제

① 수단규제(투입규제)

ⓐ 의의: 정부가 특정 목적을 위하여 민간 행위자들이 사용하는 기술이나 행위 등(투입수단)을 사전적으로 통제하는 규제를 말한다.

ⓑ 예: 환경오염방지를 위해 기업에게 특정 환경 통제 기술을 사용케 하는 것, 작업장 안전을 위해 반드시 안전장비를 착용케 하는 것 등이 있다.

ⓒ 평가: 피규제자의 재량이 대단히 낮은 규제로 피규제자의 순응정도 파악이 용이하나, 불필요한 규제 준수 비용을 유발할 수 있다.

② 성과규제(산출규제)

ⓐ 의의: 정부가 특정 사회문제 해결에 대한 목표달성 수준을 정하고 피규제자에게 이를 달성할 것을 요구하는 규제를 말한다.

ⓑ 예: 대기오염 방지를 위해 이산화탄소 농도를 일정 수준으로 유지하도록 하는 것, 인체 건강을 위해 신약에 허용 가능한 부작용 발생 수준을 요구하는 것 등이 있다.

ⓒ 평가: 피규제자는 정부가 제시한 목표 수준만 충족하면 되기 때문에 이를 달성하는 수단과 방법을 자유롭게 선택할 수 있어 수단규제보다 피규제자의 재량이 크다. 다만, 정부가 사회경제적으로 바람직한 최적의 목표 수준을 찾아 제시하기 곤란하다는 한계를 지닌다.

③ 관리규제(과정규제)

ⓐ 의의: 정부가 피규제자에게 스스로 각 과정별 위해요소를 규명하고 중요관리점을 선정해 체계적인 관리를 수행하도록 과정을 통제하는 규제이다.

**O·X 문제**

1. 시장유인적 규제는 규제효과를 담보할 수 있다는 장점이 있으나 기업에 불필요한 비용부담을 주는 단점이 있다. ( )

2. 일반적으로 사회적 규제의 경우 기업에 의무를 부과하되 그 방법에 대해서는 기업의 재량을 인정하는 시장유인적 방법이 일괄적인 행위기준이나 규칙에 근거한 명령지시적 방법보다 정책의 효과성이 적은 것으로 알려져 있다. ( )

3. 직접적 규제의 활용 사례로는 일정한 양의 오염허가서(pollution permits) 혹은 배출권을 보유하고 있는 경제주체만 오염물질을 배출할 수 있게 허용하는 방식이 있다. ( )

**O·X 문제**

4. 수단규제는 정부의 목표를 달성하기 위해 필요한 기술이나 행위에 대해 사전적으로 규제하는 것으로 투입규제라고도 한다. ( )

5. 정부규제를 수단규제와 성과규제로 구분할 경우, 수단규제는 성과규제에 비해 규제대상기관의 자율성이 크다. ( )

6. 관리규제란 정부가 특정한 사회문제 해결에 대한 목표달성 수준을 정하고 피규제자에게 이를 달성할 것을 요구하는 것이다. ( )

7. 관리규제란 정부가 피규제자가 만든 목표달성 계획의 타당성을 평가하고 그 이행을 요구하는 방식으로, 식품위해요소 중점관리기준(HACCP)이 대표적 예이다. ( )

O·X 정답 1. ×  2. ○  3. ×  4. ○
　　　　 5. ×  6. ×  7. ○

✛ 식품위해요소 중점관리기준(HACCP)
정부가 피규제자인 식품업체에게 식품의 원재료 생산에서부터 제조, 가공, 보존, 유통 단계를 거쳐 최종 소비자가 섭취하기 전까지의 각 단계에서 발생할 우려가 있는 위해 요소를 규명하고 중요관리점을 선정해 체계적인 위생관리 체계를 갖추도록 요구하는 제도이다.

○·X 문제

1. 네거티브 규제는 기본적으로 행동의 자유를 일반적으로 금지하되 예외적인 경우에만 허용하는 규제방식이다.  ( )

2. 포지티브 규제는 원칙 허용, 예외 금지를 의미하는 것으로, 명시적으로 금지하는 것 이외에는 모든 것이 자유롭다.  ( )

3. 정부규제를 포지티브 규제와 네거티브 규제로 구분할 경우, 포지티브 규제는 네거티브 규제에 비해 규제대상기관의 자율성이 크다.  ( )

4. 자율규제는 개인과 기업 등 피규제자가 스스로 합의된 규범을 만들고 이를 구성원들에게 적용하는 형태의 규제이다.  ( )

5. 정부규제를 수행 주체에 따라 구분할 경우, 공동규제는 정부로부터 위임을 받은 민간집단에 의해 이루어지는 규제로 자율규제와 직접규제의 중간 성격을 띤다.  ( )

ⓒ 예: 식품안전을 위한 식품위해요소 중점관리기준(HACCP)✛ 등이 있다.

ⓒ 평가: 관리규제는 수단규제와 성과규제가 갖는 단점을 모두 극복할 수 있는 규제 방식이다. 관리규제는 피규제자에게 스스로 규제를 설계하게 한다는 점에서 수단규제에 비해 피규제자의 자율성이 높고 특성과 상황을 고려한 유연한 규제설계가 가능하다. 또한, 관리규제는 정부가 직접 성과달성수준을 정하고 이를 확인해야 하는 성과규제와 달리 피규제자 스스로 설계한 규제가 구체적인 상황에 적합하며 잘 집행되고 있는지를 평가한다.

(4) 규제의 개입 범위: 네거티브 규제와 포지티브 규제
① 네거티브(negative) 규제
ⓒ 의의: '원칙 허용', '예외 금지'의 형태를 지닌 규제로, 피규제자는 명시적으로 금지하는 것 이외에는 모든 것을 자유로이 할 수 있다.
ⓒ 형식: '~할 수 없다', 혹은 '~가 아니다'의 형식을 띤다.
② 포지티브(positive) 규제
ⓒ 의의: '원칙 금지', '예외 허용'의 형태를 지닌 규제로, 피규제자는 명시적으로 허용하는 것 이외에는 원칙적으로 모든 행위가 금지된다.
ⓒ 형식: '~할 수 있다' 혹은 '~이다'의 형식을 띤다.
③ 평가: 네거티브 규제는 포지티브 규제에 비해 민간행위자들의 자율성을 확보하기 용이할 뿐만 아니라 규제당국의 행정비용을 감소시킬 수 있는 장점이 있다.

(5) 규제의 수행 주체: 직접규제, 자율규제, 공동규제
① 직접규제: 규제 주체인 정부가 피규제자인 민간의 행위와 의사결정을 통제하는 규제방식을 말한다(주체와 객체가 구별됨).
② 자율규제: 피규제자인 민간이 스스로 합의된 규칙을 설계하고 이를 구성원들에게 적용하는 규제 방식을 말한다(주체와 객체가 동일함).
③ 공동규제: 정부로부터 위임을 받은 민간집단에 의해 이루어지는 규제로, 자율규제와 직접규제의 중간 성격을 띤다(주체와 객체가 구별됨).

## 02 규제정치와 정부규제의 효과

### 1. 윌슨(J. Q. Wilson)의 규제정치이론

(1) 의 의
① 의의: 윌슨은 정부·규제수혜자·규제피해자·NGO 등의 참여를 전제로 감지된 비용과 편익의 집중 및 분산에 따른 4가지의 규제정치 상황을 제시하였다.
② 윌슨(J. Q. Wilson)의 규제정치 상황

| 구 분 | | 감지된 편익 | |
| --- | --- | --- | --- |
| | | 넓게 분산 | 좁게 집중 |
| 감지된 비용 | 넓게 분산 | 대중정치(Ⅰ) | 고객정치(Ⅱ) |
| | 좁게 집중 | 기업가적정치(Ⅲ) | 이익집단정치(Ⅳ) |

○·X 정답 1. × 2. × 3. × 4. ○
5. ○

(2) 규제정치 상황의 구체적 고찰

① 대중정치 상황

  ㉠ 의의 : 규제의 비용과 편익이 모두 이질적인 불특정 다수에게 미치며, 각각의 개인으로 보면 그 크기는 작은 상황이다.

  ㉡ 정치적 활동 : 각각의 개인이 부담해야 할 비용이나 편익이 모두 미미하기 때문에 비용부담자나 편익자 모두 정치적 활동이 발생하지 않는다(집단행동의 딜레마).

  ㉢ NGO의 역할 : 규제에 대한 국민의 관심이 낮기 때문에 NGO가 대중의 관심을 불러일으키고 이를 여론화하기 위한 노력을 수행해야 한다.

  ㉣ 정부 : 규제형성 이후 규제 담당기관이 얼마나 적극적으로 규제업무를 집행해 나가느냐의 문제는 대통령의 의지와 리더십에 달려 있다.

  ㉤ 예 : 독과점 규제, 방송·신문·출판물의 윤리규제, 각종 사회적 차별에 대한 규제, 낙태규제, 음란물규제, 종교규제, 교통체증 완화를 위한 차량 10부제 운행 등이 이에 속한다.

② 고객정치 상황

  ㉠ 의의 : 규제의 비용은 이질적인 불특정 다수에게 분산되어 각각의 개인으로 보면 그 크기는 상대적으로 작은 반면, 편익은 동질적인 특정 소수집단에게 집중되어 각각의 개인으로 보면 그 크기가 상대적으로 큰 상황이다.

  ㉡ 정치적 활동 : 규제로 각각 큰 편익을 누리게 되는 특정 소수집단은 조직화되어 규제형성을 위한 정치적 활동을 하지만, 규제로 각각 미미한 비용을 부담하게 되는 일반대중은 반대를 위한 정치적 행동을 하지 않는다(집단행동의 딜레마). 따라서 응집력이 강한 소수의 편익 수혜자 논리가 투입될 가능성이 높으며, 가장 쉽고 은밀하게 규제가 형성된다(소수가 다수를 이용하는 미시적 절연).

  ㉢ NGO의 역할 : 특정 소수집단에게 유리하고 일반대중에게 불리한 규제형성을 견제하고 감시하는 역할을 수행해야 한다.

  ㉣ 정부 : 규제 형성 과정에서 특정 소수집단에 의한 조용한 막후교섭이나 로비 등으로 규제기관이 포획되어 공익을 저해하는 규제가 형성된다.

  ㉤ 예 : 농산물의 최저가격규제, 수입규제, 직업면허(변호사 자격 등), 택시사업 인가 등 대부분의 경제적 규제가 이에 속한다.

③ 창도가(기업가)정치 상황

  ㉠ 의의 : 규제의 비용은 동질적인 특정 소수집단에게 집중되어 각각의 개인으로 보면 그 크기는 상대적으로 큰 반면, 편익은 이질적인 일반대중에게 분산되어 각각의 개인으로 보면 그 크기가 상대적으로 작은 상황이다.

  ㉡ 정치적 활동 : 규제로 각각 큰 비용을 지불해야 하는 특정 소수집단은 조직화되어 규제형성을 막기 위한 정치적 활동을 하지만, 규제로 각각 미미한 편익을 누리게 되는 일반대중은 정책과정에 적극적인 정치적 행동을 취하지 않는다(집단행동의 딜레마). 따라서 응집력이 강한 비용 부담 집단의 논리가 규제 과정에 투입될 가능성이 높아 규제형성이 대단히 곤란하다(다수가 소수를 이용하는 거시적 절연).

  ㉢ NGO의 역할 : 대중의 관심을 일으켜 제안된 규제정책에 반대하는 특정 소수집단에 대응할 수 있는 유능한 창도가적 역할을 수행해야 한다.

**O·X 문제**

1. 윌슨(Wilson)의 규제정치이론에 따르면 비용과 편익이 분산되는 경우보다 비용과 편익이 집중되는 경우에 정치활동이 활발해진다. (  )

2. 윌슨(Wilson)의 규제정치이론에 따르면 규제의 감지된 편익은 소수에게 집중되는 반면, 감지된 비용이 다수에게 분산되는 유형은 기업가 정치 상황이다. (  )

3. 윌슨(Wilson)의 규제정치이론에 따르면, 고객정치 상황에서는 응집력이 강한 소수의 편익 수혜자의 논리가 투입될 가능성이 높다. (  )

4. 윌슨(Wilson)이 제시한 네 가지 유형의 정치상황 중에서 로비활동이 가장 약하게 발생하는 것은 고객정치 상황이다. (  )

5. 기업가의 정치(운동가적 정치) 모형에서는 규제의 수혜자들이 잘 조직화되어 있다. (  )

6. 편익이 분산되고 비용이 기업에 집중되는 환경규제정책은 정책형성과 집행이 쉽지 않다. (  )

7. 이익집단정치 상황에서는 쌍방이 막강한 정치조직적 힘을 바탕으로 첨예하게 대립되는 경우로서 규제기관이 어느 한쪽에 장악될 가능성이 약하다. (  )

8. 낙태규제는 고객정치 상황, 원자력 안전규제는 창도가정치 상황, 독과점 규제는 대중정치 상황, 의약분업은 이익집단정치 상황과 관련된다. (  )

9. 불특정 다수인이 혜택을 보는 경우보다 특정한 집단이 배타적으로 혜택을 보는 경우에 강력한 지지를 얻을 수도 있다. (  )

10. 윌슨(Wilson)의 규제정치이론에 따르면, 대체로 경제적 규제는 고객정치의 상황으로 분류되며 사회적 규제는 기업가정치의 상황으로 분류된다. (  )

O·X 정답  1. ○  2. ×  3. ○  4. ×
5. ×  6. ○  7. ○  8. ×
9. ○  10. ○

     ⓔ 정부 : 규제에 대한 일반국민이나 정치인들의 관심이 지속되는 동안에는 강력한 집
        행이 이루어지지만, 시간이 흐름에 따라 피규제기관이 규제기관을 장악하여 느슨한
        집행이 이루어질 가능성이 높다.

     ⓜ 예 : 환경오염규제, 식품에 대한 위생규제, 자동차안전규제, 유해성 물품에 대한 규
        제, 산업안전규제, 원자력안전규제 등 대부분의 사회적 규제가 이에 속한다.

④ 이익집단정치 상황
     ⊙ 의의 : 규제로 인한 비용과 편익이 모두 동질적인 특정 소수집단에 국한되고, 각각
        개인으로 보면 그 크기도 매우 큰 상황이다.

     ⓛ 정치적 활동 : 쌍방이 모두 조직화된 힘을 바탕으로 적극적으로 정치적 활동을 수행
        한다. 또한 두 집단 모두 세력 확장을 위해 국외자와 연합하거나 정치적 상징전략
        을 활용하므로 규제채택과정의 가시성이 높다.

     ⓔ NGO의 역할 : 쌍방이 동의할 수 있는 타협점에서 규제정책이 결정되므로 NGO의
        역할은 크게 위축된다.

     ⓔ 정부 : 쌍방이 강한 결속력과 엇비슷한 정치적 영향력을 행사하므로 어느 일방이
        규제기관을 장악하거나 규제집행과정을 지배하기 곤란하며, 강력한 갈등으로 정부
        가 중립적인 이해조정자로서 역할을 수행하기도 곤란하다.

     ⓜ 예 : 의약갈등, 한약갈등, 노사분규, 대기업과 중소기업 간 분규 등과 관련된 규제가
        이에 속한다.

## 2. 규제기준의 적용과 불합리성

(1) 법규주의(legalism)로 인한 규제집행의 불합리성
  ① 의의 : 법규주의는 피규제자의 다양성, 규제집행 현장의 불확실성, 규제 상황의 동태성
    에도 불구하고 법령대로만 경직적이고 획일적으로 규제를 적용하려는 현상을 말한다.
  ② 한계 : 법규주의는 규제상황과 규제기준이 불일치함에도 불구하고 규제를 기계적으로
    집행함으로써 불응, 비효율, 시간의 낭비 등의 문제를 유발한다.

(2) 규제피라미드(regulation pyramid)
  ① 의의 : 규제가 규제를 낳은 결과 피규제자의 규제 부담이 점점 증가하는 현상을 말한다.
    이를 타르 베이비 효과(Tar-Baby effect)라고도 한다.
  ② 원인 : 대부분의 피규제자가 규제에 순응을 보이는 상황에서 일부 피규제자의 규제불
    응을 해결하기 위해 정부가 새로운 규제를 도입하면, 도입된 새로운 규제는 기존의 규
    제에 협조해 새로운 통제가 필요 없는 대다수의 피규제자에게 추가적인 부담을 주게
    되어 규제 부담이 점점 증가하게 된다.

(3) 규제의 역설(regulatory paradox)
  ① 의의 : 정부에 의해 형성된 규제가 실제로 집행되는 과정에서 규제의 목적과 달리 정반
    대의 효과를 발생하는 현상을 말한다.
  ② 규제의 역설 현상
    ⊙ 과도한 규제는 과소한 규제가 된다 : 특정 규제를 무리하게 설정하면 집행이 곤란하여
      실제로는 규제가 전혀 이루어지지 않는 현상이 발생한다.

**심화학습**

**규제의 획일성과 경직성**

| | |
|---|---|
| 규제의 획일성 | 피규제자나 정책이 처한 개개의 특성을 무시하고 이를 인위적으로 규격화·동질화하려는 현상 |
| 규제의 경직성 | 한번 설계된 규제 기준이 정책 상황이나 환경 변화로 불합리해졌음에도 불구하고 바로 수정되지 않고 일정 기간 동안 지속되는 현상 |

**O·X 문제**

1. 규제피라미드는 피규제자의 규제 불응에 대해 정부가 새로운 규제를 도입해 피규제자의 규제 부담이 증가하는 현상을 말한다.　( )

2. 규제의 역설이란 규제가 의도하지 않은 부작용을 초래하여 규제가 가진 본래 목적과 상반된 결과를 초래하는 현상을 말한다.　( )

O·X 정답 1. ○ 2. ○

ⓛ 새로운 위험만 규제하면 사회의 전체 위험 수준은 증가한다 : 정부가 신(新)제품의 위험 요소만을 규제하면 피규제자들은 구(舊)제품을 선호하게 되어 오히려 사회의 위험 수준이 높아진다(**예** 새로 출고된 차만 공기정화장치 의무화).

ⓒ 최고의 기술을 요구하는 규제는 기술 개발을 지연시킨다 : 정부가 현재 시점에서 최선의 기술을 사용하도록 규제하면 이 기술을 보유한 기업들은 새로운 기술을 개발할 유인이 없어진다.

ⓔ 소득재분배를 위한 규제가 오히려 사회적 약자에게 해가 된다 : 사회적 약자를 위한 최저임금제가 강하면 강할수록 사업자들은 노동을 자본으로 대체하여 고용할 노동자의 수를 줄여 나가게 된다.

ⓜ 기업에게 상품에 대한 정보 공개를 의무화할수록 소비자들의 실질적인 정보량은 줄어든다 : 정보 공개를 엄격히 규제할수록 기업들은 광고에 대한 유인이 없어 시장에서 제품에 대한 정보가 오히려 줄어든다.

## 3. 규제의 경제적 효과

(1) 규제는 보이지 않는 세금

① 의의 : 규제는 보이지 않지만 조세처럼 국민들에게 비용을 부과한다.

② 규제와 조세 : 규제가 초래하는 비용은 눈에 잘 띄지 않기 때문에 규제는 조세에 비해 저항이 상대적으로 약하다.

(2) 규제와 교차보조

① 교차보조 : 가격규제를 통해 공공서비스의 이용요금을 고소득층에게는 적정가보다 높이고, 저소득층은 적정가보다 낮춰 고소득층의 이용요금으로부터 얻은 수익을 저소득층의 공공서비스 공급비용으로 지원하는 제도이다.

② 소득재분배 효과 : 교차보조는 고소득층이 저소득층을 위해 추가적인 비용을 부담하게 하여 소득재분배 효과를 가져온다.

(3) 규제와 지대

① 지대추구 : 지대란 정부개입으로 인한 경제적 이권(특허 등)을, 지대추구란 지대를 얻기 위한 자원낭비활동(각종 로비활동 등)을 의미한다.

② 자원낭비효과 : 지대추구는 사회구성원의 에너지가 생산적인 분야가 아닌 비생산적 활동(각종 로비활동)에 활용되게 함으로써 사회적 낭비를 초래한다.

(4) 규제와 포획

① 포획현상 : 공익목적 수행을 위해 설립된 규제기관이 기업의 포로가 되어 오히려 소비자의 희생으로 기업의 이익증진에 기여하는 현상을 말한다.

② 특징 : 사회적 규제보다 경제적 규제에서 많이 발생하며, 규제기관에 대한 국민의 관심이 낮아지면 포획현상이 촉발되기 쉽다.

③ 발생원인 : ⊙ 피규제자의 지대추구 행위, ⓒ 부패, ⓒ 갈등회피, ⓔ 외부의 압력, ⓜ 정보의 비대칭, ⓗ 규제기관과 피규제기관 간의 인사교류 등에 기인한다.

## 03 규제개혁

### 1. 규제개혁 일반론

(1) 규제개혁의 의의

불합리한 규제를 개선하기 위해 규제의 생성·운용·소멸의 모든 과정에서 정부가 체계적으로 개입하는 것을 말한다. 정부가 규제개혁에 나서는 이유는 규제 수준이 국가 간 경제·사회적 격차를 유발하는 중요한 요인이기 때문이다.

(2) 규제개혁의 단계 – 규제완화·규제품질관리·규제관리

① 규제완화의 단계 : 절차와 구비서류의 간소화, 규제 폐지를 통한 규제 총량의 감소, 규제 순응비용의 감소 등을 추진하는 단계이다. 이 단계에서는 규제총량제나 한시적 규제유예 등이 활용된다.

② 규제품질관리의 단계 : 규제완화를 통해 총량적 규제관리가 이루어지고 난 후 개별 규제의 질적 관리에 초점을 두는 단계이다. 이 단계에서는 규제기획제도, 규제영향분석제도, 대안적 규제 수단의 설계 등이 활용된다.

③ 규제관리의 단계 : 하나의 규제가 아니라 한 국가의 전반적인 규제 체계에 관심을 갖고 규제와 규제 사이의 상호관계와 전체 국가 규제 체계에서의 정합성 확보에 초점을 두는 단계이다(剛 「개인정보보호법」에서 온라인개인정보와 정보통신망에서 개인정보 보호 사이의 균형성 등에 대한 포괄적 검토 등).

### 2. 우리나라의 규제개혁 – 「행정규제기본법」

(1) 규제개혁의 대상 – 규제

규제란 국가나 자치단체가 특정한 행정 목적을 실현하기 위하여 국민의 권리를 제한하거나 의무를 부과하는 것으로서 법령 등이나 조례·규칙에 규정되는 사항을 말한다.

(2) 규제법정주의 및 규제의 원칙

① 규제법정주의 : 규제는 법률에 근거해야 하며, 행정기관은 법률에 근거하지 아니한 규제로 국민의 권리를 제한하거나 의무를 부과할 수 없다.

② 원칙 : 「행정규제기본법」은 국민의 자유와 창의의 본질적 내용 침해 금지의 원칙, 실효성의 원칙, 필요 최소한의 원칙을 규정하고 있다.

(3) 규제개혁의 수단 – 규제영향분석

① 의의 : 규제를 새롭게 도입하거나 기존의 규제를 강화하고자 할 때 규제의 사회적 편익과 비용을 점검하고 측정하는 체계적인 의사결정 도구를 말한다.

② 법적 근거 : 「행정규제기본법」은 "중앙행정기관의 장은 규제를 신설하거나 강화하려면 규제영향분석을 하고 규제영향분석서를 작성해야 하며, 국민에게 공표하여야 한다."고 규정하고 있다.

③ 적용 : 규제영향분석제도는 정부입법에만 적용되며, 의원입법에는 적용되지 않는다.

④ 필요성

㉠ 규제비용에 대한 책임감 제고 : 관료에게 규제편익만이 아닌 규제비용에 대한 관심과 책임감을 갖도록 유도하여 사회적 자원의 효율적 배분에 기여한다.

---

**O·X 문제**

1. 규제개혁은 규제관리 ⇨ 규제품질관리 ⇨ 규제완화 등의 단계로 진행되는 것이 일반적이다. ( )

**심화학습**

규제비용총량제

규제를 신설할 경우 신설되는 규제의 비용을 기준으로 기존 규제를 폐지하여 규제비용 총량이 더 이상 늘지 않도록 관리하면서 규제 절대량을 감축하는 제도(신설규제 도입 시 동일비용 규제감축, 비용 간 등가교환 방식 : cost-in, cost-out)

**O·X 문제**

2. 「행정규제기본법」은 규제법정주의를 규정하고 있다. ( )

**심화학습**

「행정규제기본법」상 '규제영향분석'의 정의

규제로 인하여 국민의 일상생활과 사회·경제·행정 등에 미치는 여러 가지 영향을 객관적이고 과학적인 방법을 사용하여 미리 예측·분석함으로써 규제의 타당성을 판단하는 기준을 제시하는 것을 말한다.

**O·X 정답** 1. × 2. ○

ⓛ 합리적 의사결정: 규제의 경제·사회적 영향을 과학적으로 분석해 불합리한 규제 도입의 가능성을 차단하고 질 높은 규제를 선택할 수 있게 한다.

ⓒ 정치적 조정: 정치적 이해관계의 조정과 수렴의 기회를 제공한다.

⑤ 규제영향분석서의 내용

㉠ 규제의 신설 또는 강화의 필요성

㉡ 규제 목적의 실현가능성

㉢ 규제 외의 대체 수단 존재 여부 및 기존 규제와의 중복 여부

㉣ 규제의 시행에 따라 규제를 받는 집단과 국민이 부담하여야 할 비용과 편익의 비교 분석

㉤ 규제의 시행이 중소기업에 미치는 영향

㉥ 경쟁 제한적 요소의 포함 여부

㉦ 규제 내용의 객관성과 명료성

㉧ 규제의 신설 또는 강화에 따른 행정기구·인력 및 예산의 소요

㉨ 관련 민원사무의 구비서류 및 처리절차 등의 적정 여부

**(4) 규제개혁의 주관 기구 – 규제개혁위원회**

① 설치: 정부의 규제정책을 심의·조정하고 규제의 심사·정비 등에 관한 사항을 종합적으로 추진하기 위해 대통령 소속으로 규제개혁위원회를 둔다.

② 구성: 위원장 2명(국무총리와 학식과 경험이 풍부한 사람 중에서 대통령이 위촉한 사람)을 포함한 20명 이상 25명 이하의 위원으로 구성한다.

**(5) 규제개혁 프로그램**

① 신설·강화 규제 심사: 중앙행정기관의 장은 규제를 신설·강화하려면 규제영향분석서 등을 첨부해 규제개혁위원회에 심사를 요청해야 하며, 규제개혁위원회는 예비심사를 통해 중요규제인지를 결정하고 중요규제에 대하여 심사한다(정부입법에만 적용).

② 규제정비종합계획: 규제개혁위원회는 매년 중점적으로 추진할 규제 분야나 특정한 기존 규제를 선정하여 정비지침을 작성하고 중앙행정기관의 장에게 통보해야 하며, 중앙행정기관은 규제정비지침에 근거해 규제정비 계획을 수립하여 위원회에 제출하고 정해진 기간까지 정비를 끝내야 한다.

③ 규제의 존속기한 및 재검토기한 명시(규제일몰제): 중앙행정기관의 장은 규제를 신설하거나 강화하려는 경우에 존속시켜야 할 명백한 사유가 없는 규제는 원칙적으로 5년 이내로 존속기한(효력상실형 일몰제) 또는 재검토기한(재검토형 일몰제)을 설정하여 그 법령 등에 규정해야 한다.

④ 규제의 등록(규제등록제): 중앙행정기관의 장은 소관 규제의 명칭·내용·근거·처리기관 등을 규제개혁위원회에 등록해야 한다.

⑤ 규제샌드박스(regulatory sandbox): 신제품이나 신서비스를 출시할 때 기존 규제의 한시적 면제 또는 유예를 통해 신제품이나 신서비스를 시험해볼 수 있도록 하는 규제특례제도이다(규제프리존).

⑥ 한시적 규제유예 조치: 정책적 필요성이 인정되어 당장 폐지하거나 완화하기 곤란한 규제를 일정 기간 동안 한시적으로 그 효력을 정지하거나 완화해 주는 조치이다(우리나라에서 최초로 개발된 제도).

---

**O·X 문제**

1. 규제영향분석은 불필요한 정부규제를 완화하고자 할 때 현존하는 규제의 사회적 편익과 비용을 점검하고 측정하는 체계적인 의사 결정 도구이다. ( )

2. 규제영향분석이 필요한 이유 중 하나는 관료에게 규제비용에 대한 관심과 책임성을 갖도록 유도한다는 점이다. ( )

3. 규제영향분석은 규제의 비용보다 규제의 편익에 주안점을 둔다. ( )

4. 규제영향분석은 규제 외의 대체수단 존재 여부, 비용 – 편익분석, 경쟁 제한적 요소의 포함 여부 등을 고려하여야 한다. ( )

5. 정부의 규제정책을 심의·조정하고 규제의 심사·정비 등에 관한 사항을 종합적으로 추진하기 위하여 국무총리 소속으로 규제개혁위원회를 두고 있다. ( )

6. 규제개혁위원회는 위원장 1명을 포함한 20명 이상 25명 이하의 위원으로 구성된다. ( )

**O·X 문제**

7. 「행정규제기본법」에 따른 규제일몰제는 규제의 존속기한을 규제목적을 달성하기 위해 필요한 최소한의 기간 내에서 설정하도록 하고 있으며, 그 기간은 원칙적으로 5년을 초과할 수 없다. ( )

8. 규제등록제란 중앙행정기관의 장이 소관 규제의 명칭·내용·근거·처리기간 등을 국무총리 소속의 규제개혁위원회에 등록하여야 하는 제도이다. ( )

9. 우리나라는 신기술과 신산업을 육성하기 위하여 규제샌드박스 제도를 도입하였다. ( )

O·X 정답 **1.** × **2.** ○ **3.** × **4.** ○ **5.** × **6.** × **7.** ○ **8.** × **9.** ○

⑦ **규제맵**: 복잡한 규제의 흐름이나 연계성을 일목요연하게 파악하기 위하여 규제 현황을 도면으로 시각화한 것으로 덩어리 규제개혁(규제를 분야별로 묶어 일괄적으로 개혁)의 유효한 정책수단이 되고 있다.

## 3. 규제개혁 방안

규제개혁은 규제방식을 다양화하되, 피규제자인 민간행위자의 자율성이 확대되는 방향으로 나아가야 한다. 이를 위해서는 직접규제보다는 간접규제로, 수단규제보다는 성과규제나 관리규제로, 포지티브(positive) 규제보다는 네거티브(negative) 규제로, 사전적 규제방식보다는 사후적 규제방식으로 나아가는 것이 바람직하다.

## 04 행정지도

## 1. 의 의

### (1) 개 념

강제성을 수반하는 규제와 달리 국가가 일정한 목적을 실현하기 위해 국민의 자발적 협력을 유도하는 비권력적 사실행위를 말한다(예 권고, 경고, 지시, 지도, 알선, 지정, 주선, 조언, 장려, 촉진, 보급, 조성, 조장, 교육, 조정, 요청 등).

### (2) 개념적 특징

① **공무원의 직무상 행위**: 행정의 내부관리가 아닌 국민을 대상으로 하는 행위이며, 공무원의 직무와 관련된 행위이다.
② **비정형적ㆍ의사표시적 행위**: 국민에 대한 다양한 형태의 의사표시 행위이다.
③ **권력을 배경으로 하는 행위**: 공무원의 전문적 권력이나 준거적 권력에 근거한 행위이다.

### (3) 발생 및 확산 원인

① **시장실패**: 시장실패를 극복하기 위한 정부개입의 수단으로 발생하였다.
② **행정기능의 확대**: 행정기능의 확대로 인해 행정활동의 세부사항까지 법으로 규정하기 곤란해짐에 따라 행정지도가 활용되었다.
③ **발전행정의 등장**: 발전행정의 등장과 함께 정부가 경제발전에 주도적 역할을 담당하면서 행정지도가 활용되었다.
④ **법과 현실의 괴리**: 급변하는 행정수요에 법규범이 신속하게 대응하지 못함에 따라 행정지도가 확산되었다.
⑤ **관우위적ㆍ정부의존적 문화**: 정부의 관우위적 행정문화와 시민사회의 정부의존적 문화가 행정지도를 확산시켰다.
⑥ **공무원의 행태**: 공무원의 행정편의주의적인 행태와 정의적(情誼的)인 행동✛이 행정지도를 확산시켰다.

## 2. 원칙(「행정절차법」 제48조)

### (1) 필요최소한의 원칙

행정지도는 그 목적달성에 필요한 최소한도에 그쳐야 하며, 행정지도의 상대방의 의사에 반하여 부당하게 강요해서는 아니 된다.

### (2) 불이익조치 금지의 원칙

행정기관은 행정지도의 상대방이 행정지도에 따르지 아니하였다는 것을 이유로 불이익한 조치를 하여서는 아니 된다.

## 3. 효용과 한계

### (1) 효 용

① 권력의 완화 기능 : 법률에 의한 권력적 조치를 완화하고 상대방과 원만한 합의하에 행정목적을 달성할 수 있는 수단이 된다.

② 법령의 보완적 기능(행정의 원활화 – 적시성, 상황적응성, 간편성 등) : 법적 근거를 요하지 않기 때문에 새롭거나 긴급한 행정수요에 응급적으로 또는 보완적으로 대응할 수 있다.

③ 새로운 정책을 위한 실험적 기능 : 법률에 근거하여 새로운 정책을 전면적으로 실시하기 전에 시범적으로 새로운 정책을 실시하기 용이하다.

④ 이해관계의 조정기능 : 대립되는 이해관계를 조정하는 기능을 수행할 수 있다.

⑤ 온정적 행정기능 : 법집행 이전에 조언과 지원 등을 통해 대상집단을 보호함으로써 온정적 행정을 통해 행정과 대상집단 간의 친숙성을 높일 수 있다.

### (2) 한 계

① 법치주의 및 법규범의 실효성 침해 : 국가의 개입적 행위임에도 법규의 수권이 불필요하다는 점에서 법치주의 및 법규의 권위를 침해한다.

② 불분명한 행정책임 및 구제수단 미비 : 국민의 자발적 협력에 의한 국가의도의 실현이라는 점에서 행정책임 규명이 불분명해 권리구제 수단이 미흡하다.

③ 공익에 대한 침해 : 행정인과 특정인의 결탁으로 제3자의 이익이나 공익을 침해할 우려가 있다.

④ 행정의 과도한 팽창 : 정부의 민간에 대한 개입을 확대하는 수단이 된다.

⑤ 행정의 안정성·일관성·형평성 저해 : 법적 근거를 요하지 않기 때문에 공무원의 재량남용으로 행정의 안정성·일관성·형평성을 저해할 수 있다.

⑥ 비효율적인 운영 : 졸속지도, 지도의 남발, 권위주의 행태 강화 등 비효율적인 운영이 이루어질 수 있다.

---

**O·X 문제**

1. 행정지도는 새로운 또는 긴급한 행정수요에 응급적으로 또는 보완적으로 대응할 수 있다. ( )

2. 행정지도는 상대방의 입장을 고려하여 결정하는 특성을 지니게 된다. ( )

3. 행정지도는 입법과정의 복잡한 절차가 필요하다. ( )

4. 행정지도는 책임소재가 불분명할 수 있다. ( )

5. 행정지도는 행정의 과도한 경계확장을 유도한다. ( )

6. 행정지도는 공무원의 재량이 많이 작용하기 때문에 형평성이 보장되기 어렵다. ( )

7. 행정지도는 행정주체가 의도하는 바를 실현하기 위해 국민의 임의적 협력을 기대하여 행하는 비권력 사실행위로서 민간부문의 정부의존도가 낮을수록 유용성이 커진다. ( )

---

O·X 정답  1. ○  2. ○  3. ×  4. ○
5. ○  6. ○  7. ×

PART

# 03

# 정책학

# CHAPTER 01 정책학의 기초

제 1 절 정책학과 정책

## 01 정책학의 의의

### 1. 개 념

정책학의 주창자인 라스웰(Lasswell)은 행정을 기본적으로 정책과정(policy process)으로 인식하고, 정책학을 "정책과정에 관한 지식을 연구하는 활동"으로 정의하였다. 이때 '정책과정에 관한 지식'이란 현재의 정책과정에 대한 '실증적 지식'과 바람직한 결정을 위하여 필요한 '규범적 지식'을 모두 포함한다.

### 2. 현대적 정책학의 전개

(1) 현대적 정책학의 등장 – 라스웰(Lasswell)의 「정책지향(Policy Orientation)」

정책학은 1951년 라스웰의 「정책지향」이란 논문에서 시작되었다. 라스웰은 이 논문에서 관념적·추상적이어서 현실성이 결여된 정치학, 사회문제에 대한 실천적 처방을 제시하기 곤란한 행태과학, 환경이나 질적인 요소에 대한 고려 없이 조직 내부의 최적화만을 추구하는 관리과학 등 기존의 연구를 비판하면서 정책 중심의 연구를 주창하였다.

(2) 행태주의와 정책학의 후퇴

라스웰의 제언은 출발 당시(1950년대) 사회과학의 주류 연구경향이었던 행태주의 혁명에 밀려 학자들의 관심을 전혀 받지 못하였다.

(3) 후기행태주의와 정책학의 재출발

① 1960년대 산적한 사회문제로 인하여 미국사회의 혼란이 가중되자 '적실성의 신조와 실천'을 기치로 사회문제에 대한 연구를 중시하는 후기행태주의가 대두되면서 정책학 연구는 다시 활기를 띠게 되었다.

② 정책학의 재출발에 지대한 공헌을 한 학자는 드로어(Dror)이다. 드로어는 정책학을 "보다 나은 정책결정을 위하여 정책결정의 지식·방법·체계를 연구하는 학문"으로 정의하고 정책결정체계를 중심으로 정책학을 발전시켰다.

O·X 문제
1. 라스웰은 "정책학이란 정책과정에 관한 지식이다."라고 정의하였다.
( )
2. 정책학은 후기행태주의 퇴조로 등장하게 되었다.
( )

O·X 정답 1. ○ 2. ×

## 3. 정책학의 목적(Lasswell)

라스웰(Lasswell)에 따르면 정책학의 궁극적 목적은 인간사회의 근본적인 문제를 해결하여 인간의 존엄성을 실현하는 것이다. 이를 위해서는 정책과정의 합리화를 제고(중간 목표)해야 하며, 정책과정의 합리화를 위해서는 정책과정에 대한 경험적·과학적 지식(process에 대한 지식)과 정책과정에 필요한 규범적·처방적 지식(contents에 대한 지식)을 제공(하위 목표)해야 한다.

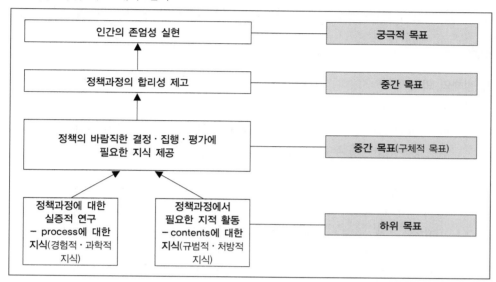

**O·X 문제**

1. 라스웰(Lasswell)은 정책과정에 관한 지식보다 정책에 필요한 지식이 더 중요하며, 사회적 가치는 분석대상에서 제외해야 함을 강조하였다.
( )

## 4. 정책학의 연구방법 – 규범적 접근(응용과학)과 실증적 접근(순수과학)

정책학은 정책의 정당성에 초점을 두고 정책이 의도한 목적가치에 주목하는 규범적 연구방법과 정책과정을 자세히 기술하는 것에 초점을 두고 정책의 실제에 주목하는 실증적 연구방법이 모두 활용된다.

## 5. 정책학의 특성

(1) 라스웰(Lasswell)의 패러다임

① **문제지향성(처방성)** : 정책학은 우리 주위에 존재하는 일상적인 문제가 아니라 사회 속의 인간이 부딪치는 근본적인 문제의 해결에 초점을 두는 학문이다.

② **인본주의적·민주주의적 성격** : 정책학이 추구하는 근본적인 문제의 해결은 인간의 존엄성(인본주의) 실현 및 실질적인 민주주의 구현을 위한 것이다.

③ **규범지향성(가치지향성)** : 정책학은 사회적 요구의 의미를 파악하고 이를 해결하기 위한 바람직한 방향과 가치를 제시한다.

④ **방법론적 다양성** : 정책학은 규범적 지식과 실증적 지식을 융합하여 처방적 접근을 시도한다는 점에서 방법론적 다양성을 지닌다.

⑤ **맥락성(관련성 지향성)** : 정책학에서 연구하는 정책결정은 사회적·정치적 과정과 밀접한 관련성 속에서 이루어진다.

⑥ **범학문성(학제적 접근, 연합학문적 성격)** : 정책학은 문제해결에 필요한 이론·논리·기법 등을 여러 학문 분야에서 받아들이고 활용해 나간다.

**O·X 문제**

2. 라스웰(Lasswell)은 1971년 『정책학 소개』에서 맥락지향성, 이론지향성, 연합학문지향성을 제시하였다.
( )

O·X 정답 1. × 2. ×

**심화학습**

정책에 대한 다양한 정의

| | |
|---|---|
| 체제론적 관점 | 정책은 가치의 권위적 배분으로서 정부와 국민 간의 상호작용(투입 – 전환 – 산출 – 환류) 속에서 형성된 체제의 산출물 |
| 제도론적 관점 | 정책은 합법적인 권한을 가진 정부기관에 의해 채택·집행·강제된 것 |
| 이스턴 | 정책이란 사회체제를 위하여 정치체제가 내리는 가치의 권위적 배분 |
| 라스웰 | 정책이란 목적가치와 실행을 투사한 계획 |
| 드로어 | 정책이란 불확실하고 복잡한 동태적 상황 속에서 국가가 공익의 구현을 위해 형성한 미래지향적 행동방침 |

**심화학습**

정책의 기능

| | |
|---|---|
| 규범적 기능 | 바람직한 사회의 가치를 실현하는 기능 |
| 행동의 지침제공 기능 | 행정활동에 대한 방향과 지침을 제시하는 기능 |
| 문제해결 기능 | 사회문제의 해결수단을 제시하는 기능 |
| 변동유발 기능 | 사회의 변화를 추구하는 기능 |
| 사회 안정화 기능 | 사회 속에 이해관계의 대립을 조정하여 전체 사회의 안정을 확보해 나가는 기능 |
| 정치적 기능 | 행정활동의 정치적 설득력을 제시하는 기능 |

(2) 드로어(Dror)의 패러다임

① 목적 – 사회지도체제(거시적 수준의 정책결정체제)의 이해와 개선 : 정책학의 목적은 거시적 수준의 정책결정체제에 대한 이해를 증진하고 이를 개선하기 위한 것이다.

② 접근방법 – 순수연구와 응용연구의 연계 : 정책학은 방법론상 처방적·역사적·범학문적 접근을 지향하고, 순수연구와 응용연구를 연계해야 한다.

③ 정책결정 – 초합리성 : 정책학의 연구대상인 정책은 합리성 외에 묵시적 지식(직감, 영감, 통찰력 등)과 경험 등의 초합리성을 활용해 나가야 한다(최적모형 제시).

**02 정책의 이해**

**1. 정책의 의의**

(1) 개념 및 개념적 요소

① 개념 : 정책이란 사회문제를 해결하기 위해 권위 있는 정부기관에 의해 공식적으로 결정된 행동방침(사업에 대한 계획)이다.

② 개념적 요소

㉠ **정책의 목적 – 사회문제의 해결** : 정책은 공공문제의 해결을 통한 바람직한 미래 상태의 구축을 목적으로 한다.

㉡ **정책의 주체 – 정부** : 정책결정과 집행의 주체는 정부이다. 이때 정부란 국민들로부터 권한을 부여받은 모든 국가기관을 의미한다.

㉢ **정책의 내용 – 미래지향적 행동방침** : 정책의 내용은 정책목표를 달성하기 위한 행동방침인 정책수단으로 구성되어 있다.

(2) 정책의 성격

① **목표(미래)지향성·문제지향성·변화지향성·의도성** : 정책은 불만스러운 현실문제의 해결을 통해 바람직한 미래상태라는 목표를 달성하고자 하는 인위적·의도적 노력이다.

② **수단지향성** : 정책은 바람직한 미래상태를 실현할 구체적인 수단 및 방법을 내포하기 때문에 정책목표를 달성하기 위해 정부가 동원하는 수단을 정책이라 부르기도 한다.

③ **가치배분성** : 정책의 결정과 집행은 결과적으로 사회적 가치(부나 권력)를 배분하는 기능을 한다. 이에 정책을 '가치의 권위 있는 배분'이라고 정의하기도 한다.

④ **공식성·강제성** : 정책은 정치권력에 기반한 국가기관의 공식적이고 권위 있는 결정의 산물이며, 합법적 강제력을 수반한다.

⑤ **양면성** : 정책은 과학적 분석에 따른 합리적 결정이면서 동시에 가치와 갈등이 내포된 권력적 게임으로 국민의 요구와 지지에 대한 정치권력의 반응결과이다.

⑥ **포괄성** : 정책은 일련의 의사결정이라는 점에서 하나의 산출물이나, 집행상황에 맞게 적절하게 변화되는 가변성을 지닌다는 점에서 하나의 과정이다.

⑦ **행동지향성·비용유발성** : 정책의 목적이나 내용을 실현하기 위해서는 실제로 집행되어야 한다는 점에서 정책은 행동지향성과 비용유발성을 지닌다.

⑧ **인과성 및 오류가능성** : 정책은 '특정 정책대안을 시행한다면 특정 정책목표를 달성할 것'이라는 인과성을 전제로 형성되지만 사실은 오류가능성이 있는 가설에 불과하다. 이는 미래예측능력의 한계를 지닌 인간의 제한된 합리성 때문이다.

### (3) 정책의 구성요소

정책의 3대 구성요소는 정책목표, 정책수단, 정책대상자이다. 정책의 4대 구성요소는 여기에 정책결정자가 추가된다.

① **정책목표**: 정책을 통하여 달성하고자 하는 바람직한 미래 상태를 정책목표라 하며, 정책목표는 정책의 존재이유이다. 정책목표의 설정은 바람직한 미래 상태가 무엇인지를 판단하는 '가치(value) 판단'의 영역이다.

② **정책수단**: 정책목표를 달성하기 위한 구체적인 행동방침을 정책수단이라 한다. 정책수단은 이해관계자에게 직접적으로 영향을 미치는 정책의 가장 중요한 구성요소로 정책목표와 계층제적 관계를 형성한다.

③ **정책대상자**: 정책집행을 통해 영향을 받는 개인이나 집단을 정책대상자라 한다. 정책대상자는 정책의 실행으로 혜택을 받는 수혜집단과, 희생을 치르는 비용부담집단으로 구분된다.

### (4) 법률·정책·계획(기획)의 상호관계

① **의의**: 정책이라는 용어는 계획·법률 등의 용어들과 혼용되어 사용된다. 다만, 구별하는 입장에서는 '계획'을 국가기획으로 인식하여 정책의 상위개념으로 보고, 중요한 정책은 '법률'로 구체화된다는 점에서 법률을 정책의 하위개념으로 본다.

② **구별**: 법률·정책·계획(기획)을 포괄성·일반성·일관성을 기준으로 구분한다면 계획 > 정책 > 법률순이며, 구체성·강제력·집행력을 기준으로 구분한다면 법률 > 정책 > 계획순이다.

## 2. 정책수단(행정수단)

### (1) 의의

① **전통적 접근(Vedung)**

㉠ 비덩(Vedung)이 제시한 기존의 전통적 삼분법에 의하면 정책수단은 규제적 도구[regulation, 채찍(sticks)], 유인적 도구[incentives, 당근(carrots)], 정보적 도구[persuasion, 설교(sermons)]⁺로 구분된다.

㉡ 비덩(Vedung)에 의하면 규제적 도구는 합법적 권위에 입각한 정책수단이므로 예측가능성이 높으며, 사회적 위기상황에 적합하다.

② **현대적 접근(Salamon)**

㉠ 최근 행정의 새로운 패러다임으로 뉴거버넌스가 대두되면서 전통적인 정책수단 외에 다양한 정책수단이 활용되고 있다.

㉡ 이에 살라몬(Salamon)은 정책수단을 '공공문제를 해결하기 위해 집단행동을 구조화할 수 있는 식별가능한 방법'으로 정의하고 정책수단이 제공하는 산출물(행정활동: 재화와 서비스의 제공, 보호와 금지, 재정지원과 재정부담 등)과 그것을 전달하는 주체(전달 체계: 정부, 시장, 시민사회 등)를 기준으로 13개의 정책수단을 제시하였다.

---

**O·X 문제**

1. 정책의 가장 본질적인 구성요소는 정책수단이다. ( )

**심화학습**

계획에 대한 시각

| 계획을 정책의 상위개념으로 인식하는 시각 | 계획을 포괄적인 국가기획으로 파악하고, 정책을 기획의 결과물로 인식 |
| --- | --- |
| 정책을 계획의 상위개념으로 인식하는 시각 | 계획을 정책집행의 구체적 지침으로 인식 |

**O·X 문제**

2. 비덩(Vedung)은 정책 도구를 규제적 도구(sticks), 유인적 도구(carrots), 정보적 도구(sermons) 등으로 유형화한다. ( )

⁺ 규제·유인·정보적 도구

| 규제적 도구 | 강압적 권력에 바탕을 두고, 정부가 민간의 활동에 제약을 가하는 정책수단 |
| --- | --- |
| 유인적 도구 | 보상적 권력에 바탕을 두고, 정부가 민간에게 보조금 등을 지급하여 활동을 유도하는 정책수단 |
| 정보적 도구 | 규범적 권력에 바탕을 두고, 정부가 홍보 등을 통해 민간의 행동변화를 이끌어내는 정책수단 |

O·X 정답 1. ○ 2. ○

### (2) 정책수단(정책도구)의 유형

| 수 단 | 정 의 | 행정활동 | 전달 체계 |
|---|---|---|---|
| 정부소비 | 행정활동을 위한 정부의 직접 소비행위(조달, 구매) | 재화와 서비스의 제공 | 정부 |
| 공기업 | 정부 소유 또는 통제로 운영되는 공공기관 | 재화와 서비스의 제공 | 정부 (준정부부문) |
| 계 약 | 정부 외부로부터 특정 서비스에 대한 구매행위(민간위탁) | 재화와 서비스의 제공 | 기업 또는 NGO |
| 바우처 | 한정된 종류의 물건이나 서비스를 구매할 수 있게 하는 이용권 | 재화와 서비스의 제공 | 정부, 기업, NGO |
| 보조금 | 기업·가계·지방정부 등에게 제공하는 지원금 | 재화와 서비스의 제공 | 지방정부 또는 NGO |
| 경제적 규제 | 가격·산출·기업의 진입과 퇴출을 통제하기 위한 행정과정 | 보호와 금지 (공정가격) | 정부 (규제위원회) |
| 사회적 규제 | 안전·건강·복지 및 환경보전 등을 위해 행위를 제한하는 법률 또는 이를 제정·집행·강제·처벌하는 과정 | 보호와 금지 | 정부 또는 규제자 |
| 사회보험 | 개인이나 기업의 경제적·신체적 손실을 입을 위험에 대비하는 보상체계 | 보호 | 정부 (준정부부문) |
| 손해 책임법 | 타인의 부주의나 잘못된 행동으로 인한 피해에 대해 사법제도를 통해 보상받거나 금지적 처분을 요청하는 법규 | 사회적 보호 | 사법당국 |
| 직접 대출 | 정부가 개인 또는 기관에게 자금을 빌려주고, 채권을 관리하는 행위나 과정(정부융자) | 재정지원(현금) | 정부 |
| 대출보증 | 민간은행이 개인이나 기업에게 자금을 대출하도록 보증하는 행위 | 재정지원(현금) | 민간은행 |
| 조세지출 | 개인이나 기업에 대한 세금 납부 연기 또는 감면 행위 | 재정지원(현금) | 정부(조세당국) |
| 사용료, 과징금 | 공공서비스 이용에 대한 비용을 민간에게 부담하게 하는 행위 | 재정 부담 | 정부(조세당국) |

### (3) 정책수단(정책도구)의 구분

① 구별기준(Salamon)

ⓞ **직접성** : 행정활동을 정부가 직접 하는지, 아니면 제3자 또는 민관이 공동으로 하는지에 대한 기준이다. 살라몬은 형평성에 대한 고려가 중요한 경우에는 직접적 수단이 간접적 수단보다 적절하다고 하였다.

ⓛ **강제성** : 행정활동이 정책대상자에게 강제성이 있는지, 아니면 자발적 협력을 요구하는지에 대한 기준이다.

ⓒ **자동성** : 행정활동을 위해 기존의 도구를 이용할 수 있는지, 아니면 새로운 도구를 도입해야 하는지에 대한 기준이다(예 손해책임법, 조세지출 등은 기존의 사법제도나 세금을 활용하므로 자동성이 높음).

ⓡ **가시성** : 행정활동과 관련된 정책과정이 가시적인지에 대한 기준이다(예 보조금이나 벌금은 가시성이 높지만, 조세지출은 수혜 대상자와 조세 감면의 효과가 명확히 드러나지 않기 때문에 가시성이 낮음).

**심화학습**

**정부관여의 정도에 따른 정책수단 분류**

| | |
|---|---|
| 강제적 정책수단 | 서비스의 직접 공급, 공기업 운영, 제재 검사 및 허가, 법과 규제 등 |
| 혼합적 정책수단 | 민간위탁, 지급보증, 보험, 조세감면, 국고보조금, 이전지출 등 |
| 자발적 정책수단 | 민간부문(시장, 시민사회)의 자율적 활동 |

② 직접성 정도에 따른 정책수단과 효과(공공 vs 민간)

| 직접성 | 행정수단 | 효과성 | 효율성 | 형평성 | 관리<br>가능성 | 정당성<br>(정치적 지지) |
|---|---|---|---|---|---|---|
| 낮음 | 손해책임법, 보조금, 대출보증, 정부출자기업, 바우처 | 낮음. | 높음. | 낮음. | 낮음. | 높음. |
| 중간 | 조세지출, 계약, 사회적 규제, 벌금 | 낮음./<br>중간 | 중간 | 낮음. | 낮음. | 높음. |
| 높음 | 보험, 직접 대출, 경제적 규제, 정보 제공, 공기업, 정부 소비 | 높음. | 중간 | 높음. | 높음. | 낮음. |

| 직접수단 | 경제적 규제, 직접대출, 공기업, 정부소비 |
|---|---|
| 간접수단 | 사회적 규제, 대출보증, 보험, 계약, 보조금, 조세지출, 바우처, 손해책임법, 사용료·과징금 |

③ 강제성 정도에 따른 정책수단과 효과(강제 vs 자발적 협력)

| 강제성 | 행정수단 | 효과성 | 효율성 | 형평성 | 관리<br>가능성 | 정당성<br>(정치적 지지) |
|---|---|---|---|---|---|---|
| 낮음 | 손해책임법, 정보제공, 조세지출 | 낮음. | 중간 | 낮음. | 중간 | 높음. |
| 중간 | 바우처, 보험, 보조금, 공기업, 대출보증, 벌금, 직접 대출, 계약 | 중간 | 높음. | 중간 | 중간 | 중간 |
| 높음 | 경제적 규제, 사회적 규제 | 높음. | 높음./<br>낮음. | 높음. | 낮음. | 높음./<br>낮음. |

④ 직접성과 강제성의 관계 : 직접성이 높은 정책수단일수록 강제성이 높으며, 직접성이 낮은 정책수단일수록 강제성은 낮고 자발적 협력을 필요로 하는 것이 일반적이다. 그러나 직접성은 높지만 강제성이 낮은 정책수단(⑩ 정부가 기준 미준수 사실을 공개하고 행위자가 스스로 기준을 준수하도록 유도하는 '정보제공')도 존재하며, 직접성이 낮지만 강제성이 높은 정책수단(⑩ 각종 기술검정·승인 등이 민간에게 위탁된 '사회적 규제')도 존재한다.

**심화학습**

직접성이 높은 정책수단의 특징

| 효과성 | 대부분 강제성을 지녀 효과성이 높다. |
|---|---|
| 정당성 | 참여를 보장하지 않기 때문에 정치적 지지가 낮다. |
| 관리<br>가능성 | 정부가 직접 수행하므로 관리가능성이 높다. |

**심화학습**

공적보험과 직접성 정도(Salamon)

① 살라몬은 공적보험의 경우 정부가 운영한다는 점에서 직접성의 정도가 높은 정책수단으로 분류하였다.
② 살라몬은 정책수단을 직접수단과 간접수단으로 재분류하면서 공적보험은 민간의 신분을 지닌 공공기관을 전달체계로 활용한다는 점에서 간접수단으로 분류하였다.

**심화학습**

강제성이 높은 정책수단의 특징

| 효과성 | 정책목표와 정책대상집단이 명확해 효과성이 높다. |
|---|---|
| 정당성 | 대체로 정치적 지지가 높지만 관료포획이 발생할 경우 정치적 지지가 낮아진다. |
| 관리<br>가능성 | 집행비용이 높으며 규제기관의 재량남용가능성이 있어 관리가능성이 낮다. |

**O·X 문제**

1. 보조금과 바우처는 직접성의 정도가 낮은 정책수단이다. ( )

2. 정부소비와 공기업은 직접적인 정책수단이다. ( )

3. 사회적 규제는 직접수단이다. ( )

4. 살라몬(Salamon)에 따르면, 공적보험은 공공기관을 전달체계로 활용한다는 점에서 직접적인 정책수단이다. ( )

O·X 정답 1. ○ 2. ○ 3. × 4. ×

**핵심정리 | 넛지(Nudge) 방식의 정책(수단)설계**

## 1. 의의 – 선택설계

노벨경제학상을 수상한 세일러(Thaler) 등에 의해 주창된 넛지방식의 정책설계란 정부가 강제적이지 않은 방법으로 정책대상자의 행동변화를 유도하는 정책설계를 말한다. 즉, 개인에게 선택의 옵션을 부여하면서도 정부가 의도한 대로 선택하도록 하는 메커니즘을 활용하는 선택설계방식의 정책수단이다.

## 2. 이론적 근거 – 행동경제학(behavioral economics)

(1) **행동경제학 – 제한된 합리성과 인지적 편향**: 넛지는 행동경제학이 발견한 인간의 행동 메커니즘을 정책에 응용한 것이다. 행동경제학은 인간의 완전한 합리성을 가정하는 신고전학파 경제학의 비현실성을 비판하고, 심리학의 연구결과를 경제학에 반영하여 제한된 합리성과 인지적 편향(인지적 오류와 행동 편향)을 지닌 인간을 전제로 인간의 의사결정과정에서 발생하는 비합리성을 분석하고 바람직한 결정을 유도하는 대안을 제시한다.

(2) **신고전학파 경제학과 행동경제학의 비교**

| 구 분 | 신고전학파 경제학 | 행동경제학 |
|---|---|---|
| 인간관 | • 경제적 인간 – 완전한 합리성<br>• 완전한 이기성 | • 심리적 인간 – 생태적·제한된 합리성<br>• 이타성·호혜성(사회적 본능이나 선호) |
| 의사결정<br>(선택행동) | • 효용극대화 행동<br>• 기대효용이론(효용함수) | • 만족화 행동, 휴리스틱(직관이나 경험 활용)<br>• 전망이론(가치함수) |
| 연구방법 | 가정에 기초한 연역적 분석 | 실험을 통한 귀납적 분석 |
| 정부역할 | • 시장실패와 제도실패<br>• 재화의 효율적인 생산과 공급 | • 행동적 시장실패<br>• 바람직한 의사결정 유도(행동변화) |
| 정책수단 | 법과 규제, 경제적 유인 수단 | 넛지(선택설계) |

## 3. 주요내용

(1) **넛지방식의 전제**

① **인지적 편향과 행동적 시장실패**: 인간은 제한된 합리성으로 인해 휴리스틱적 의사결정방식(직관이나 경험법칙을 활용한 의사결정방식)을 활용하며, 이 과정에서 인지적 오류와 행동편향으로 인한 비합리적 의사결정으로 개인적 차원에서 중대한 피해와 문제가 발생하는 '행동적 시장실패'를 야기한다.

② **행동적 시장실패와 내부효과**: 전통적 시장실패론은 타인이 야기하는 (긍정적, 부정적) 외부효과가 시장실패의 핵심요인으로 정의되지만, 행동적 시장실패는 휴리스틱과 인지적 편향으로 인한 자신의 비합리적 의사결정이 자신의 후생손실을 초래하는 내부효과가 핵심요인으로 정의된다.

(2) **넛지방식의 성격과 특성**

① **사상 – 자유주의적 개입주의**: 넛지는 개인에게 선택의 옵션을 제공하고 특정 선택을 강요하지 않는다는 점에서 자유주의적 관점을, 개인이 올바른 선택을 하도록 정부가 간섭(유인)한다는 점에서는 개입주의적 관점을 특징으로 한다.

② **대상과 강도 – 수단개입주의와 부드러운 개입주의**: 넛지의 개입대상은 인간이 추구하는 목적이 아니라 수단을 선택하는 과정에 개입하는 '수단 개입주의'인 동시에 개입의 강도 측면에서는 물질적 비용을 부과하지 않으면서 사람들의 선택에 영향을 미치고자 하는 '부드러운 개입주의'를 지향한다.

③ **방식 – 촉매적 정책수단**: 전통적 정책수단은 명령지시적 정부규제나 경제적 유인을 활용한다면 새로운 정책수단인 넛지는 간접적이고 유도적인 정부개입방식으로 촉매적 정책 수단의 성격을 띤다.

④ **관점 – 급진적 점증주의**: 넛지는 정책대상집단의 인지적 오류를 보완하여 자율적 행동변화를 유도하는 것으로 급진적 사회변화를 가져오기보다는 소규모 변화가 지속적으로 축적되고 누적되면 혁신적 변화가 달성될 수 있다는 급진적 점증주의 관점에 기초하고 있다.

⑤ **설계 – 증거에 기반한 정책설계(귀납적 분석)**: 넛지는 인간의 인지적 편향을 전략적으로 활용하고자 하며, 이를 위해서 엄격하게 검증된 증거에 기반하여 정책을 설계한다.

⑥ 예: 퇴직연금의 디폴트 옵션을 옵트-인(opt-in : 가입시에 서류작성 및 제출)에서 옵트-아웃(opt-out : 모든 노동자가 자동가입되고, 탈퇴 시에 서류작성 및 제출)으로 변경하여 퇴직연금 가입률을 제고한 사례, 공항 남자화장실의 청결성을 유지하기 위해 소변기에 파리 그림을 그려 소변기 밖으로 튀는 소변의 양을 감소시킨 사례 등이 있다.

### 4. 신공공관리론과 넛지이론의 비교

| 구 분 | 신공공관리론 | 넛지이론 |
|---|---|---|
| 학문적 토대 | 신고전학파 경제학, 공공선택론 | 행동경제학 |
| 합리성 | 완전한 합리성, 경제적 합리성 | 제한된 합리성, 생태적 합리성 |
| 이념적 기초 | 신자유주의, 시장주의 | 자유주의적 개입주의 |
| 정부역할의 근거 | 정부실패 | 행동적 시장실패 |
| 공무원의 역할 | 공공기업가(정치적 기업가) | 선택설계자 |
| 정책목표 | 고객주의, 개인의 이익 증진 | 행동변화를 통한 삶의 질 제고 |
| 정책수단 | 경제적 인센티브 | 넛지 |
| 정부모델 | 기업가적 정부 | 넛지 정부 |

### 5. 평 가

(1) 장 점
① **선택의 자유 보장(비강제성)** : 넛지는 정책대상자에게 선택의 옵션을 주는 정책으로 강제적이지 않고 정책대상자에게 선택의 자유를 보장한다.
② **비용 측면에서 효율성** : 넛지는 정책대상자의 선택을 존중하므로 전통적 정책수단(규제나 경제적 유인)에 비해 비용 측면에서 효율적이다.

(2) 단 점
① **가부장적 개입 확대** : 넛지는 정책대상자를 편견과 왜곡을 지닌 존재이며, 정부에 의해 쉽게 조정되는 존재로 인식하여 국가의 가부장적 개입을 확대하기 위한 근거논리로 작용할 수 있다.
② **정책효과의 지속성 보장 곤란** : 넛지는 정책의 효과가 단기간에 소멸되어 장기적이고 지속가능한 행동 변화를 보장하지 못하기 때문에 기존의 정책수단을 대체하는 새로운 정책수단이 되기 어렵다는 비판을 받는다.

## 3. 정책과정

(1) 의 의

정책과정은 정책의제설정·정책결정·정책집행·정책평가 등이 지속적으로 순환되는 과정이다. 정책과정은 다양한 이해관계 세력들 간에 갈등과 타협이 이루어지는 정치적 과정으로 역동성을 지닌다.

(2) 정책과정의 절차
① **정책의제설정** : 수많은 사회문제 중에서 정부가 개입하여 해결해야 할 정책문제를 확정하는 과정을 말한다. 정책의제설정은 정책과정 중 가장 많은 갈등이 수반되는 단계이다.
② **정책결정** : 정책문제를 해결하기 위해 정책목표를 설정하고 이를 달성하기 위한 여러 대안을 검토하여 하나의 정책대안을 채택하는 과정을 말한다. 한편, 정책결정과정에서 보다 바람직한 정책결정을 위해 수행하는 지적 작업을 정책분석이라 한다.
③ **정책집행** : 결정된 정책을 구체화하여 실현하는 과정을 말한다. 정책집행은 정책과정 중 가장 저항이 많이 나타나는 단계이다.
④ **정책평가** : 집행된 정책이 정책목표를 달성했는지를 비판적으로 검증하는 과정을 말한다. 정책평가는 정치성보다는 과학성과 객관성이 요구되는 단계이다.

---

**O·X 문제**

1. 신공공관리론의 학문적 토대는 신고전학파 경제학인데, 넛지이론은 공공선택론이다. ( )

2. 신공공관리론은 효율성을 증대하여 고객 대응성을 높이자는 목표를 가지는데, 넛지이론은 행동변화를 통해서 삶의 질을 높이는 것이 목표이다. ( )

3. 신공공관리론에서는 경제적 합리성을 가정하지만, 넛지이론에서는 제한된 합리성을 가정한다. ( )

4. 신공공관리론에서는 공무원이 정치적 기업가가 되길 원하지만, 넛지이론에서는 선택설계자가 되길 바란다. ( )

**심화학습**

정책과정의 정리

| | |
|---|---|
| 라스웰 (7단계) | 정보(정보수집단계) ⇨ 건의(정책대안작성단계) ⇨ 처방(대안선택단계) ⇨ 발동(선택된 대안의 잠정적 시행단계) ⇨ 적용(선택된 대안의 본격적 시행 단계) ⇨ 평가(정책의 성공 여부를 판단하는 단계) ⇨ 종결(정책의 수정 및 폐기 등을 결정하는 단계) |
| 드로어 (3단계) | 초정책결정단계 ⇨ 정책결정단계 ⇨ 후정책결정단계 |
| 앤더슨 (5단계) | 정책의제설정단계 ⇨ 정책형성단계 ⇨ 정책채택단계 ⇨ 정책집행단계 ⇨ 정책평가단계 |
| 존스 (4단계) | 정책의제설정단계 ⇨ 정부 내 행동단계(정책형성 및 법률화와 예산배정) ⇨ 문제해결단계(정책집행) ⇨ 재검토 후 필요한 조치단계(정책평가 및 환류) |

O·X 정답 1. × 2. ○ 3. ○ 4. ○

## 제 2 절 정책의 유형

### 01 정책유형론

#### 1. 의 의

종래의 시각은 '정치가 정책을 결정한다(politics determines policies).'고 보고 정책을 정치체제의 산출물(정책은 정치과정에 의해 결정되는 종속변수)로 인식하였다. 그러나 정책유형론은 정책유형에 따라 정책결정 및 집행과정과 정책환경에서 이해관계자들 간의 정치적 상호작용이 달라질 수 있다고 보고 정책을 독립변수로 간주한다.

#### 2. 정책유형 분류(학자별 분류 : 성질별 분류)

정책의 분류기준은 다양하며, 학자들은 주로 정책의 성질에 따라 다음과 같이 정책유형을 분류하고 있다. 주의할 점은 현실에서 특정 정책은 하나의 정책유형이 아니라 두 개 이상의 정책유형에 속할 수도 있다.

| Almond & Powell | Lowi | Salisbury | Ripley & Franklin |
|---|---|---|---|
| 규제정책 | 규제정책 | 규제정책 | 경쟁적 규제정책 |
| 배분정책 | 배분정책 | 배분정책 | 보호적 규제정책 |
| 상징정책 | 재분배정책 | 재분배정책 | 배분정책 |
| 추출정책 | 구성정책 | 자율규제정책 | 재분배정책 |

### 02 정책유형의 구체적 고찰

#### 1. 주요 정책유형

(1) 배분정책

① 의의 : 정부가 공공재원(조세)을 통해 특정 개인·조직·지역사회에 권리나 이익 또는 재화나 서비스 등의 가치를 배분해 주는 정책을 의미한다.

② 특 징

　㉠ 비용부담자와 수혜자 : 정부가 특정 집단에게 가치를 배분해 주지만 이로부터의 이익은 불특정 다수(일반국민)가 얻는다. 또한 재원은 주로 공공조세로 충당하므로 비용부담자 역시 불특정 다수(일반국민)이다. 따라서 배분정책에서는 비용부담자와 수혜자가 분리되지 않는다.

　㉡ 게임상황 : 구성원 간 손익상황이 발생하지 않기 때문에 승자와 패자 간 정면대결을 벌일 필요가 없어 비영합(non zero-sum)게임+이 발생한다.

　㉢ 의사결정행태 : 정책과정에서 '돼지 구유통 정치[유치경쟁(포크배럴 : pork barrel)]'와 '통나무굴리기식 의사결정[담합(로그롤링 : log-rolling)]'이 발생하며, 갈등이나 타협보다는 상호불간섭이나 상호수용이 나타난다.

　㉣ 사상 : 기회균등을 전제로 각자의 이해관계에 의한 노력에 따라 수혜의 정도가 다를 수 있기에 넓게 보면 자유주의에 근거하고 있다.

ⓐ 정책의 순응도와 자율성: 수혜자 집단 간의 최소한의 승리감을 줄 수 있는 정책(win-win 게임)이므로 환경으로부터의 저항보다는 순응도가 높으며, 그만큼 정부 당국의 정책에 대한 자율성도 높다.

ⓑ 집행과정에서의 갈등: 이해관계에 따른 갈등이 존재하기는 하지만 갈등이 적어 안정적인 루틴화의 확립(표준화된 SOP)을 통한 원만한 집행이 가능하다.

ⓢ 정책의 특성: 세부사업의 집합이 하나의 정책을 구성하므로 정책의 내용이 쉽게 하부단위로 세분되고 다른 단위와 독립적으로 처리될 수 있다.

ⓞ 주요 행위자: 순응도가 높고 갈등이 적어 대통령의 관심보다는 관료 또는 하위정부에 의한 정책결정이 주로 나타난다.

ⓩ 추구이념: 재원의 1차적 배분과 관련되며, 능률성·효과성·효율성이 주요한 가치가 된다.

ⓒ 구체적인 예: 항만·공항·도로·저수지 등 사회간접자본(SOC) 확충, 노동조합·기업·농민·자치단체 등에 대한 보조금 지급, 벤처기업 창업지원금·통상지원·출산장려금·우수 지방대학 육성지원·연구개발비 지원, 자영업자 금융지원 등 각종 지원 정책, 수출정보의 제공·농작물 작황 예보 등 정보제공, 박물관 건립, 국유지불하(택지분양), 수출 특혜 금융, 주택자금 대출, 국·공립학교를 통한 교육서비스, 직업훈련사업, 대학입학의 농어촌 특별전형 등이 있다.

**핵심정리 | 돼지 구유통 정치와 통나무굴리기식 의사결정**

1. **돼지 구유통 정치(pork barrel)**
원래는 이권이나 보조금을 얻기 위해 모여드는 의원들이 마치 농장에서 농장주가 돼지 구유통에 고기를 던져 줄 때 모여드는 노예와 같다는 의미에서 나온 말이다. 배분정책은 정책수혜자들 간에 혜택을 보다 많이 획득하기 위한 경쟁으로 돼지 구유식의 다툼이 발생한다.

2. **통나무굴리기식 의사결정[log-rolling : 투표의 교환(담합, 갈라먹기, 나눠먹기)]**
통나무를 원하는 방향으로 굴리기 위해 통나무의 양쪽(두 개의 경쟁세력)이 협력하는 현상이다. 배분정책은 이해관계자 간 경쟁으로 돼지 구유통 정치가 나타나지만, 굳이 승자와 패자가 정면대결할 필요가 없어 통나무굴리기식의 협력관계가 발생한다. 통나무굴리기식 의사결정은 보통 특정 이익에 대한 수혜를 대가로 상대방이 원하는 정책에 동의해 주는 방식으로 진행되며, 혜택을 서로 나눠 가지기 위해 이해관계자 간 협상을 통해 비교적 안정적인 연합을 형성한다.

3. **돼지 구유통 정치와 통나무굴리기식 의사결정의 관계**
돼지 구유통 정치(pork barrel)가 이해당사자들 간에 이익을 보다 많이 얻기 위한 쟁탈전(경쟁)을 묘사한다면, 통나무굴리기식 의사결정(log-rolling)은 이해당사자들이 서로 담합(협력)하는 행태를 묘사한다는 점에서 서로 다른 의미를 지니고 있다. 다만, 현실에서는 유치경쟁(pork barrel)을 위한 담합(log-rolling)이 이루어져 로그롤링과 포크배럴이 동시에 발생하는 것이 일반적이며, 양자 모두 정부예산이 불필요하게 낭비되는 병리적 현상을 초래한다.

(2) 재분배정책

① 의의: 재산·소득·권력 등을 상대적으로 많이 가진 계층(집단)으로부터 적게 가진 계층(집단)으로 이전시키는 정책을 의미한다. 재분배정책은 사회적·경제적 배분(보상)의 기본관계를 재구성해 나가는 정책이다.

---

**O·X 문제**

1. 배분정책은 정책내용이 세부단위로 쉽게 구분되고 각 단위는 다른 단위와 별개로 처리될 수 있다. ( )

2. 분배정책은 비용부담 집단의 반발이 제한적이기 때문에 수혜 집단의 혜택이 쟁점화되지 않은 채 안정적 절차확립이 용이하다. ( )

3. 배분정책의 경우 정책과정에서 이해당사자들 간에 로그롤링(log-rolling) 또는 포크배럴(pork barrel)과 같은 정치적 현상이 나타나기도 한다. ( )

4. 분배정책의 사례에는 FTA협정에 따른 농민피해 지원, 중소기업을 위한 정책자금지원, 사회보장 및 의료보장정책 등이 있다. ( )

5. 로위는 군인연금에 관한 정책을 분배정책으로 분류한다. ( )

**O·X 문제**

6. 로그롤링(log-rolling)은 의회에서 이권과 관련된 법안을 해당 의원들이 서로에게 이익이 되도록 협력하여 통과시키거나, 특정 이익에 대한 수혜를 대가로 상대방이 원하는 정책에 동의해 주는 방식으로 이루어진다. ( )

7. 배분정책은 한정된 자원을 여러 대상에게 배분하는 것이므로 소위 갈라먹기 다툼(pork barrel)을 특징으로 한다. ( )

8. 분배정책은 정책과정에서 이해당사자들 간의 협상을 통해 비교적 안정적인 연합을 형성한다. ( )

O·X 정답 1. ○ 2. ○ 3. ○ 4. ×
5. × 6. ○ 7. ○ 8. ○

**+ 부(負)의 소득세 제도**
소득수준이 면세점(조세를 감면받는 점)에 미달하는 모든 저소득자에게 면세점과 실제소득과의 차액의 일정비율을 정부가 지급하는 소득보장제도 (역소득세 제도)

② 특 징

㉠ **비용부담자와 수혜자**: 고소득층에게 비용을 부담시키고 이를 저소득층을 위한 사회보장지출로 활용하는 정책이므로 비용부담자와 수혜자가 명확하게 구분된다.

㉡ **게임상황**: 비용부담자와 수혜자가 명확하게 구분되므로 그들 간에 치열한 영합게임(zero-sum game)이 발생한다.

㉢ **의사결정행태**: 의사결정과정에서 고소득층과 저소득층 간 계급대립적 갈등이 심각하게 표출된다.

㉣ **사상**: 권력과 재산의 이전에 초점을 둔 이전주의(계급주의) 정치철학을 근거로 하며, 재산권의 행사가 아닌 재산 자체의 변동을 추구한다.

㉤ **정책의 순응도와 자율성**: 정책과정에서 기득권층의 이데올로기적 저항이 심각하게 야기되며, 정부당국의 정책 역시 환경에 좌우되어 타율성이 강하다.

㉥ **집행과정에서의 갈등**: 사회계급적인 접근에 기반하기 때문에 비용부담자와 수혜자 간 갈등이 규제정책보다 가시적이다.

㉦ **정책의 특성**: 세부사업 간에 강한 결속력과 연계관계를 지녀 세부사업 단위로 독립적인 집행이 불가능하다.

㉧ **주요 행위자**: 정책추진을 위한 강력한 리더십이 요구된다는 점에서 대통령이 주요 행위자로서 역할을 수행한다(엘리트주의).

㉨ **추구이념**: 재원의 2차적 배분과 관련되며, 형평성이 주요한 가치가 된다.

㉩ **구체적인 예**: 누진소득세, 통합의료보험, 임대주택 건설, 노령연금, 영세민 취로사업, 부(負)의 소득세 제도+, 「생활보호법」에 의한 극빈자 보호, 저소득층의 소득안정 정책, 각종 사회보장제도 등이 있다.

📁 **분배정책과 재분배정책의 비교**

| 구 분 | 분배정책 | 재분배정책 |
|---|---|---|
| 개 념 | 정부가 특정 개인 또는 집단에게 가치를 배분하는 정책 | 가진 자의 권력과 재산을 가지지 못한 자에게 이전해 주는 정책 |
| 비용부담자와 수혜자 | • 비용부담자 : 불특정 다수<br>• 수혜자 : 불특정 다수<br>• 비용부담자와 수혜자 미분리 | • 비용부담자 : 고소득층<br>• 수혜자 : 저소득층<br>• 비용부담자와 수혜자 분리 |
| 게임의 상황 | 비영합게임(non zero-sum game) | 영합게임(zero-sum game) |
| 참여자의 행태 | 상호불간섭이나 상호수용 | 이데올로기적 갈등 |
| 주요 행위자 | 관료 또는 하위정부 | 대통령(엘리트주의) |
| 사 상 | 자유주의(1차적 배분) | 이전주의, 계급주의(2차적 배분) |
| 추구이념 | 능률성·효과성·효율성 | 형평성 |
| 의사결정 | 포크배럴과 로그롤링 | 계급 대립적 갈등 |
| 상호작용 | 이해관계에 따른 경쟁 또는 협력 | 이데올로기에 따른 갈등과 경쟁 |
| 특 징 | 세부사업의 집합이 하나의 정책을 구성하며, 정책의 내용이 하위단위로 세분되고 다른 단위와 독립적으로 처리됨. | 세부사업들 간에 강한 결속력과 연계관계를 지녀 세부사업 단위별로 독립적인 집행 불가능 |
| 저항(순응도) | 낮음(높음). | 높음(낮음). |

| 표준운영절차 | 루틴화 확립 용이 | 루틴화 확립 곤란 |
|---|---|---|
| 정책 자율성 | 높음. | 낮음. |
| 갈 등 | 낮음. | 높음. |

**(3) 규제정책**

① 의의 : 정부가 공공목적 실현을 위해 민간의 의사결정과 행위를 강제적으로 제약하는 통제적 성격의 정책수단을 의미한다. 규제정책은 정부정책 중 가장 많은 비중을 차지하고 있다.

② 특 징

ㄱ 비용부담자와 수혜자 : 비용부담자와 수혜자가 명확히 구분되고 이슈에 따라 정부, 이익집단, NGO 등 다양한 사회세력들 간 정치적 연합 및 상호작용이 이루어진다.

ㄴ 갈등 : 비용부담자와 수혜자 간 이해관계가 정면으로 배치되기 때문에 영합게임 (zero-sum game)이 발생하며, 집단 간 갈등의 수준이 높다.

ㄷ 특성 : 다른 정책과 달리 비용부담자와 수혜자가 정책결정 시에야 비로소 구분된다. 이로 인해 정치적 연합의 구성원들이 이슈에 따라 달라지며, 정치적 연합 간의 상호작용으로 다원주의적 정치과정이 발생한다.

ㄹ 형식 : 규제정책은 강제력을 수반하므로 법률로 정하는 것이 원칙이다(규제법정주의). 다만, 이 경우에도 관료의 재량권 행사는 가능하다.

③ 분류 – 경쟁적 규제정책과 보호적 규제정책(Ripley & Franklin)

ㄱ 경쟁적 규제정책

ⓐ 의의 : 다수의 경쟁자 중에서 특정 개인 또는 집단에만 일정한 재화나 서비스를 제공할 수 있는 권한을 부여하여 경쟁을 제한하는 정책이다.

ⓑ 특성 : 일정한 재화나 서비스를 제공할 수 있는 권한은 상당한 규모의 금전적 이권이 따르기 때문에 극심한 경쟁이 수반된다. 또한 특정 개인이나 집단에게 권한을 부여하는 한편, 특별한 규제(공급 의무 또는 가격에 대한 통제 등)를 가한다는 점에서 규제정책과 분배정책의 이질혼합적 성격을 지닌다.

ⓒ 예 : 버스노선이나 항공노선 인가, 방송국설립 인가, 이동통신사업자 선정 등

ㄴ 보호적 규제정책

ⓐ 의의 : 사적 행위에 제약을 가하는 조건을 설정함으로써 일반대중을 보호하려는 정책이다.

ⓑ 특성 : 일반대중을 보호하려는 정책으로 재분배정책과 성격이 유사하다.

ⓒ 예 : 식품 및 의약품의 허가, 근로기준 설정, 최저임금제 및 최대 노동시간의 제한, 공공요금 규제, 개발제한구역 지정, 독과점규제(「공정거래법」), 부실기업 구조조정, 희소한 자원의 소비에 대한 특별소비세의 부과 등

**O·X 문제**

1. 규제정책은 주로 법률의 형태이며, 다원주의 정치관계가 나타난다. ( )

2. 규제정책은 분배정책에 비해 피규제자와 수혜자가 명확하게 구분된다. ( )

3. 규제정책은 이해당사자 간 제로섬 게임이 벌어지고 참여자들 간에 갈등이 발생할 가능성이 높다. ( )

4. 규제정책은 피해자와 수혜자가 명백하게 구분되며 정책결정자와 집행자가 서로 결탁하여 갈라먹기식 (log-rolling)으로 정책을 결정하는 것이 어렵다. ( )

**O·X 문제**

5. 경쟁적 규제정책은 배분정책적 성격과 규제정책적 성격을 동시에 지니고 있고 규제정책은 거의 대부분 이러한 경쟁적 규제정책에 해당된다. ( )

6. 경쟁적 규제정책은 선정된 승리자에게 공급권을 부여하는 대신에 이들에게 규제적인 조치를 하여 공익을 도모할 수 있다. ( )

7. 경쟁적 규제정책은 정책집행 단계에서 규제받는 자들은 규제기관에 강하게 반발하거나 저항하기도 한다. ( )

8. 종합편성 채널의 운영권을 부여하고, 이를 확보한 방송사를 규제하는 것은 리플리와 프랭클린의 보호적 규제정책을 시행한 것으로 볼 수 있다. ( )

O·X 정답 1. ○ 2. ○ 3. ○ 4. ○
5. × 6. ○ 7. × 8. ×

## 2. 기타 정책유형

### (1) 추출정책(동원정책)

① 의의 : 체제의 존립을 유지하기 위해 환경으로부터 인적·물적 자원을 동원해 나가는 정책을 말한다. 추출정책은 체제의 기능 중 투입기능과 관련된다.

② 예 : 조세, 각종 부담금, 성금, 토지수용, 병역(징병제도), 공역, 노력동원 등

### (2) 상징정책

① 의의 : 정치체제에 대한 정당성과 신뢰성을 확보하거나 국민의 통합성을 증진하기 위하여 국내외의 환경에 이미지나 상징을 산출하는 정책을 말한다. 상징정책은 주로 교육·문화·이데올로기와 관련된다.

② 특성 : 주된 정책의 홍보를 위해 보완적으로 활용되는 경우가 많으며, 집행이 있어야 효과가 발생하는 다른 정책과 달리 정책결정만으로 효과가 발생하기도 한다.

③ 예 : 국기·국경일·국화 지정, 문화재 복원, 동상 건립, 국제 경기, 축제, 특정 인물의 영웅화 등

### (3) 구성정책(체제정책, 입헌정책)

① 의의 : 헌정수행에 필요한 운영규칙에 관한 정책을 말한다. 구성정책은 주로 정치체제의 구조와 운영을 정비하는 것과 관련된다.

② 특 성

ㄱ. 구성정책은 체제 내부를 정비하는 정책이므로 대외적인 가치배분에는 직접적인 영향을 주지 않으나, 대내적으로는 정치세력들에게 게임의 규칙을 설정해 준다.

ㄴ. 구성정책은 모든 국민을 대상으로 한다는 점에서 총체적 기능을 수행하며, 정부 주도적으로 정책이 형성된다는 점에서 권위주의적 결정의 성격을 지닌다.

③ 예 : 정부기관이나 기구의 신설 또는 변경(예 중소벤처기업부 신설 등), 선거구 조정, 자치단체 관할구역 변경, 공무원 모집·보수·연금 등에 관한 정책 등

### (4) 자율규제정책

① 의의 : 규제의 대상이 되는 개인 또는 집단에게 규제를 위한 기준설정권한을 부여하고 그 집행까지 위임하는 정책을 말한다.

② 예 : 변호사·약사회 등의 자체 징계와 기준 등

## 3. 학자별 정책유형의 고찰

### (1) 알몬드와 파월(Almond & Powell)의 정책유형론

알몬드와 파월은 체제의 기능(투입기능·산출기능)에 따라 정책을 구분하였다. 이들에 의하면 추출정책은 국가가 국민으로부터 인적·물적 자원을 동원하는 정책이므로 투입기능과 관련된다. 반면, 규제정책·배분정책·상징정책은 정부가 형성하여 국민에게 제공하는 정책이므로 산출기능과 관련된다.

## (2) 로위(Lowi)의 정책유형론

① 의의 : 로위는 정책을 강제력의 행사방법과 강제력의 적용영역에 따라 배분정책, 규제정책, 재분배정책, 구성정책으로 구분하였다.

| 강제력의 행사방법 \ 강제력의 적용영역 | 개별적 행위 (개인의 행위) | 행위의 환경 |
|---|---|---|
| 직접적(근접) | 규제정책 | 재분배정책 |
| 간접적(원격) | 배분정책 | 구성정책 |

② 특 징

　㉠ 로위는 '정치가 정책을 결정한다.'고 보는 종래의 시각을 비판하고 정책유형에 따라 정책과정 및 정책환경에서 이해관계자들의 정치적 관계가 달라진다고 보았다.

　㉡ 구체적으로 로위는 규제정책은 다원주의 정치의 모습이, 재분배정책은 엘리트주의 정치의 모습이, 분배정책은 상황에 따라 다를 수 있으나 일반적으로는 은밀한 결탁[로그롤링(log-rolling)]이 이루어진다고 하였다.

　㉢ 로위의 정책유형론은 당시의 다원주의와 엘리트주의의 주장을 통합하려는 의도를 지니고 있었다. 즉, 로위는 민주주의 국가에서 다원주의 정치의 모습(규제정책)과 엘리트주의 정치의 모습(재분배정책)이 모두 발견된다는 점을 강조함으로써 다원주의와 엘리트주의의 주장을 통합하였다.

③ 평 가

　㉠ 상호배타성 조건 불충족 : 로위의 분류는 상호배타성이라는 분류의 조건을 충족하지 못하고 있어 현실에서의 특정 정책이 중복 분류되는 한계를 지닌다. 즉, 분배정책이나 규제정책은 정부활동을 기준으로 하나 재분배정책은 정부활동에 따른 분배의 결과를 기준으로 하고 있기 때문에 일부 정책이 중복 분류되는 문제점을 지닌다(예 최저임금제는 임금규제라는 점에서 규제정책으로 분류되나, 저소득층이 수혜자라는 점에서 재분배정책으로도 분류됨).

　㉡ 기준의 포괄성 미흡 : 로위의 분류(배분정책, 재분배정책, 규제정책, 구성정책) 이외의 정책도 현실에는 존재한다는 점에서 포괄성에 한계가 있다.

　㉢ 정책의 조작적 정의 곤란 : 로위의 분류는 연역적 추론에 따른 분류라는 점, 정책분류에서 사용한 기본개념(강제력의 행사방법, 강제력의 적용영역)들이 모호하다는 점으로 인해 정책에 대한 조작적 정의(객관적·경험적 기술)가 곤란하다.

## (3) 리플리와 프랭클린(Ripley & Franklin)의 정책유형론

① 의의 : 리플리와 프랭클린은 정책유형이 정책집행과정에도 큰 영향을 미친다고 보고 정책을 분배정책, 경쟁적 규제정책, 보호적 규제정책, 재분배정책으로 구분하였다.

② 특 징

　㉠ 리플리와 프랭클린에 의하면 분배정책, 경쟁적 규제정책, 보호적 규제정책, 재분배정책의 순서로 집행과정에서 저항과 갈등의 정도가 높아진다.

　㉡ 리플리와 프랭클린에 의하면 경쟁적 규제정책은 분배정책과 성격이 유사한 반면, 보호적 규제정책은 재분배정책과 성격이 유사하다.

---

**심화학습**

**로위(Lowi)의 정책유형**

로위는 1964년 논문에서 배분정책, 규제정책, 재분배정책의 세 가지 범주로 구분하였으나, 1972년에 구성정책을 추가하였다.

**O·X 문제**

1. 로위는 정책유형을 배분정책, 구성정책, 규제정책, 재분배정책으로 구분하였으며, 구분의 기준이 되는 것은 강제력의 행사방법(간접적, 직접적)과 비용의 부담주체(소수에 집중 아니면 다수에 분산)이다. ( )

2. 로위(Lowi)의 정책유형 분류에서 강제력이 행위의 환경에 직접적으로 적용되는 것은 구성정책으로 보았다. ( )

3. 규제정책은 집단 사이의 갈등 수준이 상당히 높은 편이며, 개인이나 집단의 행위를 통제하기 위하여 정부의 강제력이 직접적으로 동원된다. ( )

4. 로위의 정책 분류는 다원주의와 엘리트주의를 통합하려는 노력의 일환으로 볼 수 있다. ( )

5. 로위가 제시한 정책유형론은 포괄성과 상호배타성을 확보하고 있다. ( )

O·X 정답 1. ✕ 2. ✕ 3. ○ 4. ○ 5. ✕

③ 정책유형별 정책집행의 성격

| 구 분 | 분배정책 | 경쟁적 규제정책 | 보호적 규제정책 | 재분배정책 |
|---|---|---|---|---|
| 안정적 집행의 제도화(루틴화) 가능성의 정도 | 높다. | 보통이다. | 낮다. | 낮다. |
| 집행에 대한 논란 및 갈등의 정도 | 낮다. | 보통이다. | 높다. | 높다. |
| 관료의 집행결정에 대한 반발의 정도 | 낮다. | 보통이다. | 높다. | 높다. |
| 주요 관련자들의 동일성과 그들 간의 관계의 안정성 정도 | 높다. | 낮다. | 낮다. | 높다. |
| 정부활동의 감소를 위한 압력의 정도 | 낮다. | 어느 정도 높다. | 높다. | 높다. |
| 작은 정부에 대한 요구와 압력의 정도 | 낮다. | 어느 정도 높다. | 높다. | 높다. |
| 성공적 집행의 상대적 어려움의 정도 | 낮다. | 보통이다. | 보통이다. | 높다. |
| 집행을 둘러싼 논쟁에 있어 이데올로기의 정도 | 낮다. | 어느 정도 높다. | 높다. | 높다. |

(4) 솔리스버리(Salisbury)의 정책유형론

솔리스버리는 요구패턴과 결정패턴의 분산성과 통합성에 따라 정책유형을 다음과 같이 분류하였다.

| 구 분 | | 요구패턴 | |
|---|---|---|---|
| | | 통 합 | 분 산 |
| 결정패턴 | 통 합 | 재분배정책(정치적 재량) | 규제정책(기획적 재량) |
| | 분 산 | 자율규제정책(전문적 재량) | 분배정책(기술적 재량) |

---

## 제3절 정책참여자와 정책네트워크

### 01 정책과정의 참여자

#### 1. 의 의

정책과정은 다양한 이해관계자들의 참여를 전제로 한다. 이들 이해관계자들은 정책과정에서 공식적 또는 비공식적 참여자로 기능하면서 정책과정 전반에 영향을 미친다.

#### 2. 공식적 참여자

(1) 입법부

① 입법부는 민주주의의 국가에서 국민의 대표기관으로 정책과정에 국민의 의사를 반영하는 주요한 제도적 장치이다.

② 그러나 최근 행정이 복잡화·전문화되는 행정국가화 현상으로 의회의 법률 제안이 적어지고 있을 뿐만 아니라 골격입법의 형성으로 그 기능이 현저히 약화되고 있다.

③ 그럼에도 불구하고 입법부는 정책과정에서 주요한 행위자로 작동한다. 특히, 의회의 상임위원회는 관계 행정기관·이익집단과 더불어 '철의 삼각관계'를 형성하여 분배정책 형성에 큰 영향을 미친다.

④ 정책과정에서 입법부의 역할은 일반적으로 내각책임제보다 의회와 행정부 간의 견제와 균형을 중시하는 대통령제에서 보다 중요한 역할을 수행한다.

### (2) 대통령

① 대통령은 행정부의 수장으로 정책과정 전반에 걸쳐 광범위하고도 강력한 권한과 막중한 영향력을 행사한다. 특히, 국내정책보다는 국방 및 외교정책에서, 분배정책보다는 재분배정책에서 보다 큰 영향력을 행사한다.

② 대통령의 권한이 강한 경우 정책의 일관성 확보 및 혁신적 정책의 강력한 추진이 가능하지만 정책과정의 비민주성·비타협성·비합리성이 나타날 위험성이 있다.

### (3) 정부관료

① 정부관료는 본래 정책과정에서 의회나 대통령이 제정한 법률이나 정책을 충실히 집행하는 역할을 수행해 왔다. 그러나 최근에는 행정국가화 현상으로 인해 정책집행과정뿐만 아니라 정책형성과정에서 영향력이 크게 증가하고 있다.

② 정책과정에서 정부관료의 영향력이 증가된 이유는 정책문제의 기술적 복잡성 증대 및 입법부의 전문성 부족 등으로 골격입법(불명확하고 모호한 법률 규정)과 위임입법이 증가하여 관료의 재량권이 확대되었기 때문이다.

③ 정부관료는 특히 의회의 상임위원회·이익집단과 '철의 삼각관계'를 형성하여 분배정책 형성에 큰 영향을 미친다.

④ 정책과정에서 정부관료의 영향력이 증대됨에 따라 정부관료가 갖추어야 할 행정능력이 중시되고 있다. 행정능력은 정치적 능력(민주주의적 책임성 확보, 고객지향적 대응성 확보), 지적 능력(전문지식, 정보, 창의성), 실행적 능력(리더십, 동기부여, 자원확보 능력, 정치 및 민간의 지원확보 능력)으로 구성된다.

### (4) 사법부 및 헌법재판소

사법부 및 헌법재판소는 정책형성 및 정책집행이 사회적으로 합의되지 못하고 갈등 상황에 직면했을 때 판결이나 결정을 통해 정책에 영향을 미친다. 특히 최근에는 사법국가화 현상으로 사법부 및 헌법재판소의 판결 및 결정에 의한 정책형성기능이 광범위하게 나타나고 있다.

## 3. 비공식적 참여자

### (1) 정 당

① 정당은 각종 사회집단의 요구나 일반국민의 여망을 결집하는 이익집약기능을 수행한다. 정당은 정치적 지지를 바탕으로 자신들이 결집한 이익을 정책과정에 반영하기 위하여 영향력을 행사한다.

② 일반적으로 정당은 비공식적 참여자로 인식되지만 집권여당은 당정협의회를 통해 정책과정에 공식적으로 참여하므로 준공식적 참여자로 볼 수 있다.

### (2) 이익집단

① 이익집단은 특정 이해관계를 공유하는 사람들의 모임으로 자신들의 이익을 집결하고 표출하는 압력단체로서의 기능을 수행한다.
② 이익집단은 정책과정에서 자신들에게 유리한 방향으로 정책형성 및 집행이 이루어지도록 영향력을 행사한다.

### (3) 전문가집단(정책공동체)

전문가집단은 풍부한 전문지식과 정보를 보유하고 있기 때문에 정책자문 등의 방법을 통해 정책과정에 광범위한 영향을 미친다.

### (4) 시민단체(NGO)

시민단체는 여론을 동원하여 정책의제설정에 영향을 미치고, 정책대안의 제시 또는 정부정책에 대한 비판과 감시를 통해 정책형성 및 집행과정에 영향을 미친다.

### (5) 시민참여

민주주의 사회에서 시민은 투표를 통한 공직자의 선출, 공청회, 민원, 청원, 시위 등 다양한 방법으로 정책과정에 영향을 미친다.

### (6) 언론기관

① 언론기관은 각종 정보나 주요 사건을 국민에게 널리 알려 국민의 여론을 형성하는 데 중요한 역할을 수행한다.
② 언론기관에 의해 형성된 여론은 정책과정 전반에 영향을 미친다.

## 02 정책네트워크(정책망)모형

### 1. 의 의

#### (1) 개 념

① **정책네트워크**: 사회학과 문화인류학에서 발전된 네트워크를 정책에 접목한 것으로 특정 정책분야에 참여하는 공식적·비공식적 행위자들의 집합체를 의미한다. 정책네트워크는 참여자들의 규모와 다양성 및 참여자들 간에 관계의 단순함과 복잡함을 설명하는 틀이다.
② **정책네트워크모형**: 행위자 중심의 연구로 행위자들 간의 관계를 자원의존성을 토대로 한 교환관계로 이해하고, 이들 간의 관계를 밀도(density)와 중심성(centrality) 등을 통해 분석하는 모형이다.

#### (2) 대두배경

현실적으로 국가의 정책과정은 다양한 공식적·비공식적 행위자들의 개입과 상호작용에 의해 이루어지기 때문에 공·사 부문의 경계와 구분이 곤란하다. 이에 공식적 참여자 중심의 연구인 국가 중심 접근방법(조합주의 등)과 비공식적 참여자 중심의 연구인 사회 중심 접근방법(다원주의 등)의 이분법적 논리를 극복하고 이들 간의 상호작용을 연구하는 정책네트워크모형이 등장하였다.

#### (3) 연구경향

① **미시적·동태적 연구**: 정책네트워크모형은 특정 정책분야에 참여하는 행위자들의 역동적인 관계를 연구하므로 미시적·동태적 연구이다.

② 비공식적 의사결정과정에 대한 연구 : 정책네트워크는 공식적·비공식적 참여자들의 집합체이지만, 정책네트워크모형은 정책네트워크에 의한 비공식적 의사결정과정을 다룬다.

③ 정책과정 전반에 대한 연구 : 정책네트워크는 정책형성뿐만 아니라 정책집행까지 설명할 수 있는 유용한 도구라는 점에서 정책과정 전반을 포괄적으로 지배하는 거시적 틀로 작용한다.

(4) 특 징

① 전제 – 다원주의 : 정책네트워크는 다양한 참여자들의 상호작용을 다루므로 분권적이고 분산적인 정치체제인 다원주의를 전제로 한다.

② 정책문제별 형성 : 정책네트워크는 정책영역별 또는 정책문제별로 형성되므로 정책결정의 부분화와 전문화의 추세를 반영한다.

③ 참여자들의 관계 : 정책네트워크에서 참여자들 간의 관계는 수평적이며, 이들 간에는 자원의존성을 토대로 한 상호작용에 의해 연계가 이루어진다.

④ 정책네트워크에서 국가 : 정책네트워크에서 국가는 자신의 이해관계를 정책과정에 관철시키고자 하는 하나의 행위자에 불과하다.

⑤ 경계의 존재 : 정책네트워크에는 참여자와 비참여자를 구분하는 경계가 존재한다.

⑥ 제도적 특성 : 정책네트워크는 참여자들의 상호작용을 규정하는 공식적·비공식적인 규칙이나 제도의 총체이다.

⑦ 가변적 현상 : 정책네트워크는 시간의 흐름에 따라 외재적·내재적 요인에 의해 변동하는 동태적인 현상이다.

## 2. 기원 및 발전

(1) 미국 : 하위정부이론에서 이슈네트워크로 발전

① 미국의 정책네트워크모형은 1960년대 등장한 하위정부 모형과 1970년대 등장한 이슈네트워크 모형에 기원을 두고 있다.

② 특히, 헤클로(Heclo)는 미국의 경우 이익집단이 증가하고 사회가 다원화됨에 따라 폐쇄적 상호작용을 다루는 하위정부 모형은 현대 미국사회에 적용상 한계가 있다고 보고 개방적 상호작용을 다루는 이슈네트워크 모형을 강조하였다.

(2) 영국 : 정당과 의회 중심에서 정책공동체와 이슈네트워크로 발전

① 영국은 본래 정책과정을 정당 및 의회 중심으로 파악했으나 이에 대한 한계로 정책공동체 개념이 부각되면서 정책네트워크모형이 발전되어 왔다.

② 특히, 로즈(Rhodes)는 영국의 정책과정을 연구하면서 비교적 폐쇄적이고 안정적인 정책공동체와 개방적이고 유동적인 이슈네트워크 모형을 강조하였다.

## 3. 유 형

(1) 하위정부 모형(Iron Triangles)

① 의의 : 비공식적 참여자인 이익집단과 공식적 참여자인 관료조직 및 의회위원회 간의 정책연계망을 의미한다.

② 내 용

㉠ 정책문제별 형성 : 하나의 하위정부가 모든 정책과정을 지배하는 것이 아니라 정책문제별로 다양한 하위정부가 형성되어 결정권이 분산된다.

ⓛ 참여자들 간의 관계 : 소수의 제한된 엘리트(의회상임위, 관료, 이익집단)가 안정적이고 자율적인 호혜적 동맹관계를 형성하여 정책에 지배적 영향력을 행사한다. 따라서 폐쇄적 경계를 지니며 정책의 자율성이 높다.

ⓒ 분배정책에 영향 : 하위정부는 주로 대통령의 관심이 적고 일상화 수준이 높은 분배정책에 영향을 미친다.

③ 하위정부 모형과 철의 삼각 : 두 개념은 모두 동일한 현상을 보는 시각이다. 다만, 하위정부 모형은 정책분야별로 정책망이 분산되어 다양한 이해관계가 반영될 수 있는 측면을 강조하는 다원론적 시각이라면, 철의 삼각은 폐쇄적 경계하에 제한된 엘리트들만 참여하는 측면을 강조하는 엘리트론적 시각이다.

(2) 정책공동체(정책커뮤니티 : Policy Community)

① 의의 : 특정 분야에 대하여 전문지식이 있는 사람들이 공식적·비공식적으로 접촉하면서 형성된 공동체를 의미한다. 정책공동체는 로즈(Rhodes)를 중심으로 한 영국의 학자들에 의해 발전된 개념이다.

② 내용

ㄱ 정책문제별 형성 : 정책공동체는 정책문제별로 형성되며, 정책과정에 필요한 전문지식은 문제별로 형성된 전문가·학자·관료들의 공식적(자문위원회 등)·비공식적(가상공동체 등) 상호접촉과 의견교환에 의해 획득된다.

ㄴ 참여자들 간의 관계 : 정책공동체는 눈에 잘 보이지 않지만 폐쇄적 경계를 지니며, 일시적이고 느슨한 형태의 집합체가 아니라 비교적 안정적이고 계속적인 활동을 하는 공동체로 참여자들 간에는 갈등이 적고 기본인식을 같이하는 호혜적인 협력관계를 유지한다.

ㄷ 목적 – 전문성 확보 : 정책공동체는 다원주의와 조합주의에 대한 대안으로 정책의 전문성을 확보하기 위한 제도적 장치이다.

③ 기능

ㄱ 정책의 합리성 제고 : 전문가들의 지식을 활용할 수 있어 정책의 합리성이 제고된다.

ㄴ 다양한 요구 반영 : 전문가들에 의해 정책문제에 관한 다양한 주장과 정책대안이 제시되므로 정책에 다양한 요구들이 반영된다.

ㄷ 정책혼란 감소 : 정책대안에 대한 토론 및 타협으로 담당자 교체에 따른 정책혼란이 감소하고 정책이 표류하는 현상을 극소화할 수 있다.

ㄹ 검증된 인재 발탁 : 토론과정에서 관련 인재들에 대한 객관적인 평가가 가능해지고 검증된 인재의 발탁이 용이해진다.

ㅁ 정책의 신뢰성과 민주성 확보 : 전문가들의 참여를 통해 정책과정의 민주성을 제고하고 정책의 신뢰성을 확보할 수 있다.

ㅂ 불복종 최소화 및 순응 확보 : 전문가들의 의견을 통해 국민들의 암묵적 합의를 도출하여 반대집단의 저항이나 불복종을 최소화하고 국민들의 순응을 확보하기 용이하다.

④ 한계

ㄱ 형성의 곤란성 : 정책공동체의 형성에는 장기간이 소요된다.

ㄴ 갈등 초래가능성 : 끊임없는 논쟁으로 합의나 해결방안의 도출보다는 오히려 심각한 갈등을 초래할 수 있다.

(3) 이슈네트워크(정책문제망, 이슈망 : Issue Network)

① 의의 : 공통의 기술적 전문성을 가진 다양한 견해의 대규모 참여자들을 함께 묶는 불안정한 지식 공유 집단으로 특정한 경계가 존재하지 않는 광범위한 정책연계망을 의미한다.

② 대두배경 : 헤클로(Heclo)는 권력을 지닌 소수만을 관찰하게 되면, 마치 거미줄처럼 엮어진 수많은 행위자들 간의 관계를 간과하게 된다고 지적하고 수많은 행위자들 간의 유동적이고 불안정한 관계를 이슈네트워크로 표현하였다.

③ 내용

㉠ 다원주의의 재발견 : 1970년대 후반 헤클로에 의해 제시된 일종의 가변적 공동체인 이슈네트워크는 폐쇄적 경계의 '철의 삼각'을 비판·대체하기 위한 개념이라는 점에서 다원주의의 재발견이라는 의미를 담고 있다.

㉡ 참여자들 간의 관계 : 이슈네트워크는 개방적 경계하에서 참여자들 간에 유동적이고 불안정하며, 갈등적이고 경쟁적인 관계가 형성된다.

㉢ 특징 : 헤클로는 이슈네트워크의 특징으로 식별할 수 있는 일단의 참여자가 없고, 일정 기간 동안 안정성을 지니지 않으며, 자율성도 결여되어 있고, 네트워크와 환경과의 경계도 불분명하다는 점을 제시하였다.

④ 정책공동체와 이슈네트워크의 비교

| 구 분 | 정책공동체 | 이슈네트워크 |
|---|---|---|
| 참여자의 범위 | 폐쇄적·제한적 참여 : 단순한 이해관계자 참여 배제 | 광범위·개방적인 참여 : 단순한 이해관계자 참여 인정 |
| 주요 참여자 | 정부관료, 학자, 국회의원 보좌관, 신문기자, 연구원 등 전문가 | 관련된 모든 이익집단, 전문가, 개인, 언론 등 |
| 참여자 간의 권한과 자원배분 | 모든 참여자가 상호교환할 수 있는 권한 및 자원 보유 | 참여자의 일부만 자원 및 권한을 보유하며, 상황에 따라 중요한 자원이 달라지고 주도적 행위자도 변함. |
| 참여자 간 권력 | 균등함. | 불균등함. |
| 기본가치/목표 | 공유감 강함. | 공유감 약함. |
| 참여자 간의 관계 | 비교적 지속적이고 안정적인 관계이며, 상호협력적·의존적 관계 형성 | 유동적이고 불안정한 관계이며, 상호 경쟁적·갈등적 관계 형성 |
| 게임의 유형 | 포지티브 섬 게임(positive sum game; non zero-sum game) | 네거티브 섬 게임(negative sum game; zero-sum game) |
| 상호작용 | 안정적이고 질서적이며, 상호작용이 빈번함. | 불안정적이고 무질서하며, 접촉의 빈도가 가변적임. |
| 이익의 유형 | 경제적·전문적 이익 | 모든 이익이 망라됨. |
| 정책산출 | 의도한 대로 정책산출이 가능하므로 예측이 용이하며, 정책산출과 집행의 결과가 유사함. | 결정과정에서 정책내용이 변동하므로 정책산출의 예측이 곤란하며, 정책산출과 집행의 결과가 상이함. |

O·X 문제

1. 이슈연결망에서는 의회스태프, 타 행정기관의 관료, 사회과학자 등 다양한 관련 행위자들이 비제도권적인 통로를 통해 유동적이고 불안정하게 상호작용한다. (  )

2. 이슈네트워크의 행위자는 매우 유동적이고 불안정하며, 이슈의 성격에 따라 주요 행위자가 수시로 변할 수 있다. (  )

3. 이슈네트워크는 참여자 간의 상호의존성이 낮고 불안정하며, 상호 간의 불평등 관계가 존재하기도 한다. (  )

O·X 문제

4. 정책문제망은 모든 참여자가 자원을 가지고 교환관계를 형성하나, 정책공동체는 교환할 자원을 가진 참여자는 한정적이다. (  )

5. 정책공동체모형은 구성원 간 권력이 불균등하게 분포된다고 보고 있으나, 이슈네트워크는 권력이 균등하게 분포된다고 주장한다. (  )

6. 정책공동체는 이슈네트워크와 달리 정책결정을 둘러싼 권력게임은 공동의 이익을 추구하는 정합게임(positive sum game)의 성격을 띤다. (  )

7. 이익의 종류와 관련하여 정책커뮤니티는 경제적 또는 전문직업적 이익이 지배적이나, 이슈네트워크는 관련된 모든 이익이 망라된다. (  )

8. 합의와 관련하여 정책커뮤니티는 어느 정도의 합의는 있으나 항상 갈등이 있고, 이슈네트워크는 모든 참여자가 기본적인 가치관을 공유하며 성과의 정통성을 수용한다. (  )

9. 이슈네트워크는 정책공동체와 비교할 때 네트워크의 경계가 불분명하여 참여자들의 진입과 퇴장이 쉬운 편이다. (  )

O·X 정답 1. ○ 2. ○ 3. ○ 4. ×
5. × 6. ○ 7. ○ 8. ×
9. ○

# CHAPTER 02 정책의제설정론

## 제 1 절 | 정책의제설정론의 기초

### 01 정책의제설정의 의의와 과정

#### 1. 정책의제설정(policy agenda setting)의 의의

(1) 개념 – 사회문제의 정부 귀속화 과정

정책의제설정이란 수많은 사회문제 중에서 정부가 개입하여 해결해야 할 문제(정책문제)를 확정하는 과정을 말한다. 즉, 사회문제의 정부 귀속화 과정이라 할 수 있다.

(2) 관심의 대두요인 – 1960년대 미국의 흑인폭동과 무의사결정론

초기의 다원주의 관점에서는 사회적 요구가 있으면 어떤 사회문제든 정부의제화된다고 보았다. 그러나 1960년대 미국의 흑인폭동은 특정 사회문제의 방치로 인한 결과였다. 이로 인해 무의사결정론(신엘리트론)이 대두되면서 정책의제설정에 대한 연구가 활성화되었다.

(3) 특 징

① 공익성·공식성: 정부가 공익을 위해 공식적으로 정부의제를 확정하는 과정이다.
② 정치성: 정책대상집단 간 고도의 정치적 투쟁과 타협이 이루어지는 과정이다.
③ 주관성·인공성: 주도집단의 이해관계나 주관이 많이 개입되는 과정이다.
④ 동태성·역사성: 시대적 상황이나 환경의 변화에 따라 정부의제도 변화된다.

(4) 중요성

① 문제해결의 지지집단과 반대집단의 대립으로 가장 많은 정치적 갈등이 발생한다.
② 정책의제설정 단계에서 대략적인 정책대안(정책목표와 정책수단)이 마련된다.
③ 정책의제설정의 주도집단에 따라 정책과정이 달라진다.

#### 2. 정책의제설정 과정

(1) 코브와 엘더(Cobb & Elder)의 모형 – 일반적인 정책의제설정 과정

① 사회문제(social problem): 개인 또는 불특정 다수에게 장기간에 걸쳐 반복적으로 일어나는 문제로, 사회 내에서 최초로 문제를 인식하는 단계이다.

② 사회적 이슈(social issue : 사회논제): 집단들 간에 논쟁의 대상이 되는 문제로, 일반인의 관심이 집중되고 여론이 환기되는 단계이다(확장단계). 모든 사회문제가 사회적 이슈가 되는 것은 아니며 주도자와 점화장치(triggering device : 정치적 사건과 극적 사건)가 있어야 사회적 이슈화가 용이하다. 특히 비슷한 사건의 반복적 발생이나 적절한 상징의 활용은 이슈화를 촉진하는 중요한 기제가 될 수 있다.

③ 체제의제[systemic agenda : 공중(공공)의제, 토의의제, 환경의제] : 일반대중의 주목을 받을 가치가 있으며 정부가 문제를 해결하는 것이 정당한 것으로 인정되는 단계에 이른 문제를 말한다. 체제의제가 되기 위해서는 많은 사람들이 그 문제에 대해서 관심을 가지고 그 문제가 정부의 적절한 고려대상일 뿐만 아니라 그 문제의 해결이 정부의 권한에 속한다고 믿으며, 어떠한 방식으로든 정부의 조치가 필요하다고 믿는 사람들이 상당수 존재해야 한다.

④ 제도의제[institutional agenda : 공식의제, 행동의제, 정부(정책)의제] : 정부가 공식적으로 그 문제의 해결을 위해 심각하게 고려하기로 명백히 밝히는 단계에 이른 문제를 말한다. 제도의제는 체제의제에 비해 정책대안이나 수단을 모색할 수 있을 정도로 구체적이며, 사회문제는 제도의제화되어야 그 문제의 해결가능성이 높아진다.

📁 체제의제와 제도의제

| 체제의제 | 공중(공공)의제 | 토의의제 | 환경의제 |
|---|---|---|---|
| 제도의제 | 공식의제 | 행동의제 | 정부(정책)의제 |

(2) 다른 학자들의 모형

① 코브(Cobb)와 로스(Ross)의 모형 – 외부주도형을 중심으로

㉠ 제기(주도 : initiation) : 공식적 정책구조 외부의 개인이나 집단으로부터 어떤 불만이나 고통이 매우 포괄적이고 일반적인 용어로 표출되는 단계이다.

㉡ 구체화(specification) : 제기 단계에서 표출된 불만이나 고통이 다양한 방법을 통해 구체적인 요구로 전환되는 단계이다.

㉢ 확산(expansion) : 논제를 제기한 집단들이 그 논제를 사회 내의 다른 새로운 집단들에게 확산시켜 지지를 확보하고 정부에게 압력을 창출해 나가는 단계이다. 확산은 점화장치(triggering device)가 중요한 역할을 하며, '동일집단 ⇨ 주의집단 ⇨ 주의공중 ⇨ 일반공중의 단계'로 나아간다.

㉣ 진입(entrance) : 확산에 성공한 논제가 공식의제로 전환되는 단계이다.

② 존스(Jones)의 모형

㉠ 문제의 인지 : 문제의 인지로 문제해결에 대한 요구가 나타나는 단계이다.

㉡ 문제의 정의 : 문제를 야기한 사건의 효과를 분석하여 문제의 내용을 밝히는 단계이다.

㉢ 결집 : 많은 사람들이 문제를 인식하고 결집하는 단계이다.

㉣ 조직화 : 문제의 관련자들이 정책의제화를 위해 조직적 활동을 행하는 단계이다.

㉤ 대표의 선정 : 정부의제화를 위해 대표를 선정하고 활동하는 단계이다.

㉥ 의제의 채택 : 문제가 정부의제의 지위를 얻고 의제목록에 오르는 단계이다.

③ 아이스톤(Eyestone)의 모형 : 아이스톤은 '㉠ 사회문제(social problem) ⇨ ㉡ 집단에 의한 사회문제의 인지 ⇨ ㉢ 다른 의견을 지닌 집단의 관여 ⇨ ㉣ 사회쟁점(social issue)화 ⇨ ㉤ 공중의제(public agenda) ⇨ ㉥ 쟁점 창도자의 활동 ⇨ ㉦ 공식의제(official agenda) ⇨ ◎ 정책결정 ⇨ ㉧ 집단에 의한 관련 쟁점의 표출'로 구분한다.

## 02 정책의제설정모형

### 1. 주도집단에 따른 정책의제설정모형(Cobb & Ross)

코브와 로스(Cobb & Ross)는 정책의제설정 과정을 누가 주도하느냐에 따라 정책과정(정책결정 및 집행)이 달라진다고 보고, 주도집단을 외부주도형, 동원형, 내부접근형으로 구분하여 제시하였다.

(1) 외부주도형(outside initiative model)

① 의의 : 정부 외부의 집단들이 주도하여 정부의제로의 채택을 정부에게 강요하는 의제설정모형이다. 허쉬만(Hirshman)은 이를 '강요된(pressed) 정책문제'라고 하였다.

② 과정 : 사회문제 ⇨ 사회적 이슈 ⇨ 공중의제 ⇨ 공식의제의 과정을 거친다.

③ 특 징

ㄱ. 정책과정 전반을 사회문제 당사자인 외부집단이 주도하며, 외부집단 간 경쟁과정에서 협상과 타협 등의 '진흙탕 싸움(muddling through)'으로 인해 점진적인 해결에 머무는 경우가 많다.

ㄴ. 결정과정에서 '진흙탕 싸움'으로 인해 정책결정비용은 증가하나, 집행에 대한 순응확보가 용이해져 정책집행비용은 감소한다.

ㄷ. 정부 외부집단들에 의해 주도되므로 정부가 주도하는 다른 모형들에 비해 정부의제화가 곤란하다.

ㄹ. 시민의 요구를 중시하는 민주화된 선진국에서 많이 나타나는 유형이다.

(2) 동원형(mobilization)

① 의의 : 정책결정자의 지시에 의해 사회문제가 정부의제로 채택되고 나서, 정부의 PR활동을 통해 공중의제로 확산되는 의제설정모형이다. 허쉬만(Hirshman)은 이를 '채택된(chosen) 정책문제'라고 하였다.

② 과정 : 사회문제 ⇨ 공식의제 ⇨ 공중의제의 과정을 거친다.

③ 특 징

ㄱ. 정부가 의제를 일방적으로 채택하는 과정에서 전문가의 영향력이 커 정책의 내용이 합리적이고 분석적이다.

ㄴ. 결정과정에서 시민참여가 없어 정책결정비용은 감소하나, 집행과정에서 순응 확보를 위한 정부의 공공캠페인(행정PR)으로 정책집행비용은 증가한다.

ㄷ. 권위주의 정치체제를 지닌 후진국에서 많이 관찰되는 유형이나, 민주화된 선진국에서도 정치지도자가 특정 사회문제해결을 주도하는 경우에 종종 나타난다.

(3) 내부접근형(inside access model : 내부주도, 음모형)

① 의의 : 정책결정자에게 접근이 용이한 소수의 외부집단이나 정책담당자들이 정책결정자나 그 측근에게 은밀히 접근하여 정부의제화하는 의제설정모형이다.

② 과정 : 사회문제 ⇨ 정부의제의 과정을 거치며, 의제설정이 은밀하게 진행된다.

③ 특 징

ㄱ. 사회문제가 정책담당자들에 의해 바로 정부의제로 채택되고, 공중의제화(확산)는 의도적으로 억제되는 유형이다.

ⓛ 동원형에 비해 비교적 지위가 낮은 관료들에 의해 주도되며, 의제형성 여부는 정책결정자의 권력과 영향력에 의해 좌우된다.

ⓒ 외교·국방 등 비밀유지가 필요한 분야의 정책 또는 일반대중이 그것을 사전에 알면 곤란하거나 시간이 급박할 때 활용된다.

ⓔ 의도적이고 일방적으로 국민을 무시하는 정부에서 관찰되는 유형이나, 민주화된 선진국에서도 국방이나 외교정책 분야(무기구입 계약 등)에서 나타나기도 한다.

📂 **정책의제설정의 유형**

| 구 분 | 외부주도형 | 동원형 | 내부접근형(음모형) |
|---|---|---|---|
| 과 정 | 사회문제 ⇨ 사회적 이슈 ⇨ 공중의제 ⇨ 정부의제 | 사회문제 ⇨ 정부의제 ⇨ 공중의제 | 사회문제 ⇨ 정부의제 |
| 전개방향 | 외부(환경) ⇨ 내부(정부) | 내부(정부) ⇨ 외부(환경) | 내·외부 ⇨ 내부(정부) |
| Hirshman | 강요된 의제 | 채택된 의제 | |
| 제기(주도) 과정 | 특정 집단이 고충을 표명하는 단계 | 결정자가 새로운 정책을 공표하는 단계(공식의제화) | 외부자나 측근이 정책안을 제시하는 단계(공식의제화) |
| 구체화 과정 | 고충이 구체적인 요구로 전환되는 단계 | 발표된 정책에 대한 구체적인 세목을 탐색하는 단계 | 구체적인 대안을 제시하는 단계 |
| 확산과정 | 타 집단에게 논제를 확산시키고 결정자에게 압력을 행사하는 단계 | 공중에게 정책의 중요성을 인식시키는 단계 | |
| 진입과정 | 공식의제화 단계 | — | |
| 특 징 | • 진흙탕 싸움<br>• 점증주의적 결정<br>• 정책결정비용 증가, 정책집행비용 감소 | • 행정PR 중시<br>• 합리적·분석적 결정<br>• 정책결정비용 감소, 정책집행비용 증가 | • 외교·국방정책, 국민이 알면 곤란하거나 시간이 급박할 때 활용<br>• 국민을 무시하는 정부에서 활용 |
| 참여도 | 높음. | 중간 | 낮음. |
| 사 회 | 주로 민주화된 선진국 | 주로 개발도상국 | 주로 개발도상국 |
| 구체적 예 | 「국민기초생활보장법」, 「부패방지법」, 지방자치제 실시 등 | 올림픽·월드컵 유치, 새마을 운동, 가족계획사업, 경제개발계획, 한미 FTA 등 | 차세대 전투기 사업 등 무기구매계약, 대북지원사업 등 국방 및 외교정책 |

## 2. 기타 정책의제설정모형

### (1) 메이(May)의 의제설정모형

메이는 논쟁의 주도자가 누구인지와 대중적 지지의 정도에 따라 의제설정모형을 외부주도형, 내부주도형, 동원형, 굳히기형(공고화형)으로 구분하였다.

| 대중적 지지 ＼ 주도자 | 사회적 행위자들 | 국 가 |
|---|---|---|
| 높 음 | 외부주도형 | 굳히기형(공고화형) |
| 낮 음 | 내부주도형 | 동원형 |

✎ **굳히기형**: 이미 민간집단의 광범위한 지지가 형성된 이슈에 대하여 정책결정자가 정부의제화함으로써 지지의 공고화(consolidation)를 추진하는 모형

**심화학습**

이슈관심주기의 단계

| 문제 이전 단계 | 바람직하지 않은 사회적 상황이 존재하지만 대중의 주목을 받지 못한 단계 |
| --- | --- |
| 문제 증폭 단계 | 점화장치나 또 다른 이유로 대중들이 특정문제에 대해 인식하고 해결요구에 대한 열정이 고조되는 단계 |
| 비용 인식 단계 | 사회의 각 구성원들이 자신의 관점에서 비용과 부작용을 인식하는 단계 |
| 관심 쇠퇴 단계 | 각 개인들이 문제해결의 어려움을 인식하고 이슈에 대한 관심을 줄이는 단계 |
| 문제 이후 단계 | 기존의 이슈가 망각의 영역으로 이동하고 새로운 이슈가 공공의 관심을 받는 단계 |

(2) 포자모형

곰팡이의 포자가 적당한 환경이 조성되어야 비로소 균사체로 성장할 수 있듯이, 사회문제도 유리한 사회적 환경이 조성되어야 정책의제화된다고 보는 이론이다. 이 이론은 정책의 제화에 유리한 환경을 조성하는 수단으로 정치적 사건과 극적 사건 등의 점화장치 (triggering device)와 이슈창도자의 적극적인 역할을 강조한다.

(3) 흐름 – 창모형

킹던(Kingdon)이 제시한 흐름 – 창모형은 상호 분리되어 독립적으로 흐르는 문제의 흐름, 정책(해결책)의 흐름, 정치의 흐름이 어떤 계기로 서로 우연히 결합했을 때 정책의 창이 열려 정책의제화된다고 본다(조직화된 무정부상태에서의 의사결정모형인 쓰레기통모형을 정책의제설정과정에 적용한 모형).

(4) 동형화모형

사회학적 제도주의에서 강조하는 동형화모형은 모방적 동형화(특정 조직이 타조직의 성공사례를 모방 – 벤치마킹), 강압적 동형화(정부규제나 압력에 따른 순응 – 규제), 규범적 동형화(전문가 집단이 바람직하다고 규정한 기준을 수용 – 컨설팅 수용) 등을 통한 정부 간 정책전이로 특정 사회문제가 정책의제화된다고 본다.

(5) 다운스(Downs)의 이슈관심주기(생명주기)모형

① 의의 : 다운스(Downs)에 의하면 공공의 관심은 특정이슈에 대하여 장기적·지속적으로 유지되지 못한다. 이는 공공의 관심을 끌기 위한 이슈들 간의 경쟁으로 각각의 개별 이슈는 관심주기(생명주기)를 갖고 있기 때문이다(이슈가 이슈를 덮는다).

② 이슈관심주기의 단계 : 이슈관심주기는 문제이전의 단계(이슈의 잠복) ⇨ 문제증폭단계 (이슈의 발견과 표면화) ⇨ 비용 및 부작용 인식 단계 ⇨ 대중관심의 점진적 쇠퇴 단계 ⇨ 문제이후의 단계(기존 이슈가 다른 이슈로 대체)의 5단계로 구성된다.

③ 특 징

㉠ 다운스(Downs)에 의하면 모든 사회문제가 이슈관심주기를 거치는 것은 아니다.

㉡ 이슈관심주기모형은 정책이슈에 대한 시계열적(종단면적) 분석을 통해 이슈의 확산 및 소멸의 과정을 역동적으로 분석하였다.

**03 정책의제설정에 영향을 미치는 요인**

**1. 의 의**

정책의제설정은 주도집단의 특성, 정책문제의 특성, 환경적 요인들이 복합적으로 영향을 미치는 역학관계가 작용한다.

**2. 주도집단의 특성**

(1) 주도집단의 유형

① 내부주도형과 동원형 : 내부주도형과 동원형은 정책의제설정의 주도집단이 정부 내부의 결정자나 그 측근이므로 민간이 주도하는 외부주도형보다 정책의제화가 용이하다.

② **외부주도형**: 킹던(Kingdon)에 의하면 외부주도형이라 할지라도 정책의제설정에서 의회나 행정부 지도자 등 공식적 참여자들이 외부의 비공식적 참여자들보다 큰 영향력을 행사한다. 따라서 정치적 자원이 풍부한 집단은 그 규모가 작더라도 쉽게 자신들의 문제를 정책의제화할 수 있다.

(2) 주도집단의 속성

① **규모와 영향력**: 정책의제화를 요구하는 집단의 규모가 클수록, 그리고 정책 영향력이 클수록 정책의제화가 용이하다.

② **조직화**: 정책 이해관계자가 넓게 분포되든 좁게 분포되든 상관없이 조직화의 정도가 높은 경우(조직비용이 낮은 경우)에는 정책의제화가 용이하며, 조직화의 정도가 낮은 경우(조직비용이 높은 경우)에는 정책의제화가 곤란하다.

## 3. 정책문제의 특성

(1) 문제의 중요성과 해결책

① **사회적 유의성**: 사회문제가 중대하고 심각하여 문제로 인한 피해자의 수가 많고 피해의 강도가 큰 문제(사회적 유의성이 큰 문제)는 정책의제화가 용이하다.

② **해결책의 존재**: 정부기관의 입장에서 정책문제의 해결이 상대적으로 쉽게 해결될 것으로 인지되는 경우에는 정책의제화가 용이하다. 워커(Walker)는 '문제의 해결가능성'을 정책의제설정 시 가장 중요한 고려요소로 보았다.

(2) 문제의 외형적 특성

① **문제의 복잡성과 단순성**: 문제가 단순하여 쉽게 이해될 수 있으면 정책의제화가 용이하다. 반면 문제가 복잡해서 수단 선택은 물론 이해조차 어렵다면 의제화가 곤란하다.

② **문제의 명확성과 구체성**: 문제가 추상적일수록 반대세력의 저항이 약해 정책의제화가 용이하며, 문제가 구체적일수록 정책의제화의 지지세력을 감소시키고 반대세력의 저항을 야기하여 정책의제화가 곤란하다(반대의견 있음).

(3) 문제의 내용상 특성

① **배분정책**: 재화나 서비스를 향유할 특정 부문의 고객들이 정책결정자에게 접근하여 의제화하도록 집단행동을 보임으로써 정책의제화가 용이하다.

② **규제정책**: 크렌슨(Crenson)의 '대기오염의 비정치화이론'에 의하면 문제가 해결되면 이익은 분산되고 비용은 일부집단에 집중되는 전체적 문제(환경규제 등 사회적 규제)는 비용부담집단의 적극적인 반대로 정책의제화가 곤란하다.

③ **재분배정책**: 정치적 분위기의 변화와 전국적 차원에서의 공중의 지지, 그리고 최고 지도자의 정치적 신념이 있어야만 정책의제화가 가능하다.

(4) 기 타

① **선례와 유행성**: 과거에 비슷한 선례가 있는 일상화된 문제는 표준운영절차에 따라 선례답습식으로 쉽게 정책의제화되며, 일종의 유행처럼 되어 있는 문제 역시 정책의제화가 용이하다.

② **극적 사건**: 문제를 극적으로 부각시키는 사건·위기 또는 재난 등은 사회문제를 정책의제화하는 점화장치(triggering device)로 작용한다.

---

**O·X 문제**

1. 정책 이해관계자가 넓게 분포하고 조직화 정도가 낮은 경우에는 정책의제화가 상당히 어렵다. ( )

2. 관련 집단들에 의해 예민하게 쟁점화된 사회문제일수록 정책의제화의 가능성이 크다. ( )

3. 정책문제가 상대적으로 쉽게 해결될 것으로 인지되는 경우에는 쉽게 정책의제화된다. ( )

4. 문제 자체가 매우 복잡하여 이를 해결하기 위한 수단을 선택하기 힘든 사회문제는 정책의제화되기 쉽다. ( )

5. 선례가 있어 관례화된 경우 정책의제화가 용이하다. ( )

6. 크렌슨(Crenson)은 선출직 지도자들이 공장공해 등 전체적인 문제에 민감하게 반응하여 이를 정책의제화한다고 한다. ( )

---

**심화학습**

크렌슨의 문제특성론(대기오염의 비정치화)

| | |
|---|---|
| 의의 | 대기오염은 지역 전체에 피해를 가져오는 전체적 이슈로서 문제가 해결되면 전체적 편익을 가져오지만 비용은 공장주에게 돌아가는 부분적 비용이 발생하는 문제이다. |
| 정책의제화 | 정책의제화를 반대하는 소수 비용부담집단은 강한 조직력을 가지고 정책의제화를 반대하는 집단행동을 하지만, 정책의제화를 찬성해야 하는 다수 일반대중은 조직화되지 못해 집단행동의 딜레마를 보이게 되어 정책의제화가 곤란하다. |

---

**O·X정답** 1. ○ 2. ○ 3. ○ 4. × 5. ○ 6. ×

## 4. 환경적 요인

(1) 정치적 요인

① 정치체제: 정치체제의 구조가 집권적이고 권위적인 후진국에서는 동원형과 내부접근형이, 분권적이고 민주적인 선진국에서는 외부주도형이 주로 활용된다.

② 정치제도: 특정 사회이슈를 정부에 전달하고 수용하도록 하는 정치제도가 존재하고, 이러한 정치제도가 원활하게 작동할 경우 정책의제화가 용이하다.

③ 정치이념과 정치문화: 자유주의가 사회주의보다 정책의제설정이 개방적이다. 또한 시대적 상황에 따른 정치문화가 정책의제화에 영향을 미친다.

④ 정치적 사건: 정치적 사건(선거 등)은 정권의 변동을 초래하고 정부 내부 의제설정 주체의 변동을 가져와 특정 사회문제를 정책의제화하는 점화장치(triggering device)로 작용한다.

(2) 기타 환경적 요인

① 국민의 관심 집결도: 국민의 관심 집결도가 높거나 정치인의 관심이 큰 사회문제는 정책의제화가 용이하다.

② 정책담당자의 태도: 정책담당자가 특정 사회문제의 해결에 적극적인 태도를 보이면 정책의제화가 용이하다.

---

### 제 2 절  정책참여자의 권력에 기초한 모형 - 권력모형

### 01 다원론과 엘리트론

#### 1. 의 의

고전적 자유민주주의인 '아테네식 민주주의'에서는 시민들이 대화와 토론 또는 다수결의 원칙에 의해 직접 정책을 형성하였다. 그러나 '아테네식 민주주의'가 불가능한 현대 민주주의 국가에서는 "정책형성과정을 누가 지배하는가?"에 대하여 엘리트론, 다원론 등 다양한 권력모형이 존재한다.

#### 2. 엘리트론(Elitism)

(1) 의 의

고전적 자유민주주의론과 달리 정책과정에 참여하는 세력들이 특정 소수(엘리트)에 국한되고 그들의 의사에 의해 정책형성이 좌우된다고 보았다.

(2) 고전적 엘리트론(19세기 말 - 유럽)

① 의의: 어떤 사회에서나 조직에서도 집단이 구성되면 필연적으로 소수의 엘리트에 의한 지배가 대두될 수밖에 없다고 본다. 특히, 미첼스(Michels)는 당시 가장 민주적인 조직이라는 노동당이나 노동조합마저도 소수 엘리트에 의한 지배가 나타난다는 사실을 밝혀내고 이를 '과두제의 철칙'이라고 하였다.

② 대표학자: 파레토(Pareto), 모스카(Mosca), 미첼스(Michels) 등

## (3) 미국의 엘리트론(1950년대)

19세기 말에 전개된 유럽의 엘리트론은 1950년대 밀스(Mills), 헌터(Hunter) 등의 미국 학자들에 의해 계승되었으며, 이들은 미국사회를 실증적으로 분석하여 이를 증명하고자 하였다.

① **밀스(Mills)의 지위접근법** : 밀스는 공통의 사회적 배경과 이념 및 상호관련된 이해관계를 공유하고 있는 권력엘리트인 군−산−정 복합체가 미국의 정책과정을 지배하고 있다고 보았다(전국 차원의 엘리트 존재 규명). 그는 미국사회에서 역사적으로 중요한 결정은 권력 엘리트에 의해 결정되며, 사소한 국내·외의 문제만이 중간단계의 정책결정기관이라 할 수 있는 의회에 의해 국민의 관심을 받으면서 논의된다고 주장하였다.

② **헌터(Hunter)의 명성접근법** : 헌터는 애틀랜타 시에 관한 연구에서 사회적으로 명성 있는 소수자(기업인·변호사·고위관료 등)들이 시정책의 기본방향을 결정하고 선전매체를 통해 자신들이 결정한 정책을 유지하려고 노력하며, 일반대중은 이들이 결정한 정책을 그대로 수용한다고 주장하였다(지역사회 차원의 권력구조에 대한 실증적 연구).

## (4) 내 용

① **사회의 이원화** : 사회는 권력을 가진 소수의 엘리트와 권력을 가지지 못한 일반대중으로 구별되며, 소수의 엘리트가 정책과정을 장악하고 정치적으로 무능한 일반대중을 지배함으로써 계층적·하향적 통치질서가 형성된다(지배계급과 피지배계급의 계층성 인정).

② **엘리트들 간 관계** : 엘리트들은 비슷한 사회적 배경, 가치관, 이해관계를 가지고 단결되어 있어 동질적이고 폐쇄적이며, 엘리트로서의 집단의식과 응집성이 강하다.

③ **정책결정** : 엘리트들은 중요한 정치적 문제에 대해서 대중이나 사회 전체의 이익과 상관없이 자신들의 이해관계를 고려하여 자율적으로 정책을 결정한다.

## 3. 다원론(이익집단론, 집단주의)

### (1) 고전적 다원주의론(초기다원론, 집단과정이론)

① **의의** : 권력은 소수의 엘리트에게 집중되어 있는 것이 아니라 다양한 이해관계세력들에게 널리 분산되어 있기 때문에 다양한 의사가 정책에 반영된다고 주장하였다.

② **주요 이론**

　⊙ **벤틀리(Bentley)와 트루만(Truman)** : 미국의 정치체제는 잠재이익집단론과 중복회원이론의 메커니즘에 의해 소수의 특수이익에 좌우되지 않고 다양한 이익집단의 요구가 정책에 반영된다고 보았다(낙관적 이익집단론).

　　ⓐ **잠재이익집단론** : '잠재적 이익집단'이란 현재 조직화되어 있지 않지만 자신들의 이익침해 가능성이 있는 경우 조직화될 수 있는 상태의 집단을 말한다. '잠재이익집단론'에 의하면 정책결정자는 잠재적 이익집단의 조직화 가능성 때문에 특수이익만을 추구하지 않고 잠재적 이익집단의 이해관계까지를 고려하여 결정하므로 정책과정에 다양한 이해관계가 반영된다.

　　ⓑ **중복회원이론** : 사회 구성원들은 하나의 이익집단이 아니라 여러 이익집단에 중복적으로 소속되어 있기 때문에 특정 이익집단의 이익 극대화를 위해 다른 이익집단의 이익을 크게 손상시키지 않으며, 이로 인해 다양한 이해관계가 정책에 반영된다.

　⊙ **공공이익집단론** : 특수이익보다는 공익(다수의 이익)에 가까운 주장을 하는 이익집단의 의사가 정책에 보다 잘 반영된다.

**O·X 문제**

1. 밀스(Mills)와 라이트(Wright)는 엘리트 중 가장 중요한 권력엘리트는 대기업엘리트, 정치엘리트 그리고 군사엘리트라고 주장한다. (  )

2. 밀스(Mills)의 지위접근법은 사회적 명성이 있는 소수가 결정한 정책을 일반대중이 수용한다는 입장이다. (  )

3. 밀스(Mills)의 지위접근법은 전국적 차원이 아니라 지역사회의 지배구조에 초점을 맞추면서, 소수 엘리트가 강한 응집성을 가지고 정책을 결정하고 정치에 무관심한 일반대중들은 비판 없이 이를 수용한다고 설명한다. (  )

4. 현대 엘리트이론은 국가가 소수의 지배자와 다수의 피지배로 구분되기 어렵다고 본다. (  )

5. 엘리트주의는 정책은 동질적이고 폐쇄적인 엘리트들의 자율적인 가치배분에 의해 결정된다고 본다. (  )

**O·X 문제**

6. 잠재이익집단론은 특수이익보다는 공익에 가까운 주장을 하는 이익집단의 이익이 정책에 반영될 것이라는 이론이다. (  )

O·X 정답 **1.** ○ **2.** × **3.** × **4.** × **5.** ○ **6.** ×

③ 반론 – 이익집단자유주의(Lowi) : 정책형성을 이익집단들의 자유로운 활동에 맡겨두면 잘 조직화된 소수집단의 이익만 정책에 반영될 뿐 조직화되지 못한 다수의 이익은 정책에 반영되기 곤란하다(낙관적 이익집단론에 대한 반발).

(2) 달(R. Dahl)의 다원론(다원적 권력론 : 1950년대)

① 의의 : 달은 「누가 통치하는가?(Who Governs?)」에서 뉴 헤븐(New Haven) 시(市)를 대상으로 정책결정 사항들을 경험적으로 연구한 결과, 과두제적 사회에서 다원주의적 사회로 변화되어 왔다고 주장하였다.

② 근거

㉠ 엘리트의 존재 및 엘리트의 분산 : 사회 내에 엘리트가 존재하지만 특정 엘리트가 모든 정책영역에 지배적인 영향력을 행사하는 것이 아니라 각 정책영역별로 지배적인 영향력을 행사하는 엘리트는 다르다. 이는 영향력을 행사할 수 있는 정치적 자원(대중의 지지, 경제력, 사회적 명성 등)이 특정 엘리트에게 집중되어 있지 않고 여러 엘리트에게 분산되어 있기 때문이다.

㉡ 엘리트 간 경쟁으로 인한 대중의 선호 반영 : 엘리트들은 응집력이 약할 뿐만 아니라 선거과정을 통해 치열한 정치적 경쟁을 벌인다. 정치적 경쟁과정에서 엘리트들은 다수의 지지를 얻기 위해 대중의 선호를 최대한 정책에 반영해 나간다. 이로 인해 공식적으로는 소수(엘리트)가 정책과정을 좌우하지만 실질적으로는 다수(대중)에 의한 정치가 이루어진다.

㉢ 무작위적인 정책문제의 선정 : 어떤 사회문제로 고통 받는 집단이 있으면 이들의 지지를 필요로 하는 엘리트에 의해 그 사회문제가 정책문제로 채택된다. 따라서 모든 사회문제가 거의 무작위적으로 정치체제로 투입된다.

(3) 일반적 특징

① 권력의 분산 : 서구 민주주의 체제에서 권력(부, 사회적 명성, 정부의 공식적 지위, 정보 등)은 다양한 세력에게 분산되어 있다. 다만, 권력이 균등하게 배분되어 있지는 않고 분산된 불공평의 형태를 띠고 있다.

② 동등한 접근기회 : 사회의 각종 이익집단은 정부의 정책과정에 동등한 접근기회를 가지고 있으나 영향력에는 차이가 있다. 이러한 영향력의 차이는 이익집단 내부의 문제(구성원의 수, 재정력, 응집력 등)에 기인한 것이지 정부의 차별적인 접근 허용에 기인한 것이 아니다.

③ 균형 : 이익집단 간에 영향력의 차이는 존재하지만 전체적으로 균형을 유지한다. 그 이유는 잠재적 이익집단의 존재와 이익집단에의 중복가입에 기인한다.

④ 게임의 규칙에 의한 경쟁 : 이익집단 간에는 상호경쟁이 발생하지만 기본적으로 게임의 규칙을 준수하는 데 합의하고 있다.

⑤ 정부의 역할 : 다원론에서 정책과정의 주도자는 경쟁하는 이익집단들이다. 다원론에서 정부는 과정 측면에서 이익집단들 간의 갈등적 이익을 조정하는 중개인(브로커형 국가) 혹은 게임 규칙의 준수를 독려하는 심판자(중립국가관)에 불과하며, 내용 측면에서 다양한 이익집단의 요구를 수동적으로 받아들이는 소극적인 역할만을 수행한다(풍향계 정부).

## 4. 신엘리트론 − 무의사결정론(Non-decision Making Theory)

### (1) 의 의

바흐라흐(Bachrach)와 바라츠(Baratz)의 신엘리트론(무의사결정론)은 지배 엘리트들이 자신들의 특권·이익·가치관·신념 등에 대한 잠재적 또는 현재적 도전을 좌절시키기 위해 자신들의 가치나 이익에 반하는 사회문제를 정책의제로 채택되지 못하도록 의도적으로 억압하거나 방해하는 결정을 한다고 주장하였다(편익과 특권의 불공정한 배분의 영속화).

### (2) 등장배경

① **역사적 측면 – 1960년대 흑인폭동** : 무의사결정론은 1960년대 미국의 대규모 흑인폭동을 계기로 "왜 어떤 문제는 정책의제화되고 어떤 문제는 방치되는가?"에 대한 물음에서 출발하였다.

② **이론적 측면 – 달(Dahl)의 다원론에 대한 비판** : 바흐라흐와 바라츠는 「권력의 두 얼굴」에서 달의 다원론이 '권력의 밝은 얼굴'만 보고 '권력의 어두운 얼굴'을 보지 못하였다고 비판하면서 무의사결정론을 제시하였다.

### (3) 특 징

① **사회적 갈등과 불만의 원인** : 무의사결정은 기득권을 침해하는 문제의 정책의제화를 억압하기 때문에 사회적으로 잠재적 갈등이나 불만의 원인이 된다.

② **의도적 행위** : 무의사결정은 의도적으로 은밀하게 진행된다는 점에서 결정자의 무관심과 무능력에 기인한 의제채택 실패현상과는 구별된다.

③ **정책과정 전반에서 발생** : 무의사결정은 정책의제설정단계에서 기존의 이익배분상태 변화에 대한 요구가 표명되기도 전에 억압하거나, 정책결정단계에서 형식적 대안을 채택하도록 압력을 행사한다. 이것이 실패하는 경우 무의사결정은 정책집행단계에서 각종 불응전략을 통해 정책을 좌절시킨다.

④ **제3종 오류** : 무의사결정은 사회문제를 잘못 인지함으로써 그 문제를 해결하지 못하는 오류인 제3종 오류를 야기한다.

⑤ **다원주의국가에서 무의사결정** : 미국과 같은 고도의 다원화된 사회에서는 이익집단의 영향력이 강대해져서 특수이익집단이 정책과정을 지배함으로써 엘리트가 아닌 특수이익집단에 의한 무의사결정이 일어날 가능성이 커진다.

### (4) 발생원인

① **불리한 사태의 방지** : 엘리트에게 불리한 사태를 방지하기 위해 발생한다.

② **과잉충성** : 관료들이 엘리트에게 과잉충성하는 과정에서 발생한다.

③ **관료이익과의 상충** : 관료들의 이익이나 기득권과 상충될 때 발생한다.

④ **지배적 가치에 의한 부정** : 사회의 지배적인 가치나 신념에 부정적으로 작용하는 문제의 경우 의도적인 배제가 발생한다.

⑤ **편견적 정치체제에 의한 부정** : 정치체제 자체가 편견을 지니고 있을 때 정치적 편견에 반하는 문제의 경우 의도적인 배제가 발생한다.

---

**O·X 문제**

1. 무의사결정론은 달(Dahl)의 다원론을 비판하면서 제시한 이론으로 신엘리트이론에 해당한다. (   )

2. 무의사결정론은 엘리트들의 가치중립적 행동을 강조한다. (   )

**심화학습**

**바흐라흐와 바라츠의 「권력의 두 얼굴」**

| 권력의 밝은 얼굴 | 정책문제를 해결하기 위해 정책결정과정에 행사되는 영향력 |
|---|---|
| 권력의 어두운 얼굴 | 정책의제설정과정에서 갈등이나 이슈가 정부영역으로 진입하는 것을 억압하는 데 행사되는 보이지 않는 권력(무의사결정) |

**O·X 문제**

3. 신엘리트이론은 정책결정에 영향을 미치는 정치권력은 두 가지 얼굴이 있다고 주장하며, 이 가운데 하나의 측면만을 고려하는 다원주의를 비판하였다. (   )

4. 바흐라흐와 바라츠의 무의사결정론은 정치권력에 두 얼굴이 있음을 주장하는 입장으로부터 권력의 어두운 측면이 갖는 영향력에 대해 관심을 가지지 않았다는 점을 비판받았다. (   )

5. 무의사결정론은 기득권 세력이 그 권력을 이용해 기존의 이익배분 상태에 대한 변동을 요구하는 것이다. (   )

6. 무의사결정이론은 엘리트들의 무관심이나 무능력으로 인해 일반 대중이나 사회적 약자의 이익과 의견이 무시되는 것을 밝혀낸 이론이다. (   )

7. 무의사결정은 정책의제설정과정뿐만 아니라 정책결정과정, 그리고 정책집행과정에서도 발생한다. (   )

O·X 정답 | **1.** ○ **2.** × **3.** ○ **4.** ×
**5.** × **6.** × **7.** ○

(5) 무의사결정의 수단(도전 질식화 전략)

① **폭력의 행사**: 테러, 구타, 암살 등을 자행하는 방법이다. 이 방법은 무의사결정의 가장 직접적인 수단이다.

② **권력의 행사**: 기존 혜택의 박탈에 대한 위협(협박), 새로운 혜택을 통한 유혹(회유), 적응적 흡수(co-optation) 등을 활용하는 방법이다. 이 방법은 직접적 수단에 해당하나 폭력의 행사보다는 온건하다.

③ **편견의 동원**: 정치체제 내의 왜곡된 지배적 규범이나 절차(웹 반공 이데올로기)를 강조하여 변화를 위한 주장을 꺾는 방법이다. 이 방법은 간접적 수단에 해당한다.

④ **편견의 수정·강화**: 현존하는 정치체제의 규범·절차 자체를 수정·보완하여 정책의 요구를 봉쇄하는 방법이다. 이 방법은 가장 간접적인 수단이다.

⑤ **기타**: 그 밖에도 ㉠ 결정의 지연 및 방치, ㉡ 집행의 지연 및 방치, ㉢ 위장합의, ㉣ 상징에 그치는 정책대안 채택 등이 있다.

(6) 우리나라에서의 무의사결정

1970년대까지 노동문제, 환경문제, 사회복지문제 등이 경제성장 제일주의라는 정치이념에 억눌려 정책의제화되지 못했거나, 진보적 정치세력들의 주장이 안보우선주의에 억눌려 억압받아 온 것은 무의사결정의 예라고 할 수 있다.

## 5. 신다원주의(수정다원주의)

(1) 의 의

신다원주의는 다원주의에 기반하면서도 기존의 다원주의를 부분적으로 비판하고 무의사결정론을 부분적으로 수용한다(다원주의와 무의사결정론의 결합). 이 이론은 사회에 존재하는 이익집단들 간에 정치이익의 균형과 조정이 민주주의의 핵심적 동력(다원주의)이지만, 현실에서의 정책과정은 기업집단에 보다 많은 특권이 부여된다(무의사결정)고 주장한다.

(2) 내 용

① **기업집단에 특권적 지위 부여**: 자본주의 국가에서 정부는 정책과정에 모든 이익집단들의 요구를 균등하게 반영하는 것이 아니라 기업집단에 보다 많은 특권을 부여할 수밖에 없다. 그 이유는 자유주의적 이데올로기와 세계화 등의 경제적 환경 때문이다.

② **능동적 정부**: 정부는 이익집단들의 요구를 수동적으로 받아들이는 중립적 조정자가 아니며, 독자적 자율성을 지니고 기업의 이익에 보다 민감하게 반응하는 존재이다. 즉, 정부는 전문화된 체제를 갖추고 능동적으로 기능한다.

(3) 함 의

신다원주의에 의하면 현실에서 정부는 부분적으로 선거경쟁·이익집단의 로비·의회의 견제 등 다원주의적 요소를 지니고 있지만, 또 다른 한편으로는 기업의 특수이익에 보다 민감하게 반응함으로써 구조적 불평등을 야기한다. 신다원주의는 이러한 불평등구조의 심화를 방지하기 위해 구조적 개혁(정부기구의 분산화)이 필요하다고 본다.

### 핵심정리 | 엘리트론과 다원론의 다양한 이론 정리

| | | |
|---|---|---|
| 다원주의 | 풍향계 정부 | 국가는 이익집단 간의 힘의 균형을 반영하는 풍향계이다. |
| | 중립국가관 | 국가는 조정자·심판자로서 중립적 공익을 추구한다. |
| | 브로커형 국가 | 국가는 다양한 이익집단들의 갈등을 조정하는 중개자이다. |
| 엘리트주의 | 외부통제모형 | 국가는 외부 엘리트에 의해 통제되는 하나의 기구이다. |
| | 자율적 행위모형 | 국가는 행정엘리트의 선호를 반영하는 하나의 기구이다. |
| | 조합주의적 망 | 국가는 외부 엘리트들이 통제체제로 편입·통합된 망과 같다. |

## 02 기타 정책참여자의 권력에 관한 이론

### 1. 일부 문제만 정책의제화된다고 보는 이론

(1) 사이먼(Simon)의 의사결정론

① 의의 : 사이먼은 인간(정책결정자)의 인지능력상의 한계로 인한 제한된 합리성으로 인해 모든 사회문제가 정책화되지는 못한다고 보았다.

② 논거 : 사이먼은 의사결정과정을 주의집중 ⇨ 설계 ⇨ 선택의 과정으로 이론화하고, 이 중 주의집중 단계를 정책의제설정 단계로 보았다. 그리고 모든 사회문제가 정책의제화되지 못하는 이유는 정책결정자의 주의집중(능력)상의 한계에 기인한다고 보았다.

③ 평가 : 어떤 문제가 정부의제로 채택되는지에 대한 설명이 결여되어 있다.

(2) 체제이론(System Theory)

① 의의 : 체제이론에 의하면 (정치·행정)체제의 경계에는 체제를 지키는 문지기(gate keepers)가 있으며, 체제의 과중한 부담을 회피하기 위하여 이들이 선호하는 문제만 정책문제로 채택된다.

② 평가 : 체제이론은 환경(사회경제적 변수)과 정책의 순차적 관계를 투입·전환·산출의 개념을 통해 파악가능하다는 장점이 있지만, 어떤 문제를 문지기가 선호하는 것인지에 대한 설명은 결여되어 있다는 한계가 있다.

### 2. 조합주의와 신조합주의

(1) 조합주의(코포라티즘 : Corporatism)

① 의의 : 유럽에서 발달한 조합주의는 다양한 이익집단을 기능적으로 대표성을 지닌 대규모의 조직체(조합)로 묶고 지배기구로 편입시켜 국가와 함께 상호협력을 통한 의사결정을 하는 체제이다.

② 대두배경 : 1920년대 파시스트 조합주의에서 유래하여 전후 유럽국가의 주요한 이익집단체제로 발전한 조합주의는 미국의 다원주의적 이익집단체제의 한계(무질서와 혼란)에 대한 대안으로 대두되었다.

O·X 문제

1. 사이먼의 의사결정론에 따르면 조직의 주의집중력은 한계가 있어 일부의 사회문제만이 정책의제로 선택된다. ( )

O·X 문제

2. 체제이론에 의하면 정치체제 내부의 능력상의 한계보다는 외부환경으로부터 발생한 요구의 다양성 때문에 선택의 문제가 등장하게 된다. ( )

O·X 문제

3. 조합주의에 의하면 후기 산업화 단계에서 고용주연합과 노동조합은 더 이상 사회집단의 일원으로 남아 있지 않고 국가와 함께 지배기구로 편입되어 국가정책을 만드는 데 큰 영향을 끼쳤다. ( )

O·X 정답 1. ○ 2. × 3. ○

**+ 국가의 자율성과 국가의 능력**

| | |
|---|---|
| 국가의 자율성 | 국가가 사회의 영향력으로부터 벗어나 독자적인 정책목표를 수립할 수 있는 정도 |
| 국가 능력 | 국가가 자율적으로 정한 목표를 실행에 옮길 수 있는 정책집행능력 |

③ 특 징

　㉠ 조합 – 전문화된 단일의 독점적 정상이익집단 : 조합주의에서 조합은 기능적으로 분화된 범주를 가지고 있으나, 특정 집단이익의 독점적 대표로 기능하기 때문에 단일의, 강제적·비경쟁적·위계적으로 조직화되어 있다. 즉, 조합은 특정 영역에서 전문화되고, 전국적이고 독점적인 정상이익집단의 형태를 지닌다.

　㉡ 참여 – 제도적 참여 : 조합주의에서 고용주연합이나 노동조합 등의 조직체들은 지배기구로 편입되어 국가와 함께 정책과정을 주도하므로 제도적 참여가 주된 활동 수단이다(예 우리나라의 경우 노사정위원회 등).

　㉢ 국가 – 능동적 존재 : 조합주의에서 정부는 자체이익을 가지면서 조합(특정이익대표체제)의 활동을 규정하고 포섭·억압하는 독립적인 실체이다(국가의 능동성과 자율성✛). 따라서 조합주의에서 정부는 중립적이지 않으며, 특정 이익집단에 대해서 차별적으로 배제하기도 하는 등 민간부문에 대해 강력한 주도권을 행사한다.

　㉣ 의사결정 – 상호협력을 통한 합의 : 조합주의에서 조합(특정이익대표체제)은 구성원의 이익 못지않게 사회적 책임·협의·사회적 조화 등의 가치와 사회적 합의를 유도하려는 정부의 의도를 중시한다(이익집단의 자율성 제약). 이로 인해 정책결정의 참여자 중 정부의 역할이 중시되고 정부와 이익집단 간의 상호협력을 통한 합의가 형성된다.

④ 유 형

　㉠ 국가조합주의 : 개발도상국에서 주로 나타나는 유형으로 경제개발과정에서 이익집단의 통제를 위해 정부주도하에 일방적인 독점적 이익대표체제를 구축하고 이를 통해 정부 의도를 실현하려는 조합주의이다.

　㉡ 사회조합주의 : 2차 세계대전 후 유럽에서 나타난 유형으로 경기침체를 극복하고 사회적 통합을 위해 사회경제체제의 변화에 순응하려는 이익집단의 자발적 시도에 의해 형성된 조합주의이다.

(2) 신조합주의

① 의의 : 중요산업조직들 특히 다국적 기업들이 국가와 긴밀한 동맹관계를 형성하고 국가는 이들과 함께 경제·산업정책을 형성해 나간다고 보는 이론이다.

② 근거 : 신조합주의에 의하면 국가는 산업의 규제에 필요한 정보와 전문적 기술을 기업에서 얻을 수밖에 없기 때문에 기업들을 필요한 파트너로 보고 경제·산업정책을 기업들과 공동으로 형성하게 된다.

③ 함의 : 기존의 조합주의 이론보다 기업의 영향력을 강조하는 신조합주의 이론은 자본주의 사회의 관재유착(官財癒着)에 주목하는 이론이라 할 수 있다.

## 3. 마르크스주의

### (1) 마르크스주의(Class Theory : 계급이론)

① 의의 : 사회는 지배계급과 피지배계급으로 나뉘며, 경제적 부를 소유한 지배계급이 국가를 장악한다고 본다. 즉, 국가(상부구조 : 정치)에 대한 토대(하부구조 : 경제)의 선차성(先次性) 및 우위성을 중시하며 국가의 계급지배적 성격을 강조한다.

② 국가 : 국가와 정책은 지배계급을 위한 봉사수단에 불과하며, 국가의 자율성은 부인된다. 즉, 국가는 지배계급의 의사에 좌우되는 수동적 존재에 불과하다.

### (2) 신마르크스주의(Neo-Marxism)

① 의의 : 그람시(Gramsci) 등에 의해 주창된 신마르크스주의는 국가의 자율성을 부인하는 전통적인 마르크스주의와 달리 국가의 자율성에 주목하면서 국가가 자본가 이익과 배치되는 정책을 수립·집행하는 능력이 있다고 주장한다.

② 국가 : 국가는 자본가와 노동자가 첨예하게 대립하는 상황에서 어느 한쪽도 우월적 지위를 가지지 못할 때 정책의 자율성을 지닌다. 다만, 국가는 단기적으로 자본가에게서 자율적일지라도, 장기적으로는 여전히 자본가의 이익을 도모하므로 국가의 자율성은 완전한 자율성이 아닌 상대적 자율성에 불과하다.

### (3) 종속이론

① 의의 : 1960년대 남미학자들이 서구 중심의 근대화이론✛에 반기를 들고 마르크스주의를 국제적 측면으로 확장한 이론이다.

② 내용 : 주변부 국가의 경우 표면상으로는 국가가 결정권을 장악하고 있는 것처럼 보이지만 실제로는 매판자본계급이 결정권을 장악하고 있고, 또 이들 매판자본은 중심부 국가의 자본의 지시에 따라 움직이는 허수아비에 불과하므로 진정한 결정권은 중심부 국가의 자본이 장악하고 있다.

③ 국가 : 국가는 중심부 국가의 자본과 그들의 허수아비에 불과한 매판자본가의 의사에 좌우되는 수동적 존재에 불과하다.

## 4. 국가주의

### (1) 베버주의(Weberianism : 관료제 국가론)와 신베버주의(Neo-Weberianism)

① 베버주의 : 국가와 국가를 구성하는 정부 관료제의 절대적 자율성을 강조하는 이론이다. 이 이론은 정부 관료제를 국익의 관점에서 여러 이익집단들의 이익을 권위적으로 조정하는 실체로 파악한다.

② 신베버주의

　㉠ 의의 : 크래스너(Krasner) 등에 의해 주창된 신베버주의는 합법적 지배를 특징으로 하는 막스 베버의 관료제이론을 따르는 현대적 이론이다. 이 이론은 경제에 대한 국가의 선차성(先次性) 및 우위성을 주장하며 법과 합리성에 입각한 관료제를 중심으로 국가를 이해한다.

　㉡ 국가 : 국가(관료제)는 정책결정과정에서 단순한 중립적 이해관계의 조정자나 자본가계급의 이익을 반영하는 수동적 존재가 아니라 스스로의 논리·이념·의지를 가지고 정책을 추진해 나가는 능동적 존재이다. 다만, 신베버주의의 일부 견해는 국가가 절대적 자율성이 아닌 상대적 자율성을 지닌다고 보기도 한다.

---

**✛ 근대화이론**

각국의 발전이 동일한 단계를 거쳐 진행된다고 보고 후진국은 선진국과의 교류를 통해 선진국을 답습함으로써 발전할 수 있다고 보는 이론

**O·X 문제**

1. 베버주의(Weberism)는 국가나 정부관료제의 독자성(절대적 자율성)과 지도적·개입적 역할을 강조한다. (　)

2. 신베버주의에 속하는 크래스너에 의하면, 국가가 다른 나라와의 경제관계에 관한 정책결정을 할 때 기업의 이익이 아니라 국가이익을 옹호하는 결정을 내렸다고 한다. (　)

**심화학습**

신베버주의의 다양한 관점

| 국가이익적 관점(크래스너) | 국가의 절대적 자율성 강조 |
|---|---|
| 국가구조론적 관점 | |
| 지배연합적 관점 | 국가의 상대적 자율성 강조 |
| 국가체제론적 관점 | |

O·X 정답 **1.** ○ **2.** ○

## (2) 관료적 권위주의

① 의의: 오도넬(O'Donnell)에 의해 주창된 관료적 권위주의는 외연적으로는 산업화가 어느 정도 이루어졌지만 종속적이고 불균형적인 제3세계 후발자본주의 국가의 상황을 다루는 이론이다. 이 이론은 종속이론과 배제적 조합주의를 결합하여 제3세계 후발자본주의 국가를 설명한다.

② 국가: 제3세계 후발자본주의 국가는 사회의 하위 계층을 정치적으로 배제하는 배제적 조합주의⁺를 기반으로 하며, 사회의 상위 계층의 이익만을 대변하는 기술관료적 결정을 하는 능동적 주체이다. 이 이론은 국가권력에 의한 강압적·주도적 국가발전을 잘 설명할 수 있다.

## (3) 신중상주의

① 의의: 우리나라를 포함한 동아시아 신흥공업국가들의 국가주도적 경제발전체제를 설명하는 이론이다. 신중상주의는 후진국들이 국가발전을 위해 추진하는 국정운영방식을 지칭하는 통치이념으로 활용되기도 한다.

② 국가: 신중상주의 국가는 부국강병을 실현하기 위해 부족한 자본을 조달하고 마련된 재원으로 투자 대상을 결정하며 종합적인 계획을 수립하고 집행한다. 즉, 국가는 능동적 주체로서 정책과정을 압도한다. 보통 신중상주의 국가는 국가발전을 위해 농업보다는 제조업에 중점을 두고(농민 희생), 자본축적을 담당하는 자본가의 이익을 증진하는 방향으로(노동자 희생) 정책과정을 주도해 나간다.

⁺ 배제적 국가조합주의
부르주아 상층부, 관료 및 테크노크라트, 군부를 중심으로 정치연합을 형성하여 국가의 정책과정을 지배하고 민간은 정책과정에서 배제되는 제도적 장치

### 핵심정리 | 권력모형의 정리

1. **주도권에 따른 구분**
   (1) **국가 중심적 접근**: 국가주의(신베버주의, 신중상주의), 조합주의
   (2) **사회 중심적 접근**: 다원주의(이익집단론), 엘리트주의, 마르크스주의

2. **권력의 집중과 분산에 따른 구분**
   (1) **권력균형론(권력분산론)**: 다원주의
   (2) **권력불균형론(권력집중론)**: 국가주의, 조합주의, 엘리트주의, 마르크스주의

3. **국가의 역할**

| 이론 | 국가가 정책에 주된 영향을 미치는 국면 |
|---|---|
| 다원주의론 | 국가는 중립자이며 소극적·수동적 존재 |
| 신다원주의론 | 국가는 전문성으로 무장한 능동적 존재 |
| 베버주의 | 국가는 절대적 자율성을 지닌 능동적 존재 |
| 신베버주의 | 국가는 절대적 또는 상대적 자율성을 지닌 능동적 존재 |
| 마르크스주의 | 국가는 자율성이 없는 수동적 존재(국가는 자본계급의 허수아비) |
| 신마르크스주의 | 국가는 상대적 자율성을 지닌 존재 |
| 종속이론 | 국가는 자율성이 없는 수동적 존재(국가는 매판자본의 허수아비) |
| 조합주의 | 국가는 능동적 존재(국가는 이익집단의 활동을 규정하는 실체) |
| 관료적 권위주의 | 국가는 능동적 존재(대자본, 관료, 군부의 연합이 주도적 역할) |
| 신중상주의 | 국가는 압도적·능동적 존재 |

# CHAPTER 03 정책결정론

## 제1절 정책결정의 의의와 과정

### 01 정책결정의 의의

#### 1. 정책결정의 개념과 특징

(1) 정책결정의 개념

정책결정이란 정부가 공적 문제를 해결하기 위해 정책목표를 설정하고 이를 달성하기 위한 정책수단을 선택하는 활동이다. 정책결정은 정책과정 중에서 특히 전통적으로 중시되어 왔던 영역으로 이스턴(D. Easton)의 체제이론에 의할 때 투입·전환·산출·환류 중 전환과정에 해당한다.

(2) 정책결정의 특징

① **정치성**: 다양한 이해관계자들이 참여하여 그들 간의 정치적 투쟁을 통해 다양한 이익을 정책에 반영하는 과정이다.

② **공공성**: 공익의 구현 및 공공문제의 해결을 궁극적 목적으로 하는 활동이다.

③ **규범성·가치성**: 가치판단을 전제로 하는 주관성(규범성·가치성)을 지닌 활동이다.

④ **동태성·복잡성**: 다양한 이해관계가 복잡하게 얽혀 있는 동태적 과정이다.

⑤ **미래지향성·목표지향성**: 바람직한 목표 실현을 위한 미래의 행동대안을 마련하는 과정이다.

#### 2. 의사결정과의 관계

(1) 유사점

정책결정과 의사결정은 문제해결이나 목표달성을 위하여 여러 대안 중에서 하나의 대안을 선택하는 활동이라는 점에서는 동일하기 때문에 기법·절차 등에 있어서 그 본질은 같다. 다만, 정책결정은 공적 영역에서 이루어지는 의사결정만을 의미한다는 점에서 의사결정이 더 일반적이고 포괄적인 개념이다.

(2) 차이점

| 비교변수 | 정책결정 | 의사결정 |
| --- | --- | --- |
| 성격 | 공적 성격 | 공·사적 성격 |
| 주체 | 정부·공공기관 | 정부·기업·조직체·개인 |
| 근본이념 | 공익 | 공익 또는 사익 |
| 결정사항 | 정부활동지침 | 모든 대안의 합리적 선정 |
| 영향력 | 광범위한 영향 | 부분적 영향 |
| 계량화 | 곤란(합리성+정치성) | 용이(합리성) |
| 강제성 | 강함. | 약함. |

## 3. 정책결정의 유형

(1) 정형적 결정과 비정형적 결정

① 정형적 결정(프로그램적 결정 : programmed decision) : 규칙·선례·프로그램 등에 입각한 기계적·반복적 결정을 말한다.

② 비정형적 결정(비프로그램적 결정 : non-programmed decision) : 규칙이나 선례가 없어 창의력·판단력이 요구되는 쇄신적 결정을 말한다.

(2) 전략적 결정과 전술적 결정

① 전략적 결정(strategic decision) : 포괄적·거시적 결정으로 무엇(what)을 할 것인가에 관한 결정이다.

② 전술적 결정(tactical decision) : 구체적·일상적·세부적 결정으로 어떻게(how) 할 것인가에 관한 결정이다.

(3) 가치결정과 사실결정

① 가치결정(통합적 결정 : integrated decision) : 목표나 방향의 설정 등 가치판단을 전제로 하는 윤리성·당위·선과 관련된 결정을 말한다. 에치오니(Etzioni)는 이를 통합적 결정이라 하였다.

② 사실결정(수단적 결정 : instrumental decision) : 수단이나 방법의 채택 등 사실판단(가치중립)을 전제로 하는 경험적으로 관찰할 수 있고 대상에 대한 검증이 가능한 결정을 말한다. 에치오니(Etzioni)는 이를 수단적 결정이라 하였다.

## 4. 정책결정의 과정

(1) 정책문제의 정의 단계 ⇨ (2) 정책목표의 설정 단계 ⇨ (3) 정책대안의 탐색·개발 단계 ⇨ (4) 정책대안의 결과예측 단계 ⇨ (5) 정책대안의 비교·평가와 최적대안의 선택 단계의 과정을 거친다.

## 02 정책문제의 정의

### 1. 정책문제의 의의

(1) 개념

'정책문제'란 인지된 사회문제 중에서 정부가 정책적 개입을 통하여 해결하고자 하는 문제를 말한다. 또한 '정책문제의 정의'란 정책문제의 구성요소·원인·결과 등의 내용을 규정하여 무엇이 문제인지를 밝히는 것을 말한다.

(2) 중요성

① 정책목표의 설정과 직결되는 활동 : 치유적 정책목표의 경우 정책문제의 정의가 정책목표가 된다.

② 정책내용을 일차적으로 규정하는 활동 : 정책문제를 무엇으로 정의하느냐에 따라 정책목표와 정책수단이 달라진다.

③ 제3종 오류의 방지 : 정책문제의 잘못된 정의는 잘못된 해결책을 제시하는 제3종 오류를 야기하기 때문에 이를 방지하기 위해서는 정책문제의 정의가 중요하다.

(3) 특성(W. Dunn)

① 주관성·인공성·차별적 이해성 : 객관적인 문제 상황을 주관적으로 정의하기 때문에 개인적인 이해관계·선입견·가치관·신념 등에 따라 정책문제가 상이하게 정의될 수 있다.

② 정치성 : 정책문제의 정의에 따라 정책관련 집단의 이해관계가 달라지기 때문에 정책문제의 정의는 본질적으로 정치적 갈등과 타협의 대상이다.

③ 상호의존성 : 한 분야에서 제기되는 정책문제는 종종 다른 분야의 정책문제에 영향을 미치고 또 영향을 받는다. 따라서 정책문제는 문제들의 덩어리 형태로 다룰 필요가 있다.

④ 역사성·동태성 : 정책문제는 역사적 산물인 경우가 많으며, 환경의 변화에 따라 끊임없이 변화한다.

(4) 고려 사항

① 관련 요소 파악 : 정책문제와 관련된 행위자와 요소(사물·상황 등)들을 정의하고 그 중요성에 따라 1차 핵심요소 또는 2차 핵심요소 등으로 구분하여 이슈의 핵심을 확인해 나가야 한다.

② 가치판단 : 정책문제와 관련된 행위자들이 원하는 가치가 무엇인가를 파악하고 행위자들 간 가치의 보완관계, 경쟁관계, 무(無)관계, 주종관계 등을 확인해야 한다.

③ 인과관계 파악 : 관련 요소들의 관계를 원인·매개·결과로 나누어 보고 이들 변수를 인과관계식으로 연결하여 이해해야 한다.

④ 역사적 맥락 파악 : 정책문제는 역사적 산물일 경우가 많으므로 관련 요소들의 관계가 어떤 역사적 맥락에 놓여 있으며, 역사적 변화 과정은 어떠한지를 확인해야 한다.

## 2. 정책문제의 구조화

(1) 의 의

① 개념 : 정책문제를 정의하기 위하여 문제 상황의 대안적 개념화를 생성하고 검증하는 과정이다.

② 목적 : 정책문제의 구조화는 제3종 오류를 방지하기 위한 것이다.

③ 특징 : 정책문제의 정의는 근본적으로 주관적·질적일 수밖에 없어 정책문제의 구조화는 주관적·질적 분석이 활용된다.

④ 과 정

　ㄱ 문제의 감지 : 객관적으로 존재하는 문제를 사회적으로 의미 있는 문제로 인식하는 단계이다.

　ㄴ 문제의 탐색 : 여러 정책 관련자들이 제시하고 발표한 많은 문제 표현을 발견하는 단계이다.

　ㄷ 문제의 정의 : 많은 문제 표현 중에서 핵심적이고 중요한 문제 표현을 선택하는 단계이다.

　ㄹ 문제의 구체화 : 문제의 정의를 보다 상세하게 구체화하는 단계이다.

⑤ 유형 : 던(Dunn)은 정책문제를 구조화가 잘 된 문제(well-structured problem), 어느 정도 구조화된 문제(moderately structured problem), 구조화가 잘 안 된 문제(ill-structured problem)로 분류한다.

**O·X 문제**

1. 정책문제는 당위론적 가치관의 입장에서 정의하는 것이 중요하다.
( )

2. 정책주체와 객체의 행태는 주관적이지만 정책문제는 객관적이다.
( )

3. 정책문제는 정책수혜집단과 정책비용집단이 있다는 것을 의미하는 차별적 이해성을 갖는다. ( )

4. 특정 문제의 발생 원인이나 해결 방안 등은 다른 문제들과 상호연관성을 갖는다. ( )

5. 정책문제를 올바르게 정의하기 위해서 고려해야 할 요소로 정책목표의 설정, 인과관계 파악이 필요하다.
( )

**O·X 문제**

6. 제3종 오류를 방지하는 것이 정책문제 구조화의 핵심으로 간주된다.
( )

**심화학습**

정책문제의 구조화 유형

| 분류 | 구조화가 잘된 문제 | 어느 정도 구조화된 문제 | 구조화가 안 된 문제 |
|---|---|---|---|
| 결정자 | 소수 | 소수 | 다수 |
| 추구 가치 | 가치에 대한 합의 | 가치에 대한 합의 | 가치에 대한 갈등 |
| 정책 대안 | 제한적 | 제한적 | 무제한 |
| 결과 예측 | 확실 | 불확실 | 알려진 바 없음 |
| 문제 해결 | 비교적 쉬움 | 문제 해결의 딜레마 | 곤란 |

**O·X 정답** 1. ○ 2. × 3. ○ 4. ○
5. × 6. ○

(2) 정책문제의 구조화 기법

① 경계분석

㉠ 개념 – 문제의 위치와 범위 파악 : 온전한 문제를 형성하기 위해 메타문제(meta-problem)가 완전한 것인가를 추정하는 방법이다. 여기에서 메타문제란 관련 문제들의 집합 내지는 문제군(문제의 경계)을 의미한다. 따라서 경계분석은 문제의 범위와 위치를 파악하기 위한 것이다.

㉡ 과정 : ⓐ 포화표본추출(어떤 정책에 대하여 의견이 다른 일단의 개인이나 집단의 선정) ⇨ ⓑ 문제표현의 도출(추출된 개인이나 집단으로부터 정책문제의 다양한 해석 도출) ⇨ ⓒ 경계추정(도출된 문제표현을 누적도수분포도로 작성하여 정책문제의 경계 확정)의 과정을 거친다.

② 계층분석

㉠ 개념 – 문제상황에 영향을 주는 원인 파악(인과관계 파악) : 문제 상황의 발생에 영향을 줄 수 있는 가깝고도 먼 다양한 원인들을 창의적으로 찾아내기 위한 방법이다.

㉡ 과정 : 문제의 원인을 ⓐ 가능성 있는 원인(주어진 문제 상황의 발생에 기여한 것으로 믿어지는 모든 원인), ⓑ 개연성 있는 원인(과학적 연구나 직접적 경험을 통해 검증 가능한 원인), ⓒ 행동 가능한 원인(정책결정자에 의하여 통제·제거·조작 대상이 되는 원인)으로 나누어 분석한다.

③ 유추분석(synetics : 시네틱스)

㉠ 개념 : 현재의 새로운 문제를 해결하기 위해서 유사한 과거의 문제 상황을 파악하고 이해하여 이를 통해 문제를 정의하는 방법이다.

㉡ 방 법

ⓐ 개인적 유추 : 정책분석가가 정책결정자나 정책대상자의 입장에 서서 경험을 통해 정책문제를 유추해 보는 것을 말한다(◑ 정책분석가가 교통문제를 분석하기 위해 직접 만원버스를 타고 정책대상자의 입장에서 이용객의 불편을 겪어보는 경우).

ⓑ 직접적 유추 : 두 개 이상의 실제 문제 상황에서 두 문제의 유사한 관계를 탐색하는 것을 말한다(◑ 약물중독의 문제를 구조화하기 위해 전염병 통제 경험으로부터 유추하는 경우).

ⓒ 상징적 유추 : 주어진 문제 상황과 상징적 대용물(모형 또는 시뮬레이션) 사이의 유사한 관계를 탐색하는 것을 말한다(◑ 정책의 순환적 결정과정을 자동온도조절장치에 비교하는 경우).

ⓓ 환상적(가상적) 유추 : 문제 상황과 어떤 상상적인 상태 사이의 유사성을 자유롭게 탐험(상상)해 보는 것을 말한다(◑ 핵공격에 대한 방어의 문제를 구조화하기 위해 핵공격 상태의 상상을 통해 문제를 유추하는 경우).

④ 가정분석

    ⊙ 개념 – 상충적인 전제들의 창조적 통합 : 문제상황의 인식을 둘러싼 여러 대립적인 가정들을 창조적으로 통합하기 위한 기법이다. 가정분석은 정책문제와 관련된 집단들이 문제상황에 대해서 합의를 도출하기 어려운 경우 도움을 줄 수 있으며, 다른 구조화 기법들과 결합하여 사용되므로 구조화 기법 중 가장 포괄적이다.

    ⊙ 과정 : ⓐ 정책이해 관련 집단의 확인, ⓑ 가정의 노출(각 이해 관련 집단들이 제시한 해결방안에 깔려 있는 가정 목록의 도출), ⓒ 가정들의 비교·평가(가정에 대한 반가정의 도전을 통한 평가), ⓓ 가정들 간의 타협과 종합(확실성과 중요성에 근거해 가정의 우선순위를 설정하고 가정들을 절충), ⓔ 가정의 통합(복합적이고 종합적인 해결방안 창출)의 과정을 거친다.

⑤ 분류분석

    ⊙ 개념 – 문제의 구성요소 식별 : 문제시되는 상황을 정의하고 분류하기 위해 사용되는 개념들을 명확히 하기 위한 기법이다. 분류분석은 추상적인 개념들을 구성요소별로 나누어 구체적인 대상이나 상황으로 나타내는 귀납적 추론과정이라 할 수 있다.

    ⊙ 분류분석을 위한 규칙 : ⓐ 실체적 적실성(문제 상황의 성격에 맞게 분류), ⓑ 포괄성(모든 상황이 총망라될 수 있도록 분류), ⓒ 상호배타성(각 주제나 상황이 하나의 범주에만 속하도록 분류), ⓓ 일관성(상위범주와 하위범주 간에 일관성 확보), ⓔ 계층적 독특성[분류체계의 수준(상위범주, 하위범주, 하하위범주)이 명확하게 구분되도록 분류] 등이 있다.

⑥ 복수관점분석

    ⊙ 기술적 관점 : 확률이론, 비용편익분석, 계량경제학, 체제분석 등의 최적화 기법에 의해 문제와 해결방안이 형성된다고 보는 관점

    ⊙ 조직적 관점 : 어떤 조직 상태에서 다른 조직 상태로 질서 있게 진행되는 과정에서 문제와 해결방안이 형성된다고 보는 관점

    ⊙ 개인적 관점 : 개인적 지각·욕구·가치관에 의해 문제와 해결방안이 형성된다고 보는 관점

    ⊙ 주관적·질적 방법 : 전문가들이 모여서 자유분방하게 의견을 교환하는 브레인스토밍(집단자유토의기법)과 선택적 익명성에 기반한 정책델파이 기법 등을 통해 문제와 해결방안을 찾는 방법

    ⊙ 조사연구방법의 활용 : 사전조사, 예비조사, 현지조사, 실태조사나 질문지법, 면접법 등을 통하여 문제와 해결방안을 찾는 방법

---

O·X 문제

1. 가정분석은 문제상황을 정의하기 위해 당면문제를 그 구성요소들로 분해하는 기법으로 논리적 추론을 통해 추상적인 정책문제를 구체적인 요소들로 구분한다. (  )

2. 가정분석은 문제와 관련된 가정들을 찾아내고, 동일한 가정들을 체계적으로 비교하여 명확한 가설을 창의적으로 도출한다. (  )

O·X 문제

3. 분류분석은 정책문제와 관련된 여러 구조화되지 않은 가설들을 창의적으로 통합하기 위해 사용하는 기법으로 이전에 건의된 정책부터 분석한다. (  )

4. 분류분석은 문제의 구성요소를 분해하여 식별함으로써 개념을 명료화한다. (  )

PART · 03

---

O·X 정답 | 1. × 2. × 3. × 4. ○

## 03 정책목표의 설정

### 1. 정책목표의 의의

**(1) 개 념**

정책목표란 정책의 존재이유로 정책을 통하여 구체적으로 달성하고자 하는 바람직한 미래상태를 의미한다. 정책목표를 설정하는 것은 하나의 창조적인 행위로서 가장 많은 규범적 가치판단이 요구되는 의사결정과정이다.

**(2) 요 건**

바람직한 정책목표는 내용의 타당성(적합성), 목표수준의 적절성(적정성), 목표 간 내적 일관성이 확보되어야 한다. 적합성, 적절성, 일관성은 정책목표의 소망성(desirability)을 평가하는 기준이 된다.

① **내용의 타당성(적합성 : appropriateness)** : 정책목표가 사회의 중요한 가치를 반영하고 있는 정도(우선적으로 해결해야 할 문제의 해결을 목표로 삼았는지 여부)
② **목표수준의 적절성(적정성, 충분성 : adequacy)** : 정책목표의 수준이 사회문제해결에 기여하는 정도(목표달성수준을 적정하게 설정하였는지 여부)
③ **내적 일관성** : 정책목표들 사이에 구조적 모순과 충돌이 없는 정도

**(3) 성격 · 기능 · 관계**

① **성격** : 공공부문의 정책목표는 ㉠ 공공성 · 공익성, ㉡ 미래지향성 · 가치지향성 · 변동대응성 · 발전지향성, ㉢ 다원성(다수의 목표 추구), ㉣ 단계성(상위목표와 하위목표 간의 목표-수단체계), ㉤ 무형성 · 추상성, ㉥ 창조성, ㉦ 주관성 · 타당성 · 규범성 등의 성격을 지닌다.
② **기능 – 정책대안의 선택 · 정책집행 · 정책평가의 기준** : '정책대안의 선택'은 정책목표 달성을 위한 합리적인 수단 선택 과정이라는 점에서, '정책집행'은 정책목표 달성을 위한 정책내용의 실현 활동이라는 점에서, '정책평가'는 정책수단이 정책목표를 달성했는지를 검증하는 활동이라는 점에서 정책목표는 정책대안의 선택 · 정책집행 · 정책평가의 기준이 된다.
③ **정책목표 간 관계** : 정책목표 간의 관계는 상하관계와 수평관계로, 보완관계와 모순 및 경쟁관계로, 독립관계와 의존관계로 구분해 볼 수 있다. 대체로 목표가 상하관계 · 보완관계 · 독립관계일 때 목표 간의 갈등이 적고, 수평관계 · 모순 및 경쟁관계 · 의존관계일 때 갈등의 소지가 크다.

### 2. 정책목표의 유형

**(1) 유형성 기준 : 무형적 목표와 유형적 목표**

① **무형적 목표** : 추상적 · 일반적 · 포괄적 · 장기적 · 질적 · 전략적 · 거시적 목표(주로 조직의 상위목표)
② **유형적 목표** : 현실적 · 단기적 · 구체적 · 양적 · 미시적 목표(주로 조직의 하위목표)

③ 무형적 목표와 유형적 목표의 비교

| 구 분 | 무형적 목표 | 유형적 목표 |
|---|---|---|
| 장 점 | • 해석의 융통성 확보<br>• 상황변화에 대응 용이<br>• 대립되는 이해관계의 포용 | • 구체적인 업무처리 기준 제시<br>• 목표달성도 측정 용이 |
| 단 점 | • 목표달성도 측정 곤란<br>• 목표의 전환 야기<br>• 구체적인 업무 기준 제시 곤란 | • 상황변화에 적절한 대응 곤란<br>• 대립되는 이해관계의 포용이 어려워 정치적 지지 확보 곤란 |

(2) 목표의 수 기준 : 단수목표와 복수목표

① 단수목표 : 목표가 단일한 경우의 목표(대체로 사조직에서 단일목표 설정)

② 복수목표 : 목표가 다수성을 지닌 경우의 목표(대체로 공영역에서 복수목표 설정)

③ 복수목표의 장·단점

| 복수목표의 장점 | 복수목표의 단점 |
|---|---|
| • 특정 목표의 달성이 다른 목표달성에 기여할 수 있는 부수효과<br>• 다원적 욕구의 충족<br>• 유능한 인재의 유치에 도움<br>• 목표의 등전위현상을 통해 목표의 대치(전환)현상 방지 | • 목표 간 갈등·대립 발생가능성<br>• 목표 간 우선순위 선정 곤란<br>• 목표의식의 분산으로 집중적 노력이 어려워 목표달성 곤란<br>• 목표가 상이한 하위구성원 간에 자원획득에 대한 경쟁 심화 |

(3) 경험성 기준 : 치료적 목표와 창조적 목표

① 치료적·소극적 목표 : 문제발생 이전의 상태로 복귀하려는 목표(예 공해방지를 정책목표로 삼는 경우 - 과거 공해가 없던 상태로의 복귀)

② 창조적·적극적 목표 : 과거에 경험해 보지 않은 새로운 상태를 창조하려는 목표(예 1인당 국민소득 4만 달러 달성)

## 04 정책대안의 탐색·개발

### 1. 정책대안의 의의

(1) 정책대안의 개념

정책대안이란 정책목표와 정책수단을 포함하는 개념이다. 정책목표를 설정하고 이를 달성하기 위한 정책수단을 탐색할 때 서로 다른 정책수단을 채택하게 되면 이에 따라 정책목표의 내용도 조금씩 변화하게 된다. 이와 같이 각각의 서로 다른 정책목표와 정책수단의 배합들을 정책대안이라 한다.

(2) 정책대안의 탐색·개발의 개념

정책목표 설정 후에 이를 잘 달성할 것으로 예상되는 정책수단들을 탐색하고 개발하는 작업을 의미한다. 합리적인 정책수단의 선택을 위해서는 광범위한 정책대안의 탐색과 개발이 필수적으로 요구된다.

**심화학습**
정책대안의 탐색·개발의 순서
① 정의된 정책문제의 인지와 정책목표의 명확화
② 정책대안의 원천들을 이용하여 정책수단의 광범위한 파악
③ 정책목표와 정책수단을 결합한 구체적인 정책대안의 형성

## 2. 정책대안의 원천

### (1) 과거의 정책

과거에 시행되었던 정책사례의 경험을 잘 분석하여 현재에 알맞게 수정하면 현재의 문제 해결에 필요한 정책대안을 개발할 수 있다.

### (2) 타(他) 정부의 정책

동일하거나 유사한 문제에 대하여 다른 나라는 어떠한 정책을 채택하고 있는가를 분석하고 이를 우리나라의 실정에 맞게 적절히 수정하여 공간적인 차이를 극복할 수 있다면 좋은 정책대안이 될 수 있다.

### (3) 축적된 지식과 이론을 통한 모형의 설정

우리가 이미 알고 있는 지식·이론·기술 등을 바탕으로 모형을 설정하고 이를 통해 정책대안을 도출하는 것도 중요한 정책대안의 원천이 될 수 있다.

### (4) 주관적·직관적 방법

과거에 시행해 본 경험도 없고 외국에서도 시행되고 있지 않으며 그 분야에 대한 이론이나 지식도 체계화된 것이 없는 경우에는 집단토론(brainstorming)이나 정책델파이(policy delphi) 기법을 활용할 필요가 있다.

## 05 정책대안의 결과 예측 – 미래예측

정책대안이 실현되었을 경우 나타날 결과들을 정책대안 실현 이전에 미리 예상해 보는 과정으로 필연적으로 불확실성을 전제로 한다.

## 06 정책대안의 비교·평가 및 최적대안의 선정

### 1. 의 의

탐색된 정책대안들의 결과를 예측한 다음 이 결과들을 일정한 기준에 따라 비교·평가하여 최선의 대안을 선택하는 과정이다. 이 과정에서는 소망성과 실현가능성이 평가기준으로 활용된다.

### 2. 소망성 기준과 실현가능성 기준(Nakamura & Smallwood)

#### (1) 소망성(desirability) 기준

① 개념 : 정책대안의 실현이 바람직한 것인지를 평가하는 데 사용되는 기준

② 기 준

    ㉠ 노력(effort) : 정책에 투자될 양적·질적 투입이 가장 적게 드는 정책대안

    ㉡ 능률성(efficiency) : 투입 대비 산출이 가장 큰 정책대안

    ㉢ 효과성(effectiveness) : 목표달성도가 가장 높은 정책대안

    ㉣ 공평성(equity) : 정책효과와 비용이 배분적 정의에 합치되는 정책대안

    ㉤ 대응성(responsiveness) : 성취된 정책결과가 이해관계자의 욕구·선호·가치 등을 만족시켜 주는 정책대안

(2) 실현가능성(feasibility) 기준

① 개념 : 정책대안이 충실히 집행될 가능성을 평가하는 데 사용되는 기준

② 기 준

ㄱ 기술적 실현가능성 : 현재 이용 가능한 기술로 실현가능한지 여부

ㄴ 재정적 실현가능성 : 현재 이용 가능한 재정적 자원으로 실현가능한지 여부

ㄷ 행정적 실현가능성 : 현재 이용 가능한 행정조직·인력으로 실현가능한지 여부

ㄹ 법적 실현가능성 : 정책대안이 다른 법률의 내용과 모순되는지 여부

ㅁ 윤리적 실현가능성 : 정책대안이 도덕적·윤리적 제약을 받지 않는지 여부

ㅂ 정치적 실현가능성 : 정책대안이 현존하는 정치세력으로부터 정치적 지원을 받을 수 있는지 여부

ㅅ 시간적 실현가능성 : 정책대안의 집행에 소요되는 시간이 용인될 수 있는 정도인지 여부

ㅇ 사회적 실현가능성 : 정책대안이 사회적으로 용인될 수 있는 정도인지 여부

(3) 소망성과 실현가능성의 충돌

소망성과 실현가능성이 충돌하는 경우 실현가능한 정책대안 중에서 가장 소망스런 정책대안을 선정해야 한다. 이는 아무리 소망스러운 정책대안이라도 실현가능성이 없다면 무용하기 때문이다.

---

| 심화학습 | |
|---|---|
| **최종안의 선택단계에서 고려해야 할 사항** | |
| 가치판단 | 각 대안의 장점에 대한 가치판단 |
| 불확실한 요소의 조절 및 통제 | ① 신뢰할 수 없는 자료 제외<br>② 불완전한 자료의 보충<br>③ 다양한 변수의 검토(행위가능성, 미래지향성, 가치함축성, 윤리적 복잡성 등)<br>④ 통계적 확률의 활용 |
| 정책대안의 검증 | ① 분석 및 근거의 재검토<br>② 동의의 확보<br>③ 시험적 시행 등 |

---

## 제 2 절  불확실성과 미래예측

### 01 불확실성

#### 1. 의 의

정책대안의 결과 예측은 정책대안이 실현되었을 경우 나타날 결과들을 정책대안 실현 이전에 미리 예상해 보는 과정으로 필연적으로 불확실성을 전제로 한다.

#### 2. 불확실성 대처방안

(1) 의 의

불확실성의 대처방안에는 불확실한 것을 확실하게 하려는 '적극적 대처방안'과 불확실성을 주어진 것으로 보고 불확실성을 감안하여 정책대안의 결과를 예측하는 '소극적 대처방안'이 있다.

(2) 적극적 대처방안 : 불확실한 것을 확실하게 하려는 방안

① 이론이나 모형의 개발(확정적 모형) : 이론이나 모형을 개발하여 미래를 예측해 봄으로써 불확실성을 극복하는 방법

② 결정의 지연(정보의 획득) : 정책대안의 결과를 즉시 예측하지 않고 가능한대로 시간을 늦추어 보다 많은 정보를 얻어 미래를 예측하는 방법

③ **점증주의적 정책결정**: 정책대안의 결과를 직관적으로 예측하여 정책대안을 선정하고 집행 도중에 환류되는 정보를 이용하여 이미 채택된 정책대안을 계속 수정·보완함으로써 불확실성을 극복하는 방법

④ **정책실험(시뮬레이션)**: 전면적인 정책추진 이전에 소규모로 일정 정책대상집단에게 시범적으로 실시해 보는 일종의 실험적 정책집행을 통해 불확실성을 극복하는 방법

⑤ **정책델파이와 브레인스토밍**: 전문가의 주관적 판단에 의존한 미래예측을 통해 불확실성을 극복하는 방법

⑥ **흥정이나 협상**: 경쟁기관과의 흥정이나 협상을 통하여 불확실성을 유발하는 상황 자체를 통제하는 방법

⑦ **공식화 및 표준화**: 표준운영절차(SOP)를 설정하여 인간의 변칙적이고 자의적인 행위를 미리 예방함으로써 불확실성을 극복하는 방법

(3) **소극적 대처방안**: 불확실한 것을 주어진 것으로 보고 이에 대처하는 방안

① **가외적 장치**: 불확실한 상황에 대비하기 위하여 여러 다양한 대안 마련

② **한정적 합리성 추구**: 인간의 인지능력상의 한계를 감안하여 복잡한 문제를 단순한 문제로 분할하여 분석하는 방법

③ **휴리스틱스(문제의식적 탐색)**: 엄밀한 계산이나 이론을 동원하지 않고 개괄적인 결론에 도달하게 하는 일반적인 발견기법들(직관적 판단, 상식, 시행착오를 통한 경험적 발견법, 주먹구구식 판단, 발견적 학습 등)을 통해 해결책을 찾고자 하는 분석방법

④ **환경에 대한 조직적 대응**: 불확실한 환경에 민첩하게 대응할 수 있도록 권한위임(분권화)을 추구하는 방법

⑤ **불확실성하의 의사결정 기준**: 최소극대화(Maximin) 기준, 최대극대화(Maximax) 기준 등 불확실성하의 의사결정 기준 적용

⑥ **민감도 분석**: 한 모형에서 매개변수(파라미터)가 불확실할 때, 이 매개변수가 취할 수 있는 가능한 값들을 모두 대입하여 매개변수의 변화에 따라 결과가 어떻게 변하는가를 분석하는 방법

⑦ **상황의존도 분석**: 한 모형에서 외생변수(조건변수)가 불확실할 때, 이 외생변수가 취할 수 있는 가능한 값들을 모두 대입하여 외생변수의 변화에 따라 결과가 어떻게 변하는가를 분석하는 방법(상이한 조건하에서 우선순위 변화를 통한 분석)

⑧ **악조건 가중분석**: 예비분석 등을 통해 가장 우수한 것으로 예상되는 정책대안에 대해서는 매개변수 및 외생변수가 최악의 상태로 발전할 것으로 가정하고, 나머지 대안에 대해서는 최선의 상태가 발생할 것으로 가정하여 각 대안의 결과를 예측하고 이에 근거하여 대안을 선택하는 분석방법

⑨ **분기점 분석**: 악조건 가중분석의 결과 대안의 우선순위가 달라질 경우 최선 및 차선으로 예상되는 몇몇 대안들이 동등한 결과를 산출하기 위해서는 모형의 매개변수 및 외생변수들이 어떻게 변화하여야 하는지를 가정해보고, 그러한 가정 가운데 가장 발생가능성이 높은 가정을 전제로 최선의 대안을 선택하는 분석방법

참고  정책모형의 이해

1. 의 의

정책모형이란 정책대안이 가져올 결과를 예측하기 위하여 복잡한 현실을 단순화시켜 추상적으로 표현한 것이다. 정책모형은 현실을 그대로 반영한 것이 아니라 필요하고 중요한 측면만을 뽑아서 표현한다.

2. 구성요소

(1) **변수**: 문제의 원인(독립)변수 및 결과(종속)변수

(2) **변수 간의 상호관계**: 변수 간 상호영향의 방향과 강도

3. 모형의 역할

(1) **정책대안의 창출**: 원인변수를 통해 정책대안의 탐색·개발

(2) **정책대안의 결과 예측**: 원인변수를 조작하여 정책대안이 가져올 결과 예측

4. 모형의 종류

(1) **확정적 모형**: 정책대안의 결과를 확정적으로 예측하는 모형(선형계획 등)

(2) **확률적 모형**: 정책대안의 결과가 상황에 따라 다르게 나올 것을 예측하면서 상황의 발생확률을 밝히는 모형(의사결정분석)

5. 모형의 정확성과 간소성

모형 속에 관련 변수를 많이 포함시키면 모형의 정확성(예측력)은 높아지지만 모형의 간소성과는 상충되므로 조화가 필요하다.

## 3. 불확실성 상황에서의 의사결정분석기법

(1) 의 의

의사결정자가 불확실한 미래상황에 직면해 있을 때 여러 가지 가능한 대안들 가운데 합리적인 대안선택을 가능케 해주는 분석방법이다.

(2) 의사결정분석기법

① 낙관적 기준: 가장 좋은 상황만이 발생할 것이라는 가정하에 각 대안의 최선의 조건부 값을 비교하여 최적대안을 선택하는 방법이다.

㉠ 편익 – Maximax(최대극대화)기준: 이익의 최대치가 가장 최대인 대안을 선택하는 방법(최댓최대값)

㉡ 비용 – Minimin(최소극소화)기준: 손실의 최소치가 가장 최소인 대안을 선택하는 방법

② 비관적 기준(보수적 접근): 가장 비관적인 상황이 발생할 것이라는 가정하에 각 대안의 최악의 조건부 값을 비교하여 최적대안을 선택하는 방법이다.

㉠ 편익 – Maximin(최소극대화)기준: 이익의 최소치가 가장 최대인 대안을 선택하는 방법(최댓최소값)

㉡ 비용 – Minimax(최대극소화)기준: 손실의 최대치가 가장 최소인 대안을 선택하는 방법

📂 낙관적 기준과 비관적 기준

| 구 분 | 낙관적일 때 | 비관적일 때 |
| --- | --- | --- |
| 편익기준 | Maximax(최대극대화) | Maximin(최소극대화) |
| 비용기준 | Minimin(최소극소화) | Minimax(최대극소화) |

O·X 문제

1. 미래에 대한 불확실성을 주어진 조건으로 보고 그 안에서 결과를 예측하는 방법으로 미래에 발생할 수 있는 최악의 상황을 전제하고 정책대안의 결과를 예측하는 방법을 보수적 결정이라고 한다.  ( )

2. 최악의 불확실성을 가정하고 대안을 모색하는 것은 악조건가중분석으로 소극적 대처방안에 해당한다.  ( )

O·X 정답  1. ○  2. ×

③ 라플라스(Laplace) 기준(평균기댓값 기준) : 각 상황이 동일한 확률로 발생할 것이라는 가정하에 평균기댓값을 비교하여 최적대안을 선택하는 방법이다.

④ 후르비츠(Hurwicz) 기준 : 의사결정자가 미래에 대해 완전한 낙관주의 또는 비관주의가 아닌 그 중간에 있다는 가정하에 최대성과(낙관적 기준)와 최소성과(비관적 기준)를 낙관계수(낙관적인 확률)와 비관계수(비관적인 확률)에 의하여 도출·비교하는 방법이다. 후르비츠 기준은 중간의 조건부 값을 고려하지 못한다는 비판을 받는다.

⑤ 새비지(Savage) 기준 : Minimax(최대극소화) 후회기준이라 한다. 이때 '후회'란 어떤 상황이 발생하리라는 것을 알았더라면 특정 대안을 선택하지 않았을 것이라는 후회의 감정을 의미하며, 결국 기회비용의 개념이다. 새비지 기준은 의사결정자가 미래의 상황을 잘못 판단함으로써 가져오는 손실 혹은 비용(기회비용)을 최소화하려는 목적하에 최대후횟값이 최소인 대안을 선택하는 방법이다.

참고 ㅣ 불확실한 상황에서의 의사결정분석기법의 활용

1. 편익비교표(S=상황, N=대안) (낙관계수=0.6)

| 구 분 | N₁ | N₂ | N₃ | N₄ |
|---|---|---|---|---|
| S₁ | 1200 | 1000 | 600 | 500 |
| S₂ | 300 | 700 | 600 | 400 |
| S₃ | 100 | 200 | 600 | 300 |

2. 의사결정분석기법에 따른 대안 선택
   (1) 낙관적 기준 : Maximax(최대극대화)기준에 의하면 각 대안의 최대이익값 중 그 값이 가장 큰 대안인 N₁이 최적대안이 된다.
   (2) 비관적 기준 : Maximin(최소극대화)기준에 의하면 각 대안의 최소이득값 중 그 값이 가장 큰 N₃이 최적대안이 된다.
   (3) 라플라스(Laplace) 기준 : 평균기댓값에 의하면 각 대안의 상황에 따른 값을 더하여 3으로 나눈 값이 가장 큰 대안인 N₂가 최적대안이 된다.
   (4) 후르비츠 기준 : 각 대안의 최대이득은 낙관계수(0.6)에 의해, 최소이득은 비관계수(0.4)에 의해 값을 도출하면 그 값이 가장 큰 대안인 N₁이 최적대안이 된다.
   (5) 새비지(Minimax Regret) 기준
   ① 후횟(Regret)값의 작성 : 후회란 기회비용으로, 후횟값은 특정 상황에서 가장 큰 편익을 가져오는 대안의 값으로부터 선택된 특정 대안의 값을 뺀 값이다.

   편익비교표에 따른 후회표의 작성

| 구 분 | N₁ | N₂ | N₃ | N₄ |
|---|---|---|---|---|
| S₁ | 0 | 200 | 600 | 700 |
| S₂ | 400 | 0 | 100 | 300 |
| S₃ | 500 | 400 | 0 | 300 |
| 최대후횟값 | 500 | 400 | 600 | 700 |

   ② 대안 선택 : 각 대안들의 최대후횟값들을 비교하여 가장 적은 후횟값을 가져올 대안을 선택하면 N₂가 최적대안이 된다.

## 02 미래예측

### 1. 의 의

#### (1) 개 념

미래예측이란 정책의 결과로 나타날 미래의 변화에 관한 정보를 제공하는 것을 말한다. 미래를 예측하는 기법에는 투사, 예견, 추측기법이 있다. 단기적 예측일수록 계량적 예측인 '예견기법'이, 장기적 예측일수록 주관적 예측인 '추측기법'이 주로 활용된다. 또한 과거의 변화추이가 안정적일 때에는 '투사기법'(시계열분석)이 주로 적용된다.

#### (2) 미래예측기법

| 접근방법 | 근 거 | 기 법 | 산 출 |
|---|---|---|---|
| 투사(외삽법)에 의한 예측 | 역사적 경향 투사를 통한 귀납적 예측 – 추세적 연장 | 시계열분석(경향분석), 선형경향추정[최소자승경향추정, 지수가중(평활)법, 흑선(검은줄)기법], 이동평균법, 비선형경향추정(자료전환법), 불연속추정(격변예측기법) 등 | 투사 |
| 이론(모형)에 의한 예측 | 이론적 가정에 의한 모형을 통한 연역적 예측 – 인과모형의 설정 | 회귀분석(인과분석, 선형분석, 투입·산출분석), 경로분석, 상관분석, 모의분석, 체제분석, 분산분석, 이론지도 작성(구조모형), 구조방정식, 구간(간격)추정, 계량적 시나리오 등 | 예견 |
| 주관적(직관적·판단적) 예측 | 주관적 판단에 의존한 질적 예측 – 전문가의 의견조사 | 전통적 델파이, 정책델파이, 브레인스토밍, 교차(상호)영향분석(교차영향행렬), 변증법적 토론, 명목집단기법, Q-방법론, 실현가능성분석, 역사적 유추, 패널토의, 비계량적 시나리오, 근거이론 등 | 추측 |

### 2. 투사(projection) – 연장적 추측(추세적 연장)

#### (1) 의 의

① 투사에 의한 예측: 과거로부터 지속되어 온 역사적 경향을 투사하여 미래를 예측하는 방법으로 과거로부터 현재에 이르기까지 관찰된 역사적 경향을 미래의 특정 시기까지 연장하여 미래를 예측한다.

② 귀납적 논리: 투사는 다수의 시점에서 관찰된 개별적인 결과들이 종합적으로 보여주는 일정한 경향을 일반화하여 미래를 설명하기 때문에 귀납적 논리에 입각해 있다.

#### (2) 주요 기법

① 전통적 시계열분석(투사법, 추세분석, 경향분석, 연장적 예측): 시간의 흐름에 따라 다수의 시점에서 측정대상을 관찰해 수집한 수치적 자료를 분석하여 추세연장을 통해 미래를 예측하는 방법이다. 시계열분석은 시간을 독립변수로 하여 과거로부터 현재까지의 경향으로 미래를 예측한다.

② 선형경향추정[최소자승경향추정, 지수가중(평활)법, 흑선(검은줄)기법]: 연도별 사고 건수를 나타내는 점들을 가장 잘 설명할 수 있는 '상상의 선'이 있다고 가정하고, 그 직선과 실제 자료의 관찰된 점들의 거리를 측정하여 제곱한 것이 가장 작은 값을 갖는 직선의 함수(1차함수, 선형함수)를 구하여 추세연장을 통해 미래를 예측하는 방법이다.

### 3. 예견(prediction) − 이론적 가정(인과모형의 설정)

**(1) 의 의**

① 이론적 가정에 의한 미래예측 : 다양한 이론들을 구조화하고 있는 원인과 결과에 대한 가정들에 근거하여 미래를 예측하는 방법이다.

② 연역적 논리 : 예견은 가정에 의한 이론을 구성하여 미래를 예측하므로 연역적 논리에 입각해 있다.

**(2) 주요 기법**

① 회귀분석(인과분석) : 통계적 기법을 통해 원인과 결과 간의 함수적인 인과관계를 도출하여 미래를 예측하는 기법이다. 회귀분석은 독립변수 한 단위 증가에 따른 종속변수의 변화량을 알아볼 수 있는 분석기법으로 1차함수의 형태를 띨 경우 선형분석이 된다.

② 상관관계분석 : 원인과 결과 간의 인과관계를 도출해내지는 못하지만 원인과 결과 간에 관계의 강도·방향 등을 추정할 수 있게 해주는 분석기법이다.

③ 모의분석(시뮬레이션 : simulation) : 복잡한 현실과 유사한 가상적 모의실험장치를 만들어 실험하고 그 결과를 이용하여 미래를 예측하는 기법이다. 이 기법은 실수를 미연에 방지하여 비용과 위험을 줄일 수 있다는 장점이 있으나, 원인과 결과 간의 관계를 명확히 파악할 수 없다는 단점이 있다.

### 4. 추측(conjecture) − 주관적 판단(전문가의 의견조사)

**(1) 의 의**

경험적 자료나 이론이 없을 때 전문가들의 주관적·질적 판단인 직관에 의하여 미래를 예측하는 방법이다.

**(2) 주요 기법**

① 전통적 델파이(delphi)

㉠ 개념 : 익명성이 유지되는 전문가들이 각각 독자적으로 형성·판단한 의견을 종합하여 미래를 예측하거나 합리적인 아이디어를 도출하려는 방법이다. 델파이는 1948년 랜드(RAND)연구소에서 위원회, 기타 집단토의 등 회의방식의 한계를 극복하기 위해 개발하였다.

㉡ 절차 : ⓐ 문제의 명확화 ⇨ ⓑ 참여자의 선정 ⇨ ⓒ 질문지(구조화된 설문지) 작성 ⇨ ⓓ 1차 응답의 결과 분석(통계처리) ⇨ ⓔ 후속 질문지의 개발(1차 응답결과를 통계적으로 처리한 요약된 정보 제공) ⇨ ⓕ 응답 및 질문의 3~5회 반복 ⇨ ⓖ 통계처리 및 보고서 작성순으로 진행된다.

㉢ 특 징

ⓐ 익명성 : 참여하는 모든 전문가들은 익명성이 보장된다.

ⓑ 통계처리 : 구조화된 설문지에 의한 응답을 통계적으로 처리해 중앙경향과 분산도 등과 같은 요약된 정보로 산출한다.

ⓒ 통제된 환류 : 응답결과는 통계처리된 요약된 정보로 후속 질문지에 반영되어 참여자들에게 제공된다.

ⓓ 반복 : 환류과정은 3~5회 반복된다.

ⓔ 유도된 합의 : 몇 차례의 회람 후에 전문가들의 합의를 유도한다.

---

ㄹ 장·단점

| | |
|---|---|
| 장 점 | • 익명성이 유지되어 솔직한 답변 도출<br>• 구성원 간의 마찰·감정대립·다수의견의 횡포 등 집단토론의 한계 극복 및 외부적 영향력으로 인한 결론의 왜곡 방지<br>• 집단적 상호작용을 통한 지식교환으로 창의적인 아이디어 도출<br>• 통제된 환류과정의 반복을 통해 의견 수정 기회 제공 |
| 단 점 | • 익명성이 유지되어 응답자의 불성실한 답변 야기<br>• 설문지의 질문 구성에 의한 응답자 답변의 조작가능성<br>• 응답자들의 주관적 판단에 의존하므로 과학성 결여<br>• 응답자들의 개인적인 이해관계의 개입으로 객관성 결여<br>• 합의 유도로 인한 소수의견 묵살 가능성<br>• 동원된 전문가들의 역량 및 대표성의 문제<br>• 비판기회의 결여로 아이디어 창출 곤란 |

② 정책델파이(policy delphi)

㉠ 개념 : 특정 정책 문제에 관련된 다양한 집단들이 그 문제와 연계되어 어떤 입장을 고수하고 있는지를 조사하여 쟁점을 파악함으로써 정책의 미래를 예측하는 기법이다.

㉡ 목적 : 합의 도출을 유도하는 전통적 델파이와 달리 정책델파이는 정반대의 입장에 있는 정책관련집단들의 서로 대립되는 의견을 표출시켜 그들 간에 첨예하게 대립되는 쟁점을 파악하는 데 초점을 둔다.

㉢ 과정 : ⓐ 문제의 명확화 ⇨ ⓑ 참여자의 선정 ⇨ ⓒ 질문지의 작성 ⇨ ⓓ 1차 응답의 결과 분석 ⇨ ⓔ 후속 질문지의 개발 ⇨ ⓕ 델파이 참여자들의 화상회의 ⇨ ⓖ 최종보고서 작성순으로 진행된다.

㉣ 특 징

ⓐ 식견 있는 다수의 창도(唱導) : 참여자의 선발은 전문성뿐만 아니라 그 문제에 관해 관심과 통찰력을 지닌 이해관계자도 참여할 수 있도록 여러 상황을 대표하는 주창자들을 선정해 나가야 한다.

ⓑ 양극화된 통계처리 : 응답자들의 판단을 집약할 때 불일치와 갈등을 의도적으로 부각시키는 수치가 사용된다.

ⓒ 구성된 갈등(유도된 의견대립) : 갈등을 긍정적으로 인식하고 대안과 미래예측을 창조적으로 탐색하는 데 있어 의견 차이를 활용한다.

ⓓ 선택적 익명 : 참가자들은 초기 단계에서만 익명으로 응답하고 각각의 주장들이 표면화된 이후에는 공개적으로 토론을 벌인다.

ⓔ 컴퓨터 회의방식 : 떨어져 있는 개개인들 간의 의견교환을 위해 컴퓨터가 활용된다.

O·X 문제

1. 델파이에서 전문가집단의 의사소통은 구조화된 설문지를 통해 반복적으로 이루어진다. (   )

2. 델파이 기법은 불확실한 먼 미래보다는 가까운 미래를 예측하기 위하여 통계분석을 활용하는 객관적 미래예측방법이다. (   )

3. 전통적 델파이 기법은 전문가들의 다양성을 고려해 의견일치를 유도하지 않는다. (   )

4. 델파이 기법에서 전문가집단은 익명성이 보장된 상태에서 답변하며 자신의 답변을 수정할 수 있다. (   )

5. 델파이 기법을 쓰면 지배적 성향을 가진 사람의 독주나 다수의견의 횡포 등을 피할 수 있다. (   )

O·X 문제

6. 정책델파이 기법은 격리성과 익명성을 철저하게 보장하여 전문가들의 창의적인 생각이 도출될 수 있는 예측방법이다. (   )

7. 정책델파이에서 참가자를 선발하는 과정은 '전문성' 자체보다는 이해관계와 식견이라는 기준에 바탕을 둔다. (   )

8. 정책델파이는 정책대안에 대한 주장들이 표면화된 후에는 참가자들로 하여금 비공개적으로 토론을 벌이게 한다. (   )

9. 정책델파이는 개인의 판단을 집약할 때 불일치와 갈등을 의도적으로 강조하는 수치를 사용한다. (   )

10. 정책델파이 분석은 주요정책이슈의 잠정적인 해결책에 대하여 있을 수 있는 강력한 반대의견을 창출한 후 토론을 거쳐 최종보고서를 작성하는 기법이다. (   )

11. 정책델파이는 경험적 자료나 이론이 없는 경우 예측자의 주관적 판단에 의해 예측하는 방법 중 하나이다. (   )

O·X 정답   1. ○  2. ×  3. ×  4. ○
5. ○  6. ×  7. ○  8. ×
9. ○  10. ○  11. ○

ⓜ 델파이와 정책델파이의 비교

| 구 분 | 차이점 | | 공통점 |
|---|---|---|---|
| | 델파이 | 정책델파이 | |
| 적 용 | 일반문제에 대한 예측 | 정책문제에 대한 예측 | • 다수 응답자 선정<br>• 반복된 환류(환류과정을<br> 3~5회 반복)<br>• 컴퓨터에 의한 통계처리<br>(통계처리된 요약정보를<br> 참여자에게 제공) |
| 응답자 | 특정 정책과 관련된 전문가 | 식견 있는 다수의 창도<br>(이해관계인 참여 가능) | |
| 익명성 | 격리성과 익명성 보장 | 선택적 익명성 | |
| 통계처리 | 도수분포형태<br>(중앙경향, 분산도 등) | 의견차이나 갈등을 부각시<br>키는 양극화된 통계처리 | |
| 합 의 | 유도된 합의 | 구성된 갈등 | |
| 토 론 | 토론 부재 | 컴퓨터를 통한 회의(토론) | |

③ 브레인스토밍(brain storming)

㉠ 개념 : 단일의 특정 주제에 대하여 자유롭고 개방적인 분위기 속에서 다수의 전문가들이 창의적인 의견이나 아이디어를 자유롭게 교환하도록 하는 대면식 집단 토의기법이다.

㉡ 원 칙

ⓐ 자유분방 : 우스꽝스럽거나 비현실적인 아이디어라 할지라도 모든 아이디어를 환영한다.

ⓑ 비판의 금지 : 다른 구성원의 아이디어 제시를 저해할 수 있는 평가나 비판은 금지된다.

ⓒ 질보다 양 우선 : "양이 질을 낳는다."는 전제 아래 많은 아이디어를 얻는 것을 강조한다.

ⓓ 결합개선(편승, 확장) : 다른 구성원의 아이디어에 편승한 새로운 대안의 창안을 유도한다.

㉢ 과정 : ⓐ 개별 발상(집단 전체가 모여 구성원별로 아이디어 제시) ⇨ ⓑ 집단 토론(모든 아이디어를 총망라한 다음 토론) ⇨ ⓒ 평가(민주적 절차를 통해 대안의 우선순위 부여)순으로 진행된다.

㉣ 장점 : 구성원들의 자유로운 의사표시 및 다른 구성원의 아이디어 학습으로 창의성이 유발된다. 또한 회의과정에서 소수의 의견도 묵살되지 않는다.

㉤ 단점 : 남의 아이디어를 듣는 동안 아이디어 발상이 막히게 되는 창출 저지(production blocking), 다른 사람들의 아이디어에 적당히 얹혀가는 무임승차(free riding) 등의 문제를 야기한다.

④ 명목집단기법(nominal group technique)

㉠ 개념 : 단일의 특정 주제에 대하여 문제해결에 참여하는 개인들이 개별적으로 해결방안을 구상하여 서면으로 제출하도록 하고, 제한된 토론만을 허용한 다음 해결방안에 표결하는 집단토론기법이다.

㉡ 과정 : ⓐ 아이디어의 서면 작성·제출(개인들이 토론 없이 침묵 속에서 아이디어를 서면으로 작성·제출) ⇨ ⓑ 제한된 토론(각각의 아이디어에 대한 제한된 토의) ⇨ ⓒ 투표 및 확정(표결을 통해 아이디어 확정)순으로 진행된다.

ⓒ 평가: 토론이 비조직적으로 방만하게 진행되는 현상이나 소수 지배 현상을 방지할 수 있으며, 창의적인 아이디어의 탐색과 개발이 용이하다.

⑤ 지명반론자기법(변증법적 토론: devil's advocate method): 특정 대안에 대해 작위적으로 토론집단을 대립적인 옹호자 집단과 반론자 집단으로 나누어 토론케 함으로써 옹호와 반론의 과정을 통해 대안의 장점과 단점을 최대한 노출시키고 의견수렴의 과정을 거쳐 합의를 형성하는 집단토론기법이다.

⑥ 전자식 회의 기법: 명목집단기법에 컴퓨터 기술을 접목한 기법으로 참가자들이 개별적인 의견을 컴퓨터 스크린에 익명으로 입력하고, 스크린을 통해 토론한 후 컴퓨터를 통해 표결하는 방법이다. 이 기법은 익명성이 보장되어 솔직한 의견이 개진될 수 있으며, 컴퓨터 기술을 활용한 신속한 회의가 가능하다.

⑦ (비계량적) 시나리오 기법: 미래에 나타날 가능성이 있는 여러 가지 복수의 시나리오를 구상해 각각의 시나리오의 전개 과정을 추정해 나가는 예측기법이다.

⑧ 교차영향분석: 사건 간의 상호관련성을 파악하는 데 도움을 주는 기법으로 관련 사건의 발생 여부에 기초하여 미래의 다른 사건이 일어날 확률에 대하여 식견 있는 판단을 이끌어 내는 직관적 예측방법이다.

⑨ 실현가능성분석: 정치적 실현가능성에 대한 분석기법으로 여러 정책 대안의 채택을 지지 또는 반대하는 정책관련자들의 예상되는 영향력을 예측하는 주관적 분석기법이다.

---

## 제 3 절  정책분석

### 01 정책분석 일반론

#### 1. 정책분석의 의의

(1) 개 념

① 최광의: 정책과정 전반에서 필요한 지식과 정보를 창출·제공하는 합리적·체계적·과학적 방법과 기술을 의미한다.

② 광의(일반적 의미): 정책결정과정에서 정책대안의 체계적인 탐색·개발을 위하여 필요한 지식과 정보를 창출·제공하는 합리적·체계적·과학적 방법과 기술을 의미한다.

(2) 대두배경 및 발전방향

① 관리과학과 행태과학의 결함 보완: 정책분석은 관리(집행)수단의 최적화만을 추구하는 관리과학 및 사회문제에 대한 처방을 제시하기 곤란한 행태과학의 결함을 보완하기 위해 대두되었다.

② 규범적 정책분석으로 발전: 전통적 정책분석인 기술적 정책분석은 가치를 고려하지 않는 수단의 최적화를 추구한 반면, 현대적 정책분석인 규범적인 정책분석은 가치를 고려하는 정책의 최적화를 추구한다.

---

O·X 문제

1. 변증법적 토론기법은 토론집단을 의견이 유사한 두 개의 팀으로 나누어 토론을 진행하여 합의를 도출해내는 기법이다. ( )

2. 지명반론자기법이 성공하려면 반론자들이 고의적으로 본래 대안의 단점과 약점을 적극적으로 지적하여야 한다. ( )

3. 교차영향분석은 한 사건의 발생 확률이 다른 사건에 종속적이라는 전제하에 조건 확률을 이용한다. ( )

심화학습

기타 추측기법

|  |  |
| --- | --- |
| Q-방법론 | 인간의 주관성(가치·태도·신념 등)을 과학적으로 연구하는 방법으로 피조사자들이 연구대상에 대하여 어떠한 생각이나 견해를 갖고 있는가를 요인분석에 의해 파악하여 피조사자들의 주관적 경험을 깊이 이해해 나가는 기법(가설의 검증보다는 가설의 발견에 도움을 주는 기법) |
| 표적집단면접기법 | 훈련된 조사자가 소수의 응답자를 한 곳에 모아 관련된 주제에 대해 대화와 토론을 통해 정보를 수집하는 방법(일반화의 가능성이 낮음) |
| 브레인라이팅 | 브레인스토밍의 한계를 극복하기 위해 개인의 의견이나 아이디어를 글로 표현하도록 하고 옆 사람과 교환한 뒤 옆 사람의 의견에 자신의 아이디어를 추가로 기록하는 방식 |
| 근거이론 | 전개되는 관찰들을 비교하여 이론을 산출하는 귀납적 접근 |
| 기타 | 캔미팅 기법, 빠른 직관적 예측, 여론조사, 패널토의, 의도 연구 등 |

O·X 정답  1. ×  2. ○  3. ○

**심화학습**

**정책분석가의 역할모형**

| 객관적 기술자 모형 | 결정자와 분석가의 엄격한 분화를 전제로 분석가를 문제해결방법에 대한 객관적이고 중립적 정보제공자로 인식하는 모형 |
|---|---|
| 고객 옹호자 모형 | 정책분석가를 고객(분석의 뢰자)에 대한 봉사자로 인식하는 모형 |
| 쟁점 옹호자 모형 | 정책분석가를 바람직한 가치를 추구하는 규범적 존재인 정책창도가로 인식하는 모형 |
| 정책 토론 옹호자 모형 | 정책분석가를 바람직한 가치를 추구하는 규범적 존재이며, 정책토론의 촉진자로 인식하는 모형 |

**심화학습**

**창도적 주장의 특징**

| 가치 함축성 | 사실이나 경험뿐만 아니라 가치적 요소가 개입된다. |
|---|---|
| 윤리적 복잡성 | 창도적 주장에 내재된 가치는 다양하여 윤리적으로 매우 복잡하다. |
| 예측적 (조망) | 정책이 집행되기 전에 이루어지는 예측적·조망적 제안이다. |
| 행위 가능성 | 정책을 통해 행해지게 될 행위에 초점을 둔 제안이다. |

(3) 특 징

① **정치적 활동이 아닌 지적·분석적 활동**: 정책분석은 인간의 이성(논리적으로 사유하는 능력)과 증거(사실을 인정할 만한 근거)를 토대로 대안의 결과를 예측하고 비교·평가하는 지적·분석적 활동이지 협상과 타협 또는 권력적 관계에 의존하는 정치적 활동이 아니다.

② **포괄적인 지적·분석적 활동**: 정책분석은 계량적 측면뿐만 아니라 질적·비합리적·정치적 측면(정치적 합리성, 사회적 권력관계, 정치적 합의 등)을 모두 고려하는 포괄적인 지적·분석적 활동이다.

③ **정책결정을 도와주는 활동**: 정책분석은 정책대안에 대한 정보제공을 통해 정책결정자의 합리적 판단을 도와주는 활동으로 정책결정의 핵심 단계이다.

④ **사전적·조망적 활동**: 정책분석은 정책집행 이전에 미래를 예측하는 사전적·조망적 활동이라는 점에서 정책집행 이후의 사후적·회고적 활동인 정책평가와 구별된다.

⑤ **분석가의 다양성**: 정책분석은 합리적이고 상식적인 활동으로 전문가뿐만 아니라 다양한 동기를 가진 사람들에 의해 다양한 형태로 이루어질 수 있다.

(4) 절 차

정책분석은 ① 문제구조화(경계분석, 계층분석 등) ⇨ ② 미래예측(투사, 예견, 추측 등) ⇨ ③ 제안(비용·편익분석, 비용·효과분석 등)순으로 진행된다.

(5) 정책제안의 유형(W. Dunn)

① **경험적 접근법 – 사실적(designative) 주장**: 객관적인 사실에 근거하여 관찰된 특성을 기술하는 것을 말한다(기인되었다, 영향을 미쳤다 등의 진술).

　예 국제적 유가 상승이 국내 물가상승에 영향을 미쳤다.

② **평가적 접근법 – 평가적(evaluative) 주장**: 객관적 사실에 근거하여 가치가 결부된 주장을 확언하는 것을 말한다(좋다, 나쁘다, 옳다, 그르다 등의 진술).

　예 물가상승을 막기 위해서는 재정정책보다는 금융정책을 활용하는 것이 좋다.

③ **규범적 접근법 – 창도적(advocative) 주장**: 정부가 문제해결을 위하여 마땅히 어떤 행동을 취해야 한다고 확언하는 것을 말한다(해야 한다, 마땅하다 등의 진술).

　예 물가상승을 막기 위해서 정부는 반드시 이자율을 인상해야 한다.

## 2. 정책분석의 구성

(1) 의 의

일반적 의미의 정책분석은 3차원(협의의 정책분석, 체제분석, 관리과학)으로 구분된다. 정책분석은 협의의 정책분석 > 체제분석 > 관리과학의 관계로 협의의 정책분석으로 갈수록 질적·정치적 고려가 많아지는 상위차원의 분석이며, 관리과학으로 갈수록 정밀한 계량적 분석이다.

### (2) 정책분석의 구성 - 협의의 정책분석, 체제분석, 관리과학의 비교

| 구 분 | 협의의 정책분석 | 체제분석 | 관리과학 |
|---|---|---|---|
| 가치 차원 | • 당위성 차원 분석<br>• 정치적 합리성 | • 실현가능성 차원 분석<br>• 기능적 합리성 | • 능률성 차원 분석<br>• 경제적 합리성 |
| 분석의 초점 | • 정책의 기본방향 결정<br>• 정책목표의 선호화<br>(where : 어디로) | • 부분적 최적화 추구<br>• 대안선택의 최적화<br>(what : 무엇을) | • 선택된 대안의 효율적인 수행(집행)방법 추구<br>• 관리(집행)수단의 최적화<br>(how : 어떻게) |
| 분석의 형태 | • 질적(주관적) 분석<br>• 비용효과의 사회적 배분, 정치적 효과, 권력관계 등 제도적 맥락 중시 | 양적 분석(능률성)을 주로 하되 질적 분석(직관·통찰력) 가미 | 양적 분석(계량적 기법의 활용) |
| 분석방법 | 정책문제의 구조화 기법(경계분석 등), 주관적 예측(델파이 등) 등 | 비용편익분석, 비용효과분석 등 | 선형계획, 경로분석, 대기행렬이론 등 |

## 3. 정책분석의 오류

### (1) 의 의

① 개념 : 정책결정자에게 정책문제의 해결방안에 대하여 잘못된 지식과 정보를 산출하는 것을 말한다.

② 종 류

| 1종 오류[알파(α)오류] | 2종 오류[베타(β)오류] | 3종 오류(메타오류) |
|---|---|---|
| 정책대안이 효과가 없음에도 있다고 잘못 평가한 오류 | 정책대안이 효과가 있음에도 없다고 잘못 평가한 오류 | 정책문제의 잘못된 인지로 인하여 대안을 잘못 선택하는 오류 (근본적인 오류) |
| 잘못된 대안을 채택하는 오류 | 올바른 대안을 기각하는 오류 | |
| 옳은 귀무가설(영가설)✛을 기각하는 오류 | 틀린 귀무가설(영가설)을 채택하는 오류 | |
| 틀린 대립가설✛을 채택하는 오류 | 옳은 대립가설을 기각하는 오류 | |

📝 1−α는 신뢰수준(통계치를 믿을 수 있는 신뢰구간)을 의미하며, 확률 1−β는 검정력(영가설을 기각시킬 수 있는 확률)을 의미한다.

### (2) 오류의 발생원인 및 극복방안

① 제1종 오류 및 제2종 오류

ㄱ 원인 : 체계적으로 정리되지 못한 자료, 적절치 못한 분석모형의 선택, 광범위하지 못한 대안탐색, 적절치 못한 대안평가기준의 선택 등이 원인이다.

ㄴ 극복방안 : 체계적으로 분류된 자료시스템의 구축, 집단토의와 같은 창의적인 대안탐색방법의 활용, 유능한 정책분석가의 확보 등이 필요하다.

② 제3종 오류

ㄱ 원인 : 정책분석가의 잘못된 이념이나 세계관 또는 편견 등에 의해 발생할 수 있다.

ㄴ 극복방안 : 가치중립적인 기획관(수단주의적 기획관)으로는 제3종 오류를 극복하기 곤란하며, 정책문제의 구조화 기법의 적절한 활용과 규범적 기획관(가치를 고려한 기획관)의 확립을 통해 극복이 가능하다.

O·X 문제

1. 정책분석은 정책대안의 행정적 영향과 사회적 영향에 대해서도 고려한다. ( )

✛ 귀무가설과 대립가설

| 귀무가설 | '차이가 없다' 또는 '대안의 효과가 없다' 또는 '인과관계가 없다'는 연구가설 |
|---|---|
| 대립가설 | '대안의 효과가 있다' 또는 '인과관계가 있다'는 연구가설 |

O·X 문제

2. 제1종 오류는 실제로는 모집단의 특성이 영가설과 같은 것인데 영가설을 기각하는 경우에 발생한다. ( )

3. 제2종 오류는 모집단의 특성이 영가설과 같지 않은데 영가설을 기각하지 않는 경우에 발생한다. ( )

4. 정책문제를 잘못 정의하면 잘못된 정책대안을 선택할 가능성이 있는데 정책문제를 근원적으로 잘못 정의하는 것을 메타오류라고 한다. ( )

5. 제1종 오류는 α로 표시하고, 제2종 오류는 β로 표시한다. ( )

O·X 정답 1. ○ 2. ○ 3. ○ 4. ○ 5. ○

## 02 체제분석

### 1. 의 의

(1) 개 념

의사결정자에게 합리적인 대안을 선택하는 데 도움을 주는 체계적·과학적 접근방법을
의미하며, 비용편익분석과 비용효과분석이 이에 속한다.

(2) 특 징

① 합리모형(체제적 관점): 관련된 문제를 체제적 관점에서 분석하므로 합리모형에 입각해
있다.

② 경제적 합리성 추구: 경제적 합리성 관점에서 대안을 분석한다.

③ 관리과학의 보완: 관리과학을 확대한 것으로 계량적 분석에만 의존하지 않고 질적 분
석을 가미한다.

### 2. 체제분석과 정책분석의 비교

| 차이점 | | 공통점 |
|---|---|---|
| 체제분석 | 정책분석 | |
| 자원배분의 효율성 중시 | 비용·효과의 사회적 배분 고려 | • (광의의) 정책분석은 체제분석 및 관리과학을 포함하면서 질적 분석을 가미한 것<br>• 문제와 대안을 체제적 관점에서 고찰<br>• 여러 대안 중 최적대안을 탐색하는 분석<br>• 예측결과를 측정·비교하기 위한 분석 |
| 경제적 합리성 중시 | 정치적 합리성 중시 | |
| 계량분석·비용편익분석(양적 분석)을 주로 하되, 질적 분석 가미 | 계량분석·비용편익분석(양적 분석) 외에 질적 분석 중시 | |
| 가치문제·정치적·비합리적 요인 불고려 | 가치문제·정치적·비합리적 요인 고려 | |
| 수단분석 중시 | 목표분석 중시 | |
| 경제학(미시경제)·응용조사·계량적 결정이론 중시 | 정치학·행정학·심리학·정책과학 중시 | |

### 3. 장·단점 - 합리모형과 동일

| 장 점 | 단 점 |
|---|---|
| • 복잡한 문제에 대한 과학적·체계적 분석으로 합리적·객관적 의사결정에 기여<br>• 경제적 합리성에 입각한 자원의 합리적 배분에 기여<br>• 미래에 대한 예측을 통해 의사결정의 위험도 감소 | • 시간·비용·자료의 제약 및 환경적 요인의 제약으로 분석의 불완전성 극복 곤란<br>• 정치적 요인 및 제도적 여건 경시<br>• 비합리적·질적·가치적 요소 불고려<br>• 환경을 고려하지 않는 폐쇄체제적 관점 |

## 4. 비용편익분석(cost-benefit analysis)

(1) 의 의

① 개념: 공공투자사업의 비용과 편익을 화폐가치로 환산하여 공공사업의 경제적 타당성(능률성)을 검토하는 분석기법이다.

② 목적: 거시적으로는 사회후생 극대화 측면에서 공공지출과 민간지출의 균형을 유지하기 위한 것이며, 미시적으로는 공공지출 내의 대체적인 투자재원 간에 효율적이고 합리적인 자원배분을 위한 것이다.

③ 활용: 정책형성 및 예산 편성 과정에서 사업의 타당성과 우선순위를 식별하는 분석도구로, 우리나라의 경우 규제영향분석과 예비타당성조사 등에서 활용하고 있다.

④ 기본절차

   ㉠ 정책대안의 식별과 분류: 목표달성을 위해 활용 가능한 정책대안의 파악·분류
   ㉡ 사업의 수명 결정: 각 정책대안의 비용과 편익이 발생하는 기간 추정
   ㉢ 비용과 편익 추정: 각 대안들의 비용과 편익을 금전적 가치로 계량화
   ㉣ 할인율의 결정: 정책대안에 적용될 할인율의 구체화
   ㉤ 대안의 비교·평가: NPV, B/C ratio, IRR 등을 통한 대안의 비교·평가
   ㉥ 민감도 분석: 불확실성을 감안하여 할인율이나 잠재가격에 대한 민감도 분석 실시
   ㉦ 최적대안의 선택: 주어진 비교기준을 적용하여 그 값이 가장 큰 대안 선택

(2) 비용과 편익

① 비용: 어떤 대안을 선택했을 때 그에 따라 포기해야 하는 차선의 대안의 크기까지 고려된 기회비용(실질적 비용)으로 평가된다. 그러나 비용편익분석은 특정대안을 선택했을 때 앞으로 발생할 비용과 편익을 분석하는 것이기 때문에 이미 투입되어 회수할 수 없는 비용인 매몰비용(sunk cost)을 고려해서는 아니 된다.

② 편익: 소비자잉여✦의 개념이 활용되며 금전적 편익만이 아닌 주된 편익과 부수적 편익, 외부적 편익과 내부적 편익, 직접적 편익과 간접적 편익, 긍정적 편익과 부정적 편익을 모두 고려하는 실질적 편익으로 평가된다.

③ 비용과 편익의 추정

   ㉠ 비용편익분석에는 당해 사업만의 비용과 편익이 아닌 사회전체의 총체적인 비용과 편익을 반영해야 한다. 따라서 직접적이고 유형적인 비용과 편익뿐만 아니라 간접적이고 무형적인 비용과 편익도 반영해야 한다.
   ㉡ 공공사업의 비용과 편익은 장기간에 걸쳐 미래의 각기 다른 시점에서 발생하기 때문에 이를 추정하기 위해서는 동일 시점의 현재가치로 환산하여 합계를 파악해야 한다. 이때 할인율이 적용된다.
   ㉢ 비용과 편익은 완전경쟁시장가격으로 평가되어야 하나, 시장가격이 존재하지 않거나 존재하더라도 신뢰할 수 없을 때에는 완전경쟁시장가격으로 추정된 가격인 잠재가격(그림자가격: shadow price)을 활용해야 한다.

✦ 소비자잉여
소비자가 기꺼이 지불해도 좋다고 보는 주관적 가치와 실제 시장에서 지불한 금액인 객관적 가치와의 차이

**O·X 문제**

1. 비용편익분석은 정책대안이 가져오는 모든 비용과 편익을 측정하려고 하며, 화폐적 비용이나 편익으로 쉽게 측정할 수 없는 무형적인 것도 포함된다. ( )

2. 비용편익분석은 기회비용에 의해 모든 가치가 평가되어야 한다는 가정하에서 이루어진다. ( )

O·X 정답 1. ○ 2. ○

1. 완전경쟁적인 가격으로 조정된 시장가격을 잠재가격(shadow price)이라 한다. ( )

2. 비용편익분석은 재화에 대한 잠재가격(shadow price)의 측정과정에서 실제 가치를 왜곡할 수 있다. ( )

> **참고 | 잠재가격**(그림자가격 : shadow price)
>
> **1. 의의**
> 시장가격을 믿을 수 없거나 사용할 수 없을 때 올바른 화폐가치(기회비용)를 반영하여 완전경쟁 시장 가격으로 추정된 가격
>
> **2. 추정방법**
> (1) **비교가격** : 시장의 유사한 물품 가격을 통해 가격 추정
> (2) **소비자 선택** : 특정 서비스와 화폐 간의 소비자 선택 행위를 통해 가격 추정
> (3) **파생수요**(유추수요) : 방문객이 지불하는 간접비용을 근거로 가격 추정
> (4) **조사**(서베이) **분석** : 소비자에게 면접이나 질문지 등을 통해 가격 추정
> (5) **보상비용** : 특정 서비스의 부정적 외부효과를 시정하는 데 필요한 경비로 가격 추정
>
> **3. 한계**
> 잠재가격은 주관적으로 추정된 가격으로 측정과정에서 실제 가치를 왜곡할 위험성이 있다.

(3) 비용편익분석의 기법

① 순현재가치(NPV : Net Present Value)

㉠ 의의 : 편익의 현재가치에서 비용의 현재가치를 뺀 값이다(편익의 현재가치 − 비용의 현재가치).

3. 비용편익분석은 비용과 편익을 화폐단위로 평가하되 미래가치를 현재가치로 평가한다. ( )

4. 비용편익분석은 NPV가 0보다 크거나 B/C가 1 이상이면 일단 경제성이 있다고 본다. ( )

5. B/C기준은 외부효과를 비용이나 편익 중 어디에 넣느냐에 따라 값이 달라진다. ( )

㉡ 대안선택 : NPV > 0이면 그 사업은 추진할 만한 가치가 있고, 사업대안이 복수일 경우에는 그 값이 가장 큰 대안이 가장 타당성 있는 대안이 된다. 이 기법은 칼도-힉스(Kaldo-Hicks) 기준과 유사하다.

㉢ 한계 : 대규모사업에 대한 편향성을 지녀 대안선택 시 대규모사업이 유리하다.

② 비용편익비(B/C ratio : 수익률 지수)

㉠ 의의 : 편익의 현재가치를 비용의 현재가치로 나눈 값이다(편익의 현재가치 / 비용의 현재가치).

**편익비용비(B/C)에서 부(負)의 편익**
비용이 1억이고 편익이 10억인 사업에서 부의 편익이 1억 발생한 경우, 순현재가치에 의하면 부의 편익을 비용에 반영하든 편익에 반영하든 그 값은 8억이 되지만, B/C에 의하면 비용에 반영하면 10/2 = 5가 되고 편익에 반영할 경우 9/1 = 9가 된다.

㉡ 대안선택 : B/C > 1이면 그 사업은 추진할 만한 가치가 있고, 사업대안이 복수일 경우에는 그 값이 가장 큰 대안이 가장 타당성 있는 대안이 된다.

㉢ 한계 : 사업의 규모(단위)를 고려하지 못하며, 부(負)의 편익을 비용에 반영하느냐 편익에 반영하느냐에 따라 그 값이 달라진다.

③ 내부수익률(IRR : Internal Rate of Return)

㉠ 의의 : 비용과 편익을 같게 해주는 값(NPV=0, B/C ratio=1이 되도록 하는 값)으로 투자의 예상수익률이라 할 수 있다. 내부수익률은 대안평가에 적용할 할인율을 모르는 경우에 활용되며, 그 자체가 일종의 할인율이다.

6. 내부수익률은 순현재가치를 영으로 만드는 할인율을 말한다. ( )

7. 내부수익률은 비용과 편익의 현재가치를 같도록 해주는 할인율을 말하며 내부수익률은 낮아야 투자가치가 있다. ( )

8. 내부수익률은 할인율을 알지 못해도 사업평가가 가능하도록 하는 분석기법이다. ( )

㉡ 대안선택 : IRR > 기준 할인율일 때 그 사업은 추진할 만한 가치가 있고, 사업대안이 복수일 경우에는 그 값이 가장 큰 대안이 가장 타당성 있는 대안이 된다.

㉢ 한계 : 사업기간이 상이한 사업 간의 비교기준으로는 적합하지 않으며, 사업이 종료된 후 또 다시 투자비가 소요되는 변이된 사업 유형에서는 복수의 해를 가질 수 있다.

④ 자본회수기간(비용변제 기간)

㉠ 의의 : 투자비용을 회수하는 데 소요되는 기간을 말한다. 이 기준은 재정력이 부족하여 자금의 회수가 중요할 때 중요한 기준이 될 수 있다.

㉡ 대안선택 : 자본회수기간이 가장 짧은 대안이 가장 타당성 있는 대안이 된다.

### (4) 비용편익분석기법의 적용

① 적용상 문제 : 어떤 기법을 적용하느냐에 따라 사업의 타당성 여부는 달라지지 않지만 사업의 우선순위는 달라진다. 대규모사업은 순현재가치(NPV) 기준을, 소규모사업은 비용편익비(B/C) 기준을 적용하는 것이 유리하기 때문이다.

② 일차적 기준 : 순현재가치(NPV) 기준은 일반적으로 다른 기준(B/C ratio, IRR)보다 오류가 적기 때문에 일차적 기준이 된다.

③ 적용영역

　㉠ 할인율이 결정되어 있는 경우 : 순현재가치(NPV)를 활용한다. 다만, 예산제약이 있거나 규모가 다른 사업들 간에는 순현재가치의 대규모 사업에 대한 편향성을 극복하기 위해 비용편익비(B/C)를 보조적으로 활용할 필요가 있다.

　㉡ 할인율을 모를 경우 : 내부수익률(IRR)을 적용한다.

### (5) 한 계

① 계량화 곤란 : 공공사업은 무형적 요소가 많아 비용과 편익의 화폐가치로의 환산(잠재가격의 추정)이 곤란하기 때문에 적용상 한계가 있다.

② 공평성 등 정치적 가치 분석 곤란 : 능률성·경제성 분석은 가능하나 사회적 배분(공평성) 등의 정치적 가치는 고려하지 못한다.

③ 대안선택의 참고 기준 : 경제적 합리성만을 고려할 뿐 정치적 합리성을 고려하지 못하기 때문에 대안선택의 참고 기준일 뿐 최종적·절대적 기준은 아니다.

---

**핵심정리 | 할인율(discount rate) 및 비용편익분석의 계산**

**1. 할인율의 개념**

미래가치를 현재가치로 환산할 때 사용하는 비율을 할인율이라 한다. 비용편익분석은 미래의 편익과 비용을 할인율을 통해 현재가치로 환산하여 분석한다.

**2. 할인율에 의한 현재가치의 계산**

(1) 현재가치 환산 공식

$$p = \frac{A}{(1+i)^n}$$

P = 현재가치, i = 이자율, n = 기간(현재 = 0, 내년 = 1, 내후년 = 2 …)
A = 미래의 자산(미래의 비용 또는 미래의 편익)

(2) 현재가치의 도출 : 할인율이 10%라 할 때 내년 100만원을 현재가치로 환산하면, i=0.1(10%), n=1, A=100이므로 현재가치는 90만 9천원이 된다.

(3) 함 의

① 할인율이 높을수록 현재가치는 작아진다.
② 할인율이 동일하다면 기간이 길수록 현재가치는 작아진다.
③ 비용이 동일하다면 할인율이 높을수록 단기사업이 장기사업보다 유리하다.
④ 할인율이 낮게 평가된다면 공공사업의 대안평가가 긍정적으로 나타나 공공지출이 활발히 진행된다.

**3. 할인율의 종류**

(1) 민간(시장) 할인율 : 민간자본시장에서 형성된 시장이자율을 말한다. 민간 할인율은 금리체계가 다양하기 때문에 민간의 어떤 금리체계를 적용해야 하는가에 대한 문제가 발생한다.

(2) 사회적 할인율 : 공공사업이 창출하는 여러 가지 외부효과(미래세대의 편익 등)를 반영하기 위하여 주관적으로 민간 할인율보다 낮게 부여한 할인율을 말한다. 사회적 할인율은 주관적으로 부여한 할인율이므로 가치판단이 개입될 수밖에 없고 정확한 측정이 곤란하다는 한계가 있다.

**O·X 문제**

1. B/C분석과 순현재가치 기준은 사업의 우선순위를 파악함에 있어서는 같은 결과가 나온다. (　)

2. 내부수익률법보다 순현재가치법이 오류가 적다. (　)

3. 편익/비용 비율 대신에 순현재가치(NPV)를 사용하는 경우는 극히 드물다. (　)

**O·X 문제**

4. 미래의 비용과 편익의 가치를 현재가치로 환산하는데 할인율(discount rate)을 적용한다. (　)

5. 순현재가치(NPV)는 할인율의 크기에 따라 그 값이 달라지지만, 편익·비용 비(B/C ratio)는 할인율의 크기에 영향을 받지 않는다. (　)

6. 비용에 비해 효과가 장기적으로 발생한다면, 할인율이 높을수록 순현재가치가 커져 경제적 타당성이 높게 나타난다. (　)

7. 할인율이 높을 때는 편익이 장기간에 실현되는 장기투자사업보다 단기간에 실현되는 단기투자사업이 유리하다. (　)

8. 비용편익분석에서 외부효과를 창출하는 공공사업의 경우에는 민간자본시장에서 형성된 시장이자율보다 낮은 사회적 할인율을 적용할 수 있다. (　)

9. 할인율을 낮게 적용할수록 편익의 미래 가치를 과소평가할 수 있다. (　)

O·X 정답 | 1. ✕ 2. ○ 3. ✕ 4. ○
5. ✕ 6. ✕ 7. ○ 8. ○
9. ✕

(3) **정부 할인율**: 정부가 공채 등을 발행할 때 지불하는 비용(채권수익률)을 말한다. 정부 할인율은 일반적으로 민간 할인율보다 낮다.

(4) **자본의 기회비용**: 자원이 공공투자사업에 사용되지 않고 민간투자사업에 사용되었을 때 획득할 수 있는 수익률을 할인율로 활용하는 방법이다. 자본의 기회비용은 전 산업의 평균 수익률을 측정하여 할인율로 사용한다.

**4. 순현재가치와 비용편익비의 계산**

| 구 분 | 비 용 | | 편 익 | |
|---|---|---|---|---|
| | 현 재 | 내 년 | 현 재 | 내 년 |
| A사업 | 30억 | 60억 | 80억 | 20억 |
| B사업 | 4억 | 3억 | 2억 | 8억 |

- 할인율=10%

(1) **현재가치의 계산**
  ① A사업의 현재가치
    - **비용의 계산**: 30억+54.5억(i=0.1, n=1, A=60)=84.5억
    - **편익의 계산**: 80억+18.2억(i=0.1, n=1, A=20)=98.2억
  ② B사업의 현재가치
    - **비용의 계산**: 4억 + 2.7억(i=0.1, n=1, A=3)=6.7억
    - **편익의 계산**: 2억 + 7.3억(i=0.1, n=1, A=8)=9.3억

(2) **평 가**
  ① 순현재가치법에 의할 때 A사업은 98.2억−84.5억=13.7억(NPV > 0), B사업은 9.3억−6.7억 =2.6억(NPV > 0)이므로 두 사업 모두 사업의 타당성이 있다. 다만, 순현재가치가 보다 큰 사업인 A사업에 우선순위가 있다.
  ② 비용편익비에 의할 때 A사업은 98.2억/84.5억=1.16(B/C > 1), B사업은 9.3억/6.7억=1.39 (B/C > 1)이므로 두 사업 모두 사업의 타당성이 있다. 다만, B/C값이 큰 B사업에 우선순위가 있다.
  ③ 순현재가치법에 의하느냐, 비용편익비에 의하느냐에 따라 사업의 타당성 여부는 달라지지 않지만 사업의 우선순위가 달라진다.

**5. 내부수익률의 계산**
내부수익률이란 총비용과 총편익을 같게 만들어주는 할인율을 의미하므로, 비용은 현재 발생하고 편익은 미래에 발생한다면 내부수익률은 [총비용=총편익/$(1+i)^n$]로 계산된다. 예컨대, A사업을 집행하기 위하여 현재 소요된 총비용은 80억 원이고, 1년 후의 예상 총편익은 120억 원일 경우 내부수익률은 80=120/(1+i)로 계산되며, 내부수익률(i)은 0.5가 된다.

## 5. 비용효과분석(cost−effectiveness analysis)

(1) 의 의
  ① 비용효과분석은 비용은 화폐단위로 측정하고, 효과는 전형적인 재화단위나 용역단위 또는 기타 가치 있는 단위로 측정하는 분석기법을 말한다.
  ② 비용효과분석은 비용과 편익을 모두 화폐가치로 환산하여 평가하는 비용편익분석과 달리, 효과를 반드시 화폐가치로 환산하는 것이 아니라는 점에서 비용편익분석보다 질적인 분석이다.

(2) 방 법
  ① 고정비용분석: 비용이 동일하다는 전제하에 보다 효과적인 사업 선택
  ② 고정효과분석: 효과가 동일하다는 전제하에 보다 비용이 적게 드는 사업 선택

### (3) 장 점

① **사용의 간편성**: 효과를 화폐가치로 환산하는 과정이 없기 때문에 사용이 간편하다.

② **공공부문에 적합**: 화폐가치로 환산하기 곤란한 불가측적 가치(무형적·질적 가치)와 외부효과가 많은 공공부문(국방, 치안, 보건 등)에 적용이 용이하다.

### (4) 단 점

① **비용과 효과의 비교 불가능**: 비용과 편익의 단위가 화폐단위로 동일한 비용편익분석과 달리, 비용효과분석은 비용과 효과의 단위가 달라 직접적인 비교가 불가능하다.

② **이종사업 간 비교 불가능**: 모든 사업의 비용과 편익의 단위가 화폐단위로 동일한 비용편익분석과 달리, 비용효과분석은 이종사업 간 효과의 단위가 달라 비교가 불가능하다.

### (5) 비용편익분석과 비용효과분석의 비교

| 구 분 | 비용편익분석(B/C) | 비용효과분석(E/C) |
|---|---|---|
| 측정단위 | 비용과 편익 모두 화폐가치로 측정 | 비용은 화폐단위, 편익은 측정가능한 단위 |
| 성 격 | 양적 분석 | 질적 분석 |
| 중 점 | 경제적 합리성을 강조하는 능률성 분석(사업의 경제적 타당성 분석) | 기술적·도구적 합리성을 강조하는 효과성 분석(자원활용의 효율성 분석) |
| 유형분석 | 가변비용과 가변효과의 분석에 사용 | 고정비용과 고정효과의 분석에 사용 |
| 장 점 | • 이종사업 간 비교 가능<br>• 비용과 편익의 직접적 비교 가능 | • 계량화가 불필요하여 사용 간편<br>• 외부경제 및 불가측가치 분석 용이<br>• 공공부문에 보다 적합 |
| 단 점 | • 편익의 계량화 곤란<br>• 외부경제 및 불가측가치 분석 곤란<br>• 시장가치나 이윤극대화 논리에 의존 | • 이종사업 간에 비교 불가능<br>• 비용과 편익의 직접적 비교 불가능<br>• 시장가격에 의존도가 낮아 민간부문에 적용가능성 낮음 |

---

**핵심정리 | 계층화분석법**(AHP : Analytical Hierarchy Process)

**1. 의 의**

하나의 문제를 시스템으로 보고 당면한 문제를 여러 개의 계층으로 분해한 다음, 두 대안씩 조를 만들어 상대적 중요성을 비교하여 우선순위(선호도)를 결정하는 의사결정기법이다. 이 방법은 1970년대 사티(T. Saaty)가 계량적 접근이 곤란한 의사결정에 적용하기 위해 개발하였다.

**2. 절 차**

(1) **문제의 구조화**(분해의 원리): 문제를 분해하여 계층화하는 작업으로 최상위계층은 의사결정상의 최종 목표를, 최하위계층은 의사결정의 대안을, 중간계층은 최상위계층에의 영향력이나 공헌도에 따른 요소들을 위치하도록 한다. 이때 각 계층은 동질적인 요소들로 나열되어야 한다(에 주택선택 문제의 경우 최상위계층은 주택에 대한 만족도를, 최하위계층은 선택 가능한 주택들을, 중간계층은 주택의 크기, 교통시설 등의 요소를 위치시킨다).

(2) **이원비교의 시행**(비교판단의 원리): 중간계층의 요소들은 최상위계층에 의해 이원비교를 통해 상대적 중요성이 평가되며, 최하위계층은 중간계층에 의해 이원비교를 통해 상대적 중요성이 평가된다.

(3) **우선순위의 설정과 종합화**(종합화의 원리): 각 계층의 요인별 우선순위를 설정하고 우선순위의 일관성을 파악하여 숫자로 전환한 다음 전체적으로 종합하여 최종적으로 대안 간 우선순위를 설정한다.

---

## 03 관리과학

### 1. 의의

**(1) 개념**

군대에서 활용되었던 운영연구(OR : Operations Research)가 민간부문에 적용된 것으로 정책 집행에 있어서 최적방안을 탐색하는 데 활용되는 과학적 · 계량적 분석기법을 말한다. 관리 과학은 대안의 선택보다는 선택된 대안의 능률적인 수행(집행) 방법을 밝히는 데 초점이 있다.

**(2) 특징**

① 과학적 · 미시적 · 연역적 방법을 강조한다.
② 체제적 접근방법을 취하지만 폐쇄체제의 가정하에 있다.
③ 수학적 · 계량적 분석을 중시하고 경제적 · 기술적 측면을 강조한다.
④ 합리적인 최적화 기법을 강조한다는 점에서 규범적 합리모형에 입각해 있다.
⑤ 컴퓨터를 분석수단으로 활용한다.

**(3) 한계**

① 폐쇄체제를 가정하고 있어 환경에 대한 고려가 없다.
② 경제적 합리성 차원의 분석으로 가치문제, 질적 문제, 정치적 합리성 등을 다루기 곤란하다.
③ 완전한 합리성을 전제로 하는 합리모형에 입각해 있어 비현실적이다.

**(4) 관리과학과 체제분석의 비교**

| 관리과학(OR) | 체제분석(SA) |
| --- | --- |
| 전술적 성격(방법지향적) | 전략적 성격(문제지향적) |
| 좁은 분석범위, 좁고 엄격한 규칙에 의거 | 넓은 분석범위, 다양한 방법의 활용 |
| 계량화 추구(양적 분석) | 계량적 측정과 논리적 사고 병행(양적 · 질적 분석) |
| 관리(집행)수단의 최적화 추구 | 대안선택의 최적화 추구 |
| 단기적인 당면문제에 초점 | 장기적인 장래문제에 초점 |

### 2. 주요 기법

**(1) 선형계획법(LP : Linear Programming)**

제약된 조건하에서 생산량의 극대화 또는 비용의 극소화를 달성할 수 있는 최적 자원배분 결합점을 찾기 위한 분석기법이다. 선형계획은 확실한 상황에서 이루어지는 의사결정을 분석하는 모형(알고리즘기법)으로 심플렉스 기법(단순화 기법 : 간단한 일차부등식)을 통해 목표함수가 1차식으로 구성된다. 선형계획의 초보적 형태로 투입산출모형이 있다.

**(2) 경로분석(Path Analysis)**

비반복적 · 비정형적인 대규모사업에 대하여 통제된 계획관리공정을 실시함으로써 최단공 정경로 및 최단시간과 최소의 비용으로 사업을 완수하고자 하는 기법이다. 경로분석에는 경로망관리기법(CPM : Critical Path Method)과 계획공정관리기법(PERT : Program Evaluation and Review Technique) 등이 있다.

(3) 대기행렬이론[줄서기 분석 : QT(Queuing Theory), WT(Waiting Theory)]

하나의 서비스 체계에서 고객의 도래시간이 일정치 않을 때 대기행렬과 대기시간을 최소화하는 최적 생산시설(시설규모, 서비스 통로의 수, 대기규칙 등)을 결정하는 이론이다.

(4) 자료포락(DEA)분석(Data Envelopment Analysis)

의사결정단위 간 투입변수와 산출변수를 비교하여 생산성(효율성)을 분석하는 기법이다. DEA분석은 의사결정단위들의 업무에 대한 객관적인 성과를 파악할 수 있게 해줄 뿐만 아니라 업무의 성과가 얼마나 개선될 수 있는지에 대한 정보도 제공해 준다.

(5) 의사결정분석(의사결정나무 이론 : Decision Tree Theory)

불확실성을 전제로 몇 개의 의사결정이 연속되는 경우, 첫 단계의 의사결정에 의하여 실제 상황에 대한 정보를 입수한 후에 이 정보를 감안하여 다음 단계의 의사결정을 하는 다단계 의사결정을 말한다. 이 분석은 불확실성하에서의 의사결정 문제를 나무에 비교하여 나무의 가지를 가지고 목표와 상황과의 상호관련성을 나타내어 최종적인 의사결정을 하는 방법으로 의사결정나무(수, 樹) 이론이라고도 한다.

(6) 게임이론(Game Theory)

불확실한 상황에서 복수의 의사결정자들을 전제로 그들의 입장이 갈등적·상충적·경쟁적일 때의 의사결정을 다루는 이론이다. 게임이론은 특정 의사결정자에 의한 특정 행동안의 선택결과가 다른 의사결정자의 행동안 선택에 영향을 미치는 상호관련적인 상황에 대한 이론적 분석체계이다.

참고 | 정책분석의 정리

1. 분석의 성질별 분류

| 양적 분석 | 질적 분석 |
| --- | --- |
| 시계열분석, 회귀분석, 상관분석, 비용편익분석, 비용효과분석, 민감도분석, DEA분석(자료포락분석), 관리과학의 제 기법들 | 문제구조화의 기법(경계분석, 분류분석 등)과 직관적 예측(델파이 기법, 브레인스토밍 등), Q-방법론 등 |

2. 정책상황별 분석기법의 유형

| 상 황 \ 모 형 | 전략산출모형 | 전략평가모형 |
| --- | --- | --- |
| 확정적 상황 (결정론적 모형) | • 선형계획모형<br>• 수송네트워크모형<br>• 목표계획모형<br>• 비선형계획모형 | • 투입산출모형<br>• 비용편익분석 |
| 불확정적 상황 (확률론적 모형) | • 의사결정분석<br>• 동적계획법 | • 게임이론<br>• 시뮬레이션<br>• 대기행렬이론 |

O·X 문제

1. 의사결정나무(Decision tree)를 활용한 분석모형에서는 상황의 불확실성을 고려한다. ( )

심화학습

기타 관리과학 기법

| 수송 네트 워크 모형 | 다수의 공급지점에서 다수의 수요지점으로 물품을 수송할 때 수송비용을 최소화하기 위한 기법 |
| --- | --- |
| 비선형 계획 모형 | 변수 간의 관계를 이차 이상의 함수로 표시하여 분석하는 모형 |
| 목표 계획 모형 | 상호이해가 상충되는 여러 개의 목표를 만족시키기 위한 해를 얻기 위해 개발된 모형(최적화보다 만족화를 추구하는 모형) |
| 동적 계획법 | 상황에 따라 변수의 값이 달라지는 동태적 상황에서 최적화를 이루기 위해서 상호 연관된 연속적인 의사결정들의 최적 조합을 도출하는 모형 |
| 기타 | 인공두뇌학(Cybernetics), 모의실험, 분산분석, EDPS·MIS·DSS 등의 행정정보체계, 경로분석, 회귀분석, 시계열분석 등 |

O·X 정답 1. ○

## 제 4 절 │ 정책결정의 이론모형

### 01 개인 차원의 의사결정모형

#### 1. 합리모형(Rational Comprehensive Model)

(1) 의 의

① 인간을 전지전능하며 합리적 사고방식을 따르는 경제인으로 가정하고 목표의 명확한 정의, 모든 대안의 탐색·개발, 대안의 정확한 결과 예측, 이에 따른 최적대안의 선정이 가능하다고 보는 총체적(포괄적)·규범적·이상적 모형이다.

② 합리모형에는 대안선택에 최적화를 추구하는 체제분석, 집행수단의 최적화를 추구하는 관리과학, 경제학의 사회후생함수이론 등이 포함된다.

(2) 기본전제와 특징

① 인간에 대한 가정 - 전지전능성과 경제적 합리인 : 인간을 완전한 정보를 지닌 전지전능인과 자신의 효용극대화를 추구하는 경제적 합리인으로 가정한다.

② 추구하는 합리성 - 완전한 합리성과 경제적 합리성 : 인간을 전지전능인으로 가정하므로 완전한 합리성이 추구되며, 인간을 경제적 합리인으로 가정하므로 정책대안의 선택기준은 경제적 합리성이다.

③ 목표수단분석(goal-means analysis) 인정 : 목표와 수단을 엄격하게 구분하며, 목표가 주어져 있다는 전제하에 최적수단을 선택하는 목표수단분석을 중시한다. 합리모형은 목표가 주어져 있다는 전제하에 있기 때문에 수단에 의해 목표가 변동되는 목표와 수단의 연쇄구조(goal-means chain)를 인정하지 않는다.

④ 총체적·체제적 최적화 : 목표달성을 위한 모든 대안을 동시에 검토하기 때문에 총체적이고 체제적인 최적화 및 대폭적인 변화를 추구한다.

⑤ 수리적·연역적 분석 : 경제적 합리성에 근거하여 비용의 최소화 또는 편익의 극대화를 가져올 수 있는 최적대안을 선정한다. 이를 위해 연역적·수리적 기법(민감도 분석, 모의실험 등)이 활용된다.

⑥ 동시적·단발적 결정 : 문제의 재정의가 없으며 일거에 최적수단의 선택을 추구한다는 점에서 동시적·단발적 결정이 이루어진다.

⑦ 분석의 초점 : 문제를 다루는 행정조직의 과정이나 정책과정에의 참여자들에 대한 고려 없이 주로 정책의 내용에만 초점을 두어 분석한다.

(3) 평 가

① 효 용

㉠ 객관적 분석을 통한 대안선택이 가능하여 합리적 정책결정에 기여한다.

㉡ 선택된 정책수단에 대한 포괄적이고 객관적인 평가가 가능하다.

㉢ 합리성에 대한 저해요인을 밝혀줌으로써 정책분석에 유용하다.

㉣ 엘리트의 역할이 강조되는 개발도상국에 적용가능성이 높다.

㉤ 복잡하고 급격한 변화가 일어나는 사회에 적용하기 용이하다.

② 한 계

㉠ 전제와 내용이 지나치게 이상적·규범적이어서 비현실적이다. 이로 인해 린드블롬(Lindblom) 등의 점증주의자들은 합리모형이 불가능한 일을 정책결정자에게 강요하여 현실의 의사결정에 도움을 주지 못한다고 주장한다.

㉡ 인간의 인지능력상의 한계를 고려하지 못하므로 인간의 제한된 분석능력을 극복할 수 있는 적절한 대응전략을 제시하지 못한다.

㉢ 총체적 최적화 및 수리적 분석으로 분석과정이 매우 복잡하여 필요 이상의 분석과 시간낭비를 초래한다.

㉣ 계량적 분석만 강조하여 인간의 주관적 심리, 질적 요소를 고려하지 못한다.

㉤ 목표를 소여의(주어진) 것으로 봄으로써 정책목표의 유동성을 고려하지 못한다.

㉥ 경제적 합리성만을 중시하므로 공평성 등 다른 기준과 갈등이 유발될 수 있다.

㉦ 환경에 대한 고려가 없는 폐쇄체제에 입각해 있다.

㉧ 정치적 조정이 아닌 과학적 분석기술을 활용하는 집권화된 조직체제를 중시한다.

㉨ 매몰비용 및 현실을 고려하지 못하며 이상만을 추구한다.

(4) 합리적 정책결정의 제약요인(정책실패를 야기하는 원인)

행정현실에서는 여러 제약조건으로 인해 합리적 정책결정(합리모형에 입각한 의사결정)이 불가능하다. 합리적 정책결정을 제약하는 요인을 살펴보면 다음과 같다.

| 결정자에 기인한 원인 | • 가치관과 태도의 차이(결정자의 편견 등)<br>• 미래예측의 곤란성(결정자의 인지능력상의 한계, 제한된 합리성 등)<br>• 관료제의 병리(변동에의 저항, 형식주의, 무사안일 등의 관료의 부정적 행태)<br>• 권위주의적 사고방식<br>• 이해 부족과 전문지식의 결여<br>• 과거의 경력 등에 의한 선입관 |
|---|---|
| 결정구조에 기인한 요인 | • 정보·자료·지식의 부족과 부정확성<br>• 권위적이고 독선적인 집권적 구조<br>• 정책참모기관의 약화<br>• 정책전담기구의 결여<br>• 부처할거주의 등 관료제의 역기능<br>• 행정선례와 표준운영절차의 존중<br>• 품의제에 입각한 정책결정 |
| 결정환경에 기인한 요인 | • 사회문제와 목표(가치)의 다양성·무형성·유동성<br>• 투입기능의 취약성(정책결정과정의 폐쇄성)<br>• 매몰비용(sunk cost)의 문제 및 비용의 과다<br>• 피동적인 사회문화적 관습의 영향<br>• 이익집단 등 외부 준거집단의 영향력 |

## 2. 점증모형(Incremental Model)

(1) 의 의

린드블롬(Lindblom), 윌다브스키(Wildavsky) 등이 주장한 모형으로, 과정 측면에서는 다양한 이해관계의 상호조정에 의한 의사결정을, 결과 측면에서는 종래 결정된 정책의 순차적 수정 내지 약간의 향상된 대안의 선택을 강조하는 현실적·실증적·귀납적 정책결정모형이다.

PART·03

**＋ 정치적 합리성과 정치적 실현가능성**

| 정치적 합리성 | 정치적으로 바람직한 가치(민주성)를 극대화하는 것 |
|---|---|
| 정치적 실현 가능성 | 현존하는 정치체제에 의하여 정책이 채택되고 집행될 가능성 |

**심화학습**

**점증주의가 부적합한 상황**
① **위기가 발생한 경우**: 국제적 돌발사건이 발생한 경우 등
② **급격한 변화가 필요한 경우**: 여론의 변화가 심한 경우나 대통령 선거 등을 계기로 지도자의 구성에 큰 변화가 온 경우 등
③ **분할 불가능한 정책**

O·X 정답 1. ○  2. ○  3. ○  4. ○
5. ○

---

**(2) 유 형**

① **결과 측면(단순 점증주의 - 소폭적 변화)**: 인간의 인지능력상의 한계에 의한 제한된 합리성을 인정하고, 인간은 제한된 합리성으로 인해 선례에 의존함으로써 종래 결정된 정책의 소폭적 변화만을 추구한다고 보는 모형이다.

② **과정 측면**

㉠ **상호조정[분절(할)적 점증주의]**: 권력이 분산되어 있는 다원주의 사회에서 다양한 이해관계 세력들(독립적인 의사결정을 하는 준자율적인 의사결정점)의 부분적인 상호조정(협상과 타협)을 통한 합의를 중시하는 모형이다.

㉡ **제한적·연속적 비교분석(전략적 점증주의)**: 복잡한 사회문제를 단순화하여 신중하게 선택된 제한된 대안들의 연속적 비교를 통해 한계적 변화를 시도하고, 시행착오를 요령 있게 계속함으로써 종국적으로는 보다 합리적인 대안선택을 추구하는 모형이다. 이와 관련하여 린드블롬(Lindblom)은 점증적인 변화도 누적되면 혁신적인 변화를 초래한다고 주장하였다.

**(3) 기본전제 및 특징**

① **인간에 대한 가정 - 제한된 합리성을 지닌 존재**: 만족모형에 영향을 받아 인간을 인지능력상의 한계가 있는 제한된 합리성을 지닌 존재로 본다.

② **추구하는 합리성 - 정치적 합리성＋**: 다양한 이해관계자 간의 타협과 조정을 통한 민주적 의사결정을 중시한다는 점에서 정치적 합리성을 추구한다.

③ **목표수단분석 불인정**: 목표는 주어진 것이 아니라 당면하는 정책문제의 변화에 따라 끊임없이 재조정되는 것으로 보기 때문에 목표가 주어져 있다는 전제하에 최적수단을 찾는 목표수단분석이 불가능하다. 따라서 점증모형은 수단에 의해 목표가 언제든지 변할 수 있다고 보고 목표와 수단의 상호 연쇄구조를 인정한다.

④ **부분적 최적화**: 점증모형에서 정책결정체제는 독립적으로 의사결정을 하는 다양한 준자율적 의사결정점으로 구성되어 있으며, 이러한 준자율적 의사결정점은 각각의 부분적 최적화를 추구한다(부분적·단편적 결정 중시).

⑤ **소폭적·점증적 변화**: 점증모형은 완전무결한 정책결정이나 해결책은 존재하지 않는다고 보면서 제한된 대안들의 연속적 비교를 통해 한계적 변화를 시도한다. 따라서 점증모형은 순차적·연속적 결정을 통한 점증적·소폭적 변화를 추구한다.

⑥ **정책과정 - 이전투구의 과정(muddling through)**: 점증모형에서의 정책과정은 이해관계자들 간의 대화·토론·합의 등 정치적 상호작용이 이루어지는 비합리적·비포괄적·무계획적 과정이다. 이로 인해 점증모형의 정책과정은 '이전투구의 과정' 또는 '그럭저럭 헤쳐 가는 진흙탕 싸움'이 된다.

⑦ **적용**: ㉠ 인간의 인지능력의 한계나 시간과 자원의 제약이 있을 때, ㉡ 매몰비용이나 과거의 결정을 존중해야 할 필요가 있을 때, ㉢ 정치적 상호작용을 중시해야 할 때, ㉣ 서구 선진국의 다원주의적 정책과정(민주주의 정치체제)을 분석할 때, ㉤ 이해관계가 네트워크화되어 있는 복잡성 체계를 분석할 때, ㉥ 시행착오를 중시하는 학습조직 등에 적용가능성이 높다.

(4) 효 용

① **현실의 의사결정에 대한 설명 용이**: 인간에 대한 현실적 가정(제한된 합리성) 및 상황의 변화에 대한 고려로 현실의 정책과정을 잘 설명할 수 있다.

② **민주적 의사결정의 이론적 토대 제공**: 정치적 합리성(참여를 통한 합의)을 고려함으로써 민주적 정책결정의 이론적 토대를 제공한다.

③ **불확실성 대처방안**: 상황이 복잡하여 정책대안의 결과가 극히 불확실할 때 점증모형이 추구하는 소폭적 변화는 잘못을 최소화함으로써 불확실성을 극복할 수 있는 훌륭한 전략이 될 수 있다.

④ **목표와 수단의 탄력적 조정**: 목표와 수단의 상호 연쇄구조를 인정하기 때문에 목표와 수단이 탄력적으로 상호조정된다.

⑤ **정치적 실현가능성 확보**: 정치적 상호작용의 결과로 합의가 이루어진 경우 정치적 갈등을 줄이고 실현가능성을 확보하여 정책결정과 집행을 용이하게 한다.

(5) 한 계

① **근본적 정책결정에 적용 곤란**: 장기적이고 근본적 정책보다 정치적으로 실현 가능한 단기정책에만 관심을 갖는다는 점에서 중요한 대안이나 가치가 검토대상에서 제외될 수 있다.

② **보수성(혁신 저해)과 비계획성**: 근본적인 변화를 추구하지 않는다는 점에서 보수성을 띨 뿐만 아니라 정책과정의 계획성이 결여되어 있어 기회주의적·임기응변적 결정이 이루어지기 쉽다.

③ **잘못된 정책의 악순환**: 기존 정책에 대한 가감식 의사결정으로 한번 잘못된 결정이 이루어지면 잘못된 정책의 악순환 현상을 초래할 수 있다.

④ **정책종결 곤란**: '눈덩이 굴리기식' 결정이 지속될 수밖에 없어 정책의 축소·종결이 곤란하다.

⑤ **환경변화에 대한 대응력 취약**: 보수성 및 임기응변적 성향이 강하여 환경변화에 대한 적응력이 취약하기 때문에 환경변화가 잦은 불안정한 상황에 적용하기 곤란하다.

⑥ **불평등한 사회 초래**: 정치적 경쟁과정을 중시하므로 권력이나 영향력이 강한 집단과 강자에게 유리하고 조직화되지 못한 일반대중의 이익 및 사회적 약자의 이익이 고려되지 못해 불평등한 사회가 초래될 위험성이 있다.

⑦ **정책내용의 평가기준 결여**: 정책내용의 평가기준이 없어 무엇이 최선의 정책인가에 대한 판단기준이 모호하다.

⑧ **개발도상국의 정책결정에 적용 곤란**: 정치적 다원주의가 지배하는 영·미의 정책과정은 잘 설명할 수 있으나, 사회가 다원화되지 못하고 엘리트의 역할이 큰 개발도상국에는 적용상의 한계가 있다.

⑨ **이론적 바탕 결여**: 과학적 이론이라기보다는 현실의 정책과정을 단순히 서술한 하나의 축적된 사실에 불과하다.

**O·X 문제**

1. 점증형은 정치적 갈등을 줄이고 실현가능성을 확보하여, 정책결정과 집행을 용이하게 한다. (  )

2. 점증주의는 다양한 이해관계가 존재하는 다원적 사회에서는 적용이 어렵다. (  )

3. 점증주의적 정책결정은 상황이 복잡하여 정책대안의 결과가 극히 불확실할 때, 지속적인 수정과 보안을 통해 불확실성을 극복할 수 있다. (  )

4. 점증모형은 사회가 불안정할 때는 적용이 곤란하며, 혁신을 저해할 우려가 있다. (  )

5. 점증모형은 인간의 인지적 한계를 인정하므로 급격한 개혁과 새로운 환경을 반영하는 혁신적 정책결정을 설명하기가 용이하다. (  )

6. 점증모형이 갖는 한계로 사회 내 약자계층의 이익을 간과할 우려가 있다. (  )

7. 점증주의 모형은 현상유지를 옹호하므로 보수적이라는 비판을 받고 있다. (  )

8. 점증주의는 정책결정에서 집단 참여의 합의 과정이 중시되고 목표와 수단이 탄력적으로 상호 조정된다. (  )

**심화학습**

**전략적 의사결정모형**

일상적이고 정형적인 의사결정과 복잡하고 비정형적인 의사결정을 구분하고 전자는 합리모형에 의한 의사결정을, 후자는 전략적 의사결정(합리모형과 점증모형이 절충된 의사결정)을 해야 한다고 주장한다. 전략적 의사결정은 합리모형보다는 비합리적이고 점증모형보다는 체계적이다.

**O·X 정답** 1. ○ 2. × 3. ○ 4. ○
5. × 6. ○ 7. ○ 8. ○

**민츠버그(Mintzberg)의 점진적 의사결정과정모형**

| 의의 | 민츠버그는 조직은 최종적인 의사결정을 내리기까지 수많은 작은 선택이 연속적으로 이루어지는 과정이라고 보고 '점진적 의사결정과정모형'을 제시하였다. | |
|---|---|---|
| 과정 | 확인 | 문제와 의사결정의 필요성을 '인식'하고 문제상황의 '진단'에 대한 의사결정이 이루어지는 단계 |
| | 개발 | 해결책을 '탐색'하거나 새로운 해결책을 '설계'하는 단계 |
| | 선택 | 해결책에 대한 '평가'와 '선택'이 이루어지고 조직의 공식적인 '승인'으로 의사결정이 종료되는 단계 |

**O·X 문제**

1. 점증모형은 목표를 수단에 합치되도록 수정하지만 합리모형은 수단을 목표에 합치하도록 선택한다.
( )

2. 점증모형은 정책결정상황을 연역적으로 설명하는 것이 아니라 귀납적으로 분석한다. ( )

3. 점증모형은 비가분적(indivisible) 정책의 결정에 적용하기 용이한 모형이다. ( )

**O·X 문제**

4. 만족모형은 제한된 합리성에 근거한 실증적·연역적 접근법이다.
( )

5. 사이먼(Simon)의 만족모형은 합리모형에 대한 심각한 도전이자, 인간의 인지능력이라는 기본적인 요소에서 출발했기에 이론적 영향이 컸다. ( )

## (6) 합리모형과 점증모형의 비교

| 합리모형 | 점증모형 |
|---|---|
| 목표달성도에 초점 | 바람직하지 않은 상황의 제거에 초점 |
| • 전체적 최적화 추구<br>• 포괄적·근본적 결정(비가분적·비분할적 결정) | • 부분적 최적화 추구<br>• 지엽적·세부적 결정(가분적·분할적 결정) |
| • 목표수단분석 가능<br>• 목표·수단의 연쇄 관계 불인정 | • 목표수단분석 불가능<br>• 목표·수단의 연쇄 관계 인정 |
| 쇄신적·근본적 변화(매몰비용·기득권 불고려) | 점진적·한계적 변화(매몰비용·기득권 인정) |
| 하향적 결정(소수에 의한 폐쇄적 결정) | 상향적 결정(이해관계자의 참여) |
| 연역적 접근(이론적 근거 있음.) | 귀납적 접근(이론적 근거 결여) |
| 경제적 합리성 추구 | 정치적 합리성 추구 |
| 단발적 결정 : 문제의 재정의가 없음. | 연속적 결정 : 문제의 재정의가 빈번함. |
| 모든 관련 요소에 대한 포괄적 분석 | 제한된 비교 분석 |
| 목표달성을 위한 최적수단 선택에 초점 | 이해당사자 간의 대화·토론에 초점 |
| 권위주의 체제, 개발도상국에 적용 용이 | 민주주의 체제, 선진국에 적용 용이 |
| 폐쇄체제에 입각 | 개방체제에 입각 |
| • 환경변화에 대응 용이 - 급격한 변화가 나타나는 불안정적인 사회에 적용<br>• 불확실성에 대응 곤란 - 예측가능성이 큰 확실한 상황에 적용 | • 환경변화에 대응 곤란 - 점진적 변화를 추구하는 안정적인 사회에 적용<br>• 불확실성에 대응 용이 - 예측가능성이 낮은 불확실한 상황에 적용 |
| 정책문제의 상호연관성이 낮을 때 최적화 추구에 유리 | 정책문제의 상호연관성이 높을 때 만족화 추구에 유리 |

## 3. 만족모형(Satisficing Model)

### (1) 의 의

① 사이먼(Simon)과 마치(March)가 주창한 모형으로, 인간은 인지능력·시간·비용·정보의 부족 등으로 제한된 합리성을 지녀 최선의 대안보다는 현실적으로 만족할 만한 대안을 선택하게 된다고 보는 현실적·실증적·귀납적 모형이다.

② 만족모형은 사이먼(Simon)의 '행태론적 의사결정론'으로부터 영향을 받았으며, 완전한 합리성을 가정하는 합리모형을 비판하고 인간의 인지능력상의 한계(제한된 합리성)를 가정한다는 점에서 인지모형에 해당한다.

### (2) 기본전제 및 특징

① 인간에 대한 가정 – 행정인 : 완전한 정보를 지닌 경제적 합리인이 아니라 인지능력상의 한계로 인하여 제한된 정보를 지닌 행정인을 가정한다.

② 추구하는 합리성 – 제한된 합리성 : 인간은 인지능력상의 한계로 제한된 정보를 지니고 있어 주관적 만족감에 기반한 제한된 합리성을 추구한다고 본다.

③ 정책과정 : 의사결정자는 불확실성이나 불충분한 정보로 인한 인지능력상의 한계 때문에 만족스러울 만한 목표를 설정하고, 모든 대안을 탐색하지 않고 무작위적이고 순차적으로 몇 개의 대안만을 탐색하며, 만족할 만한 결과를 가져오는 대안이 나타나면 그 대안을 선택하고 의사결정을 종료한다. 또한 만족할 만한 결과를 가져오는 대안을 찾는 데 지치는 경우 만족수준을 낮추기도 한다.

### (3) 평가

① 효용

㉠ 실제의 의사결정을 설명할 수 있는 경험적·실증적 모형이다.

㉡ 만족모형의 제한된 합리성은 점증모형에 영향을 주었다.

② 한계

㉠ 의사결정자의 주관적 만족도에 의존하여 정책결정이 이루어진다고 보기 때문에 대안선택의 객관적 기준을 제시하지 못하며, 의사결정자의 주관에 따라 의사결정의 질이 좌우될 수 있다.

㉡ 의사결정자 개인의 주관적 만족도를 강조하기 때문에 개인적 차원의 의사결정만 설명 가능할 뿐 집단적(조직적) 차원의 의사결정을 설명하기 곤란하다.

㉢ 의사결정자가 만족할 만한 대안이 발견되면 대안탐색을 중단하기 때문에 중요한 대안이 무시될 수 있다.

㉣ 정책결정이 의사결정자의 만족도에 의존하기 때문에 쇄신적·창조적 대안이나 최선의 대안을 발굴하기 곤란하다는 점에서 현상유지적·보수적 모형이다.

### (4) 합리모형과 만족모형의 비교

| 구분 | 합리모형 | 만족모형 |
|---|---|---|
| 인간관 | 합리적 경제인관 | 행정인관 |
| 합리성 | • 완전한 합리성<br>• 객관적(경제적) 합리성 | • 제한된 합리성<br>• 주관적 합리성 |
| 접근방법 | 규범적·이상적 접근 | 현실적·실증적 접근 |
| 목표설정 | 목표는 주어져 있음. | 만족할 만한 수준의 목표설정 |
| 대안탐색 | 모든 대안의 탐색(알고리즘)✛ | 몇 개의 대안만 탐색(휴리스틱)✛ |
| 결과예측 | 복잡한 상황 고려 | 상황의 단순화 |
| 대안선택 | 최적대안을 선택 | 만족할 만한 대안 선택 |

## 4. 혼합주사모형(Mixed Scanning Model)

### (1) 의의

에치오니(Etzioni)가 주창한 모형으로, 합리모형의 비현실성과 점증모형의 보수성을 비판하고 양 모형의 장점만을 취하여 변증법적 통합을 추구하는 전략적 모형이다. 이 모형은 바람직한 의사결정방식을 제시하고자 했다는 점에서 규범적·처방적 모형이다.

### (2) 내용

① 근본적 결정과 세부적 결정 : 혼합주사모형에서 정책결정은 근본적 결정과 세부적 결정의 지속적인 교호작용에 의해 이루어진다.

㉠ 근본적(맥락적) 결정 – 합리적 결정 : 근본적 결정은 전반적이고 근본적인 방향을 올바르게 설정하기 위한 결정으로 세부적 결정이 이루어질 테두리나 맥락에 대한 결정을 말한다. 근본적 결정은 '합리모형'을 적용하여 전체를 포괄적으로 검토하나, 합리모형의 지나친 엄밀성을 극복하기 위하여 세세한 내용이나 구체적인 것은 의식적으로 제외한다(숲 전체를 개괄적으로 파악).

✛ 알고리즘적 접근과 휴리스틱적 접근

| | |
|---|---|
| 알고리즘적 접근 | 문제해결을 위한 명확한 절차나 과정이 존재한다고 보고 이를 찾아 나가는 접근(과정 중심 접근, 인과적 학습, 합리모형과 관련) |
| 휴리스틱적 접근 | 문제가 명확하게 정의되지 않아 답을 찾기 어려울 때 경험이나 직관 또는 시행착오를 거쳐 만족할 만한 수준의 해답을 찾아 나가는 접근(내용 중심 접근, 도구적 학습, 만족모형과 관련) |

✚ **능동적 사회**
민주주의 체제보다 합의능력이 더 향상되고, 전체주의 체제보다 정보기술과 사회과학적 분석을 통해 더 효과적인 통제수단을 갖춘 사회

ⓒ 세부적(지엽적) 결정 – 점증적 결정 : 세부적 결정은 근본적 결정이 설정한 맥락 내에서 이루어지는 결정을 말한다. 세부적 결정은 '점증모형'을 적용하여 약간의 수정이나 보완만 필요한 소수의 대안을 탐색하며, 점증모형의 지나친 보수성을 극복하기 위하여 소수의 대안에 대해 정밀하고 깊이 있는 검토를 한다(나무 몇 그루를 세부적으로 파악).

② 혼합탐사모형의 이해

| 구 분 | | 고려해야 할 대안의 수 | 대안의 결과 예측 |
|---|---|---|---|
| 합리모형 | | 모든 대안의 포괄적 고려 | 모든 대안의 세부적 분석 |
| 점증모형 | | 소수의 대안만 고려 | 각 대안의 개괄적 분석 |
| 혼합주사모형 | 근본적 결정 (합리적 결정) | 중요한 대안을 포괄적으로 모두 고려(합리모형) | 중요한 결과만 개괄적 예측, 미세한 세목 무시(합리모형의 한계 극복) – 숲 전체를 개괄적으로 파악 |
| | 세부적 결정 (점증적 결정) | 근본적 결정 내에서 소수의 대안만 고려(점증모형) | 각 대안의 세부적 분석(점증모형의 한계 극복) – 나무 몇 그루를 세부적으로 파악 |

③ **정치체제와 모형과의 관계** : 에치오니는 합리모형은 전체주의 사회체제에, 점증모형은 민주주의 사회체제에 적합한 모형이라 보고, 혼합주사모형은 범사회적 지도체제(societal guidance system)의 틀을 갖춘 능동적 사회(active society)✚에 적용되어야 할 전략이라고 주장하였다.

**(3) 평 가**

① 공 헌

ⓐ 상황에 따른 융통성 있는 정책결정이 가능하다.

ⓑ 합리주의의 지나친 엄밀성과 점증주의의 보수성을 극복할 수 있는 전략모형이다.

② 비 판

ⓐ 기존의 합리모형과 점증모형을 결합시킨 절충모형일 뿐 이론적 독자성이 결여되어 있어 합리모형과 점증모형의 결합을 사실상 극복하지 못하였다.

ⓑ 점증주의의 핵심적 요소인 정치적 타협과 조정을 중시하지 않으며, 점증모형의 부분적·점증적 변화만을 주장하므로 불완전한 합리모형에 불과하다. 이로 인해 합리모형과 점증모형의 결합이라기보다는 거시적 결정과 미시적 결정의 결합에 불과하다는 비판을 받는다.

ⓒ 현실적으로 근본적 결정과 세부적 결정 간의 구분이 곤란하다.

**5. 최적모형**(Optimal Model)

**(1) 의 의**

드로어(Dror)가 주장한 모형으로 합리모형의 비현실성과 다른 모형(특히, 점증모형)들의 지나친 타성적·보수적 성격에 대한 비판하에 합리모형이 강조하는 이상주의와 점증모형이 강조하는 현실주의를 결합할 뿐만 아니라 초합리성을 가미한 현실적이고 규범적이며 전략적인 모형이다.

**(2) 내 용**

① 정책결정에 필요한 지적 측면 – 합리모형과 초합리성의 결합

　㉠ 경제적 합리모형 : 합리모형은 많은 비용과 노력이 소모되므로 합리적 결정의 효과가 비용보다 크거나 같을 경우에만 합리모형을 적용하고자 한다. 즉, 최적모형은 합리모형의 틀을 기본으로 하되, 상황에 따라서는 분석적 요구를 완화하여 점증모형 등 다른 모형도 활용하려는 것이다.

　㉡ 초합리성의 강조 : 초합리성이란 직관·판단·창의력 등과 같은 인간의식 저변에 존재하는 무의식적인 요소를 말한다. 드로어는 선례가 없는 문제, 제한된 자원, 불확실한 상황, 지식 및 정보의 결여 등으로 인한 비정형적 정책결정의 경우 경제적 합리성이 많은 제약을 받기 때문에 초합리적 결정이 보다 나을 수 있다고 주장한다.

　㉢ 논의의 종합 – 양적 분석을 주로 하되 질적 분석 가미 : 드로어는 정책결정의 모든 국면에 초합리성이 필요함을 지적하였다. 그러나 바람직한 결정을 위해 합리모형을 초합리성보다 중시하였다. 다만, 초합리성이 사람들에 의해 너무 무시되고 있다는 점을 비판하고 이를 강조한 것이다.

② 정책결정의 과정 : 드로어는 정책결정과정을 크게 3단계로 나누고 이들을 다시 세분하여 18개 국면으로 나누고 있다. 주지할 점은 드로어의 정책결정과정은 정책형성뿐만 아니라 정책집행과 정책평가를 모두 포함하는 정책과정 전반을 아우르는 과정이라는 점이다(거시적·체제적 시각).

　㉠ 초정책결정(메타정책결정 : meta-policy making) : 최적모형이 가장 중시하는 단계로 정책결정을 어떻게 할 것인가를 결정하는 '정책결정을 위한 정책결정' 단계이다. 초정책결정은 보다 바람직한 정책결정을 위한 전략을 결정하는 단계로 초합리성이 가장 강조되는 단계이다(정책결정체제의 설계, 정책결정전략의 결정 등 7단계).

　㉡ 정책결정(policy making) : 본래 의미의 정책결정단계로 주로 합리성이 작용하나 초합리성도 활용된다(목표설정, 대안평가, 최종 대안 선택 등 7개 단계).

　㉢ 후정책결정(포스트 정책결정 : post-policy making) : 작성된 정책을 실제로 적용하는 정책집행단계와 정책평가 후 평가결과를 정책의 17개 국면에 상호연계하고 개선해 나가는 환류 차원의 단계이다(집행에 대한 동기부여, 정책집행, 정책평가, 환류 등 4단계).

**(3) 특 징**

① 양적인 동시에 질적인 모형 : 합리적 요인과 초합리적 요인을 동시에 다루므로 양적인 동시에 질적인 모형이다.

② 경제적 합리성(대안의 최적화) 중시 : 기본적으로는 경제적 합리성을 중시하지만 합리모형과 달리 가치적 요소를 고려한다.

③ 정책결정체제의 개선 강조 : 정책결정체제를 합리적으로 설계하여 최적대안을 모색하고자 하는 모형이다.

④ 중첩된 과정과 절차 중시 : 중첩된 과정과 절차를 통하여 정책과정의 오류를 최소화하는 한편 정책과정의 최적화를 추구하는 모형이다.

**O·X 문제**

1. 최적모형은 합리적 정책결정모형 이론이 과도하게 계량적 분석에 의존해 현실 적합성이 떨어지는 한계를 보완하기 위해 제시되었다. (　)

2. 최적모형은 정책결정자의 합리성뿐 아니라 직관·판단·통찰 등과 같은 초합리성을 아울러 고려한다. (　)

3. 최적모형은 양적 분석뿐만 아니라 질적 분석도 동시에 고려한다. (　)

**심화학습**

드로어의 정책결정과정

| 초정책 결정 (7단계) | ① 가치처리 ⇨ ② 현실처리 ⇨ ③ 문제처리 ⇨ ④ 자원의 조사·처리·개발 ⑤ 정책결정체제의 설계·평가·재설계 ⇨ ⑥ 문제·가치·자원 등의 할당 ⑦ 정책결정전략의 결정 ※ ①②③④⑦은 메가정책, ⑤⑥은 메타정책으로 구분하고, 메가정책을 메타정책보다 상위 차원의 결정으로 인식 |
|---|---|
| 본래적 정책 결정 (7단계) | ⑧ 자원의 세부적 할당 ⇨ ⑨ 목표의 설정 및 우선순위 결정 ⇨ ⑩ 주요 가치의 설정 및 가치 간 우선순위 결정 ⇨ ⑪ 주요 정책대안군의 마련 ⇨ ⑫ 각 대안들의 편익과 비용 예측 ⇨ ⑬ 최선의 대안 발견 ⇨ ⑭ 최선의 대안에 대한 평가 및 최종적 결정 |
| 후정책 결정 (4단계) | ⑮ 집행에 대한 동기부여 ⇨ ⑯ 정책집행 ⇨ ⑰ 정책평가 ⇨ ⑱ 커뮤니케이션과 환류 |

**O·X 문제**

4. 드로(Dror)가 제시한 최적모형에서 메타정책결정 단계에 해당하는 것은 정책결정전략의 결정, 자원의 조사·처리 및 개발, 정책집행을 위한 동기부여 등이 있다. (　)

5. 최적모형에 따르면 정책결정과 관련해 위험최소화전략 대신 혁신전략을 취하는 것은 상위정책결정(meta policy making)에 해당한다. (　)

O·X 정답　1. ○　2. ○　3. ○　4. ×　5. ○

⑤ **확장된 환류과정**: 환류를 중시하고 이를 통하여 결정자의 결정능력을 최적수준까지 향상시키고자 하는 모형이다(정책결정 능력의 지속적인 고양).

⑥ **점증모형의 개선**: 점증모형은 개선될 수 있고 반드시 개선되어야 한다고 주장한다.

(4) 평가

① 효용

ㄱ 합리모형에 의한 정책결정이 곤란한 조건과 상황(자원·시간·능력이 부족한 상황)에서의 의사결정에 대한 현실적인 차선적 방안을 제시하였다.

ㄴ 거시적·체제적 시각을 통해 정책결정체제를 포괄적으로 체계화하였다.

ㄷ 의사결정과정의 객관화된 이론적 기준을 제시하였다.

② 한계

ㄱ 최적의 기준이 불명확할 뿐만 아니라 초합리성의 구체적인 성격 역시 명확치 않아 유토피아적인 이상모형에 불과하다는 비판을 받는다.

ㄴ 초합리성의 강조는 신비주의나 주먹구구식 결정을 초래할 위험성이 있다.

ㄷ 경제적 합리성을 중시할 뿐 다원화된 사회적 과정에 대한 고찰이 불충분하다.

ㄹ 합리모형의 기본적인 틀 속에 있어 불완전한 합리모형에 불과하다는 비판을 받는다.

## 02 집단 차원의 의사결정모형

### 1. 회사모형(Firm Model : 연합모형)

(1) 의의

① 개념

ㄱ 사이어트와 마치(Cyert & March)가 주창한 모형으로 사이먼(Simon)의 만족모형을 분업화된 계층적 구조를 지닌 조직 내부의 의사결정에 적용한 모형이다.

ㄴ 회사모형은 조직을 결정자에 의해 일사분란하게 움직이는 조직체로 보지 않고 여러 가지 개성과 목표를 가진 하위부서들의 느슨한 연합체로 본다는 점에서 연합모형으로 불리기도 한다.

② 전개: 사이먼의 만족모형을 조직 내부의 의사결정에 적용한 모형으로는 조직모형과 회사모형이 있다. 회사(연합)모형은 사이먼과 마치(Simon & March)가 제시한 조직모형을 발전시켜 실제 기업의 의사결정과정을 설명한 모형이다.

③ 전제: 고전적 경제학이나 합리모형은 조직을 합리적 존재로 인식하는 반면, 회사모형에서는 조직을 제한된 합리성을 추구하며, 최적대안이 아닌 만족스러운 대안선택을 추구하는 존재로 보고 이론을 전개한다.

(2) 특징

① 갈등의 준(準)해결(갈등의 의장적 해결)

ㄱ 개념: 회사모형에서 조직은 서로 다른 목표를 지닌 하위부서들의 느슨한 연합체이다. 따라서 결정과정에서 하위부서들 간에 갈등이 발생하지만 조직 전체의 목표가 이를 통합해 줄 수 없어 하위부서들 간에 타협하는 수준에서 대안을 찾게 된다. 이로 인해 갈등의 완전한 해결은 불가능하며, 준해결에 머물고 만다.

ⓒ 과정 : ⓐ 하위부서들은 자신들의 관할범위 내에 속하는 하위문제와 하위목표에만 전념하는 국지적 합리성을 추구한다(국지적 최적화). ⓑ 각 하위부서들은 다른 하위부서들의 목표를 제약조건으로 하고 자신들의 목표를 추구한다. ⓒ 각 하위부서들의 국지적 결정들 간에 불일치가 심각할 경우 각 하위부서들은 타 하위부서가 받아들일 만한 수준에서 의사결정을 한다. ⓓ 조직은 모든 목표를 동시에 고려하지 않고 순차적으로 관심을 기울임으로써 모순되는 목표가 있어도 큰 갈등 없이 목표가 추구된다.

② 문제 중심의 탐색(비정형적 의사결정)

　ⓐ 개념 : 조직은 제한된 합리성에 기인한 정책결정능력의 한계로 말미암아 관심이 가는 문제 중심으로 대안을 탐색한다.

　ⓒ 과정 : ⓐ 조직은 문제를 인지해야 비로소 탐색이 시작되며(문제에 의해 촉발되는 탐색), ⓑ 탐색과정에서도 분석적·과학적 탐색이 아닌 단순한 탐색이 이루어지고, ⓒ 탐색 상에 편견도 존재한다.

③ 표준운영절차(SOP) 활용(정형적 의사결정)

　ⓐ 개념 : 조직은 경험이 축적됨에 따라 가장 효율적이라고 판단되는 정책결정절차와 방식(규칙)을 표준운영절차(SOP)로 개발·발전시키고 이를 지속적으로 활용한다.

　ⓒ 표준운영절차(SOP) : 조직모형의 '프로그램' 개념을 보다 확장한 것이다. 표준운영절차(SOP)는 단기적으로는 조직의 의사결정을 좌우하는 규칙과 절차이며, 조직이 장기적인 적응과정에서 학습의 결과이자 구성원 통제의 수단이다.

④ 불확실성의 회피

　ⓐ 개념 : 조직의 정책결정자들은 불확실성을 회피하기 위해 불확실성이 높은 장기적인 전략보다는 결과가 확실한 단기적 전략을 중시한다.

　ⓒ 과정 : 조직은 불확실성을 회피하기 위해 ⓐ 단기적인 환류에 의존하는 단기적인 대응책을 강조하며, ⓑ 환경을 통제할 수 있는 방법(거래관행 수립, 장기계약 체결, 카르텔 형성)을 찾는다.

⑤ 조직의 학습 : 조직의 학습은 반복적인 의사결정의 경험이 전수되는 과정이므로 시간의 흐름에 따라 결정수준이 개선되고 목표달성도가 높아진다.

(3) 평 가

① 효용 : 현실에서 조직의 의사결정 현상을 잘 설명해 주는 귀납적 모형이다.

② 한계 : 조직 내의 수평적 관계만을 분석함으로써 수직적·권력적 측면이 의사결정에 미치는 영향을 소홀히 하였으며, 단기적 SOP를 중시함으로써 보수적이라는 비판을 받는다. 또 회사라는 기업 조직의 행태분석에 초점을 두고 있어 공공조직에 적용하는 것에 한계가 있다는 비판도 있다.

---

**O·X 문제**

1. 회사모형은 조직이 단일한 목표를 지닌 구성원들의 연합체라고 가정한다. (　)

2. 회사모형은 부분적 최적화를 통한 국지적 합리성을 강조한다. (　)

3. 회사모형은 갈등의 예방과 해결을 중시한다. (　)

4. 회사모형의 각 하위부서들은 다른 목표를 제약조건으로 전제한 후 자기들의 목표를 추구한다. (　)

5. 회사모형에서 조직은 전체적 목표 달성의 극대화를 위하여 장기적 비전과 전략을 수립·집행한다. (　)

6. 회사모형에서 조직은 정책결정능력의 한계로 인하여 관심이 가는 문제 중심으로 대안을 탐색한다. (　)

7. 회사모형에서 조직은 반복적인 의사결정의 경험을 통하여 결정의 수준이 개선되고 목표달성도가 높아진다. (　)

8. 회사모형은 표준운영절차를 적극적으로 활용한다. (　)

9. 회사모형은 조직의 불확실한 환경을 회피하고 조직 내 갈등을 극복하기 위하여 장기적인 전략과 기획의 중요성을 강조한다. (　)

O·X 정답 : 1. × 2. ○ 3. × 4. ○
　　　　　5. × 6. ○ 7. ○ 8. ○
　　　　　9. ×

## 2. 쓰레기통모형(Garbage Can Model)

### (1) 의 의

① 개념 : 코엔(Cohen), 마치(March), 올젠(Olsen) 등은 계층제적 위계질서가 없고, 구성원들의 응집성이 아주 약하며, 여유재원이 부족(시간적 제약)한 조직화된 무정부상태(불확실성과 혼란이 심한 상태)에서의 조직은 문제・해결책・참여자・선택기회 등이 뒤죽박죽으로 엉켜있는 쓰레기통과 같으며, 어떤 계기가 주어지면 마치 쓰레기통을 비우듯이 우연히 의사결정이 이루어진다고 보고 쓰레기통모형을 제시하였다.

② 적용 : 계층제적 권위(상하관계)가 존재하지 않는 대학조직의 의사결정, 다당제로 구성된 국회의 의사결정, 입법부・사법부・행정부가 모두 관련된 의사결정, 행정부 내의 여러 부처가 관련된 의사결정 등에 적용하기 용이하다.

### (2) 전제조건

① 문제성 있는 선호 : 참여자들은 자신들이 무엇을 선호하는지 모른 채 의사결정에 참여하기 때문에 참여자들 간에 무엇을 선택하는 것이 바람직한지에 대해 합의가 없다.

② 불명확한 기술(불명확한 인과관계) : 목표와 수단 사이에 존재하는 인과관계가 명확하지 않아 조직은 시행착오를 거침으로써 이를 파악한다.

③ 수시적 참여자(유동적 참여) : 참여자들은 시간의 변화에 따라 어떤 경우에는 참여했다가 어떤 경우에는 참여하지 않기 때문에 조직에서 의사결정 참여자의 범위와 그들이 투입하는 에너지가 유동적이다.

④ 논의의 종합 – 비합리적 의사결정 : 쓰레기통모형에서 참여자들은 자기 스스로가 어떤 목표나 대안을 선호하는지도 모르고, 어떤 수단을 선택해야 하는지도 모르며, 회의에 참석하기도 했다가 빠지기도 하면서 정책을 결정한다. 따라서 쓰레기통모형에서의 의사결정은 합리모형은 물론이고 회사모형보다도 훨씬 불합리하게 의사결정이 이루어진다.

### (3) 의사결정의 구성요소와 방식

① 구성요소 : 조직화된 무정부상태에서 조직은 ㉠ 문제, ㉡ 해결책, ㉢ 선택기회(회의 등 의사결정 기회), ㉣ 참여자 등의 요소가 뒤섞여 있는 하나의 쓰레기통이며, 이 요소들은 아무런 관련 없이 독자적・개별적으로 떠다니다가 점화장치(triggering event : 정치적 사건과 극적 사건) 등과 같은 우연한 계기가 주어지면 위 4가지 요소가 결합하게 되고 이때 마치 쓰레기통을 비우듯 우연히 일시에 정책이 결정된다.

② 의사결정의 방식

㉠ 진빼기 결정(미뤄두기 : choice by flight) : 조직화된 무정부 상태에서 인적・물적 자원의 여유가 없을 때 중심적 문제에 여러 주변적 문제들이 관련된 경우, 주변적 문제들이 다른 의사결정기회를 찾아서 떠나도록 하는 방식이다.

㉡ 날치기 통과(끼워넣기 : choice by oversight) : 조직화된 무정부 상태에서 인적・물적 자원의 여유가 없을 때 중심적 문제의 해결을 재빨리 결정하는 방식이다.

㉢ 일종의 '흐름 – 창의 모형' : 킹던(Kingdon)의 정책의 창 모형과 본질이 유사하다.

---

### 3. 정책의 창(The policy window) 모형

**(1) 의 의**

쓰레기통모형(Garbage Can Model)을 발전시킨 킹던(Kindon)의 정책의 창 모형은 문제의 흐름, 정치의 흐름, 정책의 흐름들이 서로 다른 경로로 흐르며 어느 정도 상호 독립적인 경로를 따라 진행되다가 어떤 특정한 시점인 정책의 창에 이르러 그들의 경로가 서로 교차될 때 정책형성이 이루어진다고 본다.

**(2) 구성요소 및 구성요소의 교차**

① **구성요소**

㉠ **문제의 흐름** : 정책결정자의 공중문제에 대한 인지

㉡ **정책의 흐름** : 여러 가지의 정책 대안이나 해결책

㉢ **정치의 흐름** : 정권교체, 의회 내의 정당 의석 분포 변화, 국민의 여론 변화, 이익집단의 압력 등과 같은 정치적 요소

② **구성요소의 교차** : 문제의 흐름, 정치의 흐름, 정책의 흐름은 서로 아무런 관련 없이 자신의 고유한 규칙에 따라 흘러 다니다가 국회의 예산주기, 정기회기 개회 등의 규칙적인 경우나 우연한 사건에 의해 교차하게 되면 정책의 창이 열리고 정책이 형성된다.

**(3) 정책의 창**

① 정책의 창이란 정책주창자들이 그들의 관심대상인 정책문제에 주의를 집중시키고 그들이 선호하는 대안을 관철시키기 위해 열려진 기회이다.

② 정책의 창은 정책의제설정에서부터 최고 의사결정까지의 과정에 필요한 여러 여건이 성숙될 때 열린다.

③ 정책의 창은 극적 사건보다는 정치적 사건에 의해 보다 많은 영향을 받는다.

④ 정책의 창은 일시적으로 열리며, 열려진 정책의 창을 최대한 활용하지 못한다면 정책의 주창자들은 다음번 창이 열릴 때까지 많은 시간 동안 기다려야 한다.

**(4) 모형의 평가**

① 정책의 창 모형은 본래 정책의제설정과정을 설명하기 위한 모형으로 정책의제설정과정의 비합리성을 설명한다.

② 정책의 창 모형은 인간의 합리성이 제약되는 모호한 의사결정상황을 모형화한 이론으로 정책의제설정뿐만 아니라 현재는 정책변동, 정책형성, 정책집행, 정책평가에 이르기까지 다양하게 활용되고 있다.

### 4. 앨리슨(Allison)모형

**(1) 의 의**

① 앨리슨은 집단적 의사결정을 구성원들의 응집성을 기준으로 성질별로 분류하여 세 가지 상호배타적인 의사결정모형을 제시하였는데 이를 앨리슨모형이라 한다.

② 앨리슨모형은 1960년대 초 쿠바가 소련의 미사일을 도입하려고 했을 때 미사일이 운반되지 못하도록 미국이 해상봉쇄라는 대안을 채택한 이유를 설명하면서 제시된 모형이다.

---

**O·X 문제**

1. 킹던의 정책흐름모형은 쓰레기통모형의 아이디어를 정책의제설정 또는 정책변동에 적용시킨 것이다. ( )

2. 킹던의 정책의 창은 문제의 흐름, 해결책의 흐름, 참여자의 흐름, 의사결정 기회의 흐름을 요소로 한다. ( )

3. 정책의 창 모형에 의하면 문제, 정책, 정치의 흐름은 일상에서 긴밀히 상호작용하는 것으로 설명된다. ( )

4. '정책의 창'은 국회의 예산주기, 정기회기 개회 등의 규칙적인 경우뿐 아니라, 때로는 우연한 사건에 의해 열리기도 한다. ( )

5. 킹던이 주장한 '정책 창문이론'에서 정책 창문은 한번 열리면 문제에 대한 대안이 도출될 때까지 상당 기간 열려있는 상태로 유지된다. ( )

**심화학습**

**정책의 창이 닫히는 이유**

① 참여자들이 그들의 관심대상인 특정 정책문제가 어떤 결정이나 입법에 의해 충분히 다루어졌다고 느끼는 경우

② 참여자들이 정부의 활동을 유도하지 못한 경우

③ 정책의 창을 열리게 했던 사건들이 정책의 창에서 사라지는 경우 (정권교체, 인사이동 등)

④ 문제에 대한 대안이 존재하지 않는 경우

**심화학습**

**앤더슨(Anderson)의 반대에 의한 결정**

쿠바 미사일 위기에 대한 미국의 대응과정을 분석한 앤더슨은 정부의 정책이 "문제를 해결해 줄 수 있는 대안인가"에 의해 선택되는 것이 아니라 경쟁적인 대안 간의 찬반결정을 순차적으로 전개함으로써 "반대가 적은 대안 즉, 문제를 악화시킬 확률이 적은 대안"이 선택된다고 보았다.

O·X 정답 1. ○ 2. × 3. × 4. ○ 5. ×

(2) 주요 내용

① 합리자모형(Model Ⅰ)
㉠ 개념: 개인 차원의 합리모형을 정부의 집단적 의사결정에 유추·적용한 모형이다.
㉡ 결정: 조직을 최고관리층에 의해 조정과 통제가 잘 이루어지는 유기체로 보고, 최고관리층이 일관된 선호를 가지고 합리적·분석적으로 정책을 결정한다고 본다.
㉢ 적용: 외교나 국방정책에 적용되기 용이하다.

② 조직과정모형(Model Ⅱ)
㉠ 개념: 마치와 사이어트가 제시한 회사(연합)모형의 논리 개념들을 그대로 이용하여 구성된 모형이다.
㉡ 결정: 느슨하게 연결된 여러 하위 조직체들이 표준운영절차(SOP)에 따라 독립적인 의사결정을 하는 것으로 가정한다.
㉢ 적용: 하위조직들이 SOP에 따라 제시된 대안 중 하나를 선택할 수밖에 없는 상황을 설명하기에 용이하며, 주로 하위계층의 의사결정에 적용된다.

③ 관료정치모형(Model Ⅲ)
㉠ 개념: 개인차원의 점증모형을 정부의 집단적 의사결정에 유추·적용한 모형이다.
㉡ 결정: 정부에 독립적인 다수의 의사결정자가 존재하며, 이들은 정부의 정책목표와 함께 자신의 목표를 달성하기 위해 정치적으로 상호작용하는 것으로 가정한다.
㉢ 적용: 정책과정의 참여자들 간에 합의된 정책결정을 위해 갈등·타협·흥정 등이 이루어지는 상황을 설명하기 용이하며, 주로 상위계층의 의사결정에 적용된다.

(3) 적용
앨리슨은 세 가지 모형이 정·반·합의 관계가 아니라 하나의 조직이나 정책에 동시에 적용 가능하다고 보았다. 구체적으로 쿠바 미사일 위기 시에 해상봉쇄 결정은 모형 Ⅰ로 일부 설명이 가능하나, 설명되지 않는 부분은 모형 Ⅱ로, 모형 Ⅱ로도 설명되지 않는 부분은 모형 Ⅲ으로 설명될 수 있었다고 주장하였다.

(4) 세 가지 모형의 비교

| 구 분 | 합리자모형(Ⅰ) | 조직과정모형(Ⅱ) | (관료)정치모형(Ⅲ) |
|---|---|---|---|
| 조직관 | 조정과 통제가 잘된 유기체 | 느슨하게 연결된 하위조직들의 연합체 | 독립적인 개인적 행위자들의 집합체 |
| 권력의 소재 | 조직의 두뇌인 최고지도자가 보유 | 반독립적인 하위부서들이 분산 소유 | 개인적 행위자들의 정치적 자원에 의존 |
| 행위자의 목표 | 조직전체의 목표 | 조직전체의 목표 + 하위부서들의 목표 | 조직전체의 목표 + 하위부서들의 목표 + 개별 행위자들의 목표 |
| 응집성 | 매우 강함. | 약함. | 매우 약함. |
| 정책결정의 양태 | 합리적 정책결정 | SOP에 의한 의사결정, 갈등의 준해결 | 정치적 결탁이 아닌 정치적 게임의 규칙에 따른 타협, 갈등, 흥정 |
| 합리성 | 완전한 합리성 | 제한된 합리성 | 정치적 합리성 |
| 정책의 일관성 | 매우 강함(일관성 유지). | 약함(자주 바뀜). | 매우 약함(거의 일치하지 않음). |
| 적용계층 | 모든 계층에서 나타남. | 주로 하위계층에 나타남. | 주로 상위계층에 나타남. |

## 5. 사이버네틱스모형(Cybernetics Model)

### (1) 의 의

① 스타인부르너(Steinbruner)가 주창한 모형으로 자동온도조절장치와 같이 일정한 조건이 설정되면 자동적이고 반복적으로 작동하는 시스템 공학의 사이버네틱스의 원리를 관료제에서의 정책결정 현상에 응용한 모형이다.

② 사이버네틱스모형은 자동온도조절장치가 설정된 일정한 조건을 충족하기 위해 작동과 정지를 스스로 조절해 나가는 것처럼 정부의 정책결정 역시 설정된 목표를 달성하기 위해 환류 메커니즘을 통해 일정 수준으로 행동을 조절해 나가는 것으로 본다.

### (2) 내 용

① **집단적 의사결정**: 조직(정부 관료제)에서의 의사결정을 다루는 모형이기 때문에 집단적 의사결정모형이다.

② **표준운영절차(SOP) 중시**: 회사모형(앨리슨모형 Ⅱ)처럼 조직을 다양한 목표를 지닌 하위부서들의 연합체로 인식하고, SOP를 중시한다.

③ **불확실성 통제**: 조직에서의 의사결정은 환류채널을 통해 들어온 정보가 사전에 설정된 범위 수준 내인가를 판단하며, 불확실성을 범위 수준 내로 유지하기 위해 SOP에 의한 의사결정이 이루어진다.

④ **적응적·습관적 의사결정**: 조직은 설정된 일정 수준의 목표를 달성하기 위해 정보와 환류과정을 통해 끊임없이 자신의 행동을 스스로 조정해 나가는 적응적·습관적 의사결정을 한다.

⑤ **학습 중시**: 도구적 학습에 의한 반복적인 의사결정과 의사결정의 수정이 환류되는 시행착오적 학습을 특징으로 한다.

### (3) 분석적 패러다임과 사이버네틱스 패러다임의 비교

| 구 분 | 분석적 패러다임(합리모형) | 사이버네틱스 패러다임 |
|---|---|---|
| 관련 모형 | 합리모형 | 적응모형 |
| 인간관 | 완전한 합리성(전지전능한 인간) | 제한된 합리성 |
| 문제해결 | 알고리즘(연역적 방식) | 휴리스틱(귀납적 방식) |
| 학 습 | 인과적 학습 | 도구적 학습(시행착오적 학습) |
| 의사결정 | 목표달성을 위한 최적수단의 선택 | 적응적·습관적 선택 |
| 접근방식 | 연역적 접근 | 귀납적 접근 |
| 대안의 분석 | 총체적·동시적 분석 | 순차적 분석 |
| 해 답 | 최적화(최선의 답 추구) | 만족화(그럴듯한 답 추구) |

**심화학습**

**자동화결정모형**
고도의 정보화기술(IT)을 이용하여 프로그램화된 결정원칙에 정보를 결합하여 정책을 산출해 내는 의사결정모형(결정원칙＋정보＝정책 산출)

**O·X 문제**

1. 스타인부르너(Steinbruner)는 시스템 공학의 사이버네틱스 개념을 응용하여 관료제에서 이루어지는 정책결정을 단순하게 묘사하고자 노력하였다. ( )

2. 사이버네틱스모형은 주요 변수가 시스템에 의하여 일정한 상태로 유지되는 적응적 의사결정을 강조한다. ( )

3. 사이버네틱스모형은 습관적 의사결정을 설명하는 데에 활용된다. ( )

4. 사이버네틱스모형은 설정된 목표의 달성을 위해 정보와 환류과정을 통해 자신의 행동을 스스로 조정해 나가는 것을 가정하는 모형이다. ( )

5. 사이버네틱스모형은 한정된 범위의 변수에만 관심을 집중함으로써 불확실성을 통제하려는 모형이다. ( )

6. 사이버네틱스 의사결정에 따르면, 의사결정의 질은 사전에 설정된 표준운영절차가 얼마나 정교한지에 의해 결정된다. ( )

7. 사이버네틱스 패러다임은 정책결정과정을 정책결정자의 기대가치나 기대효용을 최적화하는 과정으로 본다. ( )

8. 사이버네틱스모형은 문제를 해결하고 목표를 달성하기 위해 정보와 대안의 광범위한 탐색을 강조한다. ( )

**O·X 정답** 1. ○ 2. ○ 3. ○ 4. ○
5. ○ 6. ○ 7. × 8. ×

## 03 정책결정이론모형의 정리

### 1. 의사결정주체에 따른 분류

(1) 의의 – 개인적 의사결정모형과 집단적 의사결정모형

개인적 의사결정모형은 개인의 의사결정을, 집단적 의사결정모형은 집단(기업, 정부관료제)의 의사결정을 연구한다. 집단적 의사결정도 결국은 개인에 의해 이루어지므로 개인적 의사결정의 논리를 유추하여 적용할 수 있지만, 개인적 의사결정모형이 모두 집단적 의사결정모형에 그대로 적용되지는 않는다.

(2) 구 분

| 개인적 의사결정모형 | 합리모형, 만족모형, 점증모형, 혼합주사모형, 최적모형 등 |
|---|---|
| 집단적 의사결정모형 | 회사모형(조직모형), 앨리슨 모형, 쓰레기통모형, 정책의 창모형, 사이버네틱스모형 등 |

### 2. 연구목적 및 가정에 따른 분류

(1) 규범적(이상적·처방적) 모형과 실증적(현실적·경험적) 모형

규범적 모형이란 무엇이 바람직하고 어떻게 해야 하는가를 밝히는 당위적·처방적 모형을 말하며, 실증적 모형이란 실제의 현상을 기술하고 설명하는 경험적 모형을 말한다.

(2) 합리모형과 인지모형 – 완전한 합리성과 제한된 합리성

합리모형(rational model)이란 인간의 완전한 합리성을 전제로 목표달성을 위한 최적수단의 선택에 초점이 있는 모형을 말하며, 인지모형(cognitive model)이란 인간의 제한된 합리성을 전제로 현실의 의사결정을 설명하는 데 초점이 있는 모형을 말한다.

(3) 모형의 구분

| 구 분 | 규범모형 | 실증모형 |
|---|---|---|
| 합리모형 | 합리모형, 선형계획, 의사결정분석, 비용편익분석 | 가격이론, 게임이론, 공공선택론 |
| 인지모형 | (전략적) 점증주의 | 만족모형, 점증모형, 회사모형(조직모형), 사이버네틱스모형 |

### 3. 연구초점에 따른 분류 – 산출지향적 모형과 과정지향적 모형

(1) 산출지향적 모형

행정학자들이 중시하는 처방적·규범적 모형으로 정책결정의 산출·결과의 분석에 중점을 두는 모형이다(정책결정과정의 합리성에 초점).

(2) 과정지향적 모형

정치학자들이 중시하는 설명적·서술적 모형으로 공공정책의 결정과정을 분석하는 데 중점을 두는 모형이다(정책과정에서의 참여자의 권력성에 초점).

(3) 구 분

| 산출지향적 모형 | 합리모형, 만족모형, 점증모형, 혼합주사모형, 최적모형, 연합모형 |
|---|---|
| 과정지향적 모형 (참여자 중심) | 다원주의, 엘리트 모형, 조합주의, 체제모형, 게임이론, 제도모형, 정책의 창 모형, 쓰레기통모형 등 |

## 4. 결정방식과 의사결정의 질

의사결정의 질은 완전분석에 의한 결정(합리모형에 의한 결정) > 불완전분석에 의한 결정(만족모형에 의한 결정) > 직관에 의한 결정(순간적 판단에 의한 주먹구구식 결정) > 습관에 의한 결정(SOP에 의한 상례적 결정)순이다.

### 📋 핵심정리 | 순수합리성과 합리성의 왜곡

'순수합리성'은 완전분석적 합리모형에서 전제하고 있는 합리성이다. 이 순수합리성이 여러 요인에 의해 제약됨으로써 합리성이 왜곡된다. 의사결정자의 인지능력상 제약으로 인해 왜곡되어 나타나는 합리성이 바로 사이먼(Simon)의 만족모형에서의 합리성이다. 인지능력의 제약에 더하여 또 다시 '정치적 상황' 때문에 합리성은 더 심하게 왜곡된다. 이것이 바로 린드블롬(Lindblom)의 점증주의에서의 합리성이다. 나아가 아예 사회의 구조적 모순 때문에 나타나는 근원적 왜곡까지 더 추가된 것이 하버마스(Habermas)의 합리성이다.

**심화학습**

브레이브룩과 린드블롬(Braybrooke & Lindblom)의 의사결정모형 분류

| 정책목표와 수단에 대한 이해의 정도 | 의사결정에 의한 사회변화의 크기 | |
|---|---|---|
| | 광범위한 변화 | 점증적인 변화 |
| 높은 이해 | 혁명적·이상적 의사결정(없음) | 다소 행정적이고 기술적인 의사결정(포괄적 합리모형) |
| 낮은 이해 | 전쟁, 혁명, 위기 및 큰 기회 분석(잘 알려져 있지 않음) | 점증적 정치 분석(분절화된 점증주의) |

## 제 5 절 기타 정책결정과 관련된 주요 쟁점

### 01 정책결정요인론 · 정책딜레마 · 품의제

#### 1. 정책결정요인론

(1) 의 의

정책결정요인론은 정책을 종속변수로 보고 정책에 영향을 미치는 요인이 정치적 요인인지, 사회경제적 요인인지를 규명하는 이론이다.

(2) 논의의 전개(정책결정요인론 이전의 연구)

① 초기 정치행정학자들의 연구 : 정책을 정치체제의 산물로 보는 체제론적 접근, 행정을 사회문화적 환경에 영향을 받는 종속변수로 보는 생태론적 접근 등에서 환경의 중요성을 강조하였다.

② 정치학자들의 연구[참여경쟁모형 : 키-로커드(Key-Lockard) 모형] : 정치적 요인(정당 간 경쟁, 투표율, 선거구역 획정의 공정성)만이 정책에 영향을 미치고, 사회경제적 요인은 정치적 요인을 매개로 간접적 영향을 미친다고 주장하였다(정치적 요인의 중간매개적 기능 강조).

③ 경제학자들의 연구(S. Fabricant, H. Brazer 등)

㉠ 패브리칸트(S. Fabricant)는 사회경제적 환경(1인당 소득, 도시화, 인구밀도 등)이 정책내용에 영향을 미친다는 연구결과를 제시하였다.

㉡ 브레이저(H. Brazer) 역시 시정부 단위에서 사회경제적 환경(타 정부의 보조와 인구밀도 등)이 정책에 큰 영향을 미친다고 주장하였다.

**O·X 문제**

1. 정책결정요인론에서는 정책을 독립변수로 취급하고 있다. ( )

O·X 정답 1. ×

(3) 정책결정요인론(정치학자들의 재연구)

① 경제자원모형[도슨-로빈슨(Dawson-Robinson) 모형] : 체제이론 및 참여경쟁모형이 가정하고 있는 사회경제적 요인, 정치체제, 정책 간의 순차적인 관계를 부인하고, 사회경제적 요인이 정책에 직접적으로 영향을 미치며, 정치적 요인과 정책과의 관계는 허위의 상관관계임을 입증하였다.

② 혼합모형[크누드-맥크론(Cnudde-McCrone) 모형] : 참여경쟁모형과 경제자원모형을 혼합한 모형으로 사회경제적 변수와 정치적 변수 모두 독립적으로 정책에 영향을 미친다고 주장하였다. 즉, 사회경제적 변수뿐만 아니라 정치체제 역시 정책에 독립적으로 영향을 미치는 혼란변수로 인식하였다.

(4) 정책결정요인론에 대한 비판(정치행정학자들의 비판)

① 계량화가 곤란한 정치적 변수 불고려 : 정당 간 경쟁, 투표율 등 계량화가 가능한 정치적 요인들만 고려하고, 규제정책, 노사교섭, 단체행동 등 계량화가 곤란한 중요한 정치적 변수들은 고려하지 않았다.

② 정책수준과 구조적 차이 무시 : 현실에서 사회경제적 변수는 상위수준의 정책에 보다 많은 영향을 미치고, 정치체제는 세부사업 수준의 정책에 보다 많은 영향을 미치는데, 상위수준의 정책만을 연구대상으로 삼음으로써 사회경제적 변수를 과대 평가하였다.

③ 인과관계의 불명확성 : 사회경제적 변수가 어떤 경로를 거쳐 정책에 영향을 주는지를 설명하지 못하였다.

④ 정치적 변수의 중간매개적 기능 무시 : 키-로커드(Key-Lockard) 모형(참여경쟁모형)에 의하면 사회경제적 요인은 정치적 변수에 영향을 주고 정치적 변수가 정책에 영향을 주는데, 정책결정요인론은 정치적 요인의 중간매개적 기능을 무시하였다.

**2. 정책딜레마**(policy dilemma)

(1) 의 의

① 두 개의 상충된 대안 중에서 어느 하나를 선택해야 하는 상황이 직면했을 때, 어느 대안을 선택하더라도 선택이 가져올 기회손실이 너무 커서 용인의 한계를 벗어나기 때문에 어떤 대안도 선택하기 곤란한 상황을 말한다.

② 정책딜레마는 의사결정자의 결정능력의 한계나 부정확한 정보에 의해 발생하는 것이 아니라 선택상황 자체가 정책실패의 원인을 내포하고 있는 '이럴 수도 저럴 수도 없는' 상황이다.

(2) 딜레마 상황

① 존재론적 딜레마 : 현 상태를 유지할 것인가 아니면 새로운 상태로 나아갈 것인가와 관련된 딜레마(예 행정수도를 이전할 것인가, 말 것인가)

② 인식론적 딜레마 : 새로운 상태로 나아가는 것을 전제로 어떤 대안을 선택할 것인가와 관련된 딜레마(예 행정수도를 A지역으로 할 것인가, B지역으로 할 것인가)

### (3) 딜레마의 구성요소와 조건

① 딜레마의 논리적 구성요건

   ⊙ 분(단)절성(discreteness) : 대안들이 구체적이고 명료하기 때문에 대안들 간 절충이 불가능하다.

   ⓛ 상충성(trade-off) : 두 대안을 함께 선택할 수 없고 반드시 하나의 대안만 선택해야 한다.

   ⓒ 균등성(equality) : 두 대안이 가져올 결과가치나 기회손실의 크기가 균등해야 한다.

   ⓔ 선택의 불가피성(unavoidability) : 시간적 제약이 존재하기 때문에 어떤 식의 결정이든 해야 한다. 주의할 점은 선택을 하지 않고 현재 상태를 유지하는 것 역시 하나의 대안을 선택하는 것이다.

② 딜레마 상황을 구성하는 현실적 조건 : ⊙ 문제 상황의 특성(매몰비용이 클 경우), ⓛ 대안의 성격(대안의 상징성이 높을 경우), ⓒ 결과가치의 성격(보호된 가치 간의 충돌일 때), ⓔ 행위자의 성격(정책대상집단의 응집성이 강할 때) 등이 딜레마 상황을 조성하는 중요한 변수로 작용한다.

③ 딜레마 상황을 조성하는 행태적 조건 : 정책대안들이 구체적이고 명료하며 ⊙ 특정 대안의 선택으로 이익을 보는 집단과 손해를 보는 집단이 명확히 구분되는 경우, ⓛ 갈등집단 간의 권력균형이 이루어져 있고 내부응집력이 강한 경우, ⓒ 갈등당사자들이 정책결정의 회피나 지연을 용납하지 않는 경우, ⓔ 대립당사자들이 정부를 불신하는 경우 등이다.

### (4) 딜레마에 대한 대응 형태

① 소극적 대응 : 대안을 선택해야 하는 상황 자체를 무시하고, 정책결정 상황이 변화되기를 기대하면서 비결정 또는 지연으로 대응하는 방식이다. 구체적으로 ⊙ 결정시점의 지연, ⓛ 결정책임의 포기(결정자의 사퇴), ⓒ 결정책임의 전가(결정책임을 결정자에서 위원회로 전가) 등이 있다.

② 적극적 대응 : 딜레마 상황의 변화를 유도해 나가기 위해 구체적인 행위를 해나가는 방식이다. 구체적으로 ⊙ 현재 당면한 딜레마 상황을 벗어나기 위해 새로운 딜레마 상황을 조성, ⓛ 선택된 대안의 정당성을 높이기 위한 상징적 행동(깎아내리기, 명분쌓기 등), ⓒ 정책문제의 재규정, ⓔ 형식적 집행, ⓜ 내려진 결정에 대한 재검토 및 철회(go-stop) 등이다.

### (5) 딜레마의 예방과 관리

① 정책결정자의 개인적 이익이나 주관적 판단이 결정시스템에 영향을 주지 못하도록 해야 한다.

② 이해관계자의 이익이 문제 상황에 영향을 주지 못하도록 이해관계자가 정책결정자에게 직접적인 영향력을 행사하지 못하게 하는 여과장치를 마련해야 한다.

③ 가장 궁극적인 방법은 공정하고 개방된 토론을 위한 제도장치의 설계이다.

---

**O·X 문제**

1. 정책딜레마는 정책대안들 가운데 반드시 하나를 선택해야 할 경우에 발생한다. ( )

2. 딜레마의 구성 요건으로서 단절성(discreteness)이란 시간의 제약이 존재하므로 어떤 식의 결정이든 해야 함을 의미한다. ( )

3. 정책딜레마는 상호갈등적인 정책대안들이 구체적이고 명료하지 못할 때 나타나는 경향이 있다. ( )

4. 정책딜레마이론에 따르면 갈등집단들의 내부응집력이 약하고 집단 간 권력이 불균형적일 때 딜레마가 증폭된다고 본다. ( )

**O·X 문제**

5. 대안을 선택하지 않는 비결정도 딜레마에 대한 하나의 대응 형태로 볼 수 있다. ( )

6. 새로운 딜레마 상황을 조성하는 것도 정책딜레마에 대한 대응방안이다. ( )

7. 딜레마 상황을 예방하고 관리하기 위해서는 이해관계자가 정책결정자에게 직접적인 영향력을 행사할 수 있도록 장치를 설계하거나 마련할 필요가 있다. ( )

**O·X 정답** 1. ○ 2. × 3. × 4. × 5. ○ 6. ○ 7. ×

### 3. 품의제

**(1) 의 의**

하위자가 기안을 작성하고 상위자의 결재를 거쳐 기안을 작성한 하위자가 비로소 집행하는 공식적·집권적·하의상달적인 의사결정방식을 말한다.

**(2) 성 격**

① 정부조직 내의 공식적인 의사결정방식이다.
② 하의상달적(상향적) 정보전달이다.
③ 업무는 분권적이나 의사결정은 집권적이다.
④ 계선 중심의 공식적·제도적·정형적인 의사결정방식이다.

**(3) 장 점**

① 하의상달적 의사결정으로 부하들의 참여의식과 사기앙양 및 일체감 고취
② 상급자의 부하직원에 대한 개별적인 직접적 통제방식으로 활용
③ 중요한 정책결정에 대한 기안 작성으로 부하들에게 교육훈련 기회 제공
④ 정책결정에 대한 사전조정 및 심사
⑤ 문서 중심의 행정으로 기록 보존에 용이
⑥ 정책결정과 집행의 유기적 연결
⑦ 결재과정에서 부하와 상관 간에 정보공유

**(4) 단 점**

① 결정시간의 과다소모로 행정의 비능률 초래
② 계선 중심의 결정으로 행정의 전문성 저해
③ 결정의 다단계화로 권한과 책임의 불명확성
④ 종적 의사전달을 중시하므로 부서 간 횡적 협조의 곤란과 할거성 초래
⑤ 과다한 문서량의 증가로 번문욕례 초래
⑥ 상하계층 간 상호의존 및 책임회피로 업무처리의 적극성 결여
⑦ 전체회의 등을 강조하지 않으므로 합리적·분석적 결정 회피

## 02 집단적 의사결정·의사결정자의 실책 등

### 1. 집단적 의사결정

**(1) 의 의**

조직이 행하는 의사결정을 의미하며, 위원회나 팀제와 같은 수평적 조직에서 행해지는 의사결정뿐만 아니라 관료제에 의해서 행해지는 의사결정도 포함된다.

**(2) 방 법**

① **무반응에 의한 결정**: 토론 없이 아이디어의 제안이 지속적으로 이루어지다가 채택할 만한 아이디어가 나오면 선택하는 결정방법이다.
② **권한에 의한 결정**: 구성원들이 다양한 아이디어를 제안하고 토론하지만 구성원들이 해결책에 관한 최종결정을 내리는 것이 아니라, 위원장과 같은 권한 있는 사람이 최종결정을 내리는 결정방법이다.

---

**심화학습**

**위기상황에서의 의사결정**

| | |
|---|---|
| 특징 | ① 집권화 경향<br>② 공식적인 규칙과 절차가 비공식적인 과정과 즉각적인 결정으로 대체<br>③ 관료적 정치의 성행<br>④ 정보의 내용보다 정보의 출처(source) 중시<br>⑤ 상향적·하향적 커뮤니케이션의 양 증가 및 빨라진 의사결정속도<br>⑥ 집단사고 야기<br>⑦ 상황의 재정의 곤란<br>⑧ 시간적 압박 등으로 관료제적 의사결정방식 부적합 |
| 양태 | ① 무의사결정적인 대응<br>② 무능력한 대응<br>③ 즉흥적인 대응<br>④ 전략적 회피 등 |

③ **소수에 의한 결정**: 일부 구성원들이 다른 구성원들에게 반대의 기회를 주지 않고 자기 의견을 관철시키거나, 두 사람 이상의 구성원들이 빨리 합의를 하고 다른 구성원들의 이견을 봉쇄하는 결정방법이다.

④ **다수결에 의한 결정**: 투표 등을 통해 다수가 지지하는 해결책을 선택하는 결정방법이다.

⑤ **합의에 의한 결정**: 모든 구성원들이 집단적 의사결정에 자기 몫의 영향을 미치도록 하여 결과에 승복하게 하는 결정방법이다. 지지적인 분위기가 조성된 가운데 집단구성원 누구도 소외되었거나 무시되었다는 느낌이 없다면 반대의견이 있었더라도 합의에 의한 결정이 된다.

⑥ **만장일치에 의한 결정**: 구성원 전원의 의견일치에 의한 결정방법이다.

### (3) 유용성

① 풍부한 정보와 다양한 시각을 의사결정에 활용할 수 있다.
② 의사결정의 결과에 대한 수용도와 실행가능성을 높일 수 있다.
③ 여러 사람의 참여로 의사결정이 이루어지면, 그 결정의 정당성이 높아진다.
④ 결정의 결과에 대한 책임을 분산시킬 수 있다.

### (4) 한 계

① **집단사고(집단착각)**

㉠ 의의: 재니스(Janis)가 제시한 집단사고란 개인들이 집단 응집성과 합의에 대한 압력으로 비판적인 사고가 억제되어 각자의 의견을 발현하지 못하고 획일적인 방향으로 의사를 결정하는 현상(집단동조의식)을 말한다. 집단사고하에서 구성원들은 침묵도 동의로 간주하는 만장일치의 환상을 갖는 경향이 나타난다.

㉡ 예방전략
ⓐ 리더는 구성원들에게 모든 제안에 대한 반론과 의문을 제기하도록 권장한다.
ⓑ 리더가 자신의 선호를 표명하는 것을 삼가거나, 표방한다면 최후에 말해야 한다.
ⓒ 외부전문가를 초빙하여 구성원의 견해에 대한 반론을 제기하도록 고무시킨다.
ⓓ 집단을 여러 개의 하위조직으로 나누어 각각 토론하도록 한 다음 다시 모여서 차이를 조정한다.
ⓔ 회의 때마다 적어도 한 사람은 다른 구성원들의 아이디어를 비판만 하는 역할을 수행하도록 한다.
ⓕ 일정한 시간간격을 두고 회의를 반복하여 실시하도록 한다.

② **집단극화(집단적 변환)**: 집단의 결정이 개인의 결정보다 더 극단적인 결론에 도달하는 경향을 말한다.

③ **동조압력**: 집단이 지향하는 가치를 무비판적으로 수용하도록 강요하는 경향을 말한다.

④ **소수파의 영향력**: 소수가 의사결정을 지배하는 현상을 말한다.

⑤ **무임승차**: 구성원들이 결정 과정에 적극적으로 참여하지 않는 경향을 말한다.

**O·X 문제**

1. 집단사고는 응집성이 강한 집단에서 일어나는 경향이 있다. ( )
2. 집단사고는 동조에 대한 압력이 강해 비판적인 대안이 무시되는 경향이 있다. ( )
3. 집단사고는 토론을 바탕으로 한 집단지성의 활용을 강조한다. ( )
4. 집단사고는 침묵을 합의로 간주하는 만장일치의 환상을 갖는다. ( )

O·X 정답 1. ○ 2. ○ 3. × 4. ○

**휴리스틱스(heuristics)의 오류**

| 의의 | 불확실한 상황에서 과거의 경험이나 주관적 감각에 의존하여 의사결정을 함으로써 편견에 빠지는 현상 | |
|---|---|---|
| 대표성 휴리스틱스 | 사물 A가 집합 B에 속할 확률 등에 대한 질문에 대해 통계학에 기초하지 않고 A가 B를 대표하는 정도나 A와 B의 유사한 정도에 의해 확률을 평가함으로써 발생하는 오류 | |
| 이용 가능성 휴리스틱스 | 의의 | 어떤 사건의 빈도를 판단할 때 실제 빈도에 근거하지 않고 구체적인 예를 떠올리는 것이 얼마나 용이한가에 따라 빈도를 판단하는 오류 |
| | 사례의 연상 가능성으로 인한 오류 | 최근의 사례나 친숙한 사례를 연상하여 사건의 빈도를 판단하는 오류(교통사고와 비행기 사고의 사망확률을 판단할 때 비행기 사고로 인한 사망률이 더 높다고 판단하는 오류) |
| | 탐색의 용이성으로 인한 오류 | 탐색이 용이한 것이 빈도를 높다고 판단하는 오류(r로 시작하는 영어 단어와 r이 세 번째 위치에 오는 영어 단어 중 r로 시작하는 단어의 빈도가 높다고 판단하는 오류) |
| | 상상 용이성으로 인한 오류 | 쉽게 상상할 수 있는 것이 빈도가 높다고 판단하는 오류(10명의 사람들 중에서 무작위로 k명의 위원회를 구성할 때 k가 2일 때가 k가 8명일 때 보다 위원회가 보다 많이 구성될 수 있다고 판단하는 오류 |
| | 허위 상관으로 인한 오류 | 실제 상관관계가 없음에도 두 변수 간에 상관관계가 높을 것이라고 착각하기 쉬운 경우, 두 변수가 함께 일어날 빈도를 높게 판단하는 오류 |
| 고착화와 조정 휴리스틱스 | 사람들은 초기값으로부터 추정을 시작하여 조정 과정을 거쳐 최종적인 답을 도출하는데 이때 조정이 불충분하여 오류가 발생할 수 있으며, 또한 서로 다른 초기값을 지닐 경우 서로 다른 답을 도출하게 되는데 이를 고착화의 오류라 함. | |

## 2. 의사결정자의 실책

**(1) 의 의**

의사결정자는 다양한 원인에 의해 의사결정의 실책을 야기할 수 있다. 의사결정자의 실책을 야기하는 원인들을 살펴보면 다음과 같다.

**(2) 의사결정자의 실책을 야기하는 원인**

① **지나친 단순화**: 복잡한 의사결정 문제를 선택적 지각 또는 유형화·계량화 등을 통해 지나치게 단순화함으로써 의사결정자가 현실을 정확하게 파악하지 못하거나 질적 요인을 경시하게 되어 야기되는 실책

② **구성의 효과(액자효과, 틀짓기 효과, 조삼모사효과 : Framing Effect)**: 같은 의미라도 의사전달 방식이나 제시되는 정보의 배열 등 문제의 제시방법에 따라 의사결정이 달라지는 현상으로 야기되는 실책(◙ 대안의 이익을 강조하면 그 대안을 선택하지 않다가도, 그 대안을 채택하지 않았을 때의 손실을 강조하면 선택하는 경우 등)

③ **방어적 회피로 인한 적시성 상실**: 의사결정자에게 불리한 결정을 지연시킴으로써 야기되는 실책

④ **기준배합의 왜곡**: 결정자가 사익을 부당하게 개입시키거나 지나친 정치적 고려를 함으로써 야기되는 실책

⑤ **사전적 선택의 오류**: 의사결정의 대안들을 검토하기도 전에 의사결정자가 선호하는 대안을 미리 선택함으로써 야기되는 실책

⑥ **기타**: 집단사고, 과잉동조의 폐단, 무지로 인한 실책, 실패한 결정에 집착(집념의 확대) 등

# CHAPTER 04 정책집행론

## 제1절 정책집행의 기초

### 01 정책집행의 의의

#### 1. 개 념

정책집행이란 정책결정 과정의 산출물인 정책의 내용(의도)을 구체적으로 실현하는 과정을 말한다. 정책현장에서 관찰되는 정책집행 과정은 추상적인 정책의 내용을 구체화하는 계속적인 결정 과정이며, 제시된 정책목표의 달성을 위해 인적·물적 자원을 동원하여 프로그램을 구현하는 과정이다.

#### 2. 특징 및 과정

**(1) 특 징**

① **정책의도의 실현(정책목표의 달성 활동)**: 정책집행은 정책의 존재 이유인 정책의도(정책목표)를 실현하기 위한 활동이다.

② **구체적·지속적 결정 과정(정책의 실질적인 내용 결정)**: 정책집행은 정책의 내용을 집행 현실에 맞게 수정·보완하여 실질적인 내용을 확정하는 지속적이고 구체적인 결정과정이다.

③ **국민생활과 직결되는 활동**: 정책집행은 정부의 활동이 국민에게 직접 영향을 미치는 과정이다. 즉, 분배정책의 경우 수혜집단에게 서비스가 제공되는 단계이고, 규제정책의 경우 피규제자의 행동이나 권리를 직접 제한하는 단계이다.

④ **정책형성 및 평가와 상호작용**: 정책집행은 결정된 정책의 구체적인 내용을 결정하는 과정이므로 정책결정과 상호작용한다. 또한 정책평가의 기준이 무엇인가에 따라 집행과정에서 집행자가 추구해야 할 요소가 달라지므로 정책평가와도 상호작용한다.

**(2) 성 격**

① **역동적·정치적 과정**: 정책집행은 다양한 행위자들이 관여하며, 상호 복잡하게 얽힌 정치·경제적 요인들의 상호작용 속에서 구체적인 결정이 이루어지므로 자동적·기계적 과정이 아니라 역동적·정치적 과정이다.

② **매개적 기능**: 정책집행은 정책형성(정책결정)과 정책의 결과 및 영향(정책평가)을 이어주는 매개적 기능을 수행한다.

---

**O·X 문제**

1. 정책집행은 정책결정과는 독립된 하나의 영역이다. ( )

2. 정책집행은 기계적인 과정이 아니라 여러 가지 정치·경제적 요인들이 복잡하게 개입되어 어우러지는 역동적 과정이다. ( )

---

O·X 정답 1. × 2. ○

**+ 정책지침**

| 의의 | 정책의 내용을 구체화하여 집행자들이 따라야 할 내용을 세밀하게 규정한 것(정책집행의 지침서) |
|---|---|
| 성격 | 집행과정에서 정책지침의 내용이 결정되나, 정책결정의 성격(정치성)을 띤다. |

**O·X 문제**

1. 정책집행자나 집행을 위임받은 중간매개집단은 정책순응의 주체가 아니다. ( )

2. 정책순응은 내면적 가치관의 변화가 가장 중요하기 때문에 행태 차원의 개념이 아니다. ( )

3. 정책집행과정에서 모든 참여자가 완전하게 순응하면 정책결정자의 원래 의도가 보장된다. ( )

4. 정책대상집단의 불응은 규제정책보다 배분정책에서 더 심각하게 나타난다. ( )

(3) 과 정

① 정책지침+(SOP, 업무처리규정) 작성 단계 : 정책집행의 지침서 작성

② 자원의 확보 단계 : 집행을 담당할 전문집행관료 및 물적 자원(예산) 확보

③ 조직화 단계 : 집행업무를 담당할 전담추진기구 설치

④ 실현활동 : 정책의 구체적 내용인 혜택과 제한의 전달

⑤ 감독·통제 : 실현활동에 대한 점검 및 평가와 시정

### 3. 정책집행의 순응과 불응

(1) 순응과 불응의 의의

① 순응 : 집행자나 정책대상집단이 정책집행과정에서 저항하지 않고 협조적인 관계를 유지하거나 정책 프로그램을 수용하는 현상을 말한다.

② 불응 : 집행자나 정책대상집단이 정책집행의 추진을 반대해 비협조적인 관계를 유지하거나 정책 프로그램의 실현을 의도적으로 방해하는 현상을 말한다(순응의 반개념).

③ 순응의 주체 : 정책대상집단, 중간매개집단, 정책집행관료(일선관료) 등이다.

④ 순응(compliance)과 수용(acceptance) : 순응이란 외면적 행동 측면에서 저항하지 않고 정책을 따르는 행태차원의 개념이라면, 수용은 외면적 행동 측면뿐만 아니라 내면적 동의 측면에서 정책을 따르는 내면적 가치를 포함하는 개념이다.

⑤ 순응과 정책의도 실현 : 정책집행과정에서 모든 참여자가 완전하게 순응한다고 하더라도 정책결정자의 원래 의도가 보장되는 것은 아니다. 이는 순응이 확보되었다 하더라도 정책수단을 잘못 채택한 경우 정책목표를 달성할 수 없기 때문이다.

(2) 순응을 좌우하는 요건

① 정책변수 : 정책 내용의 소망성과 실현가능성, 정책의 명료성, 정책의 일관성, 정책의 민주성, 정책의 유형, 정책결정방식 등

② 정치체제 변수 : 정책담당기관의 정통성, 집행담당자의 신뢰성, 정치체제의 능력(전문적·지적 능력, 정치적 능력) 등

③ 순응주체 변수 : 집행담당자의 능력과 태도, 정책대상집단의 능력과 태도 등

④ 환경변수 : 사회·경제적 상황, 사회적 규범 등

(3) 불응의 양태와 원인

① 구체적 양태 : 의사전달의 고의적 조작, 지연, 정책의 임의변경, 부집행, 형식적 순응, 정책 자체의 취소 등

② 원인 : 의사전달의 미흡, 정책목표의 모호성과 비일관성, 적절한 집행수단의 부족, 정책에 대한 불만, 순응에 따른 부담의 회피, 정책담당기관의 정통성과 권위의 결여, 지도력 부족 및 다수기관의 관련성, 기존 가치체계와 대립 등

(4) 순응 확보 방안

① 규범적 전략(도덕적 설득)

㉠ 개념 : 순응 주체의 개별적 이성이나 정서에 호소하여 이성적·정서적 공감대를 형성함으로써 순응의 의무감을 갖게 하는 전략이다(계몽, 교육, 홍보, 상징조작, 정보제공 등).

**O·X 정답** 1. × 2. × 3. × 4. ×

ⓛ **특징**: 일선 집행관료는 큰 저항을 하지 않으나 정책에 의해 피해를 입는 대상집단은 의도적으로 불응의 핑계를 찾으려 한다.

② **보상적 전략(유인 및 보상)**

　ⓐ **개념**: 순응 주체에게 혜택을 제공할 것을 약속함으로써 자발적으로 따르도록 유인하는 전략이다.

　ⓛ **특징**: 정책순응에 수반되는 부담으로 인한 불응의 대책으로 효과적이나, 도덕적 자각이나 이타주의적 고려에 의해 자발적으로 순응하는 사람들의 명예나 체면을 손상시키고 사람의 타락을 유발할 수 있다.

③ **강제적 전략(처벌 및 강압)**

　ⓐ **개념**: 불응 주체에게 벌금·구속 등과 같은 처벌을 가할 것을 위협함으로써 순응을 확보하는 전략이다.

　ⓛ **특징**: 불응의 형태를 정확하게 점검 및 파악하기 어려운 경우가 많다.

④ **촉진전략(지도 및 지원)**: 기술지도 및 지원, 자금지원, 절차의 간소화 및 자율화 등을 통해 순응을 저해하는 요인을 완화하여 자발적 순응을 촉진하는 전략이다.

## 02 고전적 정책집행관과 현대적 정책집행관

### 1. 고전적 행정학에서의 정책집행관

#### (1) 의 의

고전적 행정학에서는 정치행정이원론에 입각하여 결정과 집행을 구분하고 결정이 집행보다 항상 먼저 이루어지며(단일 방향적 인식-단계모형), 집행은 결정된 내용을 자동적·기계적으로 집행하는 정치성이 배제된 순수한 행정적·기술적 과정에 불과하다고 보았다. 따라서 정책집행에 대한 연구가 이루어지지 않았는데, 이를 하그로브(Hargrove)는 '잃어버린 연계(missing link)'라고 표현하였다.

#### (2) 특 징

① **정책만능주의**: 사회가 어떤 문제에 직면할 때 정책을 수립하고 법률을 제정하면, 제정된 대로 기계적 집행이 이루어져 문제가 해결된다고 보았다.

② **정태적 정책관**: 정책 상황을 안정적인 것으로 인식하고, 정책은 집행과정에서 변화하지 않을 것으로 믿었다.

③ **계층적 조직관**: 집행관료를 계층제 질서에 입각한 명령·지시·통제에 따라 결정자가 내린 정책지침을 충실히 집행하는 존재로 인식하였다.

④ **목표수정부당론**: 유권자에게 책임을 질 수 없는 임명직 공무원(집행관료)들이 정책을 결정하거나 목표를 수정해서는 아니 된다고 보았다.

⑤ **하향적 관점**: 정책집행과정을 결정자에 의해 명확하게 설정된 정책목표의 기술적인 달성과정이라고 보는 하향적 관점을 취하였다.

## 2. 현대적 행정학에서의 정책집행관

### (1) 의의

현대적 행정학에서는 정치행정일원론에 입각하여 결정과 집행은 본질적으로 차이가 없으며, 집행은 끊임없는 정책결정이 이루어지는 정치적 과정이라고 보았다(결정과 집행이 서로 영향을 주고받는 양방향적·순환적 인식－단일시점모형). 현대적 정책집행관은 결정된 대로 집행되지 않는 정책실패현상이 빈번해지면서 대두되었다.

### (2) 현실적 대두배경 – 빈번한 정책실패(결정과 집행의 괴리 현상)

① **사회문제에 관한 입법의 실패**: 국회에서 각종 사회문제 해결에 관한 법률이 양산되었지만, 현실을 고려하지 못한 입법이 많아 집행이 곤란하였다.

② **사회복지정책의 실패**: 존슨 대통령의 '위대한 사회 건설'을 위한 각종 사회복지정책들이 현실의 집행과정에서 표류하는 현상이 자주 목격되었다.

③ **엄격한 권력분립**: 입법부가 형성한 법률이 지나치게 추상적이거나 현실을 고려하지 못해 행정부의 집행과정에서 정책의 내용이 구체화되거나 현실에 맞게 변동되었다.

④ **연방제와 지방자치**: 연방정부나 중앙정부에서 결정한 정책들이 지방의 현실을 고려하지 못해 집행과정에서 지방정부로부터 거부되는 경우가 발생하였다.

⑤ **대리정부화**: 중앙정부가 결정하고 민간기업 및 NGO가 집행하는 결정기관과 집행기관의 분리현상이 잦은 정책실패를 야기하였다.

⑥ **조직의 탈관료제화**: 조직 구조가 계층제적 조직에서 네트워크 조직으로 전환되어 감에 따라 지시와 통제에 의한 일사분란한 정책집행이 어려워졌다.

### (3) 이론적 대두배경 – 프레스만과 윌다브스키의 공동행위의 복잡성이론

① **의의**: 프레스만과 윌다브스키(Pressman & Wildavsky)는 「정책집행론」에서 오클랜드 사업(The Oakland Project : 소수민족 취업계획)이 실패한 과정을 추적·연구한 결과, 정책은 집행기간 동안에도 끊임없이 재설계되고, 집행자들도 실질적으로 정책을 결정하는 과정에 참여하게 되므로 결정단계와 집행단계를 구분할 수 없으며, 집행과정은 더 이상 기계적이고 기술적인 과정이 아니라 지속적인 결정의 성격을 지닌다고 보았다.

② **오클랜드(Oakland) 사업의 실패원인**

　㉠ **많은 참여자**: 집행과정에서 참여기관과 참여자가 너무 많아 이들이 의사결정점(거부점 : veto point)으로 행동하여 수정과 거부의 기회를 늘림으로써 정책실패를 야기했다.

　㉡ **집행관료의 빈번한 교체**: 중요한 지위에 있는 관료들의 잦은 교체로 리더십의 중단이 나타나 집행에 대한 일관성이 결여되고 정책에 대한 지지와 협조가 줄어들었다.

　㉢ **타당한 인과모형의 결여(적절하지 못한 집행 수단)**: 정책목표를 달성하고자 하는 집행수단이 직접적이지 못하고 간접적이었다(수단과 목표 간 인과관계 결여). 즉, 소수민족의 취업(정책목표)을 위해 이들을 취업시킨 기업에 융자금을 지원(정책수단)하는 오클랜드 사업은 집행수단이 부적절하였다.

　㉣ **부적절한 집행기관**: 부적절한 집행기관이 정책의 의도를 왜곡하고 부적절한 정책수단을 선택함으로써 정책실패를 야기하였다.

---

## 3. 고전적 정책집행관과 현대적 정책집행관의 비교

| 고전적 정책집행관 | 현대적 정책집행관 |
|---|---|
| • 정치행정이원론 : 결정과 집행은 구분되며, 집행은 결정된 정책을 기계적으로 집행하는 비정치적이고 기술적인 순수한 행정적 과정<br>• 단계모형 : 결정이 집행보다 먼저 이루어지며, 결정과 집행은 단일방향적 과정 | • 정치행정일원론 : 결정과 집행은 본질적으로 차이가 없으며, 집행은 끊임없는 결정이 이루어지는 정치적 과정<br>• 단일시점모형 : 결정과 집행은 서로 영향을 주고받는 양방향적·순환적 과정 |

## 03 정책결정과 정책집행의 관계 – 나카무라와 스몰우드의 모형

### 1. 의 의

나카무라와 스몰우드(Nakamura & Smallwood)는 정책결정자와 정책집행자의 역할관계를 중심으로 현대 행정에서 정책결정과 정책집행의 관계를 분석하였다. 이들은 정책집행자를 다섯 가지 유형으로 구분하고 유형별 특징과 집행의 실패요인을 분석하였다.

### 2. 나카무라와 스몰우드(Nakamura & Smallwood)의 모형

(1) 고전적 기술관료형

① 의의 : 결정자가 세부적인 정책내용까지 결정하고, 집행자는 세세한 부분에 대한 제한된 재량권만 인정받고 정책목표 달성을 위해 노력하는 관계 유형이다.

② 결정자의 역할 : 결정자는 명확한 목표들을 구체적으로 설정하고 계층제적 지휘체계를 확립하여 집행과정을 통제하는 반면, 집행자에게 이 목표들을 수행할 수 있게끔 기술적 권한을 위임한다.

③ 집행자의 역할 : 집행자는 결정자의 목표를 지지하며, 목표달성을 위한 기술적 수단을 강구한다.

④ 정책실패 요인 : 집행자가 기술적 능력이 부족한 경우 집행이 실패한다.

(2) 지시적 위임자형

① 의의 : 결정자는 정책목표를 세우고 대체적인 방향만 정해 집행자에게 위임하면, 집행자는 이 목표의 구체적인 집행에 필요한 폭넓은 재량권을 위임받아 정책을 집행하는 관계 유형이다.

② 결정자의 역할 : 결정자는 명확한 목표를 설정하는 반면, 집행자에게 집행에 필요한 행정적 권한(인적·물적 수단의 결정권)까지 위임한다.

③ 집행자의 역할 : 집행자는 결정자의 목표의 타당성에 동의하고 지지한다. 집행자는 목표를 성취하는 데 필요한 기술적·행정적·협상적 능력을 소유하고, 집행자들 상호 간에 행정적 수단에 관하여 교섭(협상)을 벌인다.

④ 정책실패 요인 : 집행자의 전문성과 기술의 결여, 정책목표의 모호성, 집행자들 간에 집행수단에 대한 협상실패 등으로 집행이 실패한다.

**O·X 문제**

1. 고전적 기술자형은 정책결정자가 구체적인 목표를 설정하면, 정책집행자는 그 목표를 지지하고 목표달성을 위한 기술적인 수단을 강구하는 역할을 담당한다고 본다. (  )

2. 고전적 기술자형은 정책결정자가 정책집행자를 엄격히 통제하여 집행자가 결정된 정책내용을 충실히 집행하는 유형이다. (  )

**O·X 문제**

3. 정책결정자는 명백한 목표를 설정하고 집행자들에게 이 목표들을 수행할 수 있는 행정적 수단을 위임하는 모형은 지시적 위임자형에 해당한다. (  )

4. 지시적 위임형은 정책결정자가 구체적인 목표와 수단을 설정하면, 정책집행자는 정책결정자의 지시와 위임을 받아 정책대상집단과 협상하는 역할을 담당한다고 본다. (  )

O·X 정답 1. ○ 2. ○ 3. ○ 4. ×

**(3) 협상자형**

① **의의**: 결정자가 정책목표를 설정하고 개괄적인 정책을 결정하지만, 집행과정에서 집행자와 정책목표와 집행방법이나 수단 등에 대해 협상과정을 거치게 되고 그 결과 정책의 변화를 겪는 관계 유형이다.

② **결정자의 역할**: 결정자가 목표를 설정하지만 결정자와 집행자는 정책목표의 방향에 대해 반드시 의견이 일치하지는 않는다.

③ **집행자의 역할**: 집행자는 목표와 수단에 대해 결정자와 합의가 이루어지지 않은 상황에서 결정자와 협상을 하며 협상의 결과에 따라 상호 역할이 결정된다.

④ **정책실패 요인**: 집행수단의 기술적 결함, 협상의 실패로 인한 타성·교착·무사안일·부집행, 집행자의 정책목표 왜곡 등으로 집행이 실패한다.

**(4) 재량적 실험가형**

① **의의**: 결정자는 추상적인 수준의 정책방향만을 제시하고, 집행자는 광범위하고도 구체적인 책임하에 정책을 집행하는 관계 유형이다. 이 유형은 대공황 이후 행정권이 강화된 현대 행정에서 나타나는 일반적인 유형이다.

② **결정자의 역할**: 결정자들이 정책문제를 해결해야 할 필요성을 느끼고 있지만 지식부족 또는 불확실성 때문에 무엇을 어떻게 해야 할지 모르는 경우 또는 대립·갈등하고 있는 결정자들 간에 구체적인 목표 및 수단에 대해 합의를 보지 못한 경우에 결정자는 추상적인 수준의 정책방향만 제시하고 구체적인 내용을 결정하는 권한과 책임을 집행자에게 떠넘긴다.

③ **집행자의 역할**: 집행자는 광범위한 재량권을 가지고 결정자를 위해 목표를 명확히 하고 성취수단을 재량적으로 개발·활용한다(목표와 수단의 구체화).

④ **정책실패 요인**: 집행자의 전문성과 지식 결여, 정책의 모호성, 결정자와 집행자 간의 책임회피 등으로 집행이 실패한다.

**(5) 관료적 기업가형**

① **의의**: 집행자가 대부분의 권한을 갖고 정책과정 전반에 영향력을 행사해 실질적인 정책결정과 정책집행을 주도하는 관계 유형이다.

② **결정자의 역할**: 결정자는 집행자가 설정한 목표와 목표달성 수단을 지지한다.

③ **집행자의 역할**: 집행자는 정책목표를 설정하고 결정자로 하여금 이 목표를 수용하도록 모든 힘을 동원해서 종용한다. 또한 집행자는 자신들의 정책목표달성에 필요한 능력을 보유하고 있으며, 자신들의 목표성취에 필요한 수단들을 결정자와 협상을 통해서 확보한다.

> **핵심정리 | 나카무라와 스몰우드 모형의 주요 쟁점**
>
> 1. 현대행정국가에서 가장 일반적으로 나타나는 유형은 재량적 실험가형이다.
> 2. 정책집행의 실패위험률이 높고 불확실성이 높은 분야에서 가장 쇄신적인 집행모형은 재량적 실험가형이다(관료적 기업가형은 현실적으로 적용 곤란).
> 3. 관료적 기업가형에서 고전적 기술자형으로 갈수록 정책결정자의 권한이 강해진다.
> 4. 고전적 기술자형에서 관료적 기업가형으로 갈수록 정책집행자의 권한이 강해진다.

## 제2절 정책집행 연구 및 정책집행에 영향을 미치는 요인

### 01 정책집행 연구의 접근방법

#### 1. 의 의

정책집행 연구의 접근방법은 '결정자의 관점'을 중시하는 하향적 접근과 '집행자의 관점'을 중시하는 상향적 접근으로 구분된다. 정책집행 연구는 하향적 접근에서 시작되어 상향적 접근으로 발전하였으며, 최근에는 이 두 접근을 결합한 통합모형이 중시되고 있다.

#### 2. 하향적 접근방법(Top-Down approach) – 정책 중심적 접근방법

(1) 의 의

① 하향적 접근방법은 결정자의 관점에서 집행현상을 설명하는 정책 중심적 접근방법이다. 이 접근방법은 정책집행을 결정자에 의해 부여된 정책목표를 달성하기 위한 수단적 행위로 파악하고, 정책이 최초 결정되는 시점에서부터 출발하여 집행현장으로 관찰대상을 이동시키며 연구한다.

② 하향적 접근방법은 바람직한 집행이란 결정자의 의도를 충실히 수행하는 것으로 보고, 결정자가 집행과정에 대해 절대적 영향력을 가지고 집행자의 구성이나 행동을 통제하는 것을 강조한다.

(2) 특 징

① **연구대상**: 상위조직에서 형성된 정책이 지방정부나 하위조직에 의해 실현되는 과정을 연구한다.

② **집행과정에 대한 시각**: 정치행정이원론의 관점에서 정책기관과 집행기관을 분리하고 정책기관의 의도가 반드시 집행기관에 의해 기계적으로 집행되어 정책산출로 이어져야 한다고 본다(정책과 집행의 완전한 인과관계). 따라서 정책집행을 비정치적·기술적 과정으로 이해하며, 결정과 집행의 단일방향적 과정을 중시한다(단계주의적 모형).

③ **집행성공의 판단기준**: 집행성공은 결정자의 정책의도 실현, 공식적 목표의 달성도 등에 의해 판단된다.

④ **정책성공을 위한 요소**: 정책의 내용은 타당한 인과이론에 바탕을 두어야 하며, 결정자는 명확한 정책목표와 구체적인 정책지침 및 법령을 제시하고 리더십을 통해 결정된 대로 집행되도록 집행자의 행동을 통제하는 것을 성공적 집행요소로 본다(통제모형).

⑤ **연구방법**: 모든 정책의 집행에 적용 가능한 성공적 집행의 조건을 규명하고자 하는 거시적·규범적·연역적 접근방법이다(합리모형의 시각).

⑥ **주요학자**: 사바티어와 마즈매니언(Sabatier & Mazmanian), 반 미터(Van Meter)와 반 호른(Van Horn) 등이 있다.

(3) 평 가

① 장 점
   ㉠ 집행과정의 법적 구조화의 중요성을 인식시킨다.
   ㉡ 성공적 집행을 위한 조건(체크리스트)을 제공한다.
   ㉢ 총체적 집행과정에 관심을 갖고 집행 영향변수에 대한 확인과 정책지향적 학습과정을 제공한다.

**심화학습**

**현대적 정책집행 연구의 전개**

| | |
|---|---|
| 제1세대 집행연구 | 1970년대 초의 집행연구로 하향적 접근에 입각해 있었으며, 주로 정책집행의 실패사례를 분석하였다. |
| 제2세대 집행연구 | 1980년대 집행연구로 상향적 접근과 통합모형에 입각해 있었으며, 주로 정책집행의 성공요인을 분석하였다. |
| 제3세대 집행연구 | 고긴(Goggin)은 과거의 집행연구를 제1세대 연구와 제2세대 연구로 구분하고, 앞으로의 집행연구는 통계적 연구설계의 바탕 위에서 이론의 검증을 시도하는 제3세대 연구가 되어야 한다고 주장하였다. |

**O·X 문제**

1. 하향식 접근방법에서는 정책목표의 신축적 조정이 효과적인 정책집행을 가져온다고 하였다. ( )

2. 하향적 정책집행에 있어서는 정책결정자의 리더십에 의존하는 성향이 보다 강하다. ( )

3. 하향적 접근방법은 집행과정에서 법적 구조화의 불필요성을 강조하였다. ( )

4. 타당한 인과이론에 바탕을 둔 정책결정의 내용은 하향적 접근에서 제시하는 규범적 처방이 된다. ( )

5. 하향식 접근은 하나의 정책에만 초점을 맞추므로 여러 정책이 동시에 집행되는 경우를 설명하기 곤란하다. ( )

6. 하향적 접근은 정책집행의 객관적인 평가가 가능하지만, 다원화된 사회에서는 하향적 접근이 불가능한 경우가 많다. ( )

7. 하향적 접근에서는 정책결정자가 정책집행에 영향을 미치는 정치적·조직적·기술적 과정을 충분히 통제할 수 있다. ( )

8. 하향적 집행론자들이 제시한 변수들은 체크리스트로서 집행과정을 점검하는 데 사용할 수 있다. ( )

9. 하향적 접근방법은 정책과 집행의 완전한 인과관계를 성공적 집행의 조건으로 본다. ( )

10. 하향적 접근에서 효과적인 정책집행을 위해서는 정책내용으로서 명확한 법령과 구체적인 정책지침을 갖고 있어야 한다. ( )

**O·X 정답** 1. × 2. ○ 3. × 4. ○
5. ○ 6. ○ 7. ○ 8. ○
9. ○ 10. ○

㉢ 법적으로 명시된 정책목표의 달성을 중시하므로 정책평가 기준이 명확하다.

㉣ 결정자 입장을 강조함으로써 대의민주주의 이념에 충실하다.

㉥ 목표와 수단의 연계(타당한 인과모형)를 강조함으로써 정책과정의 합리성에 기여한다.

㉦ 상향적 접근방법보다 일관된 분석틀을 제공한다.

② 단 점

㉠ 결정자의 완벽성을 전제로 명확한 정책목표와 이를 달성하기 위한 최적의 수단이 결정되어 있다는 가정에 기반하고 있어 비현실적이다.

㉡ 결정자의 입장만 중시하며, 집행자와 정책관련집단들의 행태나 전략적 행동을 무시하고 정책집행의 방해물로 간주한다.

㉢ 하나의 정책에만 초점을 둠으로써 실제 집행현장에서 일어나는 다양한 정책 간의 경쟁 상태에 대한 인식이 부족하다.

### 3. 상향적 접근방법(Bottom-Up approach) - 행위 중심적 접근방법

(1) 의 의

① 상향적 접근방법은 집행자의 관점에서 집행현상을 설명하는 행위 중심적 접근방법이다. 이 접근방법은 집행현장에서 일하고 있는 일선관료로부터 출발하여 이들과 직접 접촉하고 있는 정책대상집단·관련 이익집단·지방정부기관 등을 파악하고 나아가 상부집행조직·정책의 내용 등을 연구한다.

② 상향적 접근방법은 일선현장에서 집행에 종사하는 공무원을 집행에 가장 큰 영향력을 행사하는 행위자로 보고 일선관료에게 집행문제해결을 위한 재량 부여를 강조한다.

(2) 특 징

① 연구대상: 집행현장에서 집행자와 정책대상자들의 모든 행위와 행위에 대한 반응(집행과정의 인과관계)에 초점을 맞추어 연구한다.

② 집행과정에 대한 시각: 정치행정일원론의 관점에서 집행과정에서도 끊임없는 정책결정이 이루어진다고 보고 집행자와 정책대상집단의 상호작용의 결과로 나타나는 정책변동을 강조한다. 즉, 정책집행의 정치적 성격을 중시하며, 결정과 집행의 관계를 상호방향적 과정으로 인식한다(결정과 집행의 단일시점모형).

③ 집행성공의 판단기준: 집행성공은 집행관료가 바람직한 행동을 통해 집행문제를 해결하는 데 있다.

④ 정책성공을 위한 요소: 분명하고 일관된 정책목표의 존재가능성을 부인하고, 집행자의 재량과 역량강화를 전제로 집행자의 집행문제 해결을 위한 전문지식과 문제해결능력을 성공적 집행요소로 본다.

⑤ 연구방법: 집행현장에서 참여자들 간의 상호작용을 서술하는 미시적·경험적·귀납적 접근방법이다(점증모형의 시각).

⑥ 주요 학자: 엘모어(Elmore)의 후방향적 접근, 버만(Berman)의 적응적 집행, 립스키(Lipsky)의 일선관료제, 린드블롬(Lindblom)의 정책결정으로서의 집행, 히언(Hjern)과 헐(Hull) 등이 있다.

## (3) 평 가

### ① 장 점

㉠ 실제의 정책집행현장에 대한 세밀하고 정밀한 진술이 가능하다.

㉡ 집행현장에 초점을 두므로 정부정책의 의도하지 않은 결과를 알 수 있다.

㉢ 하나의 정책이 지배적인 위치를 차지하지 못하는 경우 집행현장에서 나타나는 여러 정책들 간의 상호관계를 파악하기 용이하다.

㉣ 다양한 행위자들의 전략과 행동을 파악할 수 있어 집행을 주도하는 집단이 없거나, 다양한 기관에 의해 주도되는 경우를 설명하는 데 유용하다.

㉤ 지역 간 집행상의 차이를 파악할 수 있다.

### ② 단 점

㉠ 일선관료들의 재량과 영향력을 강조하고 결정권자의 공식적 권한을 무시한다.

㉡ 공식적 정책목표가 무시되어 의회민주주의에 대한 도전, 객관적인 평가 곤란, 집행 지상주의에의 도취 등의 문제가 야기된다.

㉢ 대리인인 집행자에게 광범위한 권한과 재량을 부여하므로 집행자의 도덕적 해이로 인한 대리손실이 야기될 수 있다.

㉣ 집행현장 중심의 귀납적 연구로 일반화된 연역적 분석틀을 제공하지 못한다.

㉤ 행위자 중심의 미시적 연구로 집행의 제도적 구조, 집행 자원 배분 등 집행의 거시적 틀을 무시한다.

## (4) 상향적 접근방법과 관련한 이론 모형

### ① 립스키(Lipsky)의 일선관료제(street-level bureaucracy)

㉠ 의의 : 일선관료란 업무수행과정에서 시민과 직접 접촉하는 공무원(예 교사, 경찰, 복지요원 등)을, 일선관료제란 구성원의 상당 부분이 일선관료로 구성된 공공서비스 기관을 말한다.

㉡ 일선관료의 직무상 특징

ⓐ 비정형적 업무상황 : 일선관료는 집행현장의 다양성과 복잡성 및 기계적이기보다는 인간적 차원의 업무처리로 인해 비정형적 업무상황에 처해 있다.

ⓑ 폭넓은 재량권 : 일선관료는 비정형적 업무상황과 시민과의 대면과정에서 얻어진 전문지식의 독점으로 폭넓은 재량권을 보유한다.

㉢ 일선관료의 업무환경 – 문제성 있는 업무환경

ⓐ 불충분한 자원 : 일선관료는 인적·물적 자원 및 시간·정보·기술적 자원의 만성적 부족상태에 처해 있기 때문에 부분적이고 간헐적으로 정책을 집행하거나 즉흥적이고 피상적으로 정책을 집행한다.

ⓑ 권위에 대한 도전과 위협 : 일선관료는 시민으로부터 권위에 대한 위협을 받으며, 권위에 대한 위협이 커질수록 이를 공개적으로 과장하고 자신의 권위를 과시하여 권위를 유지하려는 행동경향을 보인다.

ⓒ 모호하고 대립된 기대 : 일선관료는 업무의 분할과 경계가 불분명하고 애매하며, 이율배반적(갈등적)인 부서의 목표 등으로 인해 객관적인 성과평가가 곤란하다. 이로 인해 역할기대에 대한 재정의(자신들의 역할을 협소하게 변경), 고객 집단에 대한 재정의(업무에 대한 기대를 개인이나 사회구조의 탓으로 책임전가) 등을 통해 모호하거나 모순되는 역할기대를 회피하고자 한다.

**O·X 문제**

1. 일선행정관료들은 고객의 요구와 필요에 민감하지 않은 경향을 보인다. （ ）

2. 일선행정관료들은 정책고객을 범주화하여 선별한다. （ ）

3. 일선관료는 고객에 대한 고정관념(stereotype)을 타파함으로써 복잡한 문제와 불확실한 상황에 대처한다. （ ）

4. 일선관료제에 의하면 불확실한 상황과 복잡한 문제를 대처하는 적응메커니즘으로 단순화와 정형화가 활용된다. （ ）

**O·X 문제**

5. 엘모어는 정책집행과정에 대한 연구에서 정책결정에서 출발하여 집행현장까지 살펴보는 하향식 접근법을 주장하였다. （ ）

6. 엘모어는 일선현장에 종사하는 공무원이 정책집행에 가장 큰 영향을 미치는 행위자라고 하면서, 이를 전방접근법(forward mapping)이라고 했다. （ ）

7. 버만의 적응적 집행이란 명확한 정책목표에 의거하여 다수의 참여자들이 협상과 타협을 통해 정책을 수정하고 구체화하면서 집행하는 것을 말한다. （ ）

8. 버만은 사회정책의 집행을 둘러싼 거시적 집행구조와 미시적 집행구조의 성격 규명을 연구하였다. （ ）

9. 버만의 적응적 집행은 미시집행 국면에서 발생하는 정책과 집행조직 사이의 상호적응이 이루어질 때 성공적으로 집행된다고 보았다. （ ）

　㉣ 일선관료들의 적응방식

　　ⓐ **고정관념에 따른 고객의 범주화와 업무수행의 단순화·정형화**: 일선관료들은 편견, 선입견 등 고정관념을 통해 고객을 재량적으로 범주화(분류화)하여 선별하고 복잡하고 불확실한 상황을 단순화(복잡한 환경을 자신이 이해하고 다룰 수 있는 환경으로 구조화), 정형화(업무가 수행되는 방식을 규칙적이고 관례적·습관적인 것으로 패턴화)하여 문제를 해결한다. 즉, 고객의 요구와 필요에 전혀 민감하지 않은 경향을 보인다.

　　ⓑ **일선관료의 구체적 적응행태**: 간헐적·부분적 법집행, 즉흥적·피상적 업무수행, 제한된 고객에게만 정보제공, 고객에게 시간과 금전적 비용 지불 요구, 고객에게 굴욕감 야기, 할당배급, 창구를 하나만 만들어 고객을 지치게 하는 등 고객의 수요를 원천적으로 제한한다.

② **엘모어(Elmore)의 전방향적 접근과 후방향적 접근**

　㉠ **전방향적 접근**: 결정된 정책을 결정자의 의도에 따라 충실하게 집행하는 것을 강조하는 접근방법을 말한다(하향적 접근과 유사).

　㉡ **후방향적 접근**: 집행현장의 상황과 일선관료의 행태에 대한 분석을 강조하는 접근방법을 말한다(상향적 접근과 유사).

　㉢ **논의의 종합**: 엘모어는 집행현장의 일선관료를 중심으로 연구하는 후방향적 접근을 강조하였다.

③ **버만(Berman)의 정형적 집행과 적응적 집행**

　㉠ **정형적 집행**: 명확한 정책목표에 의거하여 사전에 수립된 집행계획에 따라 일사분란하게 집행하는 것을 말한다(하향적 접근과 유사).

　㉡ **적응적 집행**: 주어진 정책을 집행현장의 제도적 환경에 맞게 적응적으로 수정하고 구체화하여 집행하는 것을 말한다(상향적 접근과 유사).

　㉢ **논의의 종합**: 버만은 집행현장 중심의 적응적 집행을 강조하였다.

④ **버만(Berman)의 적응적 집행 – 거시적 집행구조와 미시적 집행구조**

　㉠ **의의**: 버만은 '정책집행의 문제'는 정책과 그것을 둘러싼 제도적 환경의 상호작용에 의해 발생한다고 이해하고, 집행의 제도적 환경을 거시적 집행구조와 미시적 집행구조로 구분하였다.

　㉡ **거시적 집행구조**

　　ⓐ **개념**: 결정을 담당하는 중앙정부에서부터 지방의 집행조직에 이르기까지 관련 정책분야의 전 참여자와 활동을 의미한다. 거시적 집행구조는 다양한 정책참여자들이 느슨하게 연결된 연합체의 성격을 갖는다.

　　ⓑ **통로**: 거시적 집행구조의 통로는 행정(정책결정을 구체적인 정부 프로그램으로 전환하는 것) ⇨ 채택(행정을 통해 구체화된 정부 프로그램이 집행을 담당하는 지방정부의 사업으로 받아들여지는 것) ⇨ 미시적 집행(지방정부가 채택한 사업을 실행사업으로 변화시키는 것) ⇨ 기술적 타당성(실행사업이 정책성과로 산출되는 것)으로 구성된다.

**O·X 정답** 1. ○ 2. ○ 3. × 4. ○ 5. × 6. × 7. × 8. ○ 9. ○

© 미시적 집행구조

ⓐ 개념 : 시민에게 서비스 전달이나 규제를 직접 담당하는 현지 서비스 전달조직을 의미한다. 미시적 집행구조의 핵심은 사업과 조직적 환경의 상호적응(집행조직의 표준운영절차를 사업에 맞게 변화시키는 조직의 적응과 사업을 집행조직에 맞게 변화시키는 정책 프로그램의 적응)에 있다.

ⓑ 통로 : 미시적 집행구조의 통로는 동원(집행조직에서 사업을 채택하고 실행계획을 수립하는 것) ⇨ 전달자의 집행(사업과 집행조직 간에 상호적응이 나타나는 것) ⇨ 제도화(채택된 사업을 집행조직 내에 정형화된 일부분으로 자리잡게 하는 것)로 구성된다.

⑤ 히언(Hjern)과 헐(Hull) : 이들은 추상적인 목표를 지닌 정책은 지배적인 정책 프로그램이 없기 때문에 여러 행위자들의 상이한 목표·전략·행동을 파악하고 행위자들 간 접촉을 통해 형성된 정책 네트워크를 발견하는 것이 중요하다고 주장하였다.

⑥ 린드블롬(Lindblom)의 정책결정으로의 집행 : 린드블롬은 정책집행과정에서 정책집행자가 항상 정책을 결정하고 수정한다고 주장하였다.

## 4. 하향적 접근방법과 상향적 접근방법의 비교

| 구 분 | 하향적(Top-Down) 집행 | 상향적(Bottom-Up) 집행 |
|---|---|---|
| 연구대상 | 중앙정부의 정책결정과 정책집행 | 일선 집행 네트워크 구조 |
| 집행과정에 대한 인식 | 정책결정집단으로부터 정책집행기관과 정책대상집단으로 하향적 조명 | 정책집행기관과 정책대상집단으로부터 정책결정집단으로 상향적 조명 |
| 최초의 관점 | 중앙정부의 결정 | 정책분야와 관련된 집행구조 |
| 연구의 초점 | 결정자의 의도 실현 | 행위자들의 전략적 상호 작용 |
| 정책상황 | 안정적·구조화된 상황 | 유동적·동태적 상황 |
| 정책목표 | 목표가 명확하며, 수정 필요성 적음. | 목표의 수정 필요성 높음. |
| 결정과 집행 | 결정과 집행의 분리(정행이원론) | 결정과 집행의 통합(정행일원론) |
| 집행자 참여 | 참여 제한, 충실한 집행 중시 | 참여 중시 |
| 집행자 관점 | 통제와 순응 | 재량과 자율 |
| 집행의 성공요건 | 결정자의 리더십을 통한 집행관료 통제 | 집행관료의 전문지식과 문제해결능력 |
| 집행성공의 기준 | 공식적인 정책목표의 달성, 집행의 충실성, 결정자의 의도에 대한 순응성, 정책성과 등 | 환경에의 적응성, 집행자의 바람직한 행동유발을 통한 집행문제의 해결 등(정책성과는 2차적 기준) |
| 연구방법 | 연역적·규범적·거시적 연구 | 귀납적·경험적·미시적 연구 |
| 정책모형 | 합리모형 반영 | 점증모형 반영 |
| 버 만 | 정형적 집행 | 적응적 집행 |
| 엘모어 | 전방향적 접근 | 후방향적 접근 |
| 나카무라 | 고전적 기술자형, 지시적 위임가형 | 재량적 실험가형, 관료적 기업가형 |

**집행단계에서 정책결정이 나타나는 이유(린드블롬)**
① 표방된 정책의 구체성 및 명확성의 결여
② 상호모순되는 정책결정기준 및 지시
③ 순응에 필요한 유인의 부족
④ 집행능력의 부족
⑤ 행정자원의 부적절성(인력, 예산, 권한 등 통제수단 부족)

## O·X 문제

1. 정책지지연합모형에서는 정책변화를 이해하기 위한 분석단위로 정책하위체제에 중점을 두고 있다. (　)

2. 사바티어의 정책지지연합모형은 하향식 접근방법의 분석단위를 채택하고, 여기에 영향을 미치는 요인으로 상향적 접근방법의 여러 변수를 결합한다. (　)

3. 사바티어의 통합모형은 정책하위시스템 참여자의 활동에 영향을 미치는 요소를 상향식 접근방법으로 도출하였다. (　)

4. 정책지지연합모형은 하향식 접근법의 분석단위를 채택하여 공공 및 민간 분야까지 확장하면서 행위자들의 전략적 행위를 검토한다. (　)

5. 정책옹호연합모형에 의하면 정책하위시스템 구성원의 신념체계 변화뿐만 아니라 사회경제적 조건과 같은 외생변수의 변화도 정책변동에 영향을 미친다. (　)

6. 정책옹호연합모형은 신념체계별로 여러 개의 연합으로 구성된 정책행위자 집단이 자신들의 신념을 정책으로 관철하기 위하여 경쟁한다는 점을 강조한다. (　)

7. 정책지지연합모형은 정책변동과정에서 정책중재자가 중요한 역할을 한다. (　)

8. 옹호연합모형에 의하면 행정규칙, 예산배분, 규정의 해석에 대한 결정은 정책 핵심 신념과 관련된다. (　)

9. 옹호연합모형에 의하면 신념 체계 구조에서 규범적 핵심 신념은 관심 있는 특정 정책 규범에 적용되며, 이차적 측면보다 변화 가능성이 작다. (　)

O·X 정답 | 1. ○ 2. × 3. × 4. ×
5. ○ 6. ○ 7. ○ 8. ×
9. ×

## 5. 통합모형

### (1) 의의

1980년대 이후 하향적 접근과 상향적 접근이 각기 집행현실의 부분적인 측면만 강조할 뿐 포괄적인 집행연구방법으로는 한계가 있다는 점을 인식하고 각 접근방법의 변수를 통합하여 집행과정의 다양한 측면을 설명하고자 하는 통합모형이 대두되었다.

### (2) 사바티어(Sabatier)의 통합모형

① 의의 : 원래는 하향적 접근의 대표적인 학자였던 사바티어는 나중에 통합모형으로 비교우위접근법과 정책지지연합모형을 제시하였다.

② 비교우위접근법 : 하향적 접근법과 상향적 접근법의 적용가능성이 높은 조건을 발견하고 제시한 이론이다.

| 하향적 접근법이 유용한 경우 | 상향적 접근법이 유용한 경우 |
|---|---|
| • 특정한 지배적인 정책이 집행현장을 좌우하는 경우<br>• 연구자가 평균적·일반적 과정과 반응에만 관심을 갖는 경우<br>• 정책집행에 영향을 미치는 변수들 간의 인과관계 등 이론적 발전이 잘 이루어져 있는 경우<br>• 성공적 정책집행을 위한 조건을 잘 충족하고 있는 경우 | • 지배적인 정책이나 법규가 없는 경우<br>• 공공부문과 민간부문의 다양한 참여자가 존재하는 경우<br>• 상이한 지역적 상황 및 중앙·지방 간 역할관계에 관심을 갖는 경우<br>• 지역 간의 다양성에 연구의 초점이 있는 경우 |

③ 정책지지(옹호)연합모형(Advocacy Coalition Framework : ACF)

　㉠ 의의 : 다양한 집행 관련자들의 연합(지지연합)을 분석단위로 한 상향적 접근방법을 기본으로 하면서 사회경제적 조건과 법적 수단이 어떻게 참여자들의 행태를 제한하는지를 살피는 하향적 접근방법을 결합한 모형이다.

　㉡ 상향적 접근의 활용 : 정책하위체제를 구성하는 지지연합집단을 구분하고, 이들이 사용하는 전략을 파악하여 특정 정책과 전략 사이의 인과관계를 검토한다.

　㉢ 하향적 접근의 활용 : 행위자들의 전략적 선택행위에 영향을 미치는 법적·사회경제적 요소들을 확인한다.

　㉣ 모형의 구조

　　ⓐ 정책하위체제와 신념체계 : 정책행위자들은 정책신념을 가지고 있으며, 이를 정책으로 전환하기 위해 자신들의 정책핵심신념과 유사한 정책핵심신념을 지닌 동맹을 찾아 지지연합을 형성한다. 이로 인해 동일한 정책핵심신념을 지닌 집단들끼리 지지연합이 형성되는 반면, 다른 정책핵심신념을 지닌 지지연합과 경쟁과 대립 및 갈등이 나타나게 되며 이를 정책중재자가 조정하는 과정에서 정책변동이 발생한다.

　　📂 지지연합의 계층적 신념체계

| 규범적 기저 핵심 신념 | 최상위 수준의 신념으로 모든 정책에 적용되는 가장 근본적인 시각 |
|---|---|
| 정책 핵심 신념 | 실제 운영되는 특정 정책과 관련된 신념 |
| 도구적 측면 | 정책핵심신념을 집행하는데 필요한 행정상 또는 입법상의 정책수단(행정규칙, 예산배분, 규정의 해석에 대한 결정 등) |

ⓑ 정책하위체제에 영향을 미치는 조건 : 안정적 변수(문제영역의 속성, 자연자원의 분포, 사회문화적 가치와 사회구조, 법적 구조 등)와 외부적 사건(사회경제적 조건과 기술의 변화, 여론의 변화, 정치체제의 지배연합의 변화, 다른 하위체제의 정책결정과 영향 등)이 지지연합으로 구성된 정책하위체제에 영향을 미친다.

㉢ 정책학습 : 지지연합들은 정책지향적 학습을 통해 자신의 정책방향이나 전략을 수정하거나 강화해 나간다. 정책지향적 학습은 옹호연합 내부만 아니라 옹호연합 사이에도 발생한다. 여기서 정책지향적 학습은 지지연합이 자신의 신념체계를 강화하거나 수정하는 과정을 의미한다. 이러한 신념체계의 수정은 주로 도구적(이차적·부차적) 측면에 집중되며, 학습을 통해 규범적 기저 핵심 신념을 변화시키기는 어렵다.

㉣ 함 의

ⓐ 정책집행은 연속적이고 지속적인 정책변동의 과정이다(점진적 정책변동).

ⓑ 정책변동을 이해하기 위한 가장 유효한 분석단위는 공공 및 민간 조직의 행위자들로 구성된 정책하위시스템이다.

ⓒ 정책변동을 야기하는 요인은 '정책하위시스템을 구성하는 지지연합 간의 상호작용', '정책하위체제에 영향을 미치는 조건의 변화', '정책지향적 학습' 등이다.

ⓓ 과학적·기술적 정보에 입각한 '정책지향적 학습'은 쉽게 변화되지 않는 행위자들의 정책신념을 변화시키는 원동력으로 정책변동의 가장 중요한 요소이다.

ⓔ 정책변동 과정에서 정책중재자(policy mediator)의 역할이 중요하다. 정책중재자란 각 지지연합 간에 첨예한 갈등을 규범적으로 중재하고 합리적인 타협안을 제시하는 제3의 행위주체(국회의원, 관료, 시민단체 등)를 말한다.

ⓕ 정책변동을 이해하기 위해서는 10년 이상 또는 20년 이상의 장기간이 필요하다.

㉤ 평가 : 복잡하고 역동적인 정책과정을 설명하지 못하는 정책과정단계모형(정치행정이원론적 시각)의 한계를 극복할 수 있으며, 정책행위자 및 연합 간 상호작용 및 정책결과를 시간적 흐름에 따라 인과적으로 설명할 수 있다.

## (3) 엘모어(Elmore)의 통합모형

하향적 접근에 의해 결정자들이 정책목표를 설정하고, 상향적 접근에 의해 집행자들이 집행가능성이 높은 정책수단을 선택하는 상호가역성의 논리를 제시하였다.

## (4) 매틀랜드(Matland)의 통합모형

① 의의 : 매틀랜드는 상향적 접근과 하향적 접근이 어떠한 상황에서 더 잘 적용되는지, 이때 중요한 집행변수가 무엇인지를 탐색하였다.

② 집행상황

| 구 분 | | 갈 등 | |
|---|---|---|---|
| | | 낮 음 | 높 음 |
| 모호성 | 낮 음 | 관리적 집행(하향적 접근) | 정치적 집행(하향적 접근) |
| | 높 음 | 실험적 집행(상향적 접근) | 상징적 집행(상향적 접근) |

**O·X 문제**

1. 사바티어의 통합모형은 정책의 변동을 중시하는 정책학습 모형의 성격이 강하게 나타난다. ( )

2. 옹호연합모형에서 정책지향학습은 옹호연합 내부만 아니라 옹호연합 사이에도 발생한다. ( )

3. 정책옹호연합모형에 의하면 정책학습을 통해 행위자들의 기저 핵심 신념(deep core beliefs)을 쉽게 변화시킬 수 있다. ( )

4. 사바티어의 통합모형은 정책집행을 한 번의 과정이 아니라 연속적인 정책변동으로 보았다. ( )

5. 정책지지연합모형은 신념체계에 기초한 지지연합의 상호작용과 정책학습, 정치체제의 변화와 사회경제적 환경변화로 인해 정책이 변동한다고 본다. ( )

6. 정책지지연합모형은 정책변화의 과정과 정책지향적 학습의 역할을 이해하려면 단기보다는 5년 정도의 중기 기간이 필요하다고 전제한다. ( )

**심화학습**

**윈터(Winter)의 통합모형**

정책형성과정과 집행과정의 특성에 따라 집행성과가 달라진다고 보고 과정별 집행실패사유를 제시하였다.

| 구분 | 집행실패사유 |
|---|---|
| 정책 형성 과정 | • **합리모형** : 정책목표가 불분명하거나 타당한 인과모형이 없을 때<br>• **갈등타협모형** : 참여자 간 갈등이 심할 때<br>• **쓰레기통모형** : 상징적으로 채택된 정책이나 결정자의 관심이 부족할 때 |
| 정책 집행 과정 | • 조직 간 상이한 목표와 갈등<br>• 일선관료의 부적절한 직무 환경과 행태<br>• 대상집단 행태의 다양성<br>• 사회경제적 조건의 불리 |

**O·X 정답** 1. ○  2. ○  3. ×  4. ○
5. ○  6. ×

**기타 정책집행모형**

**① 바르다흐(Bardach)의 집행게임**

| 의의 | 정책과정에는 압력장치, 동의의 집결, 행정통제, 정부간 협상, 복잡한 협동동동, 집행게임 등 6개의 국면이 있다고 보고, 가상적 시나리오에 의한 집행게임에 초점을 두고 연구 |
|---|---|
| 집행게임의 유형 | • 자원의 유용<br>• 목표의 굴절<br>• 행정의 딜레마<br>• 에너지 분산 |

**② 엘모어(Elmore)의 집행유형**

| 구분 | 핵심요소 | 성공적 집행조건 |
|---|---|---|
| 체제관리모형 | 조직을 합리적 가치극대자로 인식 | 효율적인 관리통제 |
| 관료적과정모형 | 조직의 속성으로 관료의 재량과 루틴 강조 | 조직의 루틴과 새로운 정책의 통합 |
| 조직발전모형 | 조직구성원의 참여와 헌신 강조 | 결정자와 집행자 간 합의 |
| 갈등협상모형 | 조직을 갈등의 장으로 인식 | 협상 과정의 존속 여부 |

**③ 집행상황별 고찰**

| 구 분 | 관리적 집행 | 정치적 집행 | 실험적 집행 | 상징적 집행 |
|---|---|---|---|---|
| 목표와 수단 | 명확하고 갈등 낮음. | 명확하고 갈등 높음. | 불명확하고 갈등 낮음. | 불명확하고 갈등 높음. |
| 정책결과 | 자원확보 | 권력관계 | 맥락적 조건 | 연합체의 권력관계 |
| 집행과정 | 계층제, 중앙집권적 | 대립적인 외부행위자의 영향 | 상황별로 다양 | 상황별로 다양 |
| 순응확보 | 규범적 수단 | 강압적 또는 보상적 수단 | – | – |
| 집행특징 | 표준운영절차, 실패는 기술적 문제 | 매수, 담합, 날치기 등에 의한 해결 | 집행과정을 학습의 과정으로 이해 | 집행과정을 해석의 과정으로 이해 |
| 접 근 | 하향적 접근 | 하향적 접근 | 상향적 접근 | 상향적 접근 |

## 02 정책집행에 영향을 미치는 요인

### 1. 성공적 정책집행의 판단기준

성공적 정책집행의 판단기준에는 실질적·내용적 판단기준으로 (1) 효과성, (2) 능률성, (3) 형평성, (4) 적합성과 적절성 등이 있으며, 주체적·절차적 판단기준으로 (5) 정책결정자의 정책의도 실현 여부, (6) 정책집행자의 관료적 합리성, (7) 정책관련집단의 요구 충족 등이 있다.

### 2. 성공적 정책집행의 조건 – 하향적 집행연구

(1) 정책의 특성과 자원

① 정책내용의 명확성과 일관성: 정책목표와 수단이 집행관련자들에게 명확하게 전달되고, 정책목표나 수단 간에 상호모순이나 대립이 없어야 성공가능성이 높다.

② 정책내용의 소망성: 집행관련자들이 정책목표가 바람직스럽다고 인식해야 성공가능성이 높다.

③ 자원 및 집행수단의 확보: 인적·물적 자원의 확보 및 설득·유도·강압 등과 같은 순응 확보수단이 있어야 성공가능성이 높다.

④ 정책의 중요성: 정책의 중요성이 클 때 성공가능성이 높다.

⑤ 행태변화의 정도: 행태변화의 정도가 크지 않을 때 성공가능성이 높다.

⑥ 문제상황의 특성: 문제상황이 단순하고 안정적이며, 불확실성이 낮을 때 성공가능성이 높다.

⑦ 정책의 유형: 규제정책이나 재분배정책에 비해 배분정책이 정책의 순응 확보가 용이하여 성공가능성이 높다.

(2) 정책결정자와 정책관련집단의 지지

① 정책결정자와 대중 및 매스컴의 지지: 정책결정자(대통령이나 의회)의 지지와 대중 및 매스컴의 지지가 있으면 성공가능성이 높다.

② 정책대상집단의 태도와 정치력: 대상집단의 행태가 다양하고 복잡할수록 집행이 곤란하고, 대상집단의 규모가 작고 구분이 명확할수록 집행이 용이하다.

### (3) 집행조직과 담당자

① **집행주체의 능력**: 집행주체의 지적 능력, 관리적 능력(리더십), 정치적 능력(정치적 역량) 등이 구비되어 있어야 성공가능성이 높다.

② **집행자의 의욕과 태도**: 집행자가 적극적인 태도와 강한 의욕이 있어야 성공가능성이 높다.

③ **조직의 분위기와 관료규범**: 조직구성원의 지배적 태도인 관료규범이 긍정적으로 확립되어 있을 때 성공가능성이 높다.

④ **집행조직의 구조**: 환류구조, 의사전달체계, 분업과 조정체계가 확보되어 있어야 성공가능성이 높다.

⑤ **집행절차**: 표준운영절차의 확립은 상례적 정책집행의 성공가능성을 높여준다. 그러나 지나친 표준화는 환경에의 대응성을 약화시켜 정책집행의 성공가능성을 낮게 하는 원인이 되기도 한다.

⑥ **이해관계자의 참여**: 이해관계자의 참여를 통한 협조가 확보되면 성공가능성이 높아지나, 집행과정에서 중간매개 집단이나 참여자가 많을 경우 이들이 정책집행의 거부점으로 작용하여 정책의 성공가능성을 저해할 수도 있다(공동행위 복잡성이론).

⑦ **집행체제의 특성**: 집행체제가 수평적·수직적으로 복잡할 때 성공가능성은 낮아진다. 즉, 수평적으로 부처할거주의로 인하여 조정이 곤란하거나, 수직적으로 상하 간 느슨한 연계는 집행기관 간 계층적 통합성을 약화시켜 성공가능성이 낮아진다.

📁 **성공적 정책집행을 위한 조건**

| 문제의 성격 | 정치적 요인 | 법적 요인 |
|---|---|---|
| • 대상집단의 규모가 작고 구분이 명확할 경우<br>• 요구되는 행태의 변화가 적을 경우<br>• 대상집단의 행태가 다양하거나 복잡하지 않을 경우<br>• 정책수단을 통해 얻고자 하는 변화에 대한 타당한 인과이론이 존재할 경우<br>• 정책이 단기적이고 하부적일 경우<br>• 재분배정책보다는 분배정책의 경우<br>• 정책목표와 정책수단이 구체적인 경우 | • 행정수반, 의회 및 상급기관 등 정책결정기관의 조직화된 지원과 관심이 있는 경우<br>• 지속적 지원을 이끌어 낼 수 있는 정책지원조직의 구축과 활성화<br>• 일반대중의 지지 및 대중매체의 관심이 클 경우<br>• 집행관료의 적극성과 지도력이 클 경우<br>• 사회·경제·기술적 상황과 여건이 정책에 긍정적일 경우<br>• 정책집행자의 지적 능력과 업무의 전문성이 높은 경우 | • 법규상 목표가 명확할 경우<br>• 표준적 결정규칙이 목표와 부합할 경우<br>• 국외자의 공식적 참여가 인정되어 외부의 감독권이 집중되어 있는 경우<br>• 지배기관의 계층적 통합성이 확보되어 있는 경우<br>• 집행담당 공무원 및 집행기관이 목표달성에 적극적인 자세를 견지하는 경우 |

## 3. 학자별 고찰

### (1) 사바티어와 마즈매니언(Sabatier & Mazmanian)의 효과적인 정책집행의 조건

① **효과적인 정책집행을 위한 5가지 요소**

㉠ 정책결정의 기술적 타당성(정책과 문제해결 간의 인과관계)을 확보해야 한다.

㉡ 정책대상집단의 순응을 확보하기 위한 명확한 법령과 지침이 있어야 한다.

㉢ 능력 있고 몰입도가 높은 공무원이 집행을 담당해야 한다.

㉣ 결정된 정책에 대해 다수의 이해관계집단이 지속적인 지지를 보내야 한다.

㉤ 정책이 집행되는 동안 정책의 우선순위가 변하지 않아야 한다.

---

**심화학습**

**성공적 정책집행에 영향을 미치는 요소**

| 내적<br>요인 | • 정책목표의 명확성<br>• 의사소통의 효율성<br>• 집행책임자의 리더십<br>• 집행자의 성향<br>• 정책집행절차·표준운영절차(SOP)<br>• 예산, 인력, 정보 등의 권한<br>• 집행기관의 구조와 상호 간의 관계 |
|---|---|
| 외적<br>요인 | • 환경적 여건의 변화<br>• 정책대상집단의 태도와 정치력<br>• 대중매체의 관심과 여론의 지지<br>• 정책결정기관의 지원<br>• 정책집행에 필요한 기술 |

**심화학습**

**정책집행의 실패를 좌우하는 요인**

| 정책<br>내용적<br>요인 | • 정책목표의 명확성 및 지속성<br>• 정책이 요구하는 변화의 크기<br>• 정책이 초래할 혜택의 유형<br>• 정책집행에 관여하게 되는 행정기관의 범위<br>• 집행기관과 관료의 능력<br>• 집행에 필요한 자원의 양 |
|---|---|
| 정책<br>환경적<br>요인 | • 정책에 대한 순응<br>• 집행기관과 관료의 책임과 반응<br>• 정치체제의 구조와 정권의 성격 |

**O·X 문제**

1. 사바티어와 마즈매니언은 효과적인 정책집행이 되기 위해서는 우선순위를 탄력적이고 신축적으로 조정해야 한다고 보았다. (　)

2. 효과적인 정책집행을 위해서는 정책목표와 정책수단 사이에 타당한 인과관계가 있어야 한다. (　)

**O·X 정답**) 1. × 2. ○

(2) 반 미터와 반 호른(Van Meter & Van Horn)의 집행과정에 영향을 미치는 변수

① 의의 : 집행을 정책이 결정되어 성과(산출)로 이어지기까지의 연속적 과정으로 파악하고(하향적 집행연구), 집행과정에 영향을 미치는 변수를 여섯 가지로 구성하였다.

② 집행과정에 영향을 미치는 변수

㉠ 정책기준과 목표 : 목표의 명확성과 이를 실현하기 위한 집행기준의 구체성 정도

㉡ 필요한 자원과 부여된 동기 : 사용가능한 자원의 정도와 집행담당기관의 몰입 정도

㉢ 정부 간 관계의 질 : 집행담당기관 간의 상호 협력의 정도

㉣ 집행담당기관의 특성 : 집행기관이 통제되는 방법과 결정기관과 집행기관 간 관계

㉤ 경제·사회·정치적 환경 : 특정 정책이 집행되는 경제·사회·정치적 맥락

㉥ 정책집행자의 의향 : 정책집행자의 정책에 대한 반응(승낙, 중립, 거부 등)

## 4. 정책대상집단과 정책집행

(1) 정책대상집단의 성격과 정책집행

| 구 분 ＼ 조직화 정도 | 강 | 약 |
|---|---|---|
| 수혜집단 | 집행 용이 | 집행 용이 |
| 희생집단 | 집행 곤란 | 집행 용이 |

(2) 정책대상집단의 구성과 정책집행

| 규 모 ＼ 조직화 정도 | 강 | 약 |
|---|---|---|
| 수혜집단 > 희생집단 | 집행 용이 | 집행 용이 |
| 수혜집단 = 희생집단 | 집행 곤란 | 집행 용이 |
| 수혜집단 < 희생집단 | 집행 곤란 | 집행 용이 |

(3) 정책대상집단의 이미지와 정책집행(사회적 구성모형 : Ingram & Schneider)

① 의의 : 잉그람과 슈나이더(Ingram & Schneider)는 사회적 구성주의 관점에서 정책대상집단의 사회적 형상(이미지)을 파악하고, 이를 통해 정책설계 및 집행의 맥락을 이해하는 사회적 구성모형을 제시하였다.

② 연구방법 : 사회적 구성모형은 정책결정자나 국민들이 정책대상집단에 대해 어떠한 이미지(사회적 형상)를 지니고 있는가를 중심으로 정책과정을 연구한다. 따라서 이 모형은 맥락적·해석학적 방법론을 활용한 주관적 분석기법이다.

③ 사회적 구성모형

| 정치적 권력 ＼ 사회적 형상 | 긍정적 이미지 | 부정적 이미지 |
|---|---|---|
| 높 음 | 수혜집단<br>정책을 통해 혜택을 받으며, 일반적으로 공개적인 토론에 의한 정책형성 | 주장집단<br>정책을 통해 혜택을 받지만, 일반적으로 은밀한 정책형성 |
| 낮 음 | 의존집단<br>정책을 통해 혜택을 받지 못하지만, 자선적 혜택을 받는 경우도 있음. | 이탈집단<br>정책을 통해 과도한 제제와 부담을 부여받음. |

✎ **사회적 형상** : 정책결정자 및 국민들이 정책대상집단에 대해 갖는 긍정적 혹은 부정적 인식(이미지)
✎ **정치적 권력** : 다른 집단과의 연합형성의 용이성, 동원 가능한 보유자원의 양, 집단구성원들의 전문성 정도

## 제 3 절 | 정책변동과 정책갈등

### 01 정책변동과 정책종결

#### 1. 정책변동

**(1) 개 념**

정책변동이란 정책과정의 모든 단계에서 얻어지는 정보·지식을 서로 다른 과정으로 환류시켜 정책의 내용과 집행방법에 변화를 가져오는 것을 의미한다. 정책변동은 정책결정과정뿐만 아니라 정책집행과정에서도 수정과 종결의 형태로 나타난다.

**(2) 원 인**

① 정치체제에 대한 투입의 변화 : 정책환경의 변화로 정치체제에 대한 투입(요구와 지지)이 변화될 때 정책변동이 야기된다.

② 정책의 오류와 집행조직의 약점 : 정책의 내용이 오류가 있거나 정책담당조직의 리더십이 부족한 경우 또는 갈등의 심화 및 대외적 이미지 약화 등 집행조직의 약점이 정책변동의 원인이 된다.

③ 기타 : 정책관련집단의 저항, 정책에 관한 지식·기술의 변화, 정당·이익집단 등의 역학관계 변화, 정책추진자의 불신 등이 정책변동의 원인이 된다.

**(3) 유형 – 호그우드(Hogwood)와 피터스(Peters)**

① 정책혁신(policy innovation) : 정부가 기존의 정책을 폐지하고 새로운 형태의 개입을 결정하는 것으로 정책결정과 유사하다. 다만, 기존 정책이 거의 대부분 바뀌어 새롭게 결정된다는 점에서 완전히 새로운 결정과 구별될 수 있을 뿐이다(예 사이버 범죄에 대한 대응책으로 사이버 수사대 창설).

② 정책승계(policy succession)

㉠ 의의 : 정책의 내용을 상당 부분 수정하여 현존하는 정책의 기본적 성격을 바꾸는 것을 의미한다.

㉡ 유형 : 정책대체(선형승계 : 정책목표를 유지하면서 정책의 내용을 완전히 새롭게 바꾸는 것), 부분종결(정책의 일부를 폐지하는 것), 복합적 정책승계(정책유지·정책대체·정책종결·정책추가 중 3개 이상이 복합적으로 나타나는 것), 파생적 승계(우발적 승계 : 다른 새로운 정책의 채택으로 기존 정책의 승계가 파생적·부수적으로 발생하는 것), 정책통합(두 개의 정책을 하나로 통합), 정책분할(하나의 정책을 둘 이상으로 분할) 등이 있다(예 과속운전 단속을 교통경찰관에서 감시카메라 설치로 대체).

③ 정책유지(policy maintenance) : 현존하는 정책의 기본적 특성을 그대로 유지하면서 본래의 정책목표를 달성하기 위해 사업의 내용 등을 변화시키는 것을 의미한다. 정책유지는 주로 정책산출 부분이 변하는데 정책대상집단의 범위가 변동된다거나 정책의 수혜 수준이 달라지는 경우가 이에 해당한다(예 저소득층 자녀에 대한 교육비 보조를 그 바로 위 계층의 자녀에게 확대).

④ 정책종결(policy termination) : 현존하는 정책을 완전히 폐지하는 것으로, 정책목표를 달성하기 위한 전반적인 정책수단을 소멸시키고 이를 대체할 다른 정책수단을 마련하지 않는 것을 말한다(예 야간통행금지의 철폐).

📁 정책변동의 유형 비교

| 구 분 | 정책혁신 | 정책승계 | 정책유지 | 정책종결 |
|---|---|---|---|---|
| 성 격 | 의도적 | 의도적 | 적응적 | 의도적 |
| 담당조직 | 새로운 조직 탄생 | 기존 조직 개편 | 기존 조직 | 기존 조직 폐지 |
| 해당 법률 | 새로운 법률 제정 | 법률 개정 | 기존 법률 | 관련 법률 폐지 |
| 정부예산 | 새로운 정부 지출 | 기존 예산 변동 | 미미한 예산변동 | 모든 예산 소멸 |

(4) 정책변동모형

① 정책흐름모형[킹던(Kindon), 전통적 정책변동모형] : 문제의 흐름, 정치의 흐름, 정책의 흐름들이 상호독립적인 경로를 따라 진행되다가 어떤 계기로 서로 교차될 때 정책의 창이 열리고 정책변동이 발생한다고 본다.

② 정책지지연합모형[사바티어(Sabatier)] : 신념 체계에 기초한 지지연합 간의 상호작용, 정책학습, 정책하위체제에 영향을 미치는 조건의 변화(정치체제의 변화, 사회경제적 환경 변화 등) 등으로 정책이 변동한다고 본다. 이 모형은 특히 정책지향적 학습이 정책변동의 중요한 요소임을 강조한다(점진적 정책변동모형).

③ 정책 패러다임 변동모형[홀(Hall)]

    ㉠ 정책목표, 정책수단, 정책환경의 세 가지 변수 중 정책목표와 정책수단의 급격한 변화가 야기하는 정책변동을 '정책 패러다임 변동'으로 개념화한 이론이다(급진적 정책변동모형).

    ㉡ 여기에서 정책 패러다임이란 정책결정자들이 정책문제의 본질을 파악하고 정책목표와 정책수단을 구체화하는 데 있어서 적용하는 일정한 사고와 기준의 틀을 의미한다.

④ 단절(중단적)균형모형[바움가트너와 존스(Baumgartner & Jones)]

    ㉠ 진화론적 생물학이론을 정책과정에 적용한 이론으로 정책은 안정(균형)을 유지하다가 급격한 변동(단절, 중단)이 이루어지며, 이후 다시 안정(균형)이 유지된다고 보는 이론이다(급진적 정책변동모형).

    ㉡ 이 이론은 정책이 안정(균형)을 유지하는 이유를 정책독점(몇몇 행위자들이 정책결정을 독점하는 현상, 하위정부 모형과 유사)에 있다고 보며, 정책독점의 붕괴가 정책의 급격한 변동을 가져온다고 본다.

    ㉢ 정책독점의 붕괴를 가져오는 요인은 대중매체의 관심 집중, 부정적 관심의 증대, 정책변동을 추구하는 집단들이 그들의 주장을 관철하기 위한 새로운 통로의 마련(대중매체, 사법부 등) 등이다.

⑤ 이익집단 위상변동모형[무치아로니(Mucciaroni)]

    ㉠ 이슈맥락(정책의 유지나 변동에 영향을 미치는 상황적 요소 - 정치구조, 여론, 이념적 지향 등)과 제도적 맥락(입법부나 행정부 구성원들이 특정 정책에 대해 지니고 있는 선호나 행태)의 변화가 특정 이익집단에 유리하거나 불리한 정책변동을 가져오며, 이로 인해 이익집단의 위상이 변화된다는 이론이다.

    ㉡ 이 이론은 이슈맥락과 제도적 맥락이 특정 이익집단에 유리한 경우에는 특정 이익집단에 유리하게 정책이 변동되고 이익집단의 위상이 상승하지만, 이슈맥락과 제도적 맥락이 특정 이익집단에 불리한 경우에는 특정 이익집단에 불리하게 정책이 변동되고 이익집단의 위상이 쇠락한다고 주장한다.

    ㉢ 다만, 이 이론은 이슈맥락보다는 제도적 맥락이 정책의 변동과 이익집단의 위상에 더 큰 영향을 미친다고 본다. 즉, 이슈맥락이 특정 이익집단에 유리하더라도 제도적 맥락이 불리한 경우에는 특정 이익집단에게 불리하게 정책이 변동되고 이익집단의 위상은 저하된다는 것이다.

📂 **이익집단 위상변동**

| 구 분 | | 제도적 맥락 | |
|---|---|---|---|
| | | 유 리 | 불 리 |
| 이슈맥락 | 유 리 | 위상의 상승 | 위상의 저하 |
| | 불 리 | 위상의 유지 | 위상의 쇠락 |

[참고] **로저스(Rogers)의 혁신확산이론**

**1. 의 의**

    로저스(Rogers)가 제시한 혁신확산이론은 새로운 정책 아이디어나 서비스가 사회구성원들에게 채택되고 확산되는 과정에 대한 이론이다.

**2. 접근방법 - 미시·중위·거시수준의 연구**

    혁신확산이론은 혁신이 최초로 특정 개인에 의해 채택되는 개인적 차원의 미시수준의 연구와 개인적 채택의 집적에 의해 사회구성원 사이에서 수용자의 수가 확산되어가는 집단 및 사회적 차원의 중위 및 거시수준의 연구에 대한 이론적 분석틀을 제공한다.

**3. 혁신확산의 과정과 유형**

  **(1) 혁신수용자 유형**

    혁신확산이론은 혁신의 확산과정을 혁신을 채택하는 시점에 따라 선도자, 초기 수용자, 초기 다수, 후기 다수, 지체자로 구분되는 혁신수용자 유형으로 설명한다.

    ① **선도자**: 모험적이기 때문에 새로운 아이디어나 정책 채택에 수반되는 위험을 기꺼이 감수하려는 성향을 지닌다.

    ② **초기 수용자**: 소속 집단의 신망을 받는 자들로서 그들은 사회에서 여론선도자(opinion leader) 역할을 한다.

    ③ **초기 다수**: 평소 변화에 관심이 많은 집단으로 초기 수용자의 선도에 따라 변화의 초기부터 이를 수용하는 성향을 지닌다.

    ④ **후기 다수**: 새로운 아이디어나 정책 채택에 의심이 많으며, 초기 다수 등 다수가 새로운 아이디어나 정책을 채택한 이후에 뒤늦게 수용하는 성향을 지닌다.

    ⑤ **지체자**: 일반적으로 변화를 거부하고 전통에 집착하는 성향이 있으며, 새로운 아이디어나 정책이 시장에서 완전히 채택되어야만 비로소 그것을 받아들인다.

(2) **정규분포와 누적도수**

혁신확산과정은 혁신수용시간에 따라 수용자의 수가 선도자(2.5%), 초기 수용자(13.5%), 초기 다수(34%), 후기 다수(34%), 지체자(16%)의 비율을 이룬다. 따라서 수용자의 수는 정규분포를 이루며, 수용자의 누적도수는 S자 형태를 띤다.

(3) **혁신확산의 유형**

① **계층적 확산**(hierarchical diffusion) : 선진산업국가로부터 저개발지역으로 확산

② **공간적 확산**(spatial diffusion) : 이웃 지역으로부터의 모방을 통한 확산

4. **함 의**

혁신확산이론은 시간이 경과함에 따라 새로운 정책 아이디어나 서비스가 확산되는 방식을 알려주기 때문에 새로운 정책 아이디어나 서비스가 때로는 빠르게 확산되지만 때로는 전파되지 않고 사라지거나 국지적으로 머무는 이유를 분석하는데 유용하다.

## 2. 정책종결

(1) 개 념

① 정책종결이란 기존 정책을 정부가 의도적으로 폐지하는 것으로 정책목표를 달성하기 위한 전반적인 정책수단을 소멸시키고 이를 대체할 다른 정책수단을 마련하지 않는 것을 말한다.

② 정책종결은 기존 정책의 효과로 문제가 소멸되었거나, 기존 정책의 환경적 기반이 약화된 경우, 기존 정책의 담당조직이 위축되는 경우 등에서 발생한다.

(2) 저항 원인과 해소방안

| 저항 원인 | 저항의 해소방안 |
|---|---|
| • 동태적 보수주의 추구 : 정책의 종결을 회피하기 위해 목표가 달성된 후에도 새로운 목표를 추구하는 현상 <br> • 정책수혜집단의 저항과 정치적 연합 <br> • 정치적 부담의 기피 <br> • 매몰비용 | • 관련 정보의 누설 방지(예고제의 배격) <br> • 동조세력의 확대와 외부인사의 참여 <br> • 기존 정책의 폐해와 새로운 정책 도입의 홍보 <br> • 부담의 보상(대가의 제공 또는 해고되는 직원의 다른 직장으로 알선) <br> • 제도적 장치의 확립(ZBB, 일몰법 등) |

(3) 유사개념 – 감축관리

① 의의 : 행정의 효율성을 제고하기 위해 조직·인력이나 기능·절차 등을 정비하고 정책이나 사업을 종결·축소하여 작고 효율적인 정부를 구축하고자 하는 관리전략이다. 감축관리는 자원의 축소뿐만 아니라 기능이나 활동의 축소를 포함한다.

② 대두요인 : 재정난으로 인한 정부실패 및 이에 대한 대응으로 신자유주의 사상이 부상하면서 대두되었다.

③ 특 징

㉠ 단순한 소극적인 절약논리가 아니라 정부낭비를 줄이고 행정 전체의 효과성을 제고하려는 적극적 행위이다.

㉡ 불필요한 사업과 정책을 종결하고 남는 자원을 바람직한 사업과 정책에 배치하려는 것으로 정책종결과 정책형성의 통합적 관리를 지향한다.

㉢ 감축관리의 주된 대상은 입법부나 사법부가 아닌 행정부이다.

④ 방안
  ㉠ 정책종결: 우선순위가 낮은 정책의 폐지
  ㉡ 예산의 감축: 영기준예산, 일몰법의 활용
  ㉢ 조직·인력의 축소: 계선보다는 참모기관의 우선적 감축
  ㉣ 규제완화와 행정절차의 간소화
  ㉤ 관리개선을 통한 효율성 제고
  ㉥ 정부기능의 민간이양: 민영화·민간위탁·제3섹터의 활용 등
  ㉦ 수익자 부담: 수익자에게 비용을 부담시켜 행정수요의 발생 억제
  ㉧ 기타: 자료의 구매가격 하향 조정, 서비스 수준의 하향 조정, 정원동결, 사업시행 보류 등

## 02 정책갈등

### 1. 의의

정책갈등이란 정부가 정책을 통해 시장 또는 시민사회에 개입함으로써 발생하는 정책관련집단들(비용부담자, 편익자, NGO 등)의 가치나 규범 또는 이해관계의 충돌을 의미한다.

### 2. 정책갈등의 유형

(1) 정책갈등의 유형 구별기준
  ① 유인: 정책이 발생시키는 재산권 손실과 미래가치 보전을 제도적으로 보장해 주는 일련의 대안을 의미한다(금전적 보상, 권익 보장, 혜택 제공 등). 유인은 갈등상황에서 이해관계집단의 행위를 일정한 방향으로 유도하는 정책순응 확보 기능을 수행한다.
  ② 규범: 사회구성원이 믿고 공유하는 가치를 의미한다(적법절차, 정보공개 등). 구성원 간에 합의된 규범은 갈등상황에서 상대방 행위자의 행동을 예측 가능하게 해주고 상호작용 방법과 규칙을 안정적으로 제공하는 역할을 수행한다.

(2) 정책갈등의 유형 – 유인과 규범 관계의 정책갈등 유형

| 구 분 | | 유인의 제공 | |
| --- | --- | --- | --- |
| | | 강 함 | 없거나 약함 |
| 규 범 | 강함 혹은 공식제도화 | 협력형 정책갈등 | 소극적 정책갈등 |
| | | 행위자들 간 협력적 상호작용 발생 | 규범순응으로 인해 장기적으로 행위자들 간 호혜적 상호작용 발생 |
| | 없거나 약함 | 적극적 정책갈등 | 혼란형 정책갈등 |
| | | 행위자들의 자기이익 극대화를 위한 기회주의적 행동 발생 | 복잡하고 혼란스러운 의사결정 야기 |

O·X 문제
1. 일몰법의 도입으로 기관 활동의 시한부를 정해두면 감축관리를 도모할 수 있다. ( )

심화학습
숙의적·대안적 분쟁해결방법

| 의의 | 재판 등에 의한 강제적 분쟁해결방식에 대한 대안으로, 이해당사자나 시민이 직접 참여하여 상호 수용 가능한 합의를 유도해 나가는 자율적 방식 |
| --- | --- |
| 방안 | • 당사자 간 대화나 협상<br>• 제3자에 의한 조정·중재<br>• 시민배심원제<br>• 공론조사<br>• 옴부즈만제도 |

심화학습
공론조사

| 의의 | 숙의민주주의의 한 방법으로 특정 사안에 대하여 이해관계자를 대상으로 표본집단을 구성한 뒤 아무런 정보를 주지 않은 상태에서 1차로 의견 조사를 한 다음, 참가자에게 충분한 정보와 자료를 제공하고 학습 및 집단토론을 거친 뒤 의견의 변화를 확인하는 방식 |
| --- | --- |
| 한계 | • 장기적인 시간이 요구되므로 조사대상자가 중간에 탈락할 가능성<br>• 참여자 수가 제한되므로 참여자 선정에 있어서 대표성 문제 야기 |
| 우리나라 | 신고리 원전, 대학입학제도 개선 등에 활용 |

O·X 정답 1. ○

# CHAPTER 05 정책평가론

## 제 1 절 정책평가의 기초

### 01 정책평가의 의의

#### 1. 개념 및 정책분석과 비교

##### (1) 개념 – 비정치적 전문 활동

정책평가란 의도했던 정책목표의 달성 정도(효과성)나 정책집행의 적정성(능률성)을 비판적으로 검증하는 '비정치적 전문 활동'이다. 즉, 정책평가는 전문가에 의해 정책의 내용이나 집행 및 그 영향을 정책목표와 비교하여 객관적이고 체계적으로 검토하는 과정이다.

##### (2) 정책분석과 비교

정책분석이 합리적인 대안선택을 위한 사전적·예측적 활동이라면, 정책평가는 선택된 대안을 집행한 후 정책수단이 정책목표를 달성했는지를 객관적으로 검증하는 사후적·회상적 활동이다.

#### 2. 정책평가의 필요성과 목적

##### (1) 필요성

① 역사적 측면

　㉠ 존슨의 위대한 사회(Great Society) 건설 정책의 실패 : 1960년대 존슨 행정부가 추진한 '위대한 사회 건설' 정책의 실패 분위기 속에서 나온 '국립무료유아원사업(Head Start Program)✛' 평가 보고서의 발표가 정책평가의 중요성을 인식시켜주는 계기가 되었다.

　㉡ 계획예산제도(PPBS)의 실패 : 정책분석에 입각한 계획예산(PPBS)제도의 실패로 '정책을 형성하는 정책분석'에서 '정책의 효과를 확인하는 정책평가'로 정책과학의 중점이 이동하였다.

② 내용적 측면 : 정책평가는 ㉠ 의도한 정책목표가 얼마나 충족되었는지 파악하기 위해, ㉡ 정책의 성공요인과 실패요인을 규명하기 위해, ㉢ 정책 성공을 위한 원칙 발견과 향상된 연구를 위한 토대를 마련하기 위해, ㉣ 정책 효과의 증진을 위해 어떤 수단이 적절한지를 파악하기 위해, ㉤ 정책 수단과 하위 목표의 인과관계는 적정하게 설정되었는지를 파악하기 위해 필요하다.

**O·X 문제**

1. 정책평가는 비정치적 전문 활동이다. ( )

2. 정책평가를 통해 최선의 정책대안을 선택한다. ( )

✛ 국립무료유아원사업(Head Start Program)

| | |
|---|---|
| 출발 | 미연방정부는 흑인의 가난은 지적 능력의 부족 때문이며, 지적 능력이 부족한 이유는 유아시절에 제대로 교육을 받지 못했기 때문이라는 판단에 따라 막대한 자금을 투입하여 국립무료유아원사업을 추진하였다. |
| 결과 | 이 사업이 어린이들의 지능개발에 별다른 영향을 주지 못했다는 충격적인 사업평가 보고서가 발표되었고, 이로 인해 정부가 추진하는 다른 사업들에 대해서도 평가를 강력히 요구하는 사회적 분위기가 조성되었다. |

O·X 정답 1. ○ 2. ×

### (2) 목 적

① **지식 관점 – 정책개선과 합리적 결정을 위한 정보제공**: 정책평가는 집행되는 정책의 존치·수정·종결 여부 및 새롭게 채택될 정책에 성공요인과 실패요인에 대한 정보를 제공하는 환류기능을 수행한다.

② **관리 관점 – 사업 운영의 효율성 증진**: 정책평가는 행정활동 방법의 개선(대안의 선택과 개선, 관리상의 능률성 향상을 위한 방법의 개선)을 위한 지원시스템으로 기능한다.

③ **책임성 관점 – 책임성 판단 기준**: 정책평가는 집행자가 법규에 따라 집행했는지(법적 책임), 효과적이고 능률적인 정책추진을 했는지(관리적 책임), 국민의 요구에 잘 대응했는지(정치적 책임) 여부에 대한 판단기준을 제공한다.

### (3) 정책평가가 중시된 이유

① **정책의도와 집행의 괴리**: 과거에는 정책이 형성되면 원래 의도대로 기계적으로 집행될 것으로 보았지만, '국립무료유아원사업'이나 '계획예산제도'의 실패 등에서 보듯이 정책의도와 집행의 괴리가 발생함에 따라 정책평가가 중시되었다.

② **정책과정의 복잡성**: 정책과정이 복잡화됨에 따라 단순한 과거의 경험이나 개인적인 통찰력에 의존하여 정책의 효과를 판단하는 것이 곤란하게 되면서 체계적인 정책평가가 중시되었다.

③ **정부활동의 경제성과 효율성의 강조**: 국민 입장에서는 보다 질 높은 서비스를 제공받기 위해, 정부 입장에서는 한정된 자원을 효율적으로 운영하기 위해 정책이 경제적이고 능률적으로 집행되었는지에 대한 평가가 중시되었다.

④ **관리적 책임성 확보**: 최근 정책을 결정하고 집행하는 관료들의 책임이 단순한 법적·회계적 책임을 넘어서 관리적 책임으로까지 확대되고 있는데 이러한 관리적 책임성을 확보하기 위해 정책평가가 중시되었다.

⑤ **사회과학의 발전에 기여**: 정책평가는 정책수단과 결과 간의 인과관계를 검증하여 학문적 인과성을 밝혀 줌으로써 사회과학의 발전에 기여한다는 점에서 현대 사회과학자들에 의해 중시되었다.

## 3. 정책평가의 과정(절차)·주체·한계

### (1) 정책평가의 과정(절차)

① **정책목표의 확인(규명)**: 원래 의도한 목표를 명확하고 측정 가능하도록 규정하는 과정

② **평가대상 및 기준의 설정**: 실현가능성이 높은 평가설계를 위하여 평가성 사정을 통해 평가대상 및 기준 등에 대한 기획을 수립하는 과정(평가 전 기획활동)

③ **인과모형의 설정**: 정책(정책수단)을 독립변수로 하고 정책결과(정책목표)를 종속변수로 하는 인과모형을 설정하고, 인과모형이 적절하게 설정된 것인지 확인하는 과정

④ **연구설계(평가방법)의 개발**: 정책이 정책결과에 미치는 영향에 대한 가설을 도출하고 이를 검증하기 위한 정책평가방법을 결정하는 과정

⑤ **자료의 수집 및 분석**: 평가에 사용될 양적·질적 자료를 수집하고, 적절한 분석기법에 의한 자료해석을 통해 인과관계를 검증하는 과정

⑥ **평가결과의 환류**: 평가결과로 얻어진 정보를 정책결정, 정책집행, 정책평가 등의 일련의 과정에 활용하는 과정

(2) 정책평가의 주체

① 의의: 정책평가는 수행주체에 따라 정책을 수행하는 기관이 스스로 평가하는 '내부평가'와 제3자의 위치에 있는 외부전문가가 평가하는 '외부평가'로 구분된다.

② 내부평가와 외부평가의 장·단점

| 구 분 | 내부평가 | 외부평가 |
|---|---|---|
| 장 점 | • 평가자의 정책에 대한 이해도 높음.<br>• 평가의 적절성 높음.<br>• 평가의 책임성 확보 용이<br>• 지속적이고 장기간에 걸친 평가 가능 | • 평가결과의 객관도 높음.<br>• 평가자의 신뢰도 높음.<br>• 평가자의 자율성 확보<br>• 정책에 대한 전반적인 평가 가능 |
| 단 점 | • 평가자의 신뢰도 낮음.<br>• 평가결과의 객관도 낮음. | • 평가의 적절성 낮음.<br>• 평가자의 정책에 대한 이해도 낮음.<br>• 평가의 책임성 확보 곤란 |

③ 활용: 내부평가와 외부평가는 모두 장·단점이 존재한다는 점에서 상호보완적으로 활용하는 것이 바람직하다.

(3) 정책평가의 한계

① 방법론상의 장애: 공공부문은 계량적인 평가보다는 형평성과 같은 무형적이고 추상적인 가치를 평가해야 할 경우가 많아 기술적으로 평가하기가 곤란하다.

② 인과관계 입증의 곤란성: 공공부문은 정책효과의 광범위성으로 인하여 원인과 결과 간의 인과관계 입증이 곤란하다.

③ 통제집단 선정의 곤란성: 공공부문은 정책효과의 광범위성(정책의 확산효과)으로 인하여 통제집단의 선정이 곤란하다.

④ 관료들의 저항과 비협조: 평가가 가져올 정치적 결과에 대한 두려움으로 관료들은 대체로 평가에 비협조적이다.

⑤ 평가의 객관성(공정성) 확보 곤란: 기술적 한계로 인해 평가의 객관성을 확보하기 곤란할 뿐만 아니라 내부평가의 경우 평가의 공정성을 확보하기가 곤란하다.

⑥ 평가결과의 활용 미흡: 평가를 중시한다고 하더라도 행정관료들은 일반적으로 평가 자체에만 집중하고 평가결과를 잘 활용하지 않는다.

## 02 정책평가의 유형

### 1. 평가목적에 따른 분류

(1) 의 의

정책평가는 그 목적에 따라 총괄평가와 과정평가로 구분된다. 정책평가 초기에는 총괄평가 중심이었으나 나중에는 집행연구가 중시되면서 과정평가도 정책평가에 포함되었다.

(2) 총괄평가

① 개념: 정책집행이 완료된 후에 정책이 원래 의도한 목적을 충분하고 적절하게 달성했는지를 평가하는 것으로서 정책효과에 대한 평가이다(정책수단과 효과 간의 인과관계 추정).

② 특징: 총괄평가는 정책 프로그램의 최종적인 성과를 확인하기 위해 주로 외부평가자에 의해 수행되며, 평가결과는 정책 프로그램의 지속·중단·확대 등에 대한 정책적 판단에 활용된다.

**심화학습**
**정책평가의 전제조건**

| 정확성 | 정책의 합리성과 정책 목표 달성도, 국민의 만족도 등을 정확히 평가해야 한다. |
|---|---|
| 객관성 | 정치적 영향력을 배제하고 사실과 과학적·체계적 방법에 의해 객관적으로 평가해야 한다. |
| 연속성 | 정책평가를 통해 얻은 정보를 다음 정책에 반영하여 보다 나은 정책을 형성하는 데 기여할 수 있도록 연속적·지속적으로 평가해야 한다. |

**O·X 문제**
1. 총괄평가는 정책이 종료된 후에 그 정책이 당초 의도했던 효과를 가져왔는지의 여부를 판단하는 활동이다. (  )
2. 총괄평가는 주로 내부평가자에 의해 수행되며, 평가결과를 환류하여 최종안을 개선하는 것이 목적이다. (  )

**O·X 정답** 1. ○ 2. ×

③ 종 류

　　㉠ **효과성 및 영향평가**: 총괄평가의 핵심으로 정책이 초래한 변화가 의도한 결과(목표 달성도)와 영향[산출(output)과 결과(outcome)로 인하여 지역사회 또는 사회 전체에 미치는 효과]으로 전개되었는지를 검토하는 평가이다.

　　㉡ **적합성평가**: 정책의 목표가 사회정책적으로 바람직한지(사회가 추구하는 가치와 목표의 반영 정도)를 검토하는 평가이다. 적합성평가는 정책목표에 대한 평가로 정책수단에 대한 평가인 효과성평가나 능률성평가보다 앞서서 이루어져야 한다.

　　㉢ **공평성평가**: 정책효과와 비용이 집단 간, 지역 간에 공평하게 배분되었는지를 검토하는 평가이다.

　　㉣ **능률성(효율성)평가**: 정책의 효과나 편익이 투입된 비용에 비추어 정당화될 수 있는지를 검토하는 평가이다.

> **핵심정리 | 정책의 능률성(효율성)평가의 기준**
>
> 1. **파레토 효율(Pareto efficiency) 기준**
>    (1) **파레토 최적**: 특정 자원배분 상태에서 아무에게도 손실을 끼치지 아니하고는 어느 한 사람이라도 더 좋은 상태를 만들어 내는 것이 불가능한 최적 자원배분 상태
>    (2) **파레토 개선**: 특정 정책의 시행으로 어느 누구에게도 손해를 가하지 않으면서 어느 한 사람이라도 이익을 보는 자가 있다면 효율적이라고 판단하여 대안채택이 가능하다고 보는 기준
> 2. **칼도(Kaldor) – 힉스(Hicks)의 기준**
>    (1) 특정 정책의 시행으로 사회 전체적으로 발생한 총효용이 총손실보다 크다면 늘어난 효용으로 손실을 보상해 줄 수 있으므로 효율적이라고 판단하여 대안채택이 가능하다고 보는 기준
>    (2) 지나치게 엄격한 파레토 효율기준을 보완하는 기준으로 비용편익분석의 순현재가치(NPV)와 유사

　　㉤ **프로그램전략평가**: 특정 정책을 구성하는 개개 사업들에서 활용된 서로 다른 전략이나 방법 중에 어느 것이 목표달성에 더 효과적이었는지, 즉 상대적 효과성에 대한 정보를 제공해 주는 평가이다.

(3) **과정평가**

① **형성평가(도중평가, 진행평가, 집행분석, 집행과정평가)**

　　㉠ **개념**: 정책이 집행되는 도중에 정책이 의도했던 대로 집행되고 있는지를 평가하여 집행상 문제점을 파악하고 이를 극복할 수 있는 성공적인 집행전략을 수립하고자 하는 평가이다(예 요리사가 국을 끓이는 도중에 국 맛을 점검하는 것, 대통령의 중간평가, 각종 모니터링, 설계적 평가 등).

　　㉡ **특징**: 형성평가는 정책에 대한 피드백을 위해 주로 내부평가자와 외부평가자의 자문에 의해 평가를 진행하며 그 결과는 정책집행에 환류된다.

② **협의의 과정평가(인과관계의 경로평가)**

　　㉠ **개념**: 정책의 효과가 발생한 경우 어떠한 경로를 통해서 발생했는지 정책효과 발생의 인과관계를 밝히거나, 정책효과가 발생하지 않은 경우 어떤 경로에 문제가 있었는지를 밝히는 평가이다.

ⓛ 특징: 협의의 과정평가는 정책집행이 완료된 후 정책효과 발생의 인과관계를 밝힘으로써 총괄평가(특히, 효과성평가)를 보완한다(예 저수지 건설 – 쌀 수확량 증대 – 농민소득 증대 및 쌀값 안정 – 물가안정).

③ 프로그램 모니터링(사업감시)

ⓗ 의의: 형성평가의 일종으로 프로그램 집행 도중에 활동, 대상집단에 대한 공공서비스의 공급 상태, 기능, 성과 등을 검토하는 것을 말한다.

ⓛ 종류: 행정적 모니터링(프로그램 집행 모니터링: 집행 도중에 프로그램과 인적·물적 자원의 투입이 계획대로 진행되는지 점검), 성과 모니터링(집행 도중에 성과를 주기적으로 점검), 균형성 모니터링(집행 도중에 관련된 단위사업들이 균형적으로 추진되는지 점검) 등이 있다.

📂 **평가목적에 따른 분류 – 총괄평가와 과정평가**

| 총괄평가 | | • 정책집행 후에 정책이 처음 의도했던 목적을 성취했는지 여부를 판단하는 활동(정책수단과 효과 간의 인과관계 추정)<br>• 효과성 및 영향평가, 능률성평가, 공평성평가, 적합성평가, 프로그램전략평가 |
|---|---|---|
| 과정평가 | 형성평가<br>(도중평가,<br>진행평가,<br>집행분석) | • 정책집행과정에서 집행과정상의 문제점을 파악하고 이를 극복할 수 있는 성공적인 집행 전략을 마련하고자 하는 평가<br>• 모니터링: 정책집행 도중 활동·기능·성과 등을 검토하는 것(행정적 모니터링, 성과 모니터링, 균형성 모니터링 등) |
| | 협의의<br>과정평가 | • 정책의 효과가 발생한 경우 어떠한 경로를 통해서 발생했는지를 밝히는 평가 (인과관계의 경로평가)<br>• 총괄평가인 효과성평가의 보완 |

## 2. 평가시기에 따른 분류

(1) 사전적 영향평가(결정단계 평가)

정책을 결정하기 이전에 정책이 가져올 영향을 사전에 예측·분석하여 정책으로 인한 악영향을 방지하려는 평가이다. 사전적 영향평가는 엄밀한 의미에서 정책평가라기보다는 정책분석에 해당한다(예 환경영향평가, 교통영향평가, 성별영향평가, 규제영향평가, 갈등영향평가 등).

(2) 형성평가(도중평가, 진행평가, 집행분석, 집행과정평가)

(3) 평가성 사정(evaluation assessment: 평가성 검토)

① 의의: 특정 정책을 본격적으로 평가하기에 앞서 평가의 소망성(평가의 목적)과 가능성(평가의 비용, 기술적 실현가능성, 평가의 장애요인 등)을 검토하여 평가의 수요와 공급을 합치시켜 주는 활동이다. 평가성 사정은 '평가를 위한 평가', '착수직전분석', '평가성 검토'라고도 한다.

② 특 징

ⓗ 예비적 평가기획활동(착수직전분석): 평가성 사정은 평가로부터 얻을 수 있는 정보수요를 사정하고, 실행가능한 평가설계를 선택하도록 도와주는 예비적 평가기획활동이다. 따라서 엄격한 의미에서 정책평가는 아니다.

ⓛ 평가결과의 이용자 확인 중시 : 평가성 사정은 평가의 소망성 파악이 우선적으로 전제되어야 하므로 평가결과의 이용자를 확인하고 그들에 의해 평가의 목적을 명확하게 하는 것이 중요하다.

③ 유용성

㉠ 본격적인 평가에 앞서 예비적 평가를 함으로써 평가 불가능한 사업을 평가대상에서 제외시켜 효율적인 평가를 가능케 한다.

㉡ 평가를 원하는 사업에 대하여 평가가능성을 향상시키기 위한 노력을 촉진할 뿐만 아니라 본격적인 평가를 위한 청사진을 제공한다.

㉢ 의사평가(pseudo evaluation)를 방지할 수 있다.

## (4) 총괄평가(사후평가)

## (5) 메타평가(meta evaluation)

① 의의 : 평가주체가 실시한 1차 평가의 강점과 약점, 전반적인 유용성, 정확성 및 타당성, 실현가능성 등에 대한 비평적인 2차 평가를 말한다. 메타평가는 '평가에 대한 평가', '2차적 평가', '평가감사'라고도 한다.

② 평가대상 : 기존의 평가에 사용된 방법의 적정성, 사용된 자료의 오류 여부, 도출된 결과에 대한 해석의 타당성 여부 등을 검토한다.

③ 특 징

㉠ 상위평가 : 이미 수행된 평가의 효과성을 사정하기 위하여 내부를 다시 들여다보는 과정으로 상위평가의 성질을 지닌다.

㉡ 다면평가 : 메타평가는 일반적으로는 상급기관이나 평가대상이 되는 평가에 참여하지 않았던 외부전문가들에 의해 이루어진다. 따라서 다면평가의 성격을 지녀 공공서비스가 갖는 다면적 특성을 반영할 수 있다.

## (6) 평가종합(evaluation synthesis)

① 의의 : 하나의 정책이나 프로그램의 수행을 통해 무엇을 배웠는지를 결정하기 위해 하나 또는 여러 개의 기존의 평가에서 발견했던 사실들을 재분석하는 것을 말한다(평가연구들의 종합). 평가종합은 계량적 방법뿐만 아니라 질적 방법도 활용된다.

② 메타분석 : 메타평가와는 구별되는 개념으로, 평가종합 가운데 계량적·통계적인 방법들을 사용하는 분석기법이다. 즉, 연구결과 발견된 통계자료나 사항들을 요약한 통계치들을 통해 정책효과의 크기를 종합하는 기법으로 경험적 연구들에만 적용 가능하고 이론적 연구에는 적용할 수 없다.

---

### O·X 문제

1. 평가성 사정은 여러 가지 가능한 평가로부터 얻을 수 있는 정보수요를 사정하고, 실행가능하고 유용한 평가설계를 선택하도록 함으로써 평가의 공급과 수요를 합치시키도록 도와준다. ( )

2. 평가성 사정은 영향평가 또는 총괄평가를 실시한 후에 평가의 유용성, 평가의 성과증진효과 등을 평가하는 활동이다. ( )

3. 메타평가는 평가 자체를 대상으로 하며, 평가활동과 평가체제를 평가해 정책평가의 질을 높이고 결과활용을 증진하기 위한 목적으로 활용한다. ( )

### 심화학습

**의사평가(pseudo evaluation : 사이비평가)**

| 의의 | | 정책결정자나 집행자, 또는 제반 이해관계자들이 개인적·정치적 목적으로 자신들에게 유리하게 정책을 평가하는 정당하지 못한 평가 | |
|---|---|---|---|
| 원인과 양태 | 기만 | 외관이 실제를 대신 | 불량한 사업을 정당화하기 위해 표면상 좋게 보이는 측면만 선택하여 평가 |
| | 호도 | 변명이 검증을 대신 | 사업의 실패나 결함을 은폐하기 위해 객관적 평가를 회피 |
| | 매장 | 정치가 과학을 대신 | 사업의 효과에 관계없이 사업을 무력화 또는 파괴 |
| | 가장 | 형식이 조사를 대신 | 평가를 객관성과 전문성을 상징적으로 확보하기 위한 제스처로 활용 |
| | 지연 | 서비스가 조사를 대신 | 사실을 탐색한다고 변명하면서 요청받은 행동 지연 |

제 2 절 정책평가 과정(절차)의 구체적 고찰

01 정책평가 기준의 정립

1. 일반적인 정책평가 기준

| 기 준 | 평가를 위한 질문 |
|---|---|
| 효과성 | 의도한 가치가 성취되었는가?(비용 측면 불고려) |
| 능률성 | 의도한 가치를 위해 얼마나 많은 비용과 노력이 요구되었는가? |
| 형평성 | 비용과 편익이 상이한 집단들 간에 공정하게 분배되었는가? |
| 반응성 | 정책결과는 특정 집단의 요구·선호 또는 가치를 만족시키고 있는가? |
| 충족성 | 가치 있는 결과의 달성이 문제를 어느 정도 해결하였는가?(적정성) |
| 적합성 | 바람직한 결과(목적)가 실제로 가치 또는 값어치가 있는가? |

2. 나카무라와 스몰우드(Nakamura & Smallwood)의 정책평가 기준

(1) 의 의

나카무라와 스몰우드는 정책집행모형에 따라 정책평가 기준이 달라져야 한다고 보고 다음과 같이 평가 기준을 제시하였다.

(2) 평가 기준

| 정책집행모형 | 평가 기준 | 초 점 | 주요 관심 | 방법론 |
|---|---|---|---|---|
| 고전적 기술가형 | 효과성 | 결과(정책이 산출한 서비스의 양) | 목표의 명확성 | 기술적·계량적(양적) 환류 |
| 지시적 위임가형 | 능률성 | 투입의 최소화와 수단의 극대화 | 생산비용 | 기술적·계량적(양적) 환류 |
| 협상가형 | 주민만족도 | 주민(유권자)의 정치적 기반 확보 | 타협과 목표 조정 | 비계량적(질적) 환류 |
| 재량적 실험가형 | 수익자 대응성 (반응성) | 소비자의 욕구 충족 | 프로그램의 적응성과 신축성 | 비계량적(질적) 환류 |
| 관료적 기업가형 | 체제유지도 | 기관의 활력 | 안정성과 지속성 | 혼합적(포괄적) 환류 |

(3) 특 징

① 효과성·능률성은 행정인이, 주민만족도·수익자 대응도·체제유지도는 정치인이 보다 중시하는 기준이다.
② 나카무라와 스몰우드는 정책평가의 중요한 기준 중에 하나인 '형평성'을 고려하지 못하고 있다.

## 02 인과모형의 설정

### 1. 인과관계

(1) 의 의

인과관계란 독립변수가 종속변수의 결과를 가져왔다고 믿어지는 관계를 말한다. 정책평가에서 인과관계의 증명은 정책수단(독립변수)에 의한 정책효과(종속변수)를 규명하는 작업이다.

(2) 인과관계 증명을 위한 조건

① **시간적 선행의 조건**: 시차적으로 정책수단(독립변수)이 정책목표의 달성(종속변수)에 앞서 있어야 한다.

② **공동변화의 조건(공변성)**: 정책수단(독립변수)의 집행에 따른 변화의 방향과 정도가 정책결과의 변화의 방향과 정도와 일치해야 한다.

③ **경쟁적 가설 배제의 원칙(비허위성)**: 정책결과는 오직 해당 정책수단(독립변수)에 의해서만 설명되어야 하며, 다른 요인(제3의 변수)들은 배제되어야 한다.

### 2. 변 수

(1) 독립(원인)변수와 종속(결과)변수

① **독립(원인)변수**: 어떤 결과를 가져오는 원인이 되는 변수를 말한다. 독립변수는 정책변수(조작 가능한 변수 - 평가자가 정책대안으로 채택하여 개선하거나 다룰 수 있는 변수)와 환경변수(조작 불가능한 변수)로 구분된다.

② **종속(결과)변수**: 독립변수에 의한 결과(효과)를 나타내는 변수를 말한다.

(2) 제3의 변수

① **의의**: 독립변수와 종속변수 간의 관계에 영향을 미치는 변수를 말한다. 제3의 변수의 개입은 독립변수와 종속변수 간의 인과관계를 파악하는 데 장애요소가 되며, 내적 타당성을 저해하는 원인이 된다.

② **종 류**

ㄱ **허위변수**: 독립변수와 종속변수 간에 전혀 상관관계가 없는데도 숨어서 두 변수 모두에 영향을 미쳐 상관관계가 있는 것처럼 보이도록 하는 제3의 변수를 말한다. 허위변수는 독립변수와 종속변수 간의 허위의 상관관계를 유발하여 공동변화를 가져오는 변수이며, 허위변수를 제거하면 정책효과는 사라진다.

ㄴ **혼란변수**: 두 변수 간에 일부 상관관계가 있는 상태에서 숨어서 두 변수 모두에 영향을 미쳐 그 효과를 더 크게 보이도록 하는 제3의 변수를 말한다. 혼란변수는 독립변수와 종속변수 간의 혼란 관계를 유발하는 변수이며, 혼란변수를 제거하면 정책효과가 사라지지는 않지만 그 크기가 변화된다.

ㄷ **선행변수**: 독립변수에 앞서서 독립변수에 유효한 영향력을 행사하는 제3의 변수를 말한다. 선행변수는 독립변수에만 영향을 미치기 때문에 선행변수를 통제하더라도 독립변수와 종속변수 간의 관계가 사라져서는 안 되며, 독립변수를 통제하더라도 선행변수와 종속변수 간의 관계가 존재하면 안 된다.

**억제변수와 왜곡변수의 예**

| | |
|---|---|
| 억제<br>변수 | 실험결과 "키가 작을수록 오래 산다."는 관계를 관찰했으나 성별을 통제(남성과 여성으로 나누어 실험)해 보니 아무런 관계가 없는 것으로 나타났다면 '성별'은 억제변수이다. |
| 왜곡<br>변수 | 실험결과 "기혼자의 자살률이 미혼자의 자살률보다 높다."는 관계를 관찰했으나 연령을 통제(동일 연령하에서 실험)해 보니 미혼자의 자살률이 기혼자의 자살률보다 높게 나타났다면 '연령'은 왜곡변수이다. |

**O·X 문제**

1. 억제변수란 독립변수와 종속변수 간에 상관관계가 없는데도 있는 것으로 나타나게 하는 제3의 변수를 말한다. ( )

2. 매개변수란 독립변수의 원인인 동시에 종속변수의 원인이 되는 제3의 변수를 말한다. ( )

**O·X 문제**

3. 내적 타당성이란 다른 요인들이 작용한 효과를 제외하고 오로지 정책 때문에 발생한 순수한 효과를 정확히 추출해 내는 것과 관련되는 개념이다. ( )

4. 외적 타당성이 높은 정책평가는 허위·교란변수를 통제함으로써 어떤 정책과 효과 간에 실제로 높은 수준의 인과관계가 존재함을 입증한 평가를 의미한다. ( )

5. 구성적 타당성은 연구설계를 정밀하게 구성하여 평가과정에서 제1종 및 제2종 오류가 발생하지 않는 정도를 나타낸다. ( )

6. 허위변수나 혼란변수를 배제할 수 있다면 내적 타당성을 높일 수 있다. ( )

7. 정책평가의 타당성 검토는 정책의 대상집단과 내용 등이 동질적이나 정책평가시기를 달리하는 경우 각 시기별 정책결과 측정값의 상관관계를 분석한다. ( )

8. 신뢰성은 동일한 측정도구를 반복 사용할 때 동일한 결과를 얻을 가능성으로 타당성의 필요조건이지만 충분조건은 아니다. ( )

O·X 정답 1. × 2. × 3. ○ 4. ×
5. × 6. ○ 7. × 8. ○

ⓔ **억제변수**: 독립변수와 종속변수 간의 사실적인 인과관계를 약화시키거나 아예 소멸시키는 제3의 변수를 말한다. 억제변수를 제거하면 정책효과가 나타나거나 그 크기가 변화된다.

ⓜ **왜곡변수**: 독립변수와 종속변수의 사실상의 관계를 정반대의 관계로 보이게 하는 제3의 변수를 말한다. 즉, 외견상 나타난 변수 간에 인과관계의 음과 양의 방향을 역으로 해석하게끔 하는 변수를 말한다.

ⓗ **매개변수**: 독립변수의 영향을 종속변수에 전달하는 변수로 독립변수의 결과인 동시에 종속변수의 원인이 되는 제3의 변수를 말한다. 매개변수에는 교량변수(중간결과)와 집행변수(구체적인 행정적 전략)가 있다.

ⓢ **조절변수**: 독립변수와 별개로 독립적으로 종속변수에 영향을 미쳐 독립변수와 종속변수 간에 관계를 강화시키거나 약화시키는 제3의 변수를 말한다. 조절변수는 연구설계에 포함된다는 점에서 외재변수(허위변수, 혼란변수, 억제변수 등)와 구별되며 독립변수의 기능을 하기도 한다.

ⓞ **구성변수**: 포괄적 개념을 구성하는 하위변수를 말한다. 예컨대 사회계층은 포괄적 개념이며 가족배경, 직업, 교육수준, 수입 등은 이를 구성하는 하위변수이다.

### 3. 정책평가의 타당성과 신뢰성

(1) 평가의 타당성(Cook & Campbell)

① **의의**: 정책평가가 정책의 효과를 정확하게 추정해 내는 정도를 의미한다.

② **유형**

| | |
|---|---|
| 내적 타당성 | • 정책효과(결과변수)가 다른 경쟁적인 요인(제3의 변수)들보다는 해당 정책(원인변수)에 기인한 것이라고 판단할 수 있는 정도(경쟁적 가설 배제의 정도)<br>• 집행된 정책(원인변수)과 발생한 효과(결과변수) 간에 존재하는 인과관계 추론의 정확도<br>• 1차적으로 확보되어야 할 가장 중요한 타당도 |
| 외적 타당성 | • 어떤 특정한 상황에서 내적 타당성을 확보한 정책평가가 다른 상황에서도 적용될 수 있는 정도<br>• 특정한 상황에서 얻은 실험결과를 다른 상황에까지 일반화할 수 있는 정도 |
| 구성적 타당성 | • 처리·결과·모집단 및 상황들에 대한 이론적 구성요소들이 성공적으로 조작화된 정도<br>• 이론적 구성요소들을 측정하고자 구성된 척도가 측정대상을 실질적으로 측정해 내는 정도 |
| 통계적 결론의 타당성 | • 정책의 결과를 측정하기 위해 충분히 정밀하고 강력하게 연구설계가 이루어진 정도<br>• 제1종 오류, 제2종 오류가 발생하지 않는 정도 |

(2) 평가의 신뢰성

① **의의**: 정책결과의 측정을 위한 도구가 동일한 현상을 시기를 달리하여 반복하여 측정할 때 일관성 있는 결론을 얻을 수 있는 정도를 말한다.

② **측정**: 정책의 대상집단과 내용 등은 동질성을 유지하면서 평가시기를 달리하여 각 시기별 정책결과 측정값의 상관관계를 분석한다.

③ **타당성과 신뢰성의 관계**: 신뢰성은 타당성의 필요조건이지 충분조건이 아니므로 신뢰성이 높아도 타당성은 낮을 수 있다.

## 4. 정책평가의 타당성 저해요인

(1) 내적 타당성 저해요인

① 선발요소(selection : 선정요인)

  ㉠ 개념 : 실험집단과 통제집단을 구성할 때 두 집단에 서로 다른 특성을 지닌 개인들을 선발하여 할당함으로써 실험결과를 왜곡시키는 요소를 말한다.

  ㉡ 특징 : 선발요소는 내적 타당도를 저해하는 내재적 요소(평가연구를 수행하는 과정에서 결과에 영향을 미치는 교란요인)가 아니라 외재적 요소(평가연구를 수행하기 이전에 평가결과에 영향을 미치는 교란요인)이다.

  ㉢ 통제 : 선발요소는 실험집단 및 통제집단에 대한 무작위 배정과 사전측정을 통해 어느 정도 통제할 수 있다.

② 역사적 요소(history : 사건효과)

  ㉠ 개념 : 실험기간 동안에 실험자의 의도와 상관없이 일어나는 사건이 실험에 영향을 미쳐 실험결과를 왜곡시키는 요소를 말한다.

  ㉡ 특징 : 역사적 요소는 실험기간이 길어질수록 발생가능성이 높아진다.

③ 성숙효과(maturation : 성장효과)

  ㉠ 개념 : 정책의 효과와는 관계없이 시간의 경과 때문에 발생하는 조사대상 집단의 특성변화가 실험결과를 왜곡시키는 요소를 말한다.

  ㉡ 특징 : 성숙효과는 정책대상이 사람이고 정책집행 기간이 상대적으로 길 때 발생가능성이 높아진다.

④ 상실요소(experimental mortality : 이탈효과)

  ㉠ 개념 : 평가에 동원된 구성원들이 연구기간 동안에 이사·전보 등으로 이탈함으로써 실험결과를 왜곡시키는 요소를 말한다.

  ㉡ 특징 : 실험집단과 통제집단이 동질적으로 구성되었다 하더라도 두 집단의 구성원들이 서로 다른 성격과 비율로 중도 탈락(불균등한 상실)한다면 이들 두 집단의 동질성이 사라져 결과에 대한 왜곡이 야기된다.

⑤ 측정효과(testing : 검사요소)

  ㉠ 개념 : 실험을 실시하기 이전에 실험집단을 구성하기 위한 측정(시험)이 실험실시 이후 실험집단의 측정 점수에 영향을 미쳐 실험결과를 왜곡시키는 요소를 말한다.

  ㉡ 통제 : 측정효과는 솔로몬식 실험설계와 눈에 띄지 않는 관찰 등을 통해 통제할 수 있다. 솔로몬식 실험설계란 사전에 측정을 받은 실험집단·통제집단과 그렇지 않은 실험집단·통제집단, 이 4개의 집단을 교차적으로 비교하는 방법이다. 솔로몬식 실험설계는 통제집단 사전·사후 설계가 검사요인을 통제하기 곤란하기 때문에 통제집단 사전·사후 설계와 통제집단 사후설계를 혼합한 방법이다.

⑥ 회귀인공요소(regression artifact : 통계적 회귀) : 실험 직전의 측정결과를 토대로 실험집단과 통제집단을 구성할 때 평소와는 달리 유별나게 좋거나 나쁜 결과를 얻은 사람들이 선발되는 경우 이들이 실험 진행 동안 자신의 원래 위치로 돌아가게 되어 실험결과를 왜곡시키는 요소를 말한다.

⑦ **오염효과(pollution : 모방효과)** : 통제집단이 실험집단 구성원의 행동을 모방함으로써 실험결과를 왜곡시키는 요소를 말한다. 오염효과에는 정책의 누출로 인한 모방뿐만 아니라 모방으로 인한 부자연스러운 반응도 포함된다.

⑧ **측정도구의 변화(instrumentation)** : 정책집행 전과 후에 측정하는 절차나 측정도구가 달라져 실험결과가 왜곡되는 것을 말한다. 측정도구의 변화는 측정도구의 일관성에 대한 문제로 평가의 신뢰도와도 관련된다.

⑨ **선정과 사건의 상호작용** : 선정된 두 대상집단의 구성원들이 비동질적일 뿐만 아니라 두 집단 중 어느 한 집단에서 특유의 사건이 발생함으로써 실험결과가 왜곡되는 것을 말한다.

⑩ **선발과 성숙의 상호작용** : 실험집단과 통제집단의 구성원들이 최초의 선발에서 차이가 있을 뿐만 아니라 그들 두 집단의 성장의 비율에도 차이가 있어 실험결과가 왜곡되는 것을 말한다.

⑪ **처치와 상실의 상호작용** : 실험집단과 통제집단의 동질성이 확보되었다 하더라도 이들 두 집단에 서로 다른 처치(실험)로 서로 다른 성질의 구성원들이 상실되어 실험결과가 왜곡되는 것을 말한다.

(2) **외적 타당성 저해요인**

① **의의** : 외적 타당도를 저해하는 대표적인 두 가지 요인은 '표본의 비대표성으로 인한 일반화의 곤란성'과 '인위적 실험으로 인한 반작용적 배열✛'이다.

② **저해요인**

　㉠ **호손 효과(실험조작의 반응효과)** : 실험집단 구성원이 실험의 대상이라는 인식 때문에 심리적 긴장감으로 인하여 평소와는 다른 특별한 행동을 보이는 경우 이로부터 얻어진 결과는 일반화가 곤란하다(보통 실험자들은 평가자들이 원하는 방향으로 행동하는 경향을 보임).

　㉡ **상이한 실험집단과 통제집단의 선택과 실험조작의 상호작용** : '실험집단과 통제집단의 선발에서의 편견'과 '실험집단의 실험조작'의 상호작용으로부터 얻어진 결과는 일반화가 곤란하다.

　㉢ **다수적 처리에 의한 간섭** : 동일 집단에 여러 번의 실험적 처리를 실시하여 실험조작에 익숙해진 집단으로부터 얻어진 실험결과는 일반화가 곤란하다.

　㉣ **실험조작과 측정의 상호작용** : '실험 전 측정받은 경험'과 '피조사자의 실험조작'의 상호작용으로 얻어진 결과는 일반화가 곤란하다.

　㉤ **표본(표본추출)의 비대표성** : 두 집단 간에 동질성을 확보하여 실험결과를 얻었더라도 선정된 실험집단(표본)이 사회적 대표성이 없으면 일반화가 곤란하다.

　㉥ **크리밍(creaming) 효과** : 효과가 크게 나타날 사람만을 실험집단에 포함시켜 실험을 실시할 경우 그 효과를 일반화하기 곤란하다. 크리밍 효과는 선발효과와 관련되며, 어떤 요인이 내적 타당성과 외적 타당성을 모두 저해할 수 있다는 것을 보여 준다.

✛ **반작용적 배열**
연구가 고도로 인위적이며 치밀하게 고안된 환경에서 수행될 때 실험대상자들이 평소와 전혀 다른 행동을 보임으로써 그 연구의 결과가 일반화되기 곤란한 현상

**O·X 문제**

1. 실험대상자들이 실험의 대상으로 자신들이 관찰되고 있다는 사실을 알게 되어 평소와는 다른 행동을 함으로써 발생하는 효과는 내적 타당성의 저해요인이다. 　( )

2. 실험조작의 반응효과(reactive arrangement)란 인위적인 실험환경에서 얻은 결과를 일반화하기 어려운 현상을 의미한다. 　( )

3. 호손 효과란 정책효과가 나타날 가능성이 높은 집단을 의도적으로 실험집단으로 선정함으로써 정책의 영향력이 실제보다 과대평가되는 경우를 말한다. 　( )

4. 연구자의 측정기준이나 측정도구가 변화되는 경우에는 외적 타당성이 저해된다. 　( )

5. 외적 타당성을 저해하는 요소에는 실험조작의 반응효과, 다수적 처리에 의한 간섭, 선발과 성숙의 상호작용 등이 있다. 　( )

**O·X 정답** 1. ✕　2. ○　3. ✕　4. ✕　5. ✕

## 03 연구설계(정책평가의 방법)의 개발

### 1. 의 의

연구설계의 개발이란 정책이 정책결과에 미치는 영향에 대한 가설을 설정하고, 이 가설을 검증하기 위해 적절한 정책평가의 방법을 개발하는 과정이다. 이 과정에서 자료수집과 분석의 방법, 변수를 측정하는 방법, 외생변수의 통제방법 등이 정해진다.

### 2. 자료의 수집 : 양적 평가(계량적 평가)와 질적 평가(비계량적 평가)

(1) 양적 평가(계량평가)

① 개념 : 연구가설을 설계하고 이에 따른 계량화된 객관적 자료를 수집하여 연역적 방법으로 정책의 효과를 분석하는 평가방법이다. 양적 평가는 주로 정책집행 결과 나타나는 성과에 초점을 맞춘다.

② 자료수집 : 설문조사와 구조화된 질문지를 통해 확보된 통계, 비율 또는 실적치 등 수치화된 강성자료(hard data : 확실한 자료)를 수집·활용한다.

③ 평가 : 평가자의 주관이 개입될 여지가 적어 객관적인 평가가 가능하다.

(2) 질적 평가(비계량평가)

① 개념 : 계량적으로 측정하기 어려운 분야에 대한 평가를 위해 자연스러운 상태에서 수량화되지 않은 자료를 수집하여 귀납적 방법으로 자료를 분석하는 평가방법이다. 이 방법은 평가과정에서 관찰을 통해 가설이 자연스럽게 수립되고 검증되며 다시 새로운 가설이 수립되는 반복적 과정을 거친다.

② 자료수집 : 참여관찰법, 비구조화된 심층면접법, 현장조사법, 문화기술법✛, 투사법 등을 통하여 파악되는 수량화할 수 없는 연성자료(soft data : 불확실한 자료)를 수집·활용한다.

③ 평가 : 연구자의 주관이 개입될 여지가 있다.

### 3. 정책 프로그램 논리모형(논리모형)과 목적달성 평가모형(목표모형)

(1) 정책 프로그램 논리모형(정책평가의 논리모형)

① 개념 : 정책 프로그램의 요소들과 정책 프로그램이 해결하려고 하는 문제들 사이의 논리적 인과관계를 투입 ⇨ 활동 ⇨ 산출 ⇨ 결과로 정리해 표현하는 평가모형이다.

② 특 징

㉠ 평가의 명확성 및 타당성 제고 : 정책과 정책의 결과물 간의 논리적 인과관계를 파악하여 평가의 명확성 및 타당성을 제고한다.

㉡ 정책 프로그램의 이해 증진 : 정책과 정책의 결과물 간의 논리적 인과관계를 분석·정리하는 과정을 통해 정책 프로그램에 대한 이해를 높인다.

㉢ 정책실패의 원인 파악 : 정책이 실패한 경우 정책형성과정에서의 인과관계에 대한 가정의 오류에 기인한 것인지, 정책집행의 실패에 기인한 것인지를 구분할 수 있게 한다.

PART · 03

O·X 문제

**1.** 정책평가의 양적 기법으로는 참여관찰법, 심층면접법 등을 들 수 있다. ( )

**2.** 질적 평가는 주로 연역적 방법을 활용한다. ( )

✛ 문화기술법
특정한 문화 속에서 발생하는 사건·관습·행사 등을 경험하고 관찰·기록하는 방법

O·X 문제

**3.** 논리모형은 정책이 달성하려는 장기목표와 중단기목표들을 잘 달성했는지에 초점을 맞춘 평가모형이다. ( )

**4.** 정책평가의 논리모형은 정책프로그램의 요소들과 해결하려는 문제들 사이의 논리적 인과관계를 투입-활동-산출-결과로 도식화한다. ( )

**5.** 정책평가의 논리모형에서 산출은 정책집행이 종료된 직후의 직접적인 결과물을 의미하며, 결과는 산출로 인해 나타나는 변화를 의미한다. ( )

**6.** 정책평가의 논리모형은 과정평가이기 때문에 정책프로그램의 목표달성 여부를 보여 주지는 못한다는 한계가 있다. ( )

**7.** 논리모형은 프로그램이 해결하려는 정책문제 및 정책의 결과물이 무엇인지를 명확히 해주기 때문에 정책형성과정의 인과관계에 대한 가정의 오류와 정책집행의 실패를 구분할 수 있도록 한다. ( )

O·X 정답 **1.** ✕ **2.** ✕ **3.** ✕ **4.** ○ **5.** ○ **6.** ✕ **7.** ○

(2) **목적달성 평가모형(목표모형)**

① **개념**: 정책이 장기·중기·단기 목표들을 잘 달성했는지를 평가하는 모형이다. 이 평가모형은 목표달성도를 측정하고, 발생한 결과물이 정책의 집행으로 발생한 것인지를 확인하는 데 초점이 있다.

② **특징**: 목표달성 여부만을 선별적으로 보여 주는 단순성을 특징으로 한다.

## 4. 실험평가(진실험과 준실험)와 비실험평가(비실험)

(1) **실험평가 1 – 진실험**

① **의의**
  ㉠ 실험집단과 통제집단의 동질성을 확보하여 정책효과를 측정하는 방법이다.
  ㉡ 진실험은 동질성이 확보된 두 집단 중 실험집단에만 일정한 처치를 가하고 일정한 시간 후에 실험집단과 통제집단의 결과변수 상에서 나타내는 차이를 비교하여 처치의 효과를 추정하는 '통제집단 사전사후측정설계'가 활용된다.

② **변수통제방법 – 무작위 배정 또는 사전측정에 의한 통제**
  ㉠ 홀짝추첨방식이나 난수표방식의 무작위 배정에 의하거나 사전측정을 통해 실험집단과 통제집단을 동질적으로 구성해야 한다.
  ㉡ 실험집단과 통제집단 간의 동질성이 확보되면 두 집단에 허위변수와 혼란변수의 영향이 거의 동일하게 나타나므로 실험집단의 최종 결과에서 통제집단의 최종결과를 공제하면 허위변수나 혼란변수의 영향이 어느 정도 제거된다.

③ **장점**: 허위변수나 혼란변수가 통제되어 내적 타당도가 비교적 높다.

④ **단점**
  ㉠ **내적 타당성**: 다른 방법에 비해 내적 타당성이 높으나 체제의 변화로 인한 영향, 불균등한 상실, 모방효과 등의 내적 타당성 저해요인도 여전히 존재한다.
  ㉡ **외적 타당성**: 자연과학 실험과 같이 대상자들을 격리시켜 실험(인위적 실험)하기 때문에 호손 효과를 강화시켜 외적 타당성이 낮다.
  ㉢ **실현가능성**: 실제 사회실험에서 실험집단과 통제집단의 동질성을 확보하는 것은 지극히 곤란하다. 또한, 동질성이 확보된다 하더라도 실험집단에만 처치를 하는 경우 정치적으로나 도의적으로 많은 저항이 야기된다.

(2) **실험평가 2 – 준실험**

① **의의**
  ㉠ 실험집단과 통제집단의 동질성을 확보하기 곤란한 경우 가능한 한 실험집단과 유사한 통제집단을 구성하여 정책효과를 측정하는 방법이다.
  ㉡ 준실험은 진실험이 현실적으로 실현가능성이 낮기 때문에 가장 일반적으로 활용되는 실험평가이다.

② **변수통제방법**
  ㉠ **축조에 의한 통제[constructed control : 매칭(짝짓기)에 의한 배정]**
    ⓐ **의의**: 특정 정책이 실시되는 집단과 실시되지 않는 집단으로 구분되는 경우에 연구대상을 비슷한 대상끼리 둘씩 짝을 지은 다음, 하나는 실험집단에 다른 하나는 통제집단에 배정하는 방법이다.

     ⓑ 비동질적 통제집단설계: 다수 실험집단의 사전·사후 측정 자료와 동질성이 확보되지 않은 다수 비교집단의 사전·사후 측정 자료를 비교하여 정책효과를 측정하는 방법이다.

     ⓒ 회귀불연속설계: 유자격자(혜택을 받을 자격이 있는 자) 중에서 특정 정책에 의해 혜택을 받은 집단을 실험집단으로 간주하고, 혜택을 받지 못한 집단을 비교집단으로 활용해 정책효과를 측정하는 방법이다.

     ⓓ 사후 비교집단설계[의사(quasi) 실험설계]: 정책이 이미 처리되고 난 후에 정책평가를 요청받았을 때야 비로소 사후에 비교집단을 설계하고 실험집단과 비교하여 정책효과를 측정하는 방법이다. 이 방법은 사후에 정책평가자의 의도에 따라 비교집단을 설계한다는 점에서 비실험이라고 비판하는 견해도 존재한다.

  ⓛ 재귀적 통제(reflexive control)

     ⓐ 의의: 특정 정책이 실시되는 집단과 실시되지 않는 집단으로 구분하기 곤란한 경우, 동일한 집단에 대하여 정책을 집행한 후에 일정 기간 동안 나타난 산출의 변화를 정책을 실시하기 이전의 일정한 기간 동안에 나타났던 산출의 변화와 비교하여 정책효과를 측정하는 방법이다.

     ⓑ 분절적(단절적) 시계열 분석: 정책 실시 이전 일정 기간 동안의 시계열 자료와 정책이 실시된 이후 일정 기간 동안의 시계열 자료를 비교하여 정책효과를 측정하는 방법이다.

③ 장점: 자연 상태에서 실험을 하므로 호손 효과를 방지해 준다는 점에서 진실험에 비해 외적 타당성이 높고 실행가능성도 높다.

④ 단점: 선정효과, 성숙효과, 역사적 사건 등 내적 타당성 저해요인들로 인해 진실험에 비해 내적 타당도가 낮다.

(3) 비실험평가 – 비실험

① 의의

  ㉠ 통제집단을 구성하지 않고 실험집단에만 정책을 처리하여 정책효과를 추론하는 방법이다(검증이 아닌 인과추론 방법).

  ㉡ 사회실험(실험평가)에는 진실험과 준실험이 있으며, 비실험은 사회실험에 포함되지 않는 비실험평가이다.

  ㉢ 비실험에는 단일집단 사전·사후 측정 연구, 단일사례 연구, 정적집단비교설계 등이 있다. 이 중 동일집단에 대해 정책집행을 기준으로 여러 번의 사전·사후측정을 하여 정책효과를 추정하는 '단일집단 사전·사후 측정 연구'가 가장 일반적으로 활용된다.

② 변수통제방법

  ㉠ 통계적 통제: 정책에 참여한 대상과 그렇지 않은 대상과의 차이를 통계적 기법(시계열 분석, 회귀분석, 경로분석 등)을 통해 추정하는 방법이다.

  ㉡ 포괄적 통제(주관적 통제방법): 정책을 집행한 대상집단에서 발생한 변화와 유사한 집단에 정책을 집행하면 발생하게 될 것으로 기대되는 변화를 비교하여 정책효과를 추정하는 방법이다.

**심화학습**

비실험 방법

| | |
|---|---|
| 단일집단 사전·사후 측정 연구 | 동일집단에 대해 정책집행을 기준으로 여러 번의 사전·사후측정을 하여 정책효과를 추정하는 방법 |
| 단일사례 연구 | 단일집단을 대상으로 정책에 의해 변화된 종속변수의 양을 측정하여 정책효과를 추정하는 방법 |
| 정적집단 비교설계 | 실험집단과 통제집단을 사용하되, 두 집단에 대한 사전측정을 하지 않은 채 사후측정의 결과만 비교해 정책의 효과를 추정하는 방법 |

ⓒ 잠재적 통제(주관적 통제방법): 정책을 집행한 대상집단에서 발생한 변화에 대하여 전문가나 참여자들에게 질문한 다음 이들의 의견을 토대로 정책효과를 추정하는 방법이다.

③ 장점: 자연 상태에서의 실험이므로 외적 타당성과 실행가능성이 높다.

④ 단점: 사건효과, 선정효과, 성숙효과 등 외생변수의 개입으로 내적 타당성이 극도로 낮다.

🗀 **실험과 타당성과의 관계**

| 구 분 | 진실험 | 준실험 | 비실험 |
|---|---|---|---|
| 내적 타당성 | 높음. | 낮음. | 아주 낮음. |
| 외적 타당성 | 낮음. | 높음. | 아주 높음. |
| 실현가능성 | 낮음. | 높음. | 아주 높음. |

### 04 자료의 수집 - 변수들의 상태에 대한 자료: 사회지표

## 1. 의 의

사회지표란 경제·사회·환경·삶의 질 등 생활의 양적·질적 측면을 계량화하거나 기술적으로 표현한 통계적 정보로 정책평가의 지표로 활용된다.

## 2. 필요성과 한계

(1) 필요성

① 경제지표의 한계 극복: 사회지표는 질적·주관적인 부분까지 측정하므로 양적·객관적·지표인 경제지표의 한계를 극복하고 사회의 정확한 상태를 표현할 수 있다.

② 사회에 대한 이해 증진 및 정책평가의 지표로 활용: 사회지표는 사회의 현 상태 및 미래의 규범적 상태를 이해하기 위한 자료가 되며, 정책의 효과성을 검증하는 평가기준으로 활용된다.

(2) 한 계

사회지표는 질적이고 주관적인 부분까지 측정해야 하나 현실적으로 이를 측정하는 것은 곤란하며, 주관적 통계지표와 객관적 통계지표 간에 차이가 있는 경우 사회적 상태에 대한 정확한 이해가 곤란하다.

## **05** 평가결과의 활용과 정책학습

### 1. 평가결과의 환류(활용)

평가결과로 얻어진 정보는 정책과정에 환류된다. 정책결정에 환류된 평가정보는 정책내용의 개선에 기여하고, 정책집행에 환류된 평가정보는 정책집행의 효과성을 제고하는데 기여하며, 정책평가에 환류된 정보는 평가의 적절성을 확보하는 데 기여한다.

### 2. 정책학습

(1) 의 의

정책학습은 정책평가를 통해 더 나은 정책을 결정할 수 있는 방법을 얻는 과정이다. 즉, 올바른 결론을 유도할 수 있는 지식의 축적과 응용 과정이라 할 수 있다.

(2) 유 형

① 버크랜드(Birkland)의 분류 – 수단적 학습·사회적 학습·정치적 학습

ㄱ 수단적 학습: 정책관리기법이나 수단에 치중한 학습을 말한다. 수단적 학습은 학습을 통해 집행설계(관리기법 등)를 변경함으로써 성과를 창출하는 데 목적을 둔다.

ㄴ 사회적 학습: 단순한 정책관리기법의 조정수준을 넘어서 정책의 목적들과 정부 활동들의 타당성 및 적합성까지도 검토하는 학습이다(정책의 사회적 구성에 관한 학습).

ㄷ 정치적 학습: 주어진 정책적 사고나 문제에 대한 주장을 정교하게 하기 위한 학습이다. 정치적 학습은 정치적 변화에 대한 찬성과 반대의 주장을 통해 새로운 정치적 정보를 받아들여 그들의 전략과 전술을 변화시킬 때 활용된다.

② 하울렛과 라메쉬(Howlett & Ramesh)의 분류 – 내생적 학습·외생적 학습

| 구 분 | 내생적 학습 | 외생적 학습 |
|---|---|---|
| 의 의 | 정책의 수단이나 기술을 조절하려는 정규적인 정책과정(성공 또는 실패한 정책도구에 대한 교훈) | 외적인 정책 환경의 변화(사회적·환경적 자극)에 대한 반응으로 취해지는 활동(정책목표들에 대한 학습) |
| 학습의 주체 | 소규모적이며, 기술적으로 전문화된 정책 네트워크 | 대규모적이며, 누구나 참여하는 정책 커뮤니티 |
| 학습의 대상 | 정책의 수단이나 기술들 | 문제에 대한 인지 또는 정책목표들 |
| 특 징 | 로즈(Rose)의 교훈얻기, 수단적 학습과 유사 | 사회적 학습과 유사 |

**심화학습**

**평가결과의 활용**

| 수단적 활용 | 정책의 지속·확대·개선·종결 등의 결정에 직접적으로 영향을 미치는 것 |
|---|---|
| 개념적 활용 | 정책결정자의 사고에 영향을 미쳐 의사결정에 간접적으로 영향을 미치는 것 |
| 상징적 활용 | 정책의 정당성 확보 수단이나 특정 집단에게 정치적 이익을 제공하기 위한 수단 등으로 활용되는 것 |

**O·X 문제**

1. 정치적 학습은 단순한 프로그램 관리의 조정수준을 넘어서 정책의 목적들과 정부 행동들의 성격과 적합성까지 포함한다. ( )

2. 버크랜드가 제안한 '사회적 학습'은 하울렛과 라메쉬의 '외생적 학습'과 비슷한 의미로 이해할 수 있다. ( )

O·X 정답 1. × 2. ○

## 제 3 절 | 우리나라의 평가제도 - 「정부업무평가 기본법」

### 01 「정부업무평가 기본법」의 의의

#### 1. 목 적

「정부업무평가 기본법」은 정부업무평가에 관한 기본적인 사항을 정함으로써 중앙행정기관·지방자치단체·공공기관 등의 통합적인 성과관리체제의 구축과 자율적인 평가역량의 강화를 통해 국정운영의 능률성·효과성 및 책임성을 향상시키는 것을 목적으로 한다.

#### 2. 기본방향

**(1) 개별평가에서 통합평가로**

기존에 수많은 평가제도들이 남발되는 데 따른 문제를 해소하기 위해 개별평가들을 통합하여 실현하고 관리한다.

**(2) 직접평가에서 자체평가로**

국무총리 등 평가총괄기구에 의한 직접평가가 아닌 평가대상이 되는 기관의 자체평가를 중심으로 한다.

#### 3. 평가대상기관

정부업무평가는 (1) 중앙행정기관(대통령령이 정하는 대통령 소속기관 및 국무총리 소속기관·보좌기관 포함), (2) 지방자치단체, (3) 중앙행정기관 또는 지방자치단체의 소속기관, (4) 공공기관을 대상으로 한다.

#### 4. 평가운영주체 - 정부업무평가위원회

**(1) 설 치**

정부업무평가의 실시와 평가기반의 구축을 체계적·효율적으로 추진하기 위하여 국무총리 소속하에 정부업무평가위원회를 둔다.

**(2) 구 성**

정부업무평가위원회는 위원장 2인(국무총리와 대통령이 위촉한 위원 중 대통령이 지명한 자)을 포함한 15인 이내의 위원(당연직 위원 - 행정안전부장관, 기획재정부장관, 국무조정실장)으로 구성한다.

**(3) 주요 업무**

정부업무평가가 자체평가 중심으로 전환되었기 때문에 위원회는 실질적인 평가보다는 주로 평가와 관련된 기본적인 계획을 수립하고 평가를 총괄하는 측면에서 평가를 주도하고 있다.

## 02 「정부업무평가 기본법」상 성과관리 및 정부업무평가

### 1. 성과관리

**(1) 의 의**

성과관리란 정부업무를 추진함에 있어서 기관의 임무, 중·장기 목표, 연도별 목표 및 성과지표를 수립하고, 그 집행과정 및 결과를 경제성·능률성·효과성 등의 관점에서 관리하는 일련의 활동을 말한다.

**(2) 성과관리의 원칙**

① 성과관리는 정책 등의 계획수립과 집행과정에 대하여는 자율성을 부여하고 그 결과에 대하여는 책임이 확보될 수 있도록 실시한다.

② 성과관리는 정부업무의 성과·정책품질 및 국민의 만족도가 제고될 수 있도록 실시한다.

**(3) 성과관리계획 수립**

① 성과관리전략계획

㉠ 중앙행정기관의 장은 소속기관을 포함한 당해 기관의 성과관리전략계획(전략목표를 달성하기 위한 중·장기계획)을 수립하여야 하며, 최소한 3년마다 그 계획의 타당성을 검토하여 수정·보완 등의 조치를 하여야 한다.

㉡ 지방자치단체의 장 및 공공기관의 장은 성과관리전략계획을 수립할 수 있다.

② 성과관리시행계획

㉠ 중앙행정기관의 장은 성과관리전략계획에 기초하여 성과관리시행계획(당해 연도의 성과목표를 달성하기 위한 연도별 시행계획)을 수립·시행하여야 한다.

㉡ 지방자치단체의 장 및 공공기관의 장은 성과관리시행계획을 수립·시행할 수 있다.

### 2. 정부업무평가제도

**(1) 의 의**

정부업무평가란 국정운영의 능률성·효과성 및 책임성을 확보하기 위하여 평가대상기관이 행하는 정책 등을 평가하는 것을 말한다.

**(2) 정부업무평가기본계획의 수립**

국무총리는 정부업무평가위원회의 심의·의결을 거쳐 정부업무의 성과관리 및 정부업무평가에 관한 정책목표와 방향을 설정한 정부업무평가기본계획을 수립하여야 하며, 최소한 3년마다 타당성을 검토하여 수정·보완해야 한다.

**(3) 통합적 정부업무평가제도의 구축**

중앙행정기관 및 그 소속기관에 대한 평가는 이 법의 규정에 의하여 통합하여 실시되어야 한다.

**(4) 전자통합평가체제의 구축 및 운영**

국무총리는 정부업무평가를 통합적으로 수행하기 위하여 전자통합평가체계를 구축하고, 각 기관 및 단체가 이를 활용하도록 할 수 있다.

**O·X 문제**

1. 중앙행정기관의 장은 성과관리전략계획에 당해 기관의 임무·전략목표 등을 포함하여야 하고, 최소한 3년마다 그 계획의 타당성을 검토하여 수정·보완 등의 조치를 하여야 한다. ( )

**O·X 문제**

2. 행정안전부장관은 정부업무평가위원회의 심의·의결을 거쳐 정부업무의 성과관리 및 정부업무평가에 관한 정책목표와 방향을 설정한 정부업무평가기본계획을 수립하여야 한다. ( )

3. 중앙행정기관 및 그 소속기관에 대한 평가는 통합하여 실시되어야 한다. ( )

O·X 정답 1. ○ 2. × 3. ○

**심화학습**
**특정평가 중 '대통령령이 정하는 대상부문'**
① 각 중앙행정기관이 공통적으로 추진해야 하는 시책으로서 지속적인 관리가 필요한 부문
② 사회적 파급효과가 큰 국가의 주요 사업으로서 특별한 관리가 필요한 부문
③ 기관 또는 정책 등의 추진에 대한 국민의 만족도를 측정하는 부문
④ 그 밖에 특정평가를 위하여 필요하다고 인정하여 위원회의 심의·의결을 거쳐 정하는 부문

## 3. 정부업무평가의 종류 및 절차

(1) 중앙행정기관

① 자체평가

㉠ 개념: 중앙행정기관이 소관 정책 등을 스스로 평가하는 것을 말한다.

㉡ 운영

ⓐ 중앙행정기관의 장은 그 소관기관의 정책 등을 포함하여 자체평가를 실시해야 하며, 이를 위해 자체평가조직 및 자체평가위원회를 구성·운영하여야 한다.

ⓑ 이 경우 평가의 공정성과 객관성을 확보하기 위하여 자체평가위원의 3분의 2 이상은 민간위원으로 해야 하며, 위원장은 민간위원 중에서 그 중앙행정기관의 장이 지명한다.

② 자체평가결과에 대한 재평가

㉠ 개념: 이미 실시된 평가의 결과·방법 및 절차에 관하여 그 평가를 실시한 기관 외의 기관이 다시 평가하는 것을 말한다.

㉡ 운영: 국무총리는 자체평가결과를 확인·점검 후 평가의 객관성·신뢰성에 문제가 있어 다시 평가할 필요가 있다고 판단되는 때에는 위원회의 심의·의결을 거쳐 재평가를 실시할 수 있다.

③ 특정평가

㉠ 개념: 국무총리가 중앙행정기관을 대상으로 국정을 통합적으로 관리하기 위하여 필요한 정책 등을 평가하는 것을 말한다.

㉡ 운영: 국무총리는 2 이상의 중앙행정기관 관련 시책, 주요 현안시책, 혁신관리 및 대통령령이 정하는 대상부문에 대하여 특정평가를 실시하고, 그 결과를 공개하여야 한다. 특정평가는 국무총리가 시행한다는 점에서 하향식 평가방식이다.

(2) 지방자치단체

① 자체평가

㉠ 개념: 지방자치단체가 소관 정책 등을 스스로 평가하는 것을 말한다.

㉡ 운영

ⓐ 지방자치단체의 장은 그 소속기관의 정책 등을 포함하여 자체평가를 실시하여야 하며, 이를 위해 자체평가조직 및 자체평가위원회를 구성·운영하여야 한다.

ⓑ 이 경우 평가의 공정성과 객관성을 확보하기 위하여 자체평가위원의 3분의 2 이상은 민간위원으로 하여야 한다.

ⓒ 지방자치단체의 장은 정부업무평가시행계획에 기초하여 소관 정책 등의 성과를 높일 수 있도록 자체평가계획을 매년 수립하여야 한다.

ⓓ 행정안전부장관은 평가의 객관성 및 공정성을 높이기 위하여 평가지표, 평가방법, 평가기반의 구축 등에 관하여 지방자치단체를 지원할 수 있다.

② 합동평가 - 국가위임사무 등의 평가

㉠ 개념: 지방자치단체 또는 그 장이 위임받아 처리하는 국가사무, 국고보조사업 그 밖에 대통령령이 정하는 국가의 주요 시책 등에 대하여 국정의 효율적인 수행을 위하여 행정안전부장관이 관계 중앙행정기관의 장과 합동으로 평가하는 것을 말한다.

ⓛ 운영
  ⓐ 행정안전부장관은 지방자치단체에 대한 합동평가를 효율적으로 추진하기 위하여
    행정안전부장관 소속하에 지방자치단체 합동평가위원회를 설치·운영할 수 있다.
  ⓑ 위원회는 평가의 객관성 및 공정성을 확보하기 위하여 위원의 3분의 2 이상을
    민간전문가로 구성하여야 하며, 위원장은 민간위원 중에서 행정안전부장관이
    지명한다.

(3) 공공기관

공공기관에 대한 평가는 공공기관의 특수성·전문성을 고려하고 평가의 객관성 및 공정
성을 확보하기 위하여 공공기관 외부의 기관이 실시하여야 한다.

## 4. 평가결과의 활용 및 운영실태의 확인·점검

(1) 평가결과의 공개

국무총리·중앙행정기관의 장·지방자치단체의 장 및 공공기관평가를 실시하는 기관의
장은 평가결과를 전자통합평가체계 및 인터넷 홈페이지 등을 통하여 공개하여야 한다.

(2) 평가결과의 보고
  ① 국무총리는 매년 각종 평가결과보고서를 종합하여 이를 국무회의에 보고하거나 평가
    보고회를 개최하여야 한다.
  ② 중앙행정기관의 장은 전년도 정책 등에 대한 자체평가결과를 지체 없이 국회 소관 상
    임위원회에 보고하여야 한다.

(3) 평가결과의 예산·인사 등에의 연계·반영
  ① 중앙행정기관의 장은 평가결과를 조직·예산·인사 및 보수체계에 연계·반영하여야
    한다.
  ② 중앙행정기관의 장은 평가결과를 다음 연도의 예산요구 시 반영하여야 한다.
  ③ 기획재정부장관은 평가결과를 중앙행정기관의 다음 연도 예산편성 시 반영하여야 한다.

(4) 평가결과에 따른 시정조치 및 감사

중앙행정기관의 장은 평가결과에 따라 정책 등에 문제점이 발견된 때에는 지체 없이 집행
중단·축소 등 시정조치를 하거나 이에 대하여 자체감사를 실시하고 그 결과를 정부업무
평가위원회에 제출하여야 한다.

(5) 평가결과에 따른 보상 등
  ① 중앙행정기관의 장은 평가의 결과에 따라 우수사례로 인정되는 소속 부서·기관 또는
    공무원에게 포상, 성과급 지급, 인사상 우대 등의 조치를 하고, 그 결과를 정부업무평가
    위원회에 제출하여야 한다.
  ② 정부는 정부업무평가의 결과에 따라 우수기관에 대하여 표창수여, 포상금 지급 등의
    우대조치를 할 수 있다.

(6) 평가제도 운영실태의 확인·점검

국무총리는 평가제도의 운영실태를 확인·점검하고, 그 결과에 따라 제도개선방안의 강구
등 필요한 조치를 할 수 있다.

**심화학습**

우리나라의 평가기구

| 평가 기구 | 평가 대상 | 근거 법률 | 주관 부처 |
|---|---|---|---|
| 정부업무 평가 위원회 | 정부업무 평가 총괄 | 「정부 업무 평가 기본법」 | 국무 총리 |
| 지방자치 단체 합동평가 위원회 | 국가위임 사무 등에 대한 합동 평가 | 「정부 업무 평가 기본법」 | 행안부 장관 |
| 책임운영 기관 운영 위원회 | 책임운영 기관의 성 과평가 | 「책임 운영 기관 설치·운영에 관한 법률」 | 행안부 장관 |
| 공기업· 준정부 기관 경영 평가단 | 공공기관 경영실적 평가 | 「공공 기관 운영에 관한 법률」 | 기재부 장관 |
| 지방공 기업 정책 위원회 | 지방공기 업 경영평 가 등 | 「지방 공기업 법」 | 행안부 장관 |
| 보조사업 평가단 | 자치단체 등의 국가 보조사업 | 「보조 금관리 에 관한 법률」 | 기재부 장관 |
| 복권 위원회 | 복권의 발 행 및 평가 | 「복권 및 복권 기금법」 | 기재부 장관 |

CHAPTER
# 06 기 획

## 제1절 기획론의 기초

### 01 기획의 의의와 과정

#### 1. 기획의 의의

(1) 개 념

① 광의(일반적 의미) : 장래의 행정활동에 관한 계속적·동태적 계획수립과정을 의미한다. 일반적으로 기획은 광의의 관점에서 인식된다.

② 협의 : 정책을 집행하기 위하여 세부적인 절차를 모색하는 과정을 의미한다.

(2) 특 성

① 목표 및 미래지향성 : 기획은 설정된 목표를 실현하기 위한 구체적 수단이며, 불확실한 미래상태를 미리 예측하여 대비책을 강구하는 과정이다.

② 행동 및 변화지향성 : 기획은 현실의 개선(변화)에 역점을 둔 실천과 행동이다.

③ 합리성 : 기획은 최적수단을 탐색하고 선택하는 합리적 의사결정과정이다.

④ 정치성 : 기획은 다양한 이해관계의 조정이 반영된 정치작용의 산물이다.

⑤ 동태성 : 기획은 현실 여건에 따라 변화·수정되는 동태성을 띤다.

⑥ 통제성 : 기획은 바람직한 미래 상태를 구현하려는 의도적인 수정과 통제활동이다. 따라서 획일성과 구속성을 띠며 비민주성을 내포한다.

⑦ 국민의 동의와 지지 확보 수단 : 기획은 통치의 정당성을 얻기 위해 국민의 동의와 지지를 확보하기 위한 수단이다.

⑧ 계속적 준비과정 : 기획은 행정이 앞으로 집행할 계속적인 의사결정의 묶음체이다.

#### 2. 기획의 원칙과 과정

(1) 기획의 원칙

① 목적성의 원칙 : 명확하고 구체적인 목표가 제시되어야 한다.

② 신축성(탄력성)의 원칙 : 유동적인 상황에 대응할 수 있도록 수립해야 한다.

③ 경제성의 원칙 : 가능한 한 물적·인적 자원 등을 절약하여 수립해야 한다.

④ 안정성의 원칙 : 일관성과 안정감이 확보될 수 있도록 수립해야 한다.

⑤ 예측성의 원칙 : 미래를 가급적 정확히 예측하여 수립해야 한다.

⑥ 표준화의 원칙 : 기획의 대상이 되는 재화, 서비스 및 작업방법 등을 표준화해야 한다.

⑦ 계속성(단계성)의 원칙 : 상위·중위·하위기획이 단계적으로 연결되도록 수립해야 한다.

⑧ 단순성의 원칙 : 국민이 이해하기 쉽도록 간명하게 작성되어야 한다.

⑨ 포괄성의 원칙 : 관련된 모든 요소를 포괄하여 수립해야 한다.

⑩ 필요성의 원칙 : 필요한 정당한 이유가 있을 때에만 수립해야 한다.

(2) 기획의 과정

① 기획의제설정: 사회문제 중 일부가 기획의제로 수용되는 단계
② 기획수립
   ㉠ 문제의 인지 및 목표의 설정: 기획문제를 정의하고 목표를 설정하는 단계
   ㉡ 상황분석: 정보를 수집하여 현황을 파악하고 해결하고자 하는 문제와의 상호관계를 분석하는 단계
   ㉢ 기획전제의 설정: 기획수립의 전제가 되는 미래에 대한 가정과 전망을 설정하는 단계
   ㉣ 대안의 탐색·작성 및 결과 예측: 목표달성을 위한 대안을 탐색하고, 각 대안의 결과를 예측하는 단계
   ㉤ 비교 및 최적대안의 선택: 각 대안의 비교를 통해 최적안을 선정하는 단계
③ 기획집행: 기획을 행동에 옮기는 행동화 단계
④ 기획평가: 기획의 결과를 평가하는 단계

## 3. 기획의 효용과 제약요인

(1) 기획의 효용

① **목표의 구체화**: 기획은 목표달성을 위한 구체적인 방법 및 절차를 모색하는 과정으로 목표달성에 핵심이 되는 전략적 요인에 관심을 집중시켜 목표를 더욱 명확히 한다.
② **한정된 자원의 효율적 활용**: 기획은 한정된 인적·물적 자원의 효율적 활용을 통해 행정수요를 충족시킨다.
③ **갈등의 사전조정 및 통제**: 기획은 목표달성을 위한 기관이나 구성원의 역할을 명확히 제시하여 분쟁과 갈등을 미연에 방지하는 기능을 수행한다.
④ **성과 및 효율성 제고**: 기획에 따른 집행은 업무성과 및 효율성을 제고한다.
⑤ **변화와 개혁 촉진**: 기획은 현 상태의 변화와 개혁을 촉진한다.
⑥ **불확실한 미래에 대비**: 기획은 불확실한 미래에 대비하고 새로운 미래를 창조한다.

(2) 기획의 제약요인

| 구 분 | 제약요인 |
|---|---|
| 기획 수립상의 제약성 | • 행정목표의 다양성 및 무형성으로 목표 간 갈등 발생 및 계량화 곤란<br>• 쇄신적 기획보다 선례답습적 기획의 만연(기획의 그레샴 법칙✛)<br>• 결정자의 인지능력의 한계, 정보·자료의 부족, 시간·비용의 제약 등 |
| 기획 집행상의 제약성 | • 기득권이 침해된 국민이나 관료들의 저항과 반발<br>• 기획의 경직화 경향으로 인한 수정의 곤란성<br>• 즉흥적 결정에 의한 빈번한 수정으로 일관성 결여<br>• 집권적·세부적 기획의 경우 집행관료의 창의력 저해<br>• 사회현상의 빈번한 변화로 상용기획의 반복적 집행 곤란 |
| 행정적 제약성 | • 기획담당자의 능력 부족(기술·경험의 부족)<br>• 기획기구와 예산기구의 이원화로 인한 갈등<br>• 정치적 불안정과 자원부족으로 인한 기획집행의 안정성 결여<br>• 각 부처 간 기획 중복으로 인한 조정의 결여<br>• 합리적인 기획수립 및 집행을 위한 인적·물적 자원 확보 곤란 |

✛ **기획의 그레샴(Gresham) 법칙**

| 의의 | "악화가 양화를 구축한다."는 그레샴의 법칙을 기획에 적용한 것으로, 기획담당자는 쇄신적이고 창조적인 기획 업무보다는 선례답습적이고 정형적인 기획에 열중한다는 법칙 |
|---|---|
| 원인 | • 기획담당자의 무사안일적인 성향<br>• 상위목표의 무형성·추상성<br>• 자료 부족 및 분석능력의 결여<br>• 외부환경의 변동 불고려 |

## 02 국가기획의 발전과 논쟁

### 1. 국가기획의 발전

(1) 기획의 발전요인 – 행정국가화 현상

① 도시화에 대응 : 인구와 산업이 도시로 집중됨에 따라 계획적 대처가 필요하게 되었다.

② 경제대공황 발생 : 경제대공황이 발생함에 따라 정부의 적극적이고 계획적인 시장개입이 요구되었다.

③ 제2차 세계대전의 수행 : 전쟁의 승리를 위해 한정된 인적·물적 자원의 계획적이고 효율적인 동원이 필요하게 되었다.

④ 사회과학의 발전 : 경제학에서 케인즈이론의 대두와 통계학의 발전은 기획제도의 기반이 되었다.

⑤ 사회주의의 영향 : 구소련의 경제개발계획이 성공적으로 추진되면서 다른 나라에도 영향을 미쳤다.

⑥ 신생국의 국가발전 요구 : 제2차 세계대전 후 신생독립국들은 국가발전을 위한 발전기획의 수립이 요구되었다.

(2) 기획관의 변화와 발전

① 변화의 방향 : 과거에는 목표달성을 위하여 합리적 수단을 선택하는 수단적·기계적 기획관이 중시되었으나, 현대에서는 가치판단과 윤리적·정치적 측면을 중시하는 규범적·창조적 기획관이 중시되고 있다(E. Jantsch).

② 전통적 기획관과 현대적 기획관의 비교

| 전통적 기획관 | 현대적 기획관 |
|---|---|
| • 단순한 수단적 기획(정행이원론) | • 규범적 기획(정행일원론) |
| • 부분체계의 기획 | • 종합적 기획 |
| • 조직내부관리 중심의 폐쇄적 기획 | • 동태적이고 유기적인 개방적 기획 |
| • 선형적(단선적) 사고와 기계적 기획 | • 창조적인 인간행동모형 |
| • 계량적인 사실 중심의 기획 | • 가치 중심의 기획 |

### 2. 기획에 대한 논쟁

(1) 국가기획과 민주주의

① 의의 : 기획은 국가발전의 필수적 수단이지만 개인의 자유를 침해하는 측면이 있다. 기획의 이러한 양면적 성격으로 인해 "자유민주주의 국가와 기획제도가 양립가능한가"에 대한 논쟁이 야기되었다.

② 국가기획 반대론 : 하이에크(Hayek)는 「노예로의 길」(1944)에서 기획은 자유로운 시장질서를 교란시키고 시민의 자유를 억압하여 시민을 노예상태로 만든다고 하면서 자유민주주의에서 국가기획은 불가하다고 주장하였다.

③ 국가기획 찬성론 : 파이너(Finer)는 「반동에의 길」(1945)에서 국가기획은 자본주의의 한계와 폐해를 시정하여 오히려 개인의 자유를 신장시킨다고 주장하면서 민주적 기획론을 제시하였다. 만하임(Mannheim)도 「자유를 위한 기획」의 논리를 전개하였으며, 홀컴(Holcomb)도 「계획적 민주정부론」에서 민주주의와 기획의 양립가능성을 주장하였다.

**O·X 문제**

1. 하이에크는 기획이 시장질서를 교란시키고 국민의 자유권을 침해하며 자유민주주의에 위배된다고 주장하였다. ( )

2. 하이에크는 「노예로의 길」에서 시장실패를 비판하고 큰 정부를 강조하였다. ( )

**O·X 정답** 1. ○ 2. ×

(2) 국가기획(국가개입)에 관한 이념 유형

① **시장자유주의(개인주의, 반집단주의)** : 자유주의·개인주의·시장주의 등이 사회의 기본적 가치라고 믿고 모든 형태의 국가기획(국가개입)을 반대하는 입장이다(Hayek, Friedman 등 신자유주의자).

② **소극적 집단주의** : 시장자유주의의 기본이념에는 동의하지만 경제의 안정화를 위하여 정부 개입이 어느 정도 불가피함을 인정하는 입장이다. 이 입장은 정부의 개입을 인정하면서도 개인의 자유가 침해되지 않는 범위 내로 제한되어야 한다고 본다(Keynes 등).

③ **페이비언(점진적) 사회주의** : 정부가 개인의 자유와 복지를 위하여 기획을 통해 시장의 흠결을 보완하고 수정해야 한다고 보는 입장이다. 이 입장은 적극적인 기획을 통해 국민적 최저실현을 추구해야 함을 강조한다(제도적 재분배모형).

④ **마르크스주의(집단주의)** : 자본주의를 총체적으로 부정하고 생산수단의 국유화를 통한 전면적인 국가기획을 강조하는 입장이다.

## 제 2 절 기획유형론

### 01 일반적인 기획의 유형

#### 1. 적용범위별 구분

(1) 정책기획

정부의 포괄적이고 기본적인 방침을 설정함으로써 기본적 가치의 변화를 추구하는 규범적·발전적 기획을 말한다. 정책기획은 종합적·포괄적·가치적·질적·복합적·장기적·이상적 기획으로 정부기관의 모든 부문에 영향을 미치며, 행정부가 수립하고 국회가 의결한다.

(2) 전략기획

급변하는 환경변화를 체계적으로 분석(기회와 위협)하고 조직 내부의 역량을 종합적으로 진단(장점과 단점)하여 조직의 비전과 미션을 구체화한 전략목표를 설정하고 이를 실천하기 위한 방법을 마련해 나가는 기획을 말한다.

(3) 운영기획

행정활동의 내부통제기준 및 예산편성의 기준이 되는 구체적·조작적·현실적·계량적·단기적 성격의 조직내부적인 전술적 기획을 말한다. 우리나라의 주요업무계획이 이에 해당한다.

**심화학습**

**전략기획의 특징**

| | |
|---|---|
| 초점 | 비전 개발 – 조직의 바람직한 미래상인 비전을 개발하는 데 초점을 두고 이를 달성하기 위한 행동단계 수립 |
| 과정 | 전 구성원의 참여 – 조직의 모든 계층의 참여를 통해 다양한 이해관계와 가치를 조직의 전략에 반영 |
| 요소 | 환경의 복잡성 반영 – 환경에 의해 제공되는 자원과 제약 고려 |

## 2. 기간의 고정성에 의한 구분

### (1) 연동기획

① 개념: 계획 집행상의 신축성을 유지하기 위해 중·장기계획을 집행하는 동안 매년 계획 내용을 수정·보완하고 계획기간을 1년씩 늦추어 가면서 동일한 연한의 계획을 유지해 나가는 기획을 말한다(우리나라의 국가재정운용계획).

② 특징: 연동기획은 장기계획과 단기계획의 결합을 통해 계획적 이상과 현실을 조화시키려는 점증주의적 의사결정방식이다.

③ 장·단점

| 장 점 | 단 점 |
| --- | --- |
| • 장기적 비전에 입각한 융통성 있는 집행계획 수립(장기계획과 단기계획의 결합)<br>• 지속적인 수정·보완을 통한 기획의 적응성·융통성 제고 | • 명확한 목표제시나 종료에 대한 매력이 없어 국민에 대한 호소력이 약하다는 점에서 집권당의 선거공약 제시 곤란<br>• 매년 중장기적 계획을 수립해야 하므로 방대한 인적·물적 자원 소요 |

### (2) 고정기획

계획기간이 명확하게 고정되어 있는 기획을 말한다. 고정기획은 기획의 경직성으로 인해 현실적인 여건과 기획 간에 괴리가 발생할 가능성이 크다는 한계를 지닌다.

## 3. 이용빈도별 유형

### (1) 단용기획

특정 상황에만 적합하도록 설계되어 목표달성과 함께 종결되는 비정형적·쇄신적 기획을 말한다.

### (2) 상용기획

① 의의: 계속적·반복적으로 사용되도록 설계된 기획을 말한다[선례·표준운영절차(SOP) 등].

② 장·단점

| 장 점 | 단 점 |
| --- | --- |
| • 집행노력 및 경비 절감<br>• 권한위임 촉진<br>• 최선의 방법을 광범위하게 활용<br>• 기획을 통한 예비적 조정 가능<br>• 상급자의 업무부담 축소 | • 상황적응성이 부족하여 위기나 변화에 대응 곤란<br>• 자율과 창의성 저해 |

## 02 주요 학자별 기획의 유형

## 1. 엑코프(Ackoff)의 기획정향과 기획의 종류

### (1) 기획의 정향

① 무위주의(현재주의): 현재의 상태에 만족하는 태도를 취하며, 자신들의 생존이나 안정이 위협받는 상황이 일어나지 않는 한 개입하지 않고 최소한의 일만 하려 한다(분절적 점증주의와 유사).

② **반동주의(복고주의)**: 현실에 만족하지도 않고 미래에도 희망을 두지 않으면서 구습적인 전통을 지키려는 극단적 보수주의로 현재 상태를 과거로 되돌리기 위해 필요한 만큼만 행동개입을 한다.

③ **선도주의(미래주의)**: 미래가 현재보다 낫다고 믿으며, 변화와 성장을 목적으로 미래를 예측하고 예측된 미래에 대해 준비하는 행동경향을 보인다.

④ **능동주의(이상주의)**: 미래를 창조의 대상으로 인식하고 바람직한 사회의 설계와 이를 실현하기 위한 수단을 확보하기 위한 행동경향을 보인다.

(2) 기획의 정향과 기획의 종류

| 기획의 정향 | 기획의 종류 | 기획의 관심영역 |
| --- | --- | --- |
| 무위주의(현재주의) | 조작적 기획 | 수단의 선택 |
| 반동주의(복고주의) | 전술적 기획 | 수단과 단기목표의 선택 |
| 선도주의(미래주의) | 전략적 기획 | 수단과 장·단기목표의 선택 |
| 능동주의(이상주의) | 규범적 기획 | 수단과 장·단기목표, 이상의 선택 |

## 2. 허드슨(Hudson)의 성격에 따른 기획의 유형

(1) **총괄적 기획**

종합적·체제적 접근에 입각하여 계량적 분석을 통해 합리적 수단을 선택하는 기획이다. 이 기획은 제한된 정보와 자원, 인간의 지적 능력의 한계 등으로 비현실적이라는 비판을 받는다(주로 개발도상국에서 활용).

(2) **점진적 기획**

다양한 이해관계의 계속적인 조정과 적응을 강조하는 전략적·단편적 기획이다. 이 기획은 임기응변적인 문제해결방식이라는 비판을 받는다(주로 선진국에서 활용).

(3) **교류적 기획**

기획으로 인해 직접적으로 영향을 받는 사람들과 상호대면하고 접촉하여 수립된 기획이다. 이 기획은 인간의 존엄성과 효능감을 중시하며, 개인 상호 간의 대화를 통하여 서로를 이해하고 배우는 과정을 형성하는 데 중점을 둔다.

(4) **창도적 기획**

강자로부터 약자의 이익을 보호하기 위한 기획이다. 이 기획은 약자를 보호하기 위한 법적 피해 구제절차를 중시한다.

(5) **급진적 기획**

단기간 내에 구체적인 성과를 낼 수 있도록 집단행동을 통해 실현하려는 기획이다. 이 기획은 자발적인 실행주의 사조에 기반을 두고 있다.

# Index

**(ㅅ)**

MEMO

## 이명훈

**주요 약력**

성균관대 박사 과정
박문각 공무원 행정학 온라인, 오프라인 전임교수
(전) 연세대, 서강대, 중앙대 대학특강 강사
(전) EBS 행정학 강사
(전) 월비스고시학원 7, 9급 행정학 강사
(전) 이그잼고시학원 7, 9급 행정학 강사
(전) 베리타스 법학원 5급 행정학 강사
(전) 월비스한림법학원 5급 행정학, 정보체계론 강사

**주요 저서**

하이패스 행정학(박문각출판)
하이패스 행정학 기출문제집(아람출판사)
행정학의 핵(아람출판사)
이명훈 행정학 단원별 적중예상문제집 1000제(아람출판사)
행정학 파이널 모의고사(박문각출판)
최신행정법령 특강(아람출판사)
하이패스 지방자치론(아람출판사)
행정학의 맵과 틀(미래가치)
살아있는 행정학(헤르메스)

**카페** http://cafe.daum.net/Hi-Pass
**동영상강의** www.pmg.co.kr

# 이명훈 하이패스 행정학　　　　#1

**초판 인쇄** | 2024. 7. 10.　**초판 발행** | 2024. 7. 15.　**편저** | 이명훈
**발행인** | 박 용　**발행처** | (주)박문각출판　**등록** | 2015년 4월 29일 제2019-000137호
**주소** | 06654 서울시 서초구 효령로 283 서경 B/D 4층　**팩스** | (02)584-2927
**전화** | 교재 문의 (02)6466-7202

저자와의
협의하에
인지생략

정가 55,000원
ISBN 979-11-7262-110-0 | ISBN 979-11-7262-109-4(세트)